SPANISH FOR MASTERY

2

Jean-Paul Valette

Rebecca Valette

Contributing Writer
Frederick Suárez Richard

Editor-Consultant
Teresa Carrera Hanley

D. C. HEATH AND COMPANY
Lexington, Massachusetts   Toronto

ILLUSTRATIONS Mel Dietmeier
COVER DESIGN   Robert and Marilyn Dustin
MAPS   George Ulrich

CONSULTANTS
Kenneth Chastain, University of Virgina
Alicia G. Andreu, Middlebury College
Susan Crichton, Lynnefield H.S., Massachusetts
Karen Davis, McLean Middle School, Texas
Elena Marsh, Columbine H.S., Colorado
Judith Morrow, Bloomington H.S. South, Indiana
Delores Rodríguez, San Jose Unified School Dist., California

The authors wish to thank Cathy Linder-Marczyk, Vincent J. Barone, Anne
Healey, and Argentina Palacios for their assistance in the course of the project.
The authors would also like to express their appreciation to Roger Coulombe,
Victoria Devlin, Pamela Evans, Judy Keith, and Josephine McGrath of D.C.
Heath and Company.

ii

CONTENTS

Unidad 3 — Día tras día

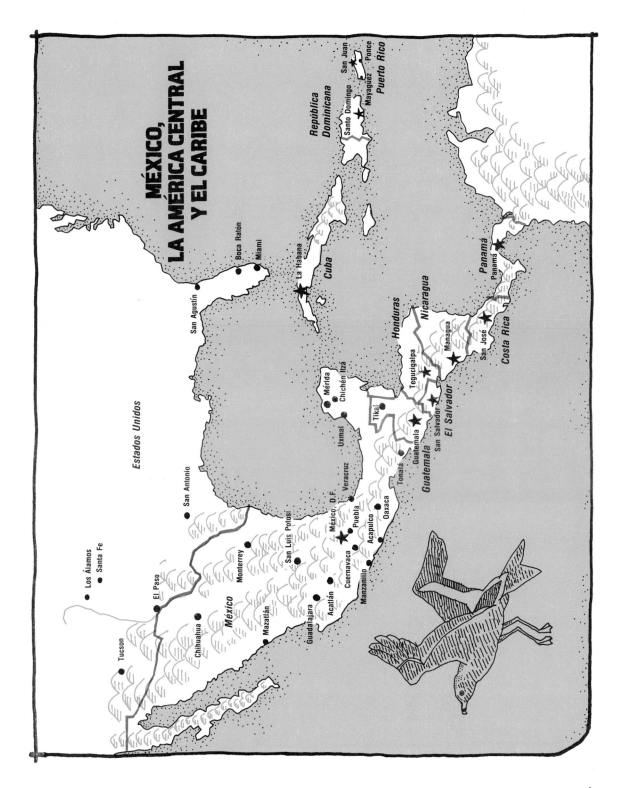

MÉXICO, LA AMÉRICA CENTRAL Y EL CARIBE

Estados Unidos

Los Álamos
Santa Fe
Tucson
Chihuahua
El Paso
San Antonio

México

Mazatlán
Guadalajara
Acatlán
Manzanillo
Monterrey
San Luis Potosí
Cuernavaca
México, D.F.
Puebla
Acapulco
Oaxaca
Veracruz
Tonalá

San Agustín
Boca Ratón
Miami

La Habana
Cuba

República Dominicana
Santo Domingo
San Juan
Ponce
Mayagüez
Puerto Rico

Mérida
Chichén Itzá
Uxmal
Tikal

Guatemala
Guatemala
San Salvador
El Salvador
Tegucigalpa
Honduras
Managua
Nicaragua
San José
Costa Rica
Panamá
Panamá

LA AMÉRICA
DEL SUR

Cartagena
Maracaibo
Caracas
Venezuela
GUYANA
SURINAM
Bogotá
GUAYANA FRANCESA
Colombia
Islas Galápagos
Ecuador
Quito
Guayaquil
Perú
BRASIL
Lima
Cuzco
Bolivia
Nazca
La Paz
Sucre
Chile
Paraguay
Asunción
Isla de Pascua
Córdoba
Valparaíso
Argentina
Uruguay
Santiago
Buenos Aires
Montevideo

FRANCIA

La Coruña
ASTURIAS
Bilbao
San Sebastián
VASCONGADAS
Santiago de Compostela
NAVARRA
Pamplona
GALICIA
Burgos
León
Vigo
CASTILLA LA VIEJA
San Felíu de Guíxols
CATALUÑA
Valladolid
Barcelona
Segovia
Salamanca
Ávila
ARAGÓN
PORTUGAL
Madrid
Toledo
VALENCIA
EXTREMADURA
Valencia
ISLAS BALEARES
CASTILLA LA NUEVA
MURCIA
Córdoba
ESPAÑA
Sevilla
ANDALUCÍA
Granada
Málaga
Cádiz

ISLAS CANARIAS

Unidad 1

¡Nosotros, los jóvenes!

1.1 Chile: Mario Fantini

1.2 México: Amalia Domínguez   **1.3 Panamá: Héctor Carranza**   **1.4 España: Teresa Iturbe**

VARIEDADES — Unos ruidos en español

Lección 1

Chile: Mario Fantini

¡Hola, amigos norteamericanos!
Me llamo Mario Fantini.

Soy de Chile.
En el colegio, estudio francés e inglés.
Los estudio mucho, pero no los hablo muy bien.
Me gusta tocar la guitarra y el piano.
Me gusta también jugar al fútbol, nadar y esquiar.
¡Soy el campeón de esquí de mi colegio!
  (¡No, no es verdad!)
Me gusta también sacar fotos y viajar.
Un día, espero visitar los Estados Unidos.
¿Cuándo?
En un año . . . o dos . . . o diez. ¡No sé!
Y Uds., ¿esperan visitar Chile?
¡Es un país maravilloso!

colegio: *high school*

esquiar: *to ski*
campeón: *champion*
no es verdad: *that's
not true*

maravilloso:
marvelous

Notas culturales

Los inmigrantes

¿Piensas que el nombre° Mario Fantini es más italiano que español? ¡Tienes razón!° Chile es un país hispánico, pero muchos de sus habitantes tienen antepasados° de otros países además de España: Italia, Alemania, Francia, Inglaterra y hasta° la China y el Japón. De hecho,° el héroe de la independencia de Chile se llama . . . ¡Bernardo O'Higgins!

Esta misma mezcla° de inmigrantes es típica en la Argentina, en el Uruguay y en muchos de los países latinoamericanos.

nombre *name* **Tienes razón** *You are right*
antepasados *ancestors* **hasta** *even* **De hecho** *In fact*
mezcla *mixture*

Chile, un país maravilloso

Sí, ¡Chile es un país maravilloso!

Este país sudamericano se extiende° de un poco más de cuatro mil kilómetros o dos mil seiscientas millas de norte a sur, por las altas montañas de los Andes hasta° la Isla° de la Tierra del Fuego. Esto° explica la gran variedad de climas y paisajes.° Se puede° esquiar en los Andes y nadar en las playas del Pacífico. En el norte hay el desierto caliente° y en el sur hay un clima frío y húmedo.°

Y con sus territorios, Chile se extiende también hasta la parte sur del Pacífico. La Isla de Pascua,° con sus famosas estatuas gigantes de piedra,° es una posesión chilena.

se extiende *extends* **hasta** *down to* **Isla** *Island*
Esto *This* **paisajes** *landscapes* **Se puede** *One can*
caliente *hot* **húmedo** *humid*
La Isla de Pascua *Easter Island* **piedra** *stone*

Vocabulario práctico

sustantivo	**la verdad**	the truth
adjetivo	**maravilloso**	marvelous
expresiones	**de hecho**	in fact
	¡Es verdad!	That's right. That's true.
	¡No es verdad!	That's not true.
	un día	one day, some day

CONVERSACIÓN

Vamos a hablar de las actividades de la escuela.

¿Cómo te llamas?

¿Estudias español?

¿Estudias mucho? ¿Sacas buenas notas?

¿Hablas español bien?

¿Siempre hablas español en la clase?

¿Qué más estudias? ¿inglés? ¿matemáticas? ¿biología? ¿historia?

¿Cómo se llama tu profesor(a) de español? ¿de inglés? ¿de matemáticas?

vocabulario especializado   **Algunos verbos que terminan en *-ar***

actividades de todos los días

cocinar	to cook
escuchar (música)	to listen to (music)
estudiar (matemáticas, francés)	to study (math, French)
ganar (dinero)	to earn (money)
hablar (español, inglés)	to speak (Spanish, English)
llevar (libros, discos)	to bring or take (books, records)
mirar (la televisión)	to watch (television)
sacar (una buena o mala nota)	to get (a good or bad grade)
tomar (el autobús, el tren)	to take (the bus, the train)
tomar (café, té, agua)	to have or drink (coffee, tea, water)
trabajar (en una oficina)	to work (in an office)

Ahora vamos a hablar de tus actividades del fin de semana.

¿Trabajas? ¿Dónde trabajas?

¿Miras la televisión?

¿Qué programas miras? ¿los programas de deporte? ¿las comedias?

¿Escuchas música?

¿Qué tipo de música escuchas? ¿música clásica? ¿música popular?

¿Te gusta nadar? ¿esquiar?

¿Te gusta jugar al volibol? ¿al tenis? ¿al ping pong? ¿al fútbol?

¿Te gusta bailar? ¿cantar? ¿Cómo cantas? ¿bien o mal?

actividades de vacaciones

bailar	to dance
cantar (una canción)	to sing (a song)
descansar	to rest
esquiar (en las montañas)	to ski (in the mountains)
nadar (en el mar)	to swim (in the sea)
sacar (fotos)	to take (pictures)
tocar (la guitarra, el piano)	to play (the guitar, the piano)
tomar el sol	to sunbathe
viajar (a los Estados Unidos)	to travel (to the United States)
visitar (un museo)	to visit (a museum)

NOTA: Note the difference between **tomar** *(to take, to drink)* and **llevar** *(to bring, to take along, to carry)*.

Elena **toma** un taxi.	*Elena **is taking** (riding in) a taxi.*
Felipe **toma** leche.	*Felipe **is drinking** milk.*
Clara **lleva** discos a la fiesta.	*Clara **is taking** (bringing) records to the party.*
Carlos **lleva** a Ana a la fiesta.	*Carlos **is taking** Ana **(along)** to the party.*

Estructuras

A. Repaso: los verbos que terminan en -ar

In Spanish, the *present tense* is a *simple tense*. It is composed of one word which is formed as follows:

$$\text{stem} + \text{ending}$$

Review the present tense of **estudiar** *(to study)* in the affirmative and negative sentences below. The stem for each form is **estudi-** (the infinitive minus **-ar**). Pay attention to the endings which correspond to each subject pronoun.

INFINITIVE	**estudiar**			
PRESENT				
(yo)	Estudio	español.	**No** estudio	italiano.
(tú)	Estudias	inglés.	**No** estudias	física.
(él, ella, Ud.)	Estudia	matemáticas.	**No** estudia	geografía.
(nosotros)	Estudiamos	historia.	**No** estudiamos	latín.
(vosotros)	Estudiáis	biología.	**No** estudiáis	francés.
(ellos, ellas, Uds.)	Estudian	música.	**No** estudian	ciencias.

⟫ Most verbs ending in **–ar** follow the above pattern. They are called *regular –ar verbs.*

⟫ The Spanish present tense has several English equivalents:

Estudio español.
$\begin{cases} \textit{I } \textbf{study } \textit{Spanish.} \\ \textit{I } \textbf{am studying } \textit{Spanish.} \\ \textit{I } \textbf{do study } \textit{Spanish.} \end{cases}$

⟫ Since the verb endings usually indicate the subject, Spanish subject pronouns, except for **Ud.** and **Uds.**, are often omitted. Subject pronouns are used for emphasis or clarification.

ACTIVIDAD 1   En Santiago de Chile

Imagina que estás en Santiago de Chile con tus amigos. Prepara diez frases describiendo algunas actividades. Usa los elementos de las columnas A, B y C.

A	B	C
yo	visitar	Santiago
tú	mirar	la alameda Bernardo O'Higgins
Mónica	admirar	el Cerro Santa Lucía
nosotros	sacar fotos de	el Museo de Arte Popular
Luis y José		los monumentos
		el Jardín Zoológico
		la catedral
		la Virgen de San Cristóbal

∑Ↄ (Nosotros) visitamos Santiago.   Sacamos fotos de los monumentos . . .

B. Repaso: la negación

Review the negative sentences in the verb chart for **estudiar**. Then read the sentences below.

> Elena **no** habla inglés.   *Elena does **not** speak English.*
> Carlos y Enrique **no** trabajan.   *Carlos and Enrique do **not** work.*

To make a sentence negative, Spanish speakers use the construction:

> **no** + verb

∑Ↄ In sentences where **nunca** *(never)* is used, the constructions can be either:

> **no** + verb + **nunca**   or   **nunca** + verb

Andrés **no** trabaja **nunca**.   Andrés **nunca** trabaja.

⌐ vocabulario especializado   **Algunos adverbios**

bien	≠	**mal**	well	≠	badly
mucho	≠	**poco**	much, a lot	≠	a little
más	≠	**menos**	more	≠	less
siempre	≠	**nunca**	always	≠	never
también			also		
muy			very		
bastante			rather, enough		
demasiado			too, too much		

ACTIVIDAD 2   Nunca los domingos (*Never on Sundays*)

Durante la semana, Miguel y sus amigos hacen las siguientes cosas, pero no las hacen los sábados, y nunca las hacen los domingos. Expresa eso según el modelo.

꘎   Miguel estudia.   Los sábados no estudia.
                              Los domingos no estudia nunca.

1. Carmen trabaja.
2. Felipe mira la televisión.
3. Esteban y Carlos sacan fotos.
4. Luisa toma el tren.

5. Uds. viajan.
6. Nosotros trabajamos mucho.
7. Yo hablo inglés.
8. Tú ganas dinero.

ACTIVIDAD 3   ¿Qué haces bien?

Di si haces las siguientes cosas. Entonces da una explicación según el modelo.

꘎   nadar   Nado. Nado muy bien (mal, poco, bastante bien).
                   (No nado.)

1. cantar
2. esquiar
3. bailar
4. hablar español

5. hablar francés
6. tocar la guitarra
7. cocinar
8. tocar el piano

ACTIVIDAD 4   Diálogo: Actividades

Pregúntales a tus compañeros si hacen las siguientes cosas.

꘎   tocar el trombón   Estudiante 1: ¿Tocas el trombón?
                                   Estudiante 2: Sí (No, no) toco el trombón.

1. hablar ruso
2. hablar japonés
3. estudiar filosofía
4. trabajar en un zoológico
5. trabajar como mecánico
6. bailar el rock
7. cantar ópera

8. ganar mucho dinero
9. llevar discos a la clase
10. descansar en la clase de español
11. descansar en la clase de matemáticas
12. tomar café en la cafetería
13. viajar mucho
14. tomar el sol en la cafetería

C. Repaso: el uso del infinitivo

In Spanish, the infinitive is used after certain verbs and expressions.

desear	to wish	**Deseo hablar** español bien.
esperar	to hope	**Espero visitar** Chile.
odiar	to hate	**Odio escuchar** canciones tontas.
me / te encanta	I / you very much like	**Me encanta viajar.**
me / te gusta	I / you like	**Me gusta estudiar** inglés.
me / te gusta más	I / you prefer	**Me gusta más estudiar** español.
me / te gustaría	I / you would like	**¿Te gustaría visitar** Puerto Rico?

Querer -to want / to wish

ACTIVIDAD 5   Diálogo

Pregúntales a tus compañeros si les gusta hacer las siguientes cosas.

 escuchar música clásica   Estudiante 1: ¿Te gusta escuchar música clásica?

Estudiante 2: Sí (No, no) me gusta escuchar música clásica. (Odio escuchar música clásica.)

1. viajar
2. nadar en el mar
3. hablar español
4. estudiar
5. trabajar en una oficina
6. bailar
7. ganar dinero
8. tomar el sol
9. mirar la televisión
10. tomar el tren
11. cantar canciones españolas
12. llevar libros a la clase
13. cocinar
14. visitar museos
15. tomar medicina
16. esquiar en las montañas
17. sacar fotos
18. sacar malas notas

ACTIVIDAD 6 Según las circunstancias *(According to circumstances)*

¿Qué te gusta hacer y qué no te gusta hacer en las siguientes situaciones?

⟩⟩ En una fiesta . . .

> En una fiesta me gusta (me encanta, no me gusta, odio) bailar
> (escuchar música, hablar con mis amigos . . .).

1. En la cafetería . . .
2. En casa . . .
3. Con mis amigos . . .
4. Con mis amigas . . .
5. Cuando estudio . . .
6. Cuando viajo . . .
7. En el verano . . .
8. En el invierno . . .

ACTIVIDAD 7 Esperanzas *(Hopes)*

Di lo que esperas hacer en las siguientes circunstancias.

⟩⟩ Después de la clase de español . . .

> Después de la clase de español, espero hablar con mis amigos
> (tomar una Coca-Cola . . .).

1. Esta noche . . .
2. Mañana . . .
3. El fin de semana . . .
4. Durante las vacaciones . . .
5. Después de la escuela secundaria . . .
6. En la vida *(life)* . . .

D. Repaso: preguntas

Note the position of the subject in the following questions.

¿Habla español **María?**	*Does **María** speak Spanish?*
¿Trabaja mucho **Luis?**	*Does **Luis** work a lot?*
¿Escucha la radio **Carlos?**	*Is **Carlos** listening to the radio?*
¿Dónde trabajas **(tú)?**	*Where do **you** work?*
¿Qué estudian **Uds.?**	*What are **you** studying?*

To ask a question, Spanish speakers usually use the following construction:

> ¿question word(s) + verb + rest of sentence + subject?
> (if any)   (if any)   (when expressed)

⟩⟩ The subject may also come immediately *after* the verb.

ACTIVIDAD 8 Los estudiantes chilenos

Imagina que un grupo de estudiantes chilenos va a visitar tu escuela.
Quieres saber algo de ellos. Haz las preguntas necesarias según el modelo.

⟩⟩ Carlos: hablar inglés   ¿Habla inglés Carlos?

1. Adela e Inés: hablar inglés
2. Tomás: cocinar bien
3. Silvia: bailar bien
4. Enrique: tocar la guitarra
5. Paco y Felipe: sacar fotos
6. Emilia y Rosita: cantar bien

¿cuánto?	how much?	**¿Cuánto** ganas?	
¿cómo?	how?	**¿Cómo** tocas el piano? ¿bien o mal?	
¿cuándo?	when?	**¿Cuándo** descansa Felipe?	
¿dónde?	where?	**¿Dónde** esquías?	
¿por qué?	why?	**¿Por qué** estudias español?	
¿qué?	what?	**¿Qué** escuchas?	
¿quién?	who?	**¿Quién** habla francés aquí?	

ACTIVIDAD 9   Preguntas personales

1. ¿Cómo hablas español? ¿bien o muy bien?
2. ¿Cómo nadas? ¿bien o mal?
3. ¿Cómo cantas? ¿bastante bien?
4. ¿Dónde estudias? ¿en una escuela pública o en una escuela privada?
5. ¿Dónde hablas español? ¿en casa o en clase?
6. ¿Cuándo miras la televisión? ¿por la noche o por la mañana?
7. ¿Qué estudias? ¿italiano o español?
8. ¿Qué miras en la televisión? ¿los programas de deporte o las comedias?
9. ¿Qué te gusta escuchar? ¿música clásica o música popular?

México: Amalia Domínguez

Me llamo Amalia Domínguez.
Soy alumna en un colegio católico.
¿Quién soy yo?
Soy una chica como muchas chicas . . .
   y soy una persona como tú.
¡Tal vez soy un poco diferente!
Soy mexicana, de origen español e indio.
¿Soy la mexicana típica?
A ver . . . ¿Cómo son las mexicanas típicas, en tu opinión?
¿Bajas, morenas y de ojos negros?
Bueno . . . Aunque soy morena, soy alta y tengo ojos claros . . .
   ¡y soy mexicana ciento por ciento!
¿Y qué más?
Soy muy independiente, individualista al extremo, un poco
   indisciplinada, un poco tímida . . . ¡pero soy muy buena compañera!

A ver: *Let's see*

Aunque: *Although*
   claros: *light*
ciento por ciento:
   100%

compañera:
   companion

Nota cultural

México, el país más grande de habla hispana

Con unos sesenta millones de habitantes, México es el país que tiene más hispanohablantes.° Pero el español no es el único idioma° de México. Muchos mexicanos hablan también náhuatl o maya, las lenguas indias nativas.

El México de hoy es el producto de dos culturas: la española y la indígena.° Muchos mexicanos son descendientes directos de los aztecas, una gente indígena que existió hace quinientos años.° Esta avanzada° civilización fue conquistada° por los españoles que llegaron a México en 1519 (mil quinientos diez y nueve), bajo el mando° de Hernán Cortés. Pero el verdadero° héroe es Cuauhtémoc, el último jefe° azteca y sucesor de Moctezuma. Él fue capturado en 1521 (mil quinientos veinte y uno) durante su intento° de libertar Tenochtitlán (ahora la moderna ciudad de México) de los conquistadores españoles. Hoy día, es a él y no a Cortés a quien se erigen° muchas estatuas por todo el país. De hecho, en 1949 (mil novecientos cuarenta y nueve), Cuauhtémoc fue declarado oficialmente «el símbolo de la gente mexicana».

hispanohablantes *Spanish speakers*
único idioma *only language* **indígena** *native* **hace quinientos años** *500 years ago* **avanzada** *advanced*
conquistada *conquered* **bajo el mando** *under the command* **verdadero** *true* **jefe** *chief* **intento** *attempt*
se erigen *are erected*

Vocabulario práctico

expresiones	**a ver**	let's see
	además	besides, moreover
	aunque	though, although
	ciento por ciento	one hundred percent
	según	according to
	tal vez	perhaps, maybe

CONVERSACIÓN

Vamos a hablar de ti.
¿Eres un chico o una chica?
¿Eres moreno(a)? ¿rubio(a)? ¿Eres alto(a)? ¿bajo(a)?
¿Eres de origen hispano? ¿europeo? ¿norteamericano? ¿africano? ¿oriental?
¿Eres deportista? ¿Eres dinámico(a)? ¿activo(a)? ¿ . . . o un poco perezoso(a)?
¿Eres egoísta o generoso(a)?
¿Eres romántico(a)? ¿imaginativo(a)? ¿sincero(a)?
¿Eres optimista o pesimista?
¿Eres reservado(a)? ¿tímido(a)?
¿Eres paciente o impaciente? ¿Eres ambicioso(a)?
¿Eres independiente e individualista?
¿Eres una persona intelectual?
¿Eres buen(a) estudiante? ¿Eres un(a) estudiante serio(a)?

---

vocabulario especializado · **La gente**

Las personas

un amigo	friend	**una amiga**	friend
el mejor amigo	best friend	**la mejor amiga**	best friend
un compañero	classmate, comrade	**una compañera**	classmate
un chico	child, boy	**una chica**	child, girl
un muchacho		**una muchacha**	
un joven (pl. **jóvenes**)	young person	**una joven**	young person
un niño	boy	**una niña**	girl
un novio	boyfriend	**una novia**	girlfriend
un estudiante		**una estudiante**	
(o **alumno**)	student	(o **alumna**)	student
un hombre	man	**una mujer**	woman

La familia

el padre (papá)	father	**la madre (mamá)**	mother
el hijo	son	**la hija**	daughter
los hermanos: el hermano	brother	**la hermana**	sister
los parientes	relatives		
los abuelos: el abuelo	grandfather	**la abuela**	grandmother
los tíos: el tío	uncle	**la tía**	aunt
los primos: el primo	cousin	**la prima**	cousin

Vamos a hablar de tu escuela.

¿Son estrictos los profesores? ¿Son pacientes? ¿justos?
¿Son dinámicos los profesores? ¿Son divertidos? ¿simpáticos? ¿interesantes?
¿Son simpáticos tus compañeros? ¿Son interesantes? ¿perezosos? ¿ . . . un
 poco locos (crazy)?

Vamos a hablar de tu familia.

¿Son estrictos tus padres? ¿Son justos? ¿pacientes? ¿generosos?
¿Tienes un hermano? ¿Es guapo? ¿alto? ¿moreno? ¿simpático? ¿divertido?
 ¿aburrido? ¿loco? ¿listo (smart)?
¿Tienes una hermana? ¿Es bonita? ¿simpática? ¿divertida? ¿perezosa? ¿loca?
 ¿lista?
¿Tienes primos? ¿Son simpáticos? ¿aburridos? ¿tontos? ¿locos? ¿flacos?
 ¿gordos?

La personalidad
  el aspecto físico

moreno	≠ **rubio**	dark	≠ blond
guapo ⎫	≠ **feo**	handsome, beautiful ⎫	≠ ugly
bonito ⎭		pretty ⎭	
bajo	≠ **alto**	short	≠ tall
flaco ⎫	≠ **gordo**	skinny ⎫	≠ fat
delgado ⎭		thin ⎭	
joven	≠ **viejo**	young	≠ old

  el aspecto moral y social

bueno	≠ **malo**	good	≠ bad
activo	≠ **perezoso**	active	≠ lazy
deportista		athletic, sports-loving	
divertido ⎫	≠ **aburrido**	amusing, fun ⎫	≠ boring
interesante ⎭		interesting ⎭	
inteligente	≠ **estúpido**	intelligent	≠ stupid
listo	≠ **tonto**	clever, smart	≠ foolish, silly
serio	≠ **loco**	serious	≠ crazy
rico	≠ **pobre**	rich	≠ poor
simpático	≠ **antipático**	nice	≠ unpleasant, disagreeable

La nacionalidad

canadiense	Canadian	**inglés (inglesa)**	English
español	Spanish	**mexicano**	Mexican
francés (francesa)	French	**norteamericano**	American (from US)

Estructuras

A. Repaso: *ser*

Review the forms and uses of **ser** *(to be)* in the following sentences.

(yo)	**Soy** simpático.	(nosotros)	**Somos** mexicanos.
(tú)	**Eres** estudiante.	(vosotros)	**¿Sois** de aquí?
(él, ella, Ud.)	**Es** de México.	(ellos, ellas, Uds.)	**Son** muy inteligentes.

ACTIVIDAD 1   La conferencia internacional

Los siguientes estudiantes asisten a una conferencia internacional. Cada uno(a) habla el idioma de su país. ¿Puedes decir de qué ciudad es cada estudiante? **Buenos Aires, París, Chicago, Roma, Moscú**

Linda habla inglés.   Es de Chicago.

1. Juan habla español.
2. Nosotros hablamos italiano.
3. Uds. hablan inglés.
4. Yo hablo francés.
5. Tú hablas ruso.
6. Mario y Teresa hablan italiano.
7. Nancy e Irene hablan inglés.
8. Ud. habla francés.

B. Repaso: el género: sustantivos, artículos y adjetivos

Look at the forms of the articles and adjectives in the following sentences.

Roberto es **el** amigo de Luis.   Es **un** chico **inteligente, simpático** e **intelectual.**
Amalia es **la** amiga de Roberto.   Es **una** chica **inteligente, simpática** e **intelectual.**

All nouns, whether they designate people, animals or things, have a *gender:* they are either masculine or feminine.

Most nouns ending in **–o** are masculine.
Most nouns ending in **–a** are feminine.

- Masculine nouns are introduced by masculine articles (**el, un**) and are modified by masculine adjectives.
- Feminine nouns are introduced by feminine articles (**la, una**) and are modified by feminine adjectives.

Adjectives which end in **–o** in the masculine end in **–a** in the feminine.
Many adjectives which do not end in **–o** in the masculine remain the same in the feminine.

- Adjectives of nationality which end in a consonant in the masculine add an **–a** in the feminine.
  Juan es **español.**   Juana es **española.**

ACTIVIDAD 2   Retratos

Usa por lo menos *(at least)* tres adjetivos del **Vocabulario especializado**
para describir a las siguientes personas.

⟫⟩ Robert Redford   Es norteamericano. Es rubio. ¡Es muy guapo!

1. el amigo ideal
2. la amiga ideal
3. el hijo ideal
4. la hija ideal
5. el profesor ideal
6. John Travolta
7. Raquel Welch
8. Walter Cronkite
9. Barbara Walters
10. Superman

11. La Mujer Maravilla *(Wonder Woman)*
12. Blancanieves *(Snow White)*
13. Carlitos *(Charlie Brown)*
14. Drácula
15. King Kong

C. Repaso: el plural: sustantivos, artículos y adjetivos

Note the forms of the articles and adjectives in the following sentences.

Luis tiene **(unos) amigos** en México.
  Los amigos mexicanos de Luis son **simpáticos, interesantes e intelectuales.**
Olga tiene **(unas) amigas** en México.
  Las amigas mexicanas de Olga son **simpáticas, interesantes e intelectuales.**

Plural nouns are introduced by plural articles and are modified by plural adjectives.

The plural of nouns and adjectives is formed by adding:

-s   if the singular form ends in a vowel;
-es   if the singular form ends in a consonant.

Exceptions:

⟫⟩ Nouns and adjectives ending in **-z** in the singular end in **-ces** in the plural.
  Raquel Welch es **actriz.**   Jane Fonda y Barbara Streisand son **actrices.**

⟫⟩ Nouns and adjectives which have an accent mark on the last syllable
  in the singular drop this accent mark in the plural.
  Pierre es **francés.**   Jean y Jacques son **franceses.**

⟫⟩ The articles **unos** and **unas** *(some)* are usually omitted.

Resumen:

	DEFINITE ARTICLE		INDEFINITE ARTICLE		ADJECTIVES	
MASCULINE	**el**	**los**	**un**	**unos**	**simpático(s)**	**inteligente(s)**
FEMININE	**la**	**las**	**una**	**unas**	**simpática(s)**	**inteligente(s)**

ACTIVIDAD 3 Las personas que figuran en mi vida

Describe a las personas que figuran en tu vida, completando las siguientes frases con adjetivos apropiados. ¡Usa tu imaginación!

1. Mis profesores son . . .
2. Mis padres son . . .
3. Mis amigos son . . .
4. Mis amigas son . . .
5. Mis hermanos son . . .
6. Mis hermanas son . . .
7. Mis compañeros son . . .
8. Mis compañeras son . . .
9. Mis abuelos son . . .
10. Mis primos son . . .

ACTIVIDAD 4 Estereotipos

Los estereotipos son exageraciones de la realidad. En tu opinión, ¿cuáles son los estereotipos más comunes de las siguientes personas? Usa los adjetivos de la lección en frases afirmativas o negativas.

los actores   Los actores son guapos y ricos. No son siempre muy inteligentes.

1. las actrices
2. los atletas
3. los políticos
4. los artistas
5. los estudiantes
6. las personas flacas
7. las chicas francesas
8. los abuelos
9. las mujeres norteamericanas
10. los hombres latinoamericanos

Mexican Students, Ash Wednesday

D. Repaso: la posición de los adjetivos

Note the position of the adjectives in the following sentences.

> Luis es un chico **simpático**.   *Luis is a **pleasant** boy.*
> Amalia es una muchacha **mexicana**.   *Amalia is a **Mexican** girl.*

In Spanish, descriptive adjectives usually come *after* the nouns they
modify. A few such adjectives may come before or after the noun:

> **bueno** *(good)*   La Srta. Montez es una **buena** profesora.
> **malo** *(bad)*   Luis y Felipe son estudiantes **malos**.

When used before a noun, the masculine singular adjectives **bueno**
and **malo** become **buen** and **mal**.

> Enrique es un **buen** compañero pero un **mal** estudiante.

ACTIVIDAD 5   Los amigos

Algunas personas tienden a seleccionar amigos que tienen características
similares. Expresa esto según el modelo.

> Laura es intelectual.   Tiene amigos intelectuales.

1. Luis es perezoso.
2. Marta es inteligente.
3. Felipe es loco.
4. Carmen es seria.
5. Alberto es deportista.
6. Inés es lista.

7. Juan es tonto.
8. Tere es guapa.
9. Mónica es aburrida.
10. Dolores es simpática.
11. Manuel es interesante.
12. Concepción es delgada.

ACTIVIDAD 6   ¡Un poco de lógica!

Describe la personalidad de las personas en la columna A. En cinco
minutos, ¿cuántas frases lógicas puedes crear? Usa los elementos de las
columnas A, B, C y D en frases afirmativas o negativas.

A	B	C	D
yo	estudiar	chico(a)	pobre
Roberto	trabajar mucho	estudiante	rico
el Sr. Montez	nadar bien	muchacho(a)	serio
la Sra. de Ochoa	ganar mucho dinero	hombre	activo
nosotros	sacar buenas / malas notas	mujer	perezoso
Mari-Carmen y Adela		joven	deportista
mis amigos			listo

> Isabel   Isabel (no) saca buenas notas. (No) Es una chica (muchacha, estudiante)
> seria (lista, perezosa).

Lección 3

Panamá: Héctor Carranza

Me llamo Héctor Carranza y tengo diez y ocho años.
Uds. son estudiantes, ¿verdad?
¡Yo no!
Trabajo como taxista.
¡Tengo que trabajar para ganarme la vida!
Trabajo mucho, pero no trabajo todo el tiempo.
Los domingos voy al cine o a la playa con mis compañeros.
El sábado próximo no voy a ir a la playa.
Voy a bailar.
¿Por qué?
Porque es el cumpleaños de mi prima Amanda.
Hay una gran fiesta en su casa.
¿Y a quién voy a invitar?
¡Ay, caramba, esto sí que es un problema!
¿Voy a invitar a Carmen? ¿o a Dolores? ¿o a Sarita?
¿Y por qué no a Luisa o a Rita? ¿o a . . .?
Problemas, problemas . . .
¡Qué complicada es la vida!

ganarme la vida: *earn a living*
todo el tiempo: *all the time*

esto sí que: *this certainly*

Panamá: el cruce° del mundo°

Tú sabes que hay un Canal de Panamá. Pero, ¿sabes que en 1524 (mil quinientos veinte y cuatro) el rey° de España Carlos V ya° se interesó° en construir° el canal? Y, ¿sabes que sus ingenieros hicieron las primeras investigaciones? En 1880 (mil ochocientos ochenta), el ingeniero francés Ferdinand de Lesseps empezó la construcción del canal actual, pero su proyecto° fracasó.° Finalmente, los Estados Unidos empezaron a trabajar en el canal en 1904 (mil novecientos cuatro), y lo inauguraron en 1914 (mil novecientos catorce). El canal conecta el Atlántico y el Pacífico. Es la conexión entre° Europa y Asia y Australia, entre el viejo y el nuevo mundo.

Los habitantes de Panamá representan una mezcla° de muchas culturas. Son de origen indio, negro, europeo y asiático. Hablan español, pero también hay gente que habla inglés, portugués, chino, japonés, árabe . . .

Hoy día, Panamá es sin duda el cruce del mundo.

cruce *crossroads* **mundo** *world* **rey** *king* **ya** *already*
se interesó *was interested* **en construir** *in building*
proyecto *plan* **fracasó** *failed* **entre** *between*
mezcla *mixture*

Vocabulario práctico

sustantivos	**el mundo**	the world	**la vida**	life
expresiones	**¡Caramba!**	Wow!		
	todo el tiempo	all the time		

CONVERSACIÓN

Vamos a hablar de ti.

¿Cuántos años tienes?

¿Tienes muchos amigos? ¿muchas amigas?

¿Cuántos años tiene tu mejor amigo? ¿tu mejor amiga?

¿Tienes hermanos? ¿Cuántos? ¿Cuántos años tienen?

¿Tienes hermanas? ¿Cuántas? ¿Cuántos años tienen?

¿Tienes abuelos? ¿abuelas? ¿tíos? ¿tías?

¿Tienes una guitarra? ¿un piano? ¿otro instrumento musical?

¿Tienes un radio? ¿un tocadiscos? ¿una grabadora? ¿discos? ¿cintas?

¿Tienen tus padres un coche? ¿De qué marca *(make)*?

---

vocabulario especializado **Algunos objetos de la vida diaria**

algunos objetos

un objeto	object, thing	**una cosa**	thing
un coche	car	**una bicicleta**	bicycle
un disco	record	**una calculadora**	calculator
un libro	book	**una cámara**	camera
un periódico	newspaper	**una cinta**	tape, cassette
un radio	radio	**una grabadora**	tape recorder
un regalo	present, gift	**una moto**	motorcycle
un reloj	watch, clock	**una pelota**	ball
un televisor	TV set	**una raqueta**	racket
un tocadiscos	record player	**una revista**	magazine

algunos verbos

comprar	to buy	**tener**	to have
necesitar	to need		

algunos adjetivos

nuevo	new	**viejo**	old
grande	big, large; great	**pequeño**	small, little
¿cuántos?	how many?	**muchos**	many
otro	other, another		

Ahora vamos a hablar de tu vida diaria *(daily).*

¿Estudias mucho? ¿Tienes que estudiar mucho para la clase de español?
  ¿para la clase de inglés? ¿para la clase de matemáticas?
¿Tienes que hablar español en la clase de español?
¿Ayudas mucho en casa? ¿Tienes que ayudar a tu papá? ¿a tu mamá?
¿Tienes trabajo? ¿Tienes que trabajar mucho?

Ahora vamos a hablar de tus diversiones.

¿Vas a menudo al cine? ¿al teatro? ¿a los conciertos? ¿a las fiestas?
El fin de semana próximo, ¿vas a estudiar? ¿a mirar la televisión? ¿a visitar
  a tus amigos? ¿a comprar discos?
Durante las vacaciones de Navidad, ¿vas a trabajar? ¿a viajar? ¿a esquiar?
Durante las vacaciones, ¿vas a menudo a la playa? ¿a la piscina? ¿al campo?

otras palabras y expresiones

para	for	¿Tienen Uds. un regalo **para** Amanda?
pero	but	No me gusta cantar, **pero** bailo muy bien.
y (e)	and	Luis **y** Ana tienen un libro nuevo **e** interesante.
o (u)	or	¿Desea Ud. un periódico **o** una revista **u** otra cosa?
a menudo	often	Compro revistas **a menudo.**
a veces	sometimes	**A veces** compro discos nuevos.

NOTAS: 1. **Nuevo** and **grande** may be used before the noun.

When used before a singular noun, **grande** becomes **gran.**
Note the two meanings:

Nueva York es una ciudad **grande.** *New York is a **big** city.*
¡Nueva York es una **gran** ciudad! *New York is a **great** city!*

When used before a noun, **nuevo** means *another* or *different.*
When used after a noun, **nuevo** means *brand new.*
Note the two meanings:

Tengo un coche **nuevo.** *I have a **new** car (a brand new car).*
Tengo un **nuevo** coche. *I have a **new** car (another car).*

2. Note the following variants of **y** and **o.**

y becomes **e** before **i** or **hi**
o becomes **u** before **o** or **ho**

ACTIVIDAD 1   El regalo ideal

¿Cuáles son los regalos ideales para las siguientes personas?

⟨⟩   Para un chico intelectual . . .
        Para un chico intelectual, el regalo ideal es un libro.

1. Para un chico de 12 años . . .
2. Para una chica de 14 años . . .
3. Para un chico de 16 años . . .
4. Para un chico de 18 años . . .
5. Para una chica de 20 años . . .
6. Para una persona que no es puntual . . .
7. Para una chica a quien le gusta
   la fotografía . . .

ACTIVIDAD 2   ¿Cuánto?

Di cuántos dólares necesitas para comprar las siguientes cosas. No necesitas
el precio exacto.

⟨⟩   un disco   Para comprar un disco, necesito cinco dólares.

1. una bicicleta nueva
2. un televisor de color
3. un reloj viejo
4. una calculadora pequeña
5. una cámara grande
6. una pelota de béisbol
7. una buena raqueta de tenis
8. un libro interesante
9. un radio pequeño
10. un periódico
11. diez cintas
12. una grabadora nueva
13. una moto vieja
14. un coche nuevo
15. un coche viejo

Estructuras

A. Repaso: tener

Review the forms of **tener** (to have) in the following sentences.

(yo)	**Tengo** un radio	(nosotros)	No **tenemos** raqueta de tenis.
(tú)	**Tienes** una revista.	(vosotros)	No **tenéis** grabadora.
(él, ella, Ud.)	**Tiene** un reloj.	(ellos, ellas, Uds.)	No **tienen** bicicleta.

⟨⟩   After **tener,** the indefinite article (**un, una**) is often omitted,
     especially in negative sentences.

⟨⟩   **Tener** is used in many idiomatic expressions.

tener . . . años	to be . . . (years old)	¿Cuántos **años tienes,** Marta? **Tengo** diez y seis **años.**
tener suerte	to be lucky	Pedro tiene una moto. **¡Tiene suerte!**
tener que + infinitive	to have to	**Tenemos que** hablar español en la clase de español.
tener ganas de + infinitive	to wish to, to feel very much like	**¿Tienes ganas de** visitar Puerto Rico?

ACTIVIDAD 3 ¿Suerte?

¿Tienen suerte las siguientes personas? Expresa tu opinión según los
modelos.

> Carlos (un coche) Carlos tiene un coche. ¡Tiene suerte!
> Esteban (muchas tareas) Esteban tiene muchas tareas. ¡Tiene mala suerte!

1. Juan (una moto)
2. Silvia y Luisa (un tocadiscos nuevo)
3. Anita (amigos simpáticos)
4. tú (un hermano aburrido)
5. yo (un profesor estricto)
6. nosotros (una profesora muy seria)

7. mis primos (padres muy estrictos)
8. mis amigos (un televisor de color)
9. mis padres (un[a] hijo[a] muy
   inteligente)
10. mi prima (hermanos tontos)

ACTIVIDAD 4 El baile (The dance)

Esta noche hay un gran baile. Las siguientes personas quieren ir pero
desgraciadamente tienen que hacer otras cosas. Di esto según el modelo.

> Carmen (estudiar) Carmen tiene ganas de bailar.
> Pero tiene que estudiar.

1. Luis (trabajar)
2. nosotros (estudiar para el examen)
3. tú (estudiar)

4. yo (reparar mi bicicleta)
5. José y Felipe (estudiar)
6. Antonio y Rita (trabajar)

B. Repaso: el artículo definido con los días de la semana

Review the days of the week: **lunes, martes, miércoles, jueves, viernes,
sábado, domingo.**

Note how the days of the week are used in the following sentences:

Hoy es **lunes**.	*Today is **Monday**.*
Tengo una cita **el viernes**.	*I have a date (on) Friday.*
Los sábados no trabajamos nunca.	***(On) Saturdays** we never work.*

Except after the verb **ser,** the definite article is always used with days of
the week.

el lunes, **el** martes . . .	*(on) Monday, (on) Tuesday . . .*
los miércoles, **los** jueves . . .	*(on) Wednesdays, (on) Thursdays . . .*

ACTIVIDAD 5 Citas

Las siguientes personas tienen citas. Expresa eso según el modelo.

> Héctor: lunes Héctor tiene una cita el lunes.

1. yo: sábado
2. nosotros: miércoles
3. Juana: viernes

4. Enrique: martes
5. mis parientes: domingo
6. tú: jueves

ACTIVIDAD 6   Obligaciones

Di que las siguientes personas siempre tienen que hacer las mismas cosas
los mismos días de la semana.

⟁   El profesor descansa el domingo.   Siempre tiene que descansar los domingos.

1. Las muchachas cocinan el sábado.
2. Llevo los libros a casa el lunes.
3. Trabajamos el miércoles.

4. Margarita viaja el martes.
5. Sacas fotos el viernes.
6. Ud. visita el museo el jueves.

C. Repaso: *al, del*

The prepositions **a** and **de** contract with **el** to form **al** and **del**.

	a + el → al	**de + el → del**
el chico	Luisa habla **al** chico.	Cora habla **del** chico.
el profesor	¿Por qué hablas **al** profesor?	¿Tienes el libro **del** profesor?
el teatro	¡Vamos **al** teatro!	Paco saca una foto **del** teatro.

There is no contraction with **la, los** and **las.**

ACTIVIDAD 7   Entrevistas *(Interviews)*

Mientras *(while)* Luisa habla a ciertas personas, Felipe habla de ellas.
Expresa esto según el modelo.

⟁   el chico mexicano   Luisa habla al chico mexicano.
                         Felipe habla del chico mexicano.

1. la chica argentina
2. el muchacho canadiense
3. los muchachos españoles
4. el profesor de francés

5. la profesora de inglés
6. las amigas de Luis
7. el abuelo de Carmen
8. el primo de Roberto

D. Repaso: la *a* personal

In the sentences on the left, the direct objects are things. In the sentences
on the right, the direct objects are people. Compare each pair of sentences.

Enrique visita **Puerto Rico.**   Manuel visita **a Teresa.**
Paco busca **los libros de Miguel.**   Ana busca **a los hermanos de Miguel.**
Luisa espera **el autobús.**   Roberto espera **al estudiante mexicano.**

When the direct object is a person, Spanish speakers use the construction:

$$verb \ + \ a \ + \ person(s)$$

⟁   Also note the construction:

¿A quién (quiénes) invitas al baile?   *Whom* do you invite to the dance?

⟁   The personal **a** is not used after **tener:** Tengo hermanos.

admirar	to admire	¿A qué tipo de personas **admiras?**
ayudar	to help	¿**Ayudas a** tu papá?
buscar	to look for	¿**Buscan** Uds. **a** Ramón?
criticar	to criticize	El profesor no **critica a** los estudiantes.
esperar	to wait for	Susana **espera a** Josefina.
invitar	to invite	**Invito a** mis primos al café.
llamar	to call	La mujer **llama a** los niños.
llamar por teléfono	to phone, call up	**Llamo a** mi tía **por teléfono**.
respetar	to respect	Los niños **respetan a** los abuelos.

ACTIVIDAD 8   Invitaciones

Imagina que estás organizando una fiesta para estudiantes españoles. Di si
vas a invitar a las siguientes personas o no.

⟐ el profesor de francés   Sí (No, no) invito al profesor de francés.

1. el (la) profesor(a) de español
2. el (la) director(a) de la escuela
3. los chicos de la clase de español
4. las chicas de la clase de español
5. mi mejor amigo
6. mi mejor amiga
7. mis padres
8. el (la) presidente del club de español

ACTIVIDAD 9   Tomás el distraído *(Scatterbrained Thomas)*

Tomás no sabe nunca dónde están sus amigos y sus posesiones. Siempre
está buscándolos. Expresa esto según el modelo.

⟐ el libro de español   Tomás busca el libro de español.

1. el profesor de español
2. María
3. Pedro
4. los libros
5. los discos
6. el chico mexicano
7. la chica española
8. la grabadora
9. el tocadiscos
10. sus amigos
11. la calculadora
12. los niños
13. la cámara
14. la pelota de tenis
15. la raqueta de tenis

ACTIVIDAD 10   Preguntas personales

1. ¿Ayudas a tu mejor amigo? ¿a tu mejor amiga? ¿a los otros alumnos?

2. ¿Criticas a los profesores? ¿a tus amigos?

3. ¿Llamas por teléfono a tus amigos? ¿a los amigos de tus amigos?

4. ¿Respetas a tus padres? ¿a tus profesores?

5. ¿Admiras a los actores? ¿al presidente? ¿a Mohamed Alí? ¿a Martin Luther King? ¿a Jorge Washington? ¿a tus profesores? ¿a tus padres?

6. ¿Esperas a veces a tus amigos? ¿a tus hermanos? ¿a tus padres?

E. Repaso: *ir, ir a*

Review the forms and uses of **ir** *(to go)* in the following sentences.

(yo)	**Voy** a la playa.	**Voy a** nadar.
(tú)	**Vas** al concierto.	**Vas a** escuchar música latina.
(él, ella, Ud.)	**Va** a la escuela.	**Va a** estudiar.
(nosotros)	**Vamos** a casa.	**Vamos a** mirar la televisión.
(vosotros)	**Vais** a la fiesta.	**Vais a** bailar.
(ellos, ellas, Uds.)	**Van** al centro.	**Van a** comprar discos.

To express an action which is going to happen, Spanish speakers use the construction:

ir a   +   infinitive

María **va a comprar** una raqueta.   María *is going to buy* a racket.

ACTIVIDAD 11   Un año al extranjero *(A year abroad)*

Los siguientes estudiantes van a pasar el año al extranjero. Di adónde va cada uno y qué idioma va a estudiar.

Vicente (Nueva York: inglés)   Vicente va a Nueva York.
                                 Va a estudiar inglés.

1. nosotros (París: francés)
2. yo (Roma: italiano)
3. Linda (Madrid: español)
4. tú (Lisboa: portugués)
5. Enrique y Paco (Tokio: japonés)
6. Uds. (Moscú: ruso)
7. Ud. (Chicago: inglés)
8. Luisa y Carmen (Quebec: francés)

el almacén	(department) store	**la biblioteca**	library
el campo	country	**la casa**	house, home
el centro	downtown	**la ciudad**	city
el cine	movie theater	**la escuela**	school
el concierto	concert	**la fiesta**	fiesta, party
el mercado	market	**la piscina**	swimming pool
el restaurante	restaurant	**la playa**	beach
el teatro	theater	**la tienda**	store

NOTA: Review the expressions with **casa:**

Voy **a casa.** *I am going **home.***

Voy **a la casa de Roberto.** *I am going **to Roberto's (house).***

ACTIVIDAD 12   ¡Un poco de lógica!

En cinco minutos, ¿cuántas frases lógicas puedes crear? Usa **ir a** y los elementos de las columnas A, B y C.

A	**B**	**C**
yo	el centro	escuchar música
tú	la biblioteca	bailar
el profesor	la playa	nadar
nosotros	el café	tomar el sol
mis amigos	el almacén	tomar té
	la discoteca	comprar cintas
	el supermercado	mirar revistas
	el cine	trabajar
	el campo	sacar fotos
	el concierto	escuchar una comedia musical
	la fiesta	visitar los monumentos
	la tienda	comprar discos

Ↄ Voy a la fiesta. Voy a bailar.

ACTIVIDAD 13   Preferencias

Di adónde te gustaría ir los siguientes días.

Ↄ domingo   El domingo me gustaría ir a la piscina.

1. lunes
2. jueves
3. sábado
4. miércoles
5. martes
6. viernes

España: Teresa Iturbe

¿Qué tal?

Me llamo Teresa Iturbe y soy de España.

Tengo diez y seis años.

Soy del signo Libra.

Me fascinan los deportes, la fotografía,
   la música y la moda . . .

Como todas las Libra, soy muy idealista.

Soy también un poco reservada y bastante tranquila.

Pero ahora, no estoy tranquila.

¡Estoy muy nerviosa!

¿Por qué?

Porque mañana tengo un examen de francés.

Así, cuando mis amigas están en la playa nadando,
   yo estoy en casa estudiando.

¡No es justo!

¡Odio los exámenes!   ¡Odio el francés!

¡Qué barbaridad!

moda: *fashion*

tranquila: *calm*

justo: *fair*
Odio: *I hate*
¡Qué barbaridad!:
   What nonsense!

Nota cultural

España, un país de tradiciones

España fue el país más próspero y poderoso° del mundo durante los siglos° diez y seis y diez y siete. Entonces los españoles vinieron al Nuevo Mundo a explorarlo, conquistarlo y colonizarlo.

Hoy día, España no es muy poderosa y no es particularmente muy próspera. Pero mantiene° su larga tradición de cultura. La España del siglo veinte tiene artistas, músicos y escritores° famosos. También tiene algo único:° es uno de los pocos° países que tiene monarquía hoy día.

poderoso *powerful*   **siglos** *centuries*   **mantiene** *it maintains*
escritores *writers*   **único** *unique*   **pocos** *few*

Vocabulario práctico

sustantivo	**la moda**	fashion
adjetivos	**justo**	fair
	único	unique, only
expresión	**¡Qué barbaridad!**	What nonsense!

CONVERSACIÓN

Vamos a hablar de tu personalidad.

¿Eres generoso(a)?

¿Eres paciente con todos?

¿Eres una persona optimista?

¿Eres buen(a) compañero(a)?

**Ahora, vamos a hablar de tus
sentimientos actuales.**

¿Estás tranquilo(a) o nervioso(a)?

¿Estás cansado(a)?

¿Estás alegre o triste?

**Ahora, vamos a hablar de tus
ocupaciones actuales.**

¿Estás en casa o en la escuela?

¿Estás en clase o en la biblioteca?

¿Estás hablando con tus amigos?

¿Estás hablando español?

¿Estás escuchando al profesor?

¿Estás mirando a los otros alumnos?

Algunos sentimientos

vocabulario especializado

¿Cómo estás?

alegre

contento

enamorado

de buen humor

preocupado

triste

irritable

furioso

de mal humor

cansado

enfermo

nervioso

aburrido

tranquilo

ahora	now	**(por) la mañana**	(in) the morning
hoy	today	**(por) la tarde**	(in) the afternoon
mañana	tomorrow	**(por) la noche**	(in) the evening, (at) night
antes (de)	before	**el fin de semana**	(on) the weekend
después (de)	after	**(el sábado) próximo**	next (Saturday)
durante	during	**(el viernes) pasado**	last (Friday)

ACTIVIDAD 1   Preguntas personales

1. ¿Miras la televisión por la noche?
2. ¿Cuándo estudias en casa, por la tarde o por la noche?
3. ¿Vas a jugar después de la clase de español?
4. ¿Vas a nadar el próximo fin de semana?
5. ¿Vas a ir al colegio mañana por la mañana?
6. ¿Vas a ayudar a tu mamá antes de la comida? ¿después de la comida?
7. ¿Quién estudia contigo?
8. ¿Quién va al cine contigo? ¿al teatro? ¿a la heladería *(ice cream parlor)*?

Estructuras

A. Repaso: *estar*

Review the forms of **estar** in the following sentences.

(yo)	**Estoy** en la clase.
(tú)	**Estás** aquí.
(él, ella, Ud.)	**Está** allá.
(nosotros)	**Estamos** en los Estados Unidos.
(vosotros)	**Estáis** en casa.
(ellos, ellas, Uds.)	**Están** con sus amigos.

ACTIVIDAD 2   El sábado

Es sábado y las siguientes personas no están en casa. Expresa esto y di dónde están.

➣ Carmen (en la playa)   Carmen no está en casa. Está en la playa.

1. Felipe (en la piscina)
2. Silvia y Mónica (con sus amigos)
3. Luis y Ramón (con sus amigas)
4. nosotros (en el campo)
5. yo (en el centro)
6. tú (en el museo)
7. Ud. (en el cine)
8. Uds. (en el restaurante)
9. Dolores (en el mercado)

B. Repaso: *ser* y *estar*

Compare the uses of the verbs in each pair of sentences.

Carlos **es** de México.	Ahora, no **está** en México. **Está** en España.
El Sr. Gómez **es** médico.	Ahora **está** en el hospital.
Elena **es** inteligente.	Ahora **está** muy nerviosa.

Although **ser** and **estar** both mean *to be*, they have very specific uses. **Ser** and **estar** cannot be substituted for one another in most cases.

Ser is used to describe basic traits and permanent characteristics. **Ser** tells *who* the subject is.
Ser is used to indicate:

nationality or origin	Paco **es** mexicano. **Es** de Puebla.
profession	**Somos** estudiantes. El Sr. Montero **es** profesor.
physical traits	Carmen **es** morena. Enrique **es** bajo.
basic personality traits	María **es** inteligente. Pedro **es** generoso.

Estar is used to describe temporary conditions, that is, conditions which may change. **Estar** tells *where* the subject is and *how* the subject feels.

Estar is used to indicate:

location	**Estamos** en la clase. Alberto **está** en Puerto Rico.
physical condition	¿Cómo **estás**? **Estoy** cansado.
feelings	Luisa **está** enamorada. Felipe **está** preocupado.

- After **ser**, nouns designating professions are usually used without **un** or **una**, unless they are modified by an adjective.
  El Sr. Gómez es dentista. Es **un** buen dentista.

- Sometimes the meaning of an adjective changes, depending on whether it is used with **ser** or **estar**.

	ser: permanent trait	**estar**: temporary condition
malo	Lucía **es mala.** *(a bad person)*	Elisa **está mala.** *(sick)*
aburrido	El profesor **es aburrido.** *(boring)*	Los alumnos **están aburridos.** *(bored)*
listo	Emilio **es listo.** *(smart, clever)*	Jaime **está listo.** *(ready, prepared)*

ACTIVIDAD 3   Lugares de trabajo

A menudo es posible saber dónde trabajan las personas si uno sabe qué
trabajo tienen. Expresa esto según el modelo.

> la Sra. de Montez (profesora: la escuela)   La Sra. de Montez es profesora.
> Está en la escuela.

1. nosotros (alumnos: el colegio)
2. la Srta. Ochoa (secretaria: la oficina)
3. la Sra. de Muñoz (doctora: el hospital)
4. Luisa (estudiante: la universidad)
5. Carmen (ingeniera: el laboratorio)
6. mi padre (farmacéutico: la farmacia)
7. tú (actor: el teatro)
8. yo (presidente: la Casa Blanca)

ACTIVIDAD 4   Sentimientos

¿Cómo te sientes en las siguientes situaciones? Expresa tus sentimientos en
frases afirmativas o negativas, usando una de las expresiones del vocabulario.

> Cuando estoy con mis amigos . . .
> Cuando estoy con mis amigos, estoy alegre (de buen humor . . .).

1. Cuando estoy en la clase de
   español . . .
2. Cuando hablo en público . . .
3. Después de un partido de
   básquetbol . . .
4. Cuando estoy en una fiesta . . .
5. Antes de un examen . . .
6. Después de un examen . . .
7. Cuando saco una mala nota . . .
8. Cuando saco una buena nota . . .
9. Cuando tengo una cita con una
   persona simpática . . .
10. Cuando tengo una cita con una
    persona aburrida . . .
11. Cuando no tengo dinero . . .
12. Cuando mis padres me critican . . .
13. Cuando estoy de vacaciones . . .
14. Cuando estoy en un avión . . .

ACTIVIDAD 5   Retratos *(Portraits)*

Describe a las siguientes personas en un párrafo corto. Usa las expresiones entre paréntesis y la forma apropiada de **ser** o **estar**.

> Paco (español / de Sevilla / en Barcelona / estudiante / simpático / enamorado de Felicia / alegre)
>
> > Paco es español. Es de Sevilla, pero ahora no está en Sevilla. Está en Barcelona. Es estudiante. Es muy simpático. Ahora está enamorado de Felicia. ¡Está alegre!

1. Luisa (fotógrafa / mexicana / morena / alta / de Guadalajara / en Los Ángeles / contenta)

2. Roberto (moreno / alto / puertorriqueño / de San Juan / en Nueva York / mecánico / ambicioso)

3. Felipe (en la clase / aburrido / irritable / un alumno malo)

4. Cora (deportista / en el estadio / con amigas / alegre / cansada)

5. mis abuelos (viejos / de Italia / en Boston / enfermos / de buen humor)

6. mis primos (nunca puntuales / nunca listos / preocupados / irritables / nerviosos / antipáticos)

7. yo (triste / enfermo / malo / en casa / aburrido / de mal humor / furioso)

C. Repaso: los verbos que terminan en *-er* y en *-ir*

Review the forms of **aprender** *(to learn)* and **vivir** *(to live)* in the sentences below.

INFINITIVE	aprender	vivir	ENDINGS
PRESENT			
(yo)	Aprend**o** francés.	Viv**o** en París.	**-o**
(tú)	Aprend**es** italiano.	Viv**es** en Milán.	**-es**
(él, ella, Ud.)	Aprend**e** inglés.	Viv**e** en Nueva York.	**-e**
(nosotros)	Aprend**emos** español.	Viv**imos** en Lima.	**-emos, -imos**
(vosotros)	Aprend**éis** japonés.	Viv**ís** en Tokio.	**-éis, -ís**
(ellos, ellas, Uds.)	Aprend**en** portugués.	Viv**en** en Río.	**-en**

Many verbs ending in **-er** and **-ir** in the infinitive are conjugated like **aprender** and **vivir**. They are regular **-er** and **-ir** verbs.

aprender (algo)	to learn (something)
beber (leche)	to drink (milk)
comer (dulces)	to eat (candy)
comprender (la tarea)	to understand (the homework)
correr (rápidamente, despacio)	to run (fast, slowly)
creer (la verdad)	to believe (the truth)
deber (diez dólares)	to owe (ten dollars)
leer (un cuento)	to read (a story)
responder (a una carta)	to answer (a letter)
vender (helados)	to sell (ice cream)
ver (a alguien)	to see (someone)
abrir (la puerta)	to open (the door)
escribir (una carta)	to write (a letter)
recibir (una tarjeta)	to receive, get (a card)
vivir (con la familia)	to live (with the family)

NOTAS: 1. Note the construction: **aprender a** + infinitive

¿**Aprendes a tocar** la guitarra?   *Are you learning to play the guitar?*

2. The verb **ver** is irregular only in the **yo** form: **veo.** Note the expressions:

¡**Vamos a ver!** }
¡**A ver!** } *Let's see!*

3. The construction **deber** + infinitive is used to express an obligation.

Debemos respetar a los profesores.   *We should (ought to) respect the teachers.*

ACTIVIDAD 6   Las bebidas nacionales *(National drinks)*

Las siguientes personas beben las bebidas nacionales de los países en donde viven. Expresa eso según el modelo.

Ɔ› Carlos (en el Brasil: café)   Carlos vive en el Brasil. Bebe café.

1. yo (en los Estados Unidos: Coca-Cola)
2. Felipe (en Inglaterra: té)
3. nosotros (en la Argentina: mate)
4. mis amigos (en Francia: vino)
5. Lucía (en Colombia: café)
6. tú (en Guatemala: chocolate)

ACTIVIDAD 7   Preguntas personales

1. ¿Aprendes italiano? ¿francés?

2. ¿Aprendes a tocar la guitarra? ¿a tocar el piano? ¿a jugar al tenis? ¿a esquiar?

3. ¿Comprendes bien cuando el (la) profesor(a) habla español?

4. ¿En casa bebes leche? ¿Coca-Cola? ¿té? ¿agua?

5. ¿En casa comes muchas frutas? ¿vegetales? ¿tacos?

6. ¿Comes bien en la cafetería de la escuela?

7. ¿Te gusta correr? ¿Corres rápidamente o despacio? ¿Cuántos kilómetros corres?

8. ¿Recibes muchas cartas? ¿De quién?

9. ¿Respondes inmediatamente cuando recibes una carta?

10. ¿Escribes poemas? ¿cuentos? ¿artículos para el periódico de la escuela?

11. ¿Lees mucho? ¿Lees poesía? ¿novelas? ¿cuentos de ciencia-ficción? ¿historietas *(comics)*?

12. ¿Dónde vives? ¿Vives en una ciudad o en el campo?

13. ¿Ves a menudo a tus abuelos? ¿Dónde viven?

14. ¿Ves a menudo a tus primos? ¿Dónde viven?

15. ¿Crees en los fantasmas *(ghosts)*? ¿en el Papá Noel? ¿en la percepción extrasensorial? ¿en la amistad *(friendship)*? ¿en la vida extraterrestre? ¿en la vida en Marte *(Mars)*?

16. En tu opinión, ¿deben los hijos ayudar a sus padres? ¿Deben los estudiantes respetar a los profesores? ¿Debe un estudiante ayudar a un compañero en un examen?

ACTIVIDAD 8   ¡Un poco de lógica!

En cinco minutos, ¿cuántas frases lógicas (afirmativas o negativas) puedes crear? Usa **estar** y los elementos de las columnas A, B, C y D. ¡Estudia el modelo!

A	B	C	D
yo	alegre	comer	cartas
Mari-Carmen	contento	beber	buenas / malas notas
el gato	de buen / mal humor	correr	buenas noticias *(news)*
el Sr. Camacho	cansado	leer	diez kilómetros
nosotros	triste	recibir	leche
mis amigos	preocupado		dulces
			helados
			una novela interesante / triste

֍ (No) Estoy de buen humor cuando (no) recibo cartas.

D. Repaso: *estar* + el participio presente

Review the present progressive in the sentences below.

Cora **está escuchando** discos.   *Cora is listening to records.*
Pedro y Luis **están comiendo.**   *Pedro and Luis are eating.*
Estoy escribiendo una carta.   *I am writing a letter.*

To express an action which is currently in progress, use the construction:

estar + present participle

In such constructions, only **estar** changes with the subject. The present participle is formed as follows:

infinitive	–	-ar	+	**ando**	cantar	**cantando**
		-er		**iendo**	beber	**bebiendo**
		-ir		**iendo**	vivir	**viviendo**

❧ The present participle of verbs ending in **–eer** is formed by replacing **-er** by **-yendo**.

         leer → leyendo   ¿Qué estás **leyendo** ahora?

❧ The present progressive occurs much less frequently in Spanish than in English. It is used to emphasize that an action is occurring *now*. It is not used to refer to regular activities or to future actions.

Carlos **repara** coches.   *Carlos repairs cars.* (generally speaking)
Carlos **está reparando** un Mercedes.   *Carlos is repairing a Mercedes.* (now)

¿Por qué el SEAT 127 es el coche más vendido?

SEAT - 127

1.000.000 de coches fabricados en España.
4.000.000 en el mundo.

ACTIVIDAD 9 En la biblioteca

Los siguientes estudiantes que están en la biblioteca no están estudiando.
Expresa esto y di lo que están haciendo.

⚭ Carlos (mirar una revista)   Carlos no está estudiando.
                                 Está mirando una revista.

1. Felipe (mirar a las chicas)
2. Isabel y Patricia (mirar a los chicos)
3. nosotros (hablar con nuestros amigos)
4. tú (hablar con el profesor)
5. yo (comer dulces)

6. Uds. (escuchar a un muchacho)
7. Pilar (escribir una tarjeta)
8. Ud. (leer un periódico)
9. Margarita (abrir una carta)
10. Esteban y Jorge (descansar)

ACTIVIDAD 10 ¡Un poco de lógica!

¿Dónde están y qué están haciendo las siguientes personas? En cinco
minutos, ¿cuántas frases lógicas puedes escribir? Usa los elementos de
A, B y C.

A	B	C
yo	en casa	trabajar
el (la) profesor(a)	en clase	estudiar
mi papá	en la oficina	hablar por teléfono
mi mamá	en la Casa Blanca	tomar café
mis hermanos	en el restaurante	mirar la televisión
mis amigos	en el centro	comprar revistas
el presidente	en el café	comer helados
nosotros		beber Coca-Cola
		aprender español
		escribir cartas
		leer un cuento
		ayudar a los estudiantes

⚭ Ahora mi mamá está en la oficina.   Está trabajando.

Unos ruidos en español

¿Son diferentes los ruidos° para las personas que hablan español y las personas que hablan inglés? ¡Claro que no! Pero los hispanos expresan los ruidos en una manera diferente.

Aquí tienes una lista de algunos ruidos de la vida diaria.°

cuando suena° el teléfono	¡rin, rin!
cuando tocamos° a la puerta	¡pam, pam!
cuando estornudamos°	¡achu!
cuando nos reímos°	¡ja, ja, ja!
cuando tenemos un dolor°	¡ay, ay, ay!
cuando lloramos°	¡buaaa, buaaa!
cuando vaciamos° una botella	¡glo, glo!
cuando echamos° una piedra° en el agua	¡plop!
cuando rompemos° una ventana	¡crac!
cuando oímos° una explosión	¡bum!
cuando oímos un disparo°	¡bang, bang!
cuando oímos un ruido fuerte°	¡paf! ¡zaz!
cuando rompemos° un papel°	¡raas!

ruidos: *sounds*

la vida diaria: *everyday life*

suena: *rings*
tocamos: *we knock*
estornudamos: *we sneeze*
nos reímos: *we laugh*
dolor: *pain*
lloramos: *we cry*
vaciamos: *we empty*
echamos: *we throw*
piedra: *stone*
rompemos: *we break*
oímos: *we hear*
disparo: *shot*
fuerte: *loud*
rompemos: *we tear*
papel: *piece of paper*

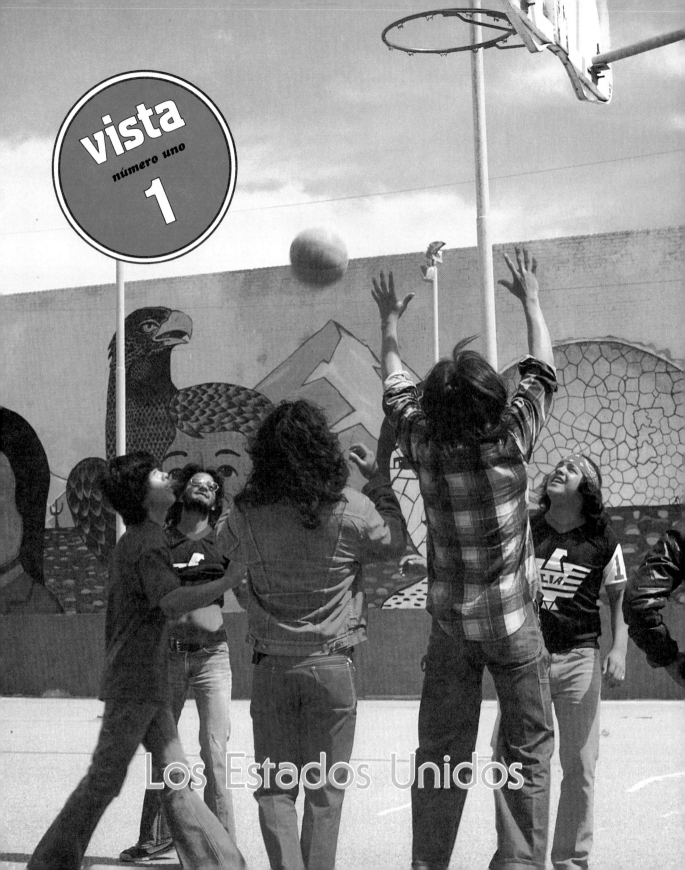

vista

número uno

1

Los Estados Unidos

¿La historia de los Estados Unidos en un libro de español? ¡Sí, claro! Pero no vamos a hablar ni de Jorge Washington ni° del Cuatro de Julio. Vamos a recordar otros hechos° que también son memorables.

1513

El conquistador español Juan Ponce de León accidentalmente descubre la Florida. Lo que realmente quiere encontrar es la fuente° de la eterna juventud.° Según la leyenda,° la gente vuelve a ser° joven cuando se baña en esta fuente.

1528

Un tornado destruye una expedición española cerca de las costas de Texas. Álvar Núñez Cabeza de Vaca es uno de los pocos° hombres que sobreviven.° Durante ocho años tiene aventuras fantásticas, huyendo° de los indios de Texas o viviendo entre ellos como esclavo.°

1539

Cerca de Tampa, Florida, 570 hombres y 220 caballos° desembarcan. Dos años más tarde, esta expedición, bajo el mando de° Hernando de Soto, descubre el río° Misisipí.

1565

Pedro Menéndez de Avilés funda° la ciudad de San Agustín en la Florida. Es la primera ciudad permanente de origen europeo en los Estados Unidos.

1610

Pedro de Peralta funda otra ciudad importante: la Villa Real de la Santa Fe de San Francisco. Hoy esta ciudad es la capital del estado de Nuevo México y se llama simplemente Santa Fe.

---

ni . . . ni *neither . . . nor*   hechos *facts*   fuente *fountain*   juventud *youth*   leyenda *legend*   vuelve a ser *are again*   pocos *few*   sobreviven *survive*   huyendo *fleeing*   esclavo *slave*   caballos *horses*   bajo el mando de *under*   río *River*   funda *founds*

1718

El padre Antonio Olivares funda la Misión de San Antonio de Valero para cristianizar a los indios de Texas. Así empieza la ciudad de San Antonio. Hoy la misión del padre Olivares se llama El Álamo.

1769

Comienza° la colonización de California. Fray Junípero Serra, un sacerdote° franciscano, funda la primera misión, San Diego de Alcalá. En menos de 60 años los franciscanos fundan 20 misiones más. Todas estas misiones forman una cadena° por una ruta que todavía se llama El Camino Real.°

1819

La Florida deja de ser española. España cede° este territorio a los Estados Unidos por cinco millones de dólares.

1836

En San Antonio ocurre una batalla famosa. Bajo el mando de David Crockett, 183 texanos mueren° defendiendo el Álamo. El ejército° mexicano batalla con los separatistas texanos. Texas (entonces parte de México) declara su independencia.

1910

Comienza una fuerte emigración de mexicanos hacia los Estados Unidos. De 1910 a 1930, medio millón de mexicanos vienen a vivir en este país, especialmente en los estados fronterizos.

1917

El Congreso declara ciudadanos° de los Estados Unidos a los puertorriqueños. (España cedió° Puerto Rico a los Estados Unidos en 1898.) Miles° de puertorriqueños comienzan a emigrar a las ciudades industriales de este país.

1966

Comienzan los «vuelos° de la libertad». Bajo el auspicio del gobierno° de los Estados Unidos, de 3000 a 4000 refugiados cubanos comienzan a llegar a Miami cada mes. Son cubanos que no quieren vivir bajo el régimen de Fidel Castro.

Comienza *Begins*   **sacerdote** *priest*   **cadena** *chain*   **El Camino Real** *The Royal Way*
cede *gives up*   **mueren** *die*   **ejército** *army*   **ciudadanos** *citizens*   **cedió** *ceded*
Miles *Thousands*   **vuelos** *flights*   **gobierno** *government*

EXPLORACIONES ESPAÑOLAS EN EL ACTUAL TERRITORIO DE LOS ESTADOS UNIDOS

1 Hernando de Soto
2 Álvar Núñez Cabeza de Vaca
3 Juan Ponce de León
4 Francisco Vázquez de Coronado
5 Juan de Oñate

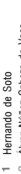

POBLACIÓN HISPANA EN ALGUNAS CIUDADES NORTEAMERICANAS

CIUDAD	POBLACIÓN TOTAL	POBLACIÓN DE ORIGEN HISPANO (%)	
San Antonio	654.000	262.000	(40%)
Miami	335.000	110.000	(33%)
Los Ángeles	2.810.000	450.000	(16%)
Nueva York	7.895.000	869.000	(11%)
Chicago	3.369.000	250.000	(7.5%)

Aquí presentamos una galería de hispanos famosos. ¿Sabes quiénes son?

Herman Badillo

En los periódicos de Nueva York se lee°
a menudo el nombre de Herman Badillo
con referencia a sus posiciones
importantes en el gobierno° de la
ciudad y como candidato a alcalde.°
Badillo nació° en Puerto Rico, pero vino
a vivir en Nueva York a la edad° de 11
años.

Martina Arroyo

Martina Arroyo es una cantante
extraordinaria que canta ópera.
Martina es parte de una familia
verdaderamente internacional. Ella
nació en Nueva York; su madre, en
Carolina del Sur; y su padre, en
España.

46 **se lee** *is read* **gobierno** *government* **alcalde** *mayor* **nació** *was born* **edad** *age*

Roberto Clemente

Posiblemente fue el jugador hispano de béisbol más famoso de todos los tiempos. Es el único jugador hispano exaltado en el Salón de la Fama.° Tuvo una carrera° impresionante con los Piratas de Pittsburgh. Clemente recibió su primer contrato profesional en Puerto Rico a la edad de 17 años.

César Chávez

Es el Martin Luther King de los chicanos. César Chávez es un líder idealista que lucha° por los derechos° civiles de los trabajadores del campo° y por la igualdad° social y económica de los chicanos. Nació en Yuma, Arizona.

Salón de la Fama *Hall of Fame*   **carrera** *career*   **lucha** *fights*   **derechos** *rights*
trabajadores del campo *field workers*   **igualdad** *equality*

EL RODEO Y *OTRAS COSAS DE ORIGEN ESPAÑOL*

¿Qué es un rodeo sin «broncos»?
¿Qué es una película del oeste sin vaqueros?°
¿Qué es la comida norteamericana sin rosbif o hamburguesas?

Y todo porque a lugares como Texas y Nuevo México, los españoles
trajeron caballos,° vacas,° toros° y otros animales.

Los toros y las vacas vinieron de Europa. Las primeras cabezas de
ganado° llegaron al Caribe en el segundo viaje de Colón. Del Caribe
pasaron a México y de México a los Estados Unidos.

Con los toros y las vacas, llegaron los vaqueros. Los primeros vaqueros
de los Estados Unidos fueron españoles y mexicanos. Los norteamericanos
aprendieron a ser vaqueros cuando ocuparon el lejano° oeste.° Y así muchas
palabras españolas se hicieron° inglesas.

Éstas, por ejemplo:

español	*inglés*		*español*	*inglés*
lazo	lasso		corral	corral
la reata	lariat		bonanza	bonanza
vaquero	buckaroo		rancho	ranch
rodeo	rodeo			

---

48   **vaqueros** *cowboys*   **caballos** *horses*   **vacas** *cows*   **toros** *bulls*   **ganado** *cattle*   **lejano** *far*
oeste *West*   **se hicieron** *became*

La cocina del suroeste

¿Te gusta el chile con carne? Éste, y otros platos° populares en el suroeste,° son adaptaciones norteamericanas de la cocina° mexicana.

En Texas, el chile con carne es un plato especial. Para muchos texanos es otro de los símbolos de Texas, como el escudo° y la bandera° del estado.

Cuando el chile con carne se prepara en casa, huele° muy bien y . . . ¡es exquisito! Para prepararlo necesitas:

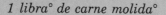

1 libra° de carne molida°

1 cebolla° mediana° en rodajas°

2 dientes de ajo picados°

3 tazas de jugo de tomate

2 cucharadas° de chile en polvo°

1 cucharada de comino° molido

sal y pimienta al gusto°

Preparación:

1. Dora° la carne en una sartén,° con la cebolla y los ajos.
2. A la carne dorada° échale° el jugo de tomate y todos los condimentos: el chile, el comino, la sal y la pimienta.
3. Ahora, deja que la carne se cueza° despacio,° durante una hora. ¡Eso es todo! Fácil, ¿verdad?

NOTA: Los puristas dicen que el chile auténtico no lleva frijoles. Si lo que más te gusta del chile son los frijoles, olvídate de esta receta.°

---

platos *dishes*   suroeste *Southwest*   cocina *cooking*   escudo *coat of arms*   bandera *flag*   huele *it smells*
libra *pound*   molida *ground*   cebolla *onion*   mediana *medium-sized*   rodajas *slices*   dientes de ajo
picados *cloves of chopped garlic*   cucharadas *spoonfuls*   en polvo *powder*   comino *cumin*
al gusto *to taste*   Dora *Brown*   sartén *frying pan*   dorada *browned*   échale *add*   se cueza *cook*
despacio *slowly*   receta *recipe*

Los artistas del barrio

San Francisco. Estamos en la esquina° de las calles Misión y Veintidós ... ¿O es la Veinticuatro? Bueno, no importa. Éste es el corazón° del barrio chicano de San Francisco.

Los niños juegan en el parque. Los jóvenes conversan en una esquina. La gente va y viene. Nadie se da cuenta° ... Sólo nosotros. Éste no es un barrio. ¡Es un museo! Estamos rodeados de° murales.

¡Qué artistas los chicanos!

 esquina *corner*   **corazón** *heart*   **se da cuenta** *realizes*   **rodeados de** *surrounded by*

El poeta del barrio

Alurista es un poeta joven. Vive en San Diego. El poema que aparece aquí tiene palabras en inglés y en español. También hay palabras que quieren decir algo diferente para los chicanos: jefe = papá, jefa = mamá, borlote = baile, fiesta.

en el barrio
–en las tardes de fuego°
when the dusk prowls
    en la calle desierta°
pues los jefes y jefas
    trabajan
    –often late hours
after school
    we play canicas°
in the playground
    abandoned and dark
sin luces°
    hasta la noche
we play canicas
    until we grow
to make borlote
and walk the streets
con luces
paved–with buildings
altos como el fuego
    –el que corre en mis venas

Alurista has published several collections, among which is *Floricanto en Aztlán* (Los Angeles: University of California, Chicano Studies Research Library), from which the above poem is taken.

fuego *fire* **desierta** *deserted* **canicas** *marbles*
luces *lights*

Actividades

LA LETRA «A»   The names and expressions corresponding to the following definitions have something in common: they all contain the letter A. How many of these words can you complete? (To help you, the page numbers on which they appear are given in dark type.) Remember that ch and ll are single letters.

1. el estado norteamericano descubierto° por los españoles en 1513   **42**

☐☐☐☐☐☐☐A

2. un español que fue° esclavo de los indios   **42**

☐A☐☐A☐☐☐☐A☐A

3. la primera ciudad permanente de origen europeo en los Estados Unidos   **42**

☐A☐☐A☐☐☐☐☐

4. una misión muy famosa en San Antonio, Texas   **43**

☐☐☐A☐A☐☐

5. un político puertorriqueño que vive en Nueva York   **46**

☐☐☐☐A☐☐☐A☐

6. una cantante de ópera   **46**

☐A☐☐☐A☐☐A☐☐☐☐

7. el líder de los trabajadores del campo en los Estados Unidos   **47**

☐☐☐A☐☐☐A☐☐

8. en inglés se dice° «cowboy» o «buckaroo»   **48**

☐A☐☐☐☐

9. un plato típico de la cocina mexicana en Texas   **49**

☐☐☐☐☐☐☐☐☐A☐☐

10. un poeta joven que vive en San Diego, California   **51**

A☐☐☐☐☐☐A

Unidad 2

Nuestro mundo personal

2.1   Un psicotest: ¿sociable o no?

2.2   ¡Así es la vida!   **2.3   Intercambios**   **2.4   ¡No hay democracia!**

VARIEDADES — Antonio Machado

Lección 1
Un psicotest: ¿sociable o no?

Conoces a tu familia y tus amigos muy bien, ¿verdad? ¡Por supuesto!
Pero hay otras personas fuera de tu familia y de tus amigos que
figuran en tu vida . . . personas que ves a menudo, quizá todos los
días . . . ¿Conoces bien a esas personas? ¡Vamos a ver!

fuera de: *outside of*
quizá: *maybe*

	A muy bien	B solamente un poco	C muy poco	
1. El cartero Lo conozco . . .	☐	☐	☐	cartero: *mailman*
2. La secretaria de la escuela La conozco . . .	☐	☐	☐	
3. El (la) director(a) de la escuela Lo (la) conozco . . .	☐	☐	☐	
4. Los padres de tus compañeros Los conozco . . .	☐	☐	☐	
5. Los amigos de tus amigos Los conozco . . .	☐	☐	☐	
6. Las amigas de tus amigas Las conozco . . .	☐	☐	☐	
7. Tus vecinos Los conozco . . .	☐	☐	☐	vecinos: *neighbors*
8. Los amigos de tus vecinos Los conozco . . .	☐	☐	☐	

INTERPRETACIÓN

Ahora, marca dos puntos para cada respuesta «A»

un punto para cada respuesta «B»

cero para cada respuesta «C»

Suma tus puntos.

Si tienes catorce puntos (o más) . . .

Eres una persona muy sociable porque te gusta conocer a otros.
Pero, ¿los conoces bien o sólo superficialmente?

Si tienes entre ocho y trece puntos . . .

Eres sociable y amable con todos. Eres realista también porque sabes
que no es posible ser el amigo íntimo de todos.

Si tienes entre cuatro y siete puntos . . .

Eres tímido(a) o indiferente al mundo que te rodea.

Si tienes menos de tres puntos . . .

¿Por qué no te gusta la compañía de otros?

entre: *between*
amable: *kind*

rodea: *surrounds*

Nota cultural

El cartero en el mundo hispánico

Una persona muy importante que todos conocen es el cartero. Él entrega° el correo,° las revistas y los paquetes.° En algunas partes donde los teléfonos son escasos° o no existen, el cartero trae las noticias° a los vecinos. Él camina° mucho y, por eso, la gente a menudo le ofrece algo frío de beber. Para la Navidad° o el Año Nuevo el cartero recibe propinas° de todas las casas. Como la mayoría de las familias no reciben cartas o paquetes todos los días, la llegada° del cartero a su casa es siempre una agradable sorpresa.°

entrega *delivers*   **el correo** *mail*   **paquetes** *packages*
escasos *scarce*   **noticias** *news*   **camina** *walks*
Navidad *Christmas*   **propinas** *tips*   **llegada** *arrival*
sorpresa *surprise*

Vocabulario práctico

sustantivos	**las noticias**	the news	**una respuesta**	answer, response
	una sorpresa	surprise		
adjetivos	**amable**	kind	**mismo**	same
expresiones	**quizá**	perhaps, maybe	**fuera (de)**	outside (of)
	tan	so	**solamente**	only
	un poco	a little	**todos**	all, everyone

CONVERSACIÓN

Vamos a hablar del futuro.

¿Deseas ser policía? ¿Te gustaría dirigir *(direct)* el tráfico?

¿Deseas ser cartero? ¿Te gustaría entregar *(deliver)* cartas y tarjetas?

¿Deseas ser mecánico(a)? ¿Te gustaría reparar coches y motos?

¿Deseas ser gerente en un almacén *(department store)*? ¿Te gustaría ser el (la) jefe(a) *(boss)* de los dependientes *(clerks)*?

¿Deseas ser empleado(a) de correos? ¿Te gustaría vender sellos *(stamps)*?

¿Deseas ser médico(a)? ¿Te gustaría cuidar a los pacientes?

¿Deseas ser enfermero(a)? ¿Te gustaría cuidar a los enfermos?

¿Deseas ser dentista? ¿Te gustaría arreglar *(fix)* los dientes?

Vamos a hablar del presente.

¿Trabajas como camarero(a)? ¿Dónde trabajas? ¿en un café? ¿en un restaurante? ¿en una heladería?

¿Trabajas como dependiente? ¿Dónde trabajas? ¿en una tienda? ¿en un almacén?

¿Trabajas como mecánico(a)? ¿Dónde trabajas? ¿en una estación de servicio? ¿en una agencia de coches?

vocabulario especializado — Las personas que vemos a menudo

en **la calle**
un(a) vecino(a) *(neighbor)*

Los vecinos son las personas que viven en la misma calle.

un policía

El policía dirige *(directs)* el tráfico.

en **el café** o **la heladería** *(ice cream parlor)*
un(a) camarero(a) *(waiter, waitress)*

El camarero les sirve café o helado a los clientes.

en **el almacén** *(department store)*
el (la) gerente *(manager)*
un(a) dependiente *(clerk)*

El gerente es el **jefe** *(boss)* de los dependientes.
La dependiente les vende varios artículos a los clientes.

en **la estación de servicio**
un mecánico

El mecánico repara los coches.

en **el correo** *(post office)*
un(a) empleado(a) *(employee)*

El empleado de correos vende los **sellos** *(stamps)*.

un cartero *(mailman)*

El cartero entrega *(delivers)* las cartas.

en **el hospital**
el (la) médico(a)

Los médicos ayudan a los **enfermos** *(sick people)*.

el (la) enfermero(a) *(nurse)*

Las enfermeras cuidan *(take care of)* a los pacientes.

el (la) dentista

Los dentistas arreglan *(fix)* los dientes.

Estructuras

A. Repaso: *conocer*

Review the forms and uses of **conocer** *(to know)*.

(yo)	**Conozco** a Pedro.
(tú)	**Conoces** a Mónica.
(él, ella, Ud.)	**Conoce** Madrid.
(nosotros)	**Conocemos** bien al profesor.
(vosotros)	**¿Conocéis** a los estudiantes?
(ellos, ellas, Uds.)	**Conocen** Nueva York muy bien.

- **Conocer** means *to know* in the sense of *to be acquainted with, to be familiar with*. It is always used with nouns and pronouns referring to people and places.

- **Conocer** and most verbs ending in **–cer** and **–cir** have an irregular **yo** form: **c → zc**.

ACTIVIDAD 1   Turismo

Un grupo de estudiantes norteamericanos está visitando Madrid. Ésta es su segunda visita. Di que ellos conocen los siguientes lugares.

⮞ Eric: el museo del Prado   Eric conoce el museo del Prado.

1. yo: el Parque del Retiro
2. nosotros: la Plaza Mayor
3. Uds.: la Puerta del Sol
4. los chicos: el Escorial
5. Ud.: el Rastro *(the Flea Market)*
6. Linda: el Palacio Real

verbos que terminan en –cer

merecer	to deserve	**Merezco** una buena nota.
obedecer	to obey	No **obedezco** siempre a mis padres.
ofrecer	to offer, to give	Te **ofrezco** consejos, pero dinero, ¡no!
parecer	to seem, to look	Carlos **parece** triste.
pertenecer	to belong (to), to be a member (of)	**Pertenezco** a un club de tenis.

verbos que terminan en –cir

conducir	to drive	Mi mamá **conduce** muy bien.
traducir	to translate	El profesor **traduce** un poema.

ACTIVIDAD 2   Preguntas personales

1. ¿Conduces el coche de tus padres?

2. ¿Conduce bien tu papá? ¿tu mamá? ¿Qué tipo de coche conducen?

3. En la clase de español, ¿traduces las palabras nuevas? ¿las lecturas?

4. ¿Mereces una «A» en la clase de español? ¿Qué nota mereces en la clase de inglés? ¿en la clase de matemáticas? ¿en la clase de ciencias?

5. ¿Obedeces las reglas *(rules)* de la escuela? ¿las reglas de la casa? ¿las reglas de la cortesía?

6. ¿Ahora parece el (la) profesor(a) contento(a)? ¿de buen humor? ¿cansado(a)?

7. ¿Perteneces a un club social? ¿cuál? ¿a un club deportivo? ¿cuál? ¿a un coro *(choir)*? ¿cuál?

B. Repaso: el uso de *de* para indicar la posesión

Note the use of **de** and the word order in the following sentences.

¿Dónde está el radio **de Elena?**	*Where is **Elena's** radio?*
No tengo los libros **del profesor.**	*I do not have **the teacher's** books.*
Paco es el hermano **del amigo de Luisa.**	*Paco is **Luisa's friend's** brother.*
	*Paco is the brother **of Luisa's friend.***

To indicate possession or relationship, Spanish speakers often use the construction:

noun   +   **de**   +   (article)   +   noun

▷ **De** is used in the following expressions:

ser de   *to belong to*   La guitarra **es de** Elena.
¿de quién(es) ...? *whose?*   **¿De quién** son los discos?

▷ Note also the construction: definite article + **de** + noun.

¿Tienes las revistas de Carmen?   *Do you have Carmen's magazines?*
No, pero tengo **las de Luisa.**   *No, but I have **Luisa's** (those of Luisa,*
                                      those belonging to Luisa).

No conozco a la hermana de José, pero   *I do not know José's sister, but I know*
  conozco a **la de Pilar**.   *Pilar's (that of Pilar).*

In the above constructions, the definite article replaces a noun.

las de Luisa = las revistas de Luisa
la de Pilar = la hermana de Pilar

ACTIVIDAD 3   Curiosidad

Quieres saber cómo se llaman los amigos y parientes de las siguientes
personas. Haz las preguntas necesarias.

▷ Carmen tiene un hermano.   ¿Cómo se llama el hermano de Carmen?

1. Pedro tiene una hermana.   4. El doctor Sánchez tiene una secretaria.
2. Isabel tiene un novio.   5. Federico tiene dos primos.
3. El profesor tiene unos amigos.   6. Los vecinos tienen dos hijos.

ACTIVIDAD 4   Las cosas de otros

A veces, no tenemos ciertas cosas que necesitamos. Tenemos que usar las
de otros. Expresa esto, según el modelo.

▷ Cuando no tengo mi bicicleta ... (Enrique)
      Cuando no tengo mi bicicleta, uso la de Enrique.

1. Cuando no tengo mi radio ...
   (mi hermano)
2. Cuando no tengo mi libro de español ...
   (mi amigo)
3. Cuando no tengo mis pelotas ...
   (Rosita)
4. Cuando no tengo mis discos nuevos ...
   (Alfredo)
5. Cuando no tengo mi calculadora ...
   (mi papá)
6. Cuando no tengo mi raqueta ...
   (mi prima)

C. Repaso: los adjetivos posesivos

Another way to indicate possession or relationship in Spanish is to use possessive adjectives. Review the forms of these adjectives:

POSSESSOR	SINGULAR		PLURAL		
yo	**mi** hermano	**mi** hermana	**mis** hermanos	**mis** hermanas	(my)
tú	**tu** primo	**tu** prima	**tus** primos	**tus** primas	(your)
él					(his, its)
ella	**su** amigo	**su** amiga	**sus** amigos	**sus** amigas	(hers, its)
Ud.					(your)
nosotros	**nuestro** tío	**nuestra** tía	**nuestros** tíos	**nuestras** tías	(our)
vosotros	**vuestro** hijo	**vuestra** hija	**vuestros** hijos	**vuestras** hijas	(your)
ellos					(their)
ellas	**su** profesor	**su** profesora	**sus** profesores	**sus** profesoras	(their)
Uds.					(your)

- All possessive adjectives agree in number with the nouns which they introduce: they have singular and plural forms. Note that **nuestro** and **vuestro** also agree in gender.

- **Su** and **sus** have several English equivalents:

el coche de Paco	su coche	*his* car
el coche de Marta	su coche	*her* car
el coche de Ud.	su coche	*your* car
el coche de mis amigos	su coche	*their* car
el coche de Uds.	su coche	*your* car

When clarification is necessary, Spanish speakers use the expressions **de él** (**de ella, de Ud., de ellos, de ellas, de Uds.**) instead of **su/sus**.

—¿Conocen Uds. a los amigos de Miguel y Mercedes?
—Conocemos a **los amigos de él,** pero no conocemos a **los de ella.**

ACTIVIDAD 5 Para ir al trabajo

Di cómo van al trabajo las siguientes personas, según el modelo.

- El doctor Velázquez tiene coche.
  Para ir a trabajo, el doctor Velázquez usa su coche.

1. La Srta. Vilar tiene bicicleta.
2. Mi papá tiene un Fiat.
3. Alberto tiene moto.
4. Mis primos tienen un Mercedes.
5. Tú tienes bicicleta.
6. El cartero tiene un Toyota.
7. La secretaria de la escuela tiene un Volvo.
8. Tenemos dos pies.
9. Tengo patines de ruedas (*roller skates*).

ACTIVIDAD 6   Los pedigüeños *(Leeches)*

Un pedigüeño es una persona que siempre usa las cosas de sus amigos. Di que las siguientes personas son pedigüeñas, según el modelo.

⊃⊃   Carmen (los discos / la amiga)   Carmen no usa sus discos.
                                         Usa los discos de su amiga.

1. el Sr. Montero (el coche / los empleados)
2. el doctor Valdez (la máquina de escribir / la secretaria)
3. nosotros (la grabadora / los vecinos)
4. yo (el reloj / la hermana)
5. tú (la pelota / los hermanos)
6. Ud. (la cámara / los primos)
7. Uds. (el teléfono / el vecino)
8. mis primos (la moto / los amigos)

D. Repaso: complementos directos: pronombres

Compare the direct objects and the corresponding object pronouns in the questions and answers below.

¿Invitas a **Pedro** a la fiesta?	Sí, **lo** invito.
¿Conoces a **Emilia?**	No, no **la** conozco.
¿Llevas **tus discos** a la fiesta?	Sí, **los** llevo.
¿Llamas a **tus amigas** por teléfono?	No, no **las** llamo.

⊃⊃   The direct object pronoun usually comes before the verb.

⊃⊃   In an infinitive or present progressive construction, the direct object pronoun may come either before the conjugated verb or after the infinitive or present participle, to which it is attached.

¿Vas a invitar a Luisa al cine?	Sí, voy a invitar**la**.
	Sí, **la** voy a invitar.
¿Estás llamando a Rafael?	No, no estoy llamándo**lo**.
	No, no **lo** estoy llamando.

⊃⊃   The direct object pronouns **lo (la)** and **los (las)** are used when speaking to people addressed as **Ud.** and **Uds.**

Voy a llamar**lo** por teléfono, Sr. Sánchez.
Voy a invitar**los** a mi fiesta de cumpleaños, Sr. y Sra. López.

ACTIVIDAD 7   ¿Personalmente o no?

Di si conoces a las siguientes personas personalmente. Di también si las ves a menudo.

> el cartero   (No) Conozco personalmente al cartero.
> (No) Lo veo a menudo.

1. la secretaria de la escuela
2. los vecinos
3. la empleada de correos
4. el mecánico que repara el coche de tu papá
5. los dependientes de la tienda donde compras tus discos
6. las camareras de la heladería donde vas con tus amigos

7. la empleada del banco donde van tus padres
8. los policías que dirigen el tráfico en tu barrio
9. el jefe de la policía
10. el presidente de los Estados Unidos

ACTIVIDAD 8   La maleta

Imagina que vas a México. Estás preparando tu maleta. Di si necesitas los siguientes objetos y si vas a llevarlos contigo.

> tu calculadora   (No) La necesito. (No) Voy a llevarla conmigo.

1. tus anteojos de sol
2. tu diccionario de español
3. tu raqueta de tenis
4. la dirección (address) de tus vecinos

5. tu bolígrafo
6. una máquina de escribir
7. tus sandalias
8. el mapa de los Estados Unidos

ACTIVIDAD 9   Preguntas personales

1. ¿Aceptas la injusticia? ¿las ideas revolucionarias? ¿las opiniones diferentes? ¿los defectos de tus amigos? ¿su negligencia? ¿su egoísmo (selfishness)?

2. ¿Admiras a tus profesores? ¿a tus padres? ¿a la policía? ¿a los artistas? ¿a los políticos? ¿a las personas famosas?

3. ¿Ayudas a menudo a tu papá? ¿a tu mamá? ¿a tus hermanos? ¿a tus abuelos? ¿a tus vecinos?

4. ¿Criticas un poco a tu mejor amigo? ¿a tu mejor amiga? ¿a tus parientes? ¿la sociedad moderna?

5. ¿Perdonas los insultos? ¿la ingratitud? ¿las culpas (mistakes) de tus amigos?

6. ¿Respetas siempre a los políticos? ¿al presidente de los Estados Unidos? ¿las reglas (rules) de la escuela?

7. ¿Toleras a las personas aburridas? ¿a las personas arrogantes? ¿a las personas mal educadas (impolite)? ¿a los presumidos (snobs)?

8. ¿Conoces el Perú? ¿el Ecuador? ¿la Argentina? ¿el Canadá? ¿los Estados Unidos? ¿la India?

9. ¿Conduces a veces el coche de tus padres?

10. ¿Mereces solamente buenas notas? ¿malas notas?

11. ¿Vas a invitar a tu mejor amigo a tu fiesta de cumpleaños? ¿a tu mejor amiga? ¿a tus primos? ¿a tus vecinos? ¿a tus compañeros de clase? ¿a todos?

12. ¿Deben los niños obedecer a sus abuelos? ¿a su papá? ¿a su mamá?

ACTIVIDAD 10   ¡Un poco de lógica!

Prepara diez frases lógicas (afirmativas o negativas) usando los elementos de las columnas A, B, C y D.

A	B	C	D
yo	ayudar	el amigo	Verónica
María	conducir	la amiga	Luis
nosotros	conocer	los padres	el profesor
mis primos	criticar	el coche	la escuela
Ud.	merecer	las reglas *(rules)*	un periodista
	obedecer	la disciplina	español
	traducir	las felicitaciones	los vecinos
	cuidar	*(congratulations)*	
		los artículos	
		los niños	

   María no conduce el coche de sus vecinos.

¡A ti te toca!

Escribe un pequeño párrafo sobre una persona que conoces bien.
Puede ser una persona del vocabulario especializado u otra persona.

Puedes usar frases como:
    Conozco a un (una) . . .
    Lo (La) respeto porque . . .
    Lo (La) admiro . . .
    Es una persona . . .
    (No) Deseo ser como él (ella) porque (no) me gusta . . .

Hoy es el diez de enero . . .
  un día de verano muy soleado . . .
  un día ideal para correr las olas.
Ramón, un chico de Lima, lleva su tabla hawaiana y va a la playa.
Allí, ve a una chica que está tomando el sol.
¿Quién es?
Ramón no sabe cómo se llama.
No sabe de dónde es.
No sabe nada de ella . . . sólo que es una chica muy bonita . . .
¡Le gustaría mucho conocerla!
Sí, pero, ¿cómo?
Vamos a ver.

soleado: *sunny*
correr las olas: *to surf*
tabla hawaiana:
  surfboard

Esa chica es muy guapa y parece muy simpática.
Me gustaría mucho hablarle . . . pero, ¿qué voy a decirle?

¿Le pregunto si pasa las vacaciones aquí?
. . . No, ¡es obvio!

¿Le digo que es muy guapa?
. . . No, ¡es ridículo!

Notas culturales

Las estaciones en la América del Sur

Como la mayoría de la América del Sur está en el hemisferio sur, las estaciones del año son lo contrario a las de los Estados Unidos. Los meses de verano son enero, febrero y marzo. Los meses del invierno son julio, agosto y septiembre.

La playa

¿Qué haces un día de verano en que hace mucho sol? ¿Vas a la playa?

Como muchos de los países hispanos tienen veranos largos° y calurosos,° el ir a la playa° es uno de los pasatiempos favoritos de muchos jóvenes hispanohablantes.°

¿Y qué hacen allí? Depende un poco de donde viven. En todas las playas pueden nadar o tomar el sol o jugar al volibol. En el Caribe, pueden también bucear.° En el Pacífico, pueden navegar en un bote de vela.° En Puerto Rico, Colombia y el Perú pueden correr las olas. En Lima, el correr las olas es un deporte tan favorito como en California o Hawaii y allí hay muchas competencias° internacionales.

Pero sobre todo,° el ir a la playa es para gozar de° la compañía de los amigos . . . y claro, para hacer nuevos amigos.

largos *long* **calurosos** *hot*
el ir a la playa *going to the beach*
hispanohablantes *Spanish-speaking* **bucear**
go scuba diving **navegar en un bote de vela** *sail*
competencias *competitions* **sobre todo** *above all*
gozar de *enjoy*

Vocabulario práctico

¿Qué tiempo hace?	How's the weather?
Hace calor (frío, fresco).	It is hot (cold, cool).
Hace sol (viento).	It is sunny (windy).
El día **está soleado (nublado).**	The day is sunny (cloudy).
El verano **es muy caluroso.**	Summer is very hot.

CONVERSACIÓN

¿Sabes nadar? Sí (No, no) sé nadar.
¿Sabes nadar el crol (*crawl*)?
¿Sabes nadar de espalda (*on your back*)?
¿Sabes esquiar?

¿Sabes esquiar en el agua (*to waterski*)?
¿Sabes navegar en un bote de vela (*to sail*)?
¿Sabes correr las olas (*to surf*)?

vocabulario especializado **En la playa**

Cuando voy a la playa, llevo
   unos anteojos de sol   **un traje de baño**

   un sombrero   **una toalla**

En la playa, hay **arena** *(sand)* y **piedras** *(stones)*.

Hay muchas cosas que hacer en la playa:

caminar *(to walk)*	En la playa, **caminamos** en la arena.
correr *(to run)*	No me gusta **correr** en las piedras.
correr las olas *(to surf)*	En el Perú, muchos chicos **corren las olas**.
esquiar en el agua *(to waterski)*	Para **esquiar en el agua,** es necesario tener un **bote** *(boat)* y esquís acuáticos.
navegar en un bote de vela *(to sail)*	Cuando hace viento, es fácil **navegar en un bote de vela**.
pescar *(to fish)*	Para **pescar,** no es necesario tener bote.
tomar el sol *(to sunbathe)*	Carlos está muy **tostado** *(tanned)* porque **toma** mucho **sol**.

ACTIVIDAD 1   Preguntas personales

1. ¿Tienes anteojos de sol? ¿De qué color?

2. ¿Tienes un traje de baño? ¿De qué color?

3. ¿Tienes un sombrero para el sol? ¿Es grande?

4. ¿Tienes toallas? ¿De qué colores?

5. ¿Cómo vas a la escuela? ¿Caminas o tomas el autobús?

6. ¿A qué playa vas durante las vacaciones? ¿Es una playa con arena o con piedras?

7. ¿Te gusta correr en la arena? ¿Te gusta correr cuando hay muchas piedras?

8. ¿Te gustaría correr las olas? ¿Dónde?

9. ¿Te gustaría esquiar en el agua? ¿Dónde?

10. ¿Te gustaría pescar en el mar Mediterráneo?

11. En tu opinión, ¿es fácil correr las olas? ¿esquiar en el agua? ¿navegar en un bote de vela?

12. En tu opinión, ¿es peligroso *(dangerous)* esquiar en el agua? ¿navegar en un bote de vela?

13. ¿Te gusta tomar el sol? ¿Dónde tomas el sol? ¿Usas una crema especial para el sol? ¿Ahora estás tostado(a)?

Estructuras

A. Repaso: *saber*

Review the forms and uses of **saber** *(to know)* in the sentences below.

(yo)	**Sé** cómo se llama la chica.
(tú)	**¿Sabes** dónde vive?
(él, ella, Ud.)	**Sabe** quién es.
(nosotros)	**Sabemos** su dirección *(address)*.
(vosotros)	**Sabéis** su número de teléfono.
(ellos, ellas, Uds.)	**Saben** nadar.

Although **saber** and **conocer** both correspond to the English verb *to know,* their uses are quite different. These two verbs cannot be substituted for each other.

▷ **Saber** means *to know information or facts.* It can be followed by:
   — a noun or pronoun representing this information or fact.

   ¿Sabes **mi dirección?**   *Do you know **my address?***
   — a clause.

   ¿Sabes . . . **dónde vivo?**   *Do you know . . . **where I live?***
   quién trabaja conmigo?   ***who works with me?***
   por qué estudio español?   ***why I am studying Spanish?***

▷ **Saber** is never used with nouns representing persons or places.
   Conozco a María . . . pero no **sé** dónde vive.
   Miguel **conoce** una playa bonita . . . pero no **sabe** si hay olas hoy.

▷ When **saber** is followed by an infinitive it means *to know how to do something.*
   Raquel no **sabe nadar.**   *Raquel does not **know how to swim**.*

ACTIVIDAD 2   La misteriosa Cristina

Las siguientes personas conocen a Cristina pero no saben mucho de ella.
Expresa esto según el modelo.

▷   Carlos (dónde vive)   Carlos conoce a Cristina . . . pero no sabe dónde vive.

1. Luis (si tiene muchos amigos)
2. mis amigos (cuál es su número de teléfono)
3. yo (por qué estudia francés)
4. nosotros (cuántos hermanos tiene)
5. sus vecinos (dónde trabaja)
6. Enrique (cómo se llama su novio)
7. Felipe (si nada bien)
8. mis hermanas (si tiene esquís acuáticos)

B. Adjetivos y pronombres demostrativos

The forms and uses of demonstrative adjectives are summarized in the following diagram.

(aquí)	(ahí)	(allí)
este perro	**ese** perro	**aquel** perro
esta chica	**esa** chica	**aquella** chica
estos discos	**esos** discos	**aquellos** discos
estas casas	**esas** casas	**aquellas** casas

yo　　　　　**este** perro　　　　　　　**ese** perro　　　　　　**aquel** perro
　　　　　　　　(this dog)　　　　　　　*(that dog)*　　　*(that dog over there)*

Demonstrative adjectives *introduce* nouns.

　　Mira **ese** libro.　　*Look at **that** book.*

Demonstrative pronouns *replace* nouns.

　　¿Cuál es tu libro? **¡Éste** o **aquél?**　　*Which is your book? **This one** or **that one**?*

⟅ In Spanish, demonstrative pronouns have the same forms as demonstrative adjectives, but with an accent on the stressed syllable.

ACTIVIDAD 3　En la playa

Luisa y Felipe están en la playa. Luisa le pregunta a Felipe si conoce a las personas que están caminando. Haz los dos papeles.

⟅　el muchacho (no)　　Luisa: ¿Conoces a ese muchacho?
　　　　　　　　　　　　Felipe: No, no lo conozco.

1. la mujer (sí)
2. el hombre (no)
3. la muchacha (sí)
4. el pescador (no)

5. los niños (sí)
6. las chicas (no)
7. los turistas (sí)
8. los jóvenes (sí)

ACTIVIDAD 4   En la tienda de la playa

Ahora Roberto y Luisa están en una tienda. Roberto le pregunta a Luisa qué cosas prefiere. Luisa dice que prefiere otras cosas. Haz los dos papeles.

🔊 una revista   Roberto: ¿Prefieres esa revista o ésta?
                  Luisa: Prefiero aquélla.

1. un traje de baño
2. unos anteojos de sol
3. un sombrero
4. un parasol

5. unas cañas de pescar (*fishing poles*)
6. una toalla
7. una tabla hawaiana (*surfboard*)
8. unos esquís acuáticos

C. Repaso: el complemento indirecto: *le, les*

Note the forms and position of the indirect object pronouns.

¿**Le** habla **al cartero?**	No, no **le** habla.
¿**Le** escribes **a Luisa?**	Sí, **le** escribo una carta.
¿Qué **les** mandas **a tus primos?**	**Les** mando un regalo.
¿Vas a escribir**les** **a tus abuelos?**	Sí, voy a escribir**les**.

The third person indirect object pronoun has only two forms:

> **le** (singular) and **les** (plural)

🔊 Like other object pronouns, it usually comes *before* the verb.
In an infinitive or present progressive construction, the indirect object pronoun may come either before the conjugated verb or after and attached to the infinitive or present participle.

Le voy a hablar. ⎫
Voy a hablar**le**. ⎭   *I am going to talk **to him**.*

Le estoy hablando. ⎫
Estoy hablándo**le**. ⎭   *I am talking **to him**.*

🔊 Note that in Spanish the indirect object pronouns are used as reinforcement in sentences which already contain an indirect object noun.

Le hablo **a Paco**.   *I am speaking **to Paco**.*

🔊 **Le** and **les** are the indirect object pronouns used with persons addressed as **Ud.** or **Uds.**

Le digo la verdad, Sr. Montero.   *I am telling **you** the truth, Sr. Montero.*

ACTIVIDAD 5   **Los conocidos** *(Acquaintances)*

Para cada una de las siguientes personas, di si la ves todos los días y si le hablas todos los días también.

‡ el médico   (No) Lo veo todos los días. (No) Le hablo todos los días.

1. el dentista
2. el cartero
3. la secretaria de la escuela
4. tus primos

5. tus abuelos
6. los vecinos
7. las amigas de tus amigos
8. los padres de tus amigos

---

vocabulario especializado   **Verbos con complementos indirectos**

comprar	to buy	Luis le **compra** un helado a Isabel.
dar	to give	Les **doy** consejos a mis amigos.
decir	to tell, say	Le **digo** la verdad al maestro.
enseñar	to show	No les **enseño** mis fotos a mis padres.
	to teach	El profesor les **enseña** francés a los alumnos.
mandar	to send	Le **mando** una carta a mi primo.
prestar	to lend	No les **presto** dinero a mis amigos.
regalar	to give (as a present)	Voy a **regalarle** un disco a mi primo para su cumpleaños.

NOTAS: 1. In the above sentences, the verbs are used with indirect object pronouns and with direct objects.

2. Note the **yo** forms of **dar (doy)** and **decir (digo)**.

ACTIVIDAD 6   **Regalos de Navidad**

Imagina que compraste las cosas de la columna A para Navidad. Di a qué persona de la columna B vas a darle cada regalo.

A	**B**
una suscripción a *Mad*	mi mejor amigo
un cartel *(poster)*	mi mejor amiga
un sombrero	mi papá
unos discos	mi mamá
unos anteojos de sol	mis abuelos
unos esquís acuáticos	mi tía
una novela	mis primos
un mapa de los Estados Unidos	mis hermanas
una tabla hawaiana	un amigo deportista
un rompecabezas *(puzzle)*	una amiga que va a menudo a la playa
una suscripción a *Deportes ilustrados*	un amigo que no es puntual
un reloj	unas amigas que viven en España

‡ Les doy una suscripción a *Mad* a mis primos.

ACTIVIDAD 7 Preguntas personales

Usa un pronombre complemento indirecto en tus respuestas.

1. Durante las vacaciones, ¿le escribes a tu mejor amigo? ¿a tu mejor amiga? ¿a tu profesor de español? ¿Les escribes a tus abuelos? ¿a tus compañeros?

2. ¿Les das consejos a tus amigos? ¿a tus compañeros? ¿a tus primos?

3. ¿Le prestas tus anteojos de sol a tu mejor amigo? ¿a tu mejor amiga? ¿a tu novio(a)?

4. ¿Les enseñas tus fotos a tus profesores? ¿a tus compañeros? ¿a tus amigos?

5. ¿Qué vas a regalarle a tu papá para su cumpleaños? ¿a tu mamá? ¿a tu mejor amigo? ¿a tu mejor amiga?

6. ¿Les lees cuentos a tus hermanos? ¿a tus hermanas? ¿a tus primos?

7. ¿Les prestas a tus compañeros tus revistas viejas? ¿tus notas de español?

8. Cuando estás de viaje, ¿les mandas tarjetas a tus compañeros? ¿a tus vecinos? ¿a tus tíos? ¿a tus abuelos?

D. Repaso: *decir*

Review the forms of **decir** (*to say, to tell*).

(yo)	**Digo** que Ana es guapa.
(tú)	**Dices** que es lista.
(él, ella, Ud.)	**Dice** que está cansada.
(nosotros)	**Decimos** que Ramón es deportista.
(vosotros)	**Decís** que es tímido.
(ellos, ellas, Uds.)	**Dicen** que no tiene suerte.

ACTIVIDAD 8   El secreto

Mari-Carmen tiene un secreto que le dice a Carlos. Carlos le dice el
secreto a Manuel, que le dice a .... Expresa esto usando la forma
apropiada del verbo **decir**.

>> Mari-Carmen: Carlos   Mari-Carmen le dice el secreto a Carlos.

1. Carlos: Manuel
2. yo: Enrique
3. mis primos: Isabel
4. tú: Felipe

5. Roberto y Andrés: Alberto
6. mis primos: mis primas
7. Uds.: el profesor

¡A ti te toca!

Imagina que estás en una playa cerca de Lima. Si tú eres un chico, ves a
una chica. Si eres una chica, ves a un chico. Esta persona es guapa y
parece interesante. Prepara seis frases o preguntas que puedes decirle. (Si
quieres, usa «Así es la vida» como tu inspiración.)

Lección 3

Intercambios

¡Chantaje!

Manuel: ¡Oye, Luis!

Luis: ¿Qué hay?

Manuel: Tienes una bicicleta nueva, ¿verdad?

Luis: ¡Sí! ¿Por qué?

Manuel: ¿Me la prestas?

Luis: Claro. . . Te la presto. . . ¡si me prestas mil pesetas!

Manuel: Mil pesetas, ¡no!

Luis: ¡Si no hay dinero, no hay bicicleta!

Manuel: ¡Va por quinientas pesetas! ¡Pero esto es chantaje!

¿Un tocadiscos por una guitarra?

Pedro: ¡Dime, Carmen! ¿Adónde vas con tu guitarra?

Carmen: Voy a venderla.

Pedro: ¿A quién?

Carmen: ¡A Carlos!

Pedro (inquisitivo): ¿Por cuánto se la vendes a Carlos?

Carmen (un poco impaciente): Por treinta dólares.

Pedro (insistente): ¿Por treinta dólares. . . no quieres cambiármela?

Carmen (curiosa): Eso depende . . . ¿Por qué me la cambias?

Pedro (misterioso): Por algo magnífico, maravilloso, estupendo . . .

Carmen (un poco sospechosa): ¿Qué cosa?

Pedro (con un aire indiferente): ¡Mi tocadiscos!

Carmen (furiosa): ¿Quieres cambiar tu tocadiscos por mi guitarra, eh? . . . ¿Me tomas por idiota? . . . ¡Yo sé bien que tu tocadiscos está descompuesto! ¡Ladrón!

Marginal glosses:

¿Qué hay?: *What's new?*

Va por: *It's a deal for*
esto: *this*
chantaje: *blackmail*

Dime: *Tell me*

cambiármela: *to trade it with me*
Eso: *That*

sospechosa: *suspicious*

está descompuesto: *doesn't work*
¡Ladrón!: *Thief!*

¡La guitarra!

En todos los países hispanos, la guitarra es el instrumento musical favorito de los jóvenes. Tocan la guitarra en las fiestas, en la playa, en los picnics, en los cafés, en las calles, en las plazas . . . y en todos los lugares donde se reúnen° los jóvenes.

Y a veces, cuando un chico está enamorado de una joven, él y sus amigos le pueden dar una serenata cerca de su ventana o balcón.

se reúnen *get together*

──Vocabulario práctico──

sustantivo	**el chantaje**	blackmail
adjetivos	**inquisitivo**	curious, inquisitive
	misterioso	mysterious
	sospechoso	suspicious
verbo	**cambiar**	to change, to exchange
preposiciones	**con**	with
	por	for, in exchange for
pronombres	**eso, esto**	that, this (neuter)
exclamaciones	**¡Dime!**	Say! Tell me!
	¡Ladrón!	Thief!
	¡Oye!	Listen!
	¿Qué cosa?	What is it? What thing?
	¿Qué hay?	What's up? What is it?
	¡Va por . . .!	It's a deal for . . .!

NOTA: **Eso** and **esto** are neuter demonstrative pronouns. They are used to refer to a general idea rather than a specific object.

CONVERSACIÓN

¿Tienes tocadiscos?

    ¿Se lo prestas a tus amigos?

¿Tienes discos?

    ¿Se los prestas a tus hermanos?

¿Recibes muchas cartas?

    ¿Se las lees a tus padres?

¿Tienes secretos?

    ¿Se los dices a tu mejor amigo? ¿a tu mejor amiga? ¿a tus padres?

vocabulario especializado — Algunos objetos

Objetos que llevamos

. . . en **el bolsillo** 　　　. . . o en **el bolso**

un bolígrafo

el chicle

los dulces

una billetera

un espejo

un lápiz

un billete

una libreta

una llave

un pañuelo

un peine

una navaja

unas monedas

. . . o que nos **ponemos**

un anillo

un collar

una medalla

los pendientes

un reloj pulsera

una pulsera

ACTIVIDAD 1   El costo de la vida *(The cost of living)*

¿Puedes decir cuánto cuestan las siguientes cosas? No es necesario saber el precio exacto.

un paquete de chicle   Un paquete de chicle cuesta veinte centavos.
un espejo   Un espejo cuesta un dólar.

1. un bolígrafo
2. un lápiz
3. una libreta
4. una billetera de plástico
5. una billetera de cuero *(leather)*
6. un pañuelo
7. un peine
8. una navaja
9. un anillo barato
10. un anillo de plata *(silver)*
11. un anillo de oro *(gold)*
12. una pulsera barata
13. una pulsera de plata
14. un reloj pulsera
15. unos pendientes
16. un collar barato
17. un collar de perlas
18. una medalla de oro

ACTIVIDAD 2   Preguntas personales

1. ¿Tienes bolígrafo? ¿De qué marca?

2. ¿Compras chicle a menudo? ¿De qué marca?

3. ¿Comes muchos dulces?

4. ¿Tienes la llave de tu casa? ¿la llave del coche de tus padres? ¿la llave de la escuela?

5. ¿Usas pañuelos de tela *(cloth)* o pañuelos de papel *(paper)*?

6. ¿Tienes reloj pulsera? ¿De qué marca? ¿Anda *(does it work)* bien?

7. ¿Escribes tus citas en una libreta?

8. ¿Tienes billetera? ¿De qué color es?

9. ¿Llevas anillos? ¿Cuántos?

10. ¿Llevas medallas? ¿Qué representan?

11. ¿Qué hay en tus bolsillos?

Estructuras

A. Repaso: los pronombres *me, te, nos*

Compare the subject and object pronouns in the chart below.

SUBJECT PRONOUNS	DIRECT AND INDIRECT OBJECT PRONOUNS		
yo	**me**	¿**Me** escuchas?	¿Vas a escuchar**me**?
tú	**te**	No **te** **ayudo** hoy.	Voy a ayudar**te** mañana.
nosotros(as)	**nos**	¿**Nos** ayudas, Pepe?	¿Vas a prestar**nos** tu guitarra?

>> **Me, te** and **nos** can be used as both direct and indirect object pronouns.

>> These pronouns have the same position as other object pronouns.

ACTIVIDAD 3   ¿Tienes buenas relaciones con otros?

Describe tus relaciones con otros, según el modelo. Puedes usar expresiones como **a veces, nunca.**

>>   tu papá (ayudar)   Mi papá (no) me ayuda (nunca).

1. tu papá (ayudar / comprender / dar consejos / prestar el coche)
2. tu mamá (comprender / dar dinero / comprar regalos / respetar)
3. tus abuelos (escribir / llamar por teléfono / mandar regalos)
4. tus profesores (dar consejos / dar buenas notas / criticar)
5. tus amigos (visitar / llamar por teléfono / admirar / criticar / tolerar)

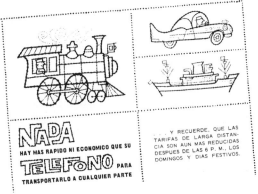

ACTIVIDAD 4   Diálogo: La amistad *(Friendship)*

Pregúntales a tus compañeros si van a hacer las siguientes cosas para ti durante las vacaciones.

>>   escribir   Estudiante 1: ¿Vas a escribirme?
Estudiante 2: Sí (No, no) voy a escribirte.

1. invitar al cine
2. visitar
3. invitar a la playa
4. ayudar
5. presentar a tus amigos
6. mandar tarjetas

B. Repaso: pronombre indirecto + pronombre directo

The answers below contain two object pronouns. Note the sequence of these pronouns.

¿Me prestas tu coche?	Sí, **te lo** presto.
¿Me vendes tu bicicleta?	No, no **te la** vendo.
¿Vas a mandarme los libros?	Sí, voy a mandár**telos**.

In sentences which contain two object pronouns, the sequence is:

> indirect object + direct object

ACTIVIDAD 5   La envidia *(Envy)*

Clara quiere usar las cosas nuevas de su amiga Cecilia. Haz los dos papeles según el modelo.

⊃ unos pendientes (prestar) Cecilia: ¡Mira mis pendientes nuevos!
                             Clara: ¿Me los prestas?

1. un anillo (dar)
2. una pulsera (regalar)
3. un peine (prestar)

4. una billetera (enseñar)
5. unas medallas (dar)
6. unos discos (ofrecer)

ACTIVIDAD 6   Peticiones

Raúl le pide a Carmen algunas cosas. Carmen le dice que sí a ciertas cosas y a otras, no.

⊃ el espejo (no)   Raúl: ¿Me prestas tu espejo?
               Carmen: No, no te lo presto.

1. el peine (sí)
2. la libreta (sí)
3. el bolígrafo (sí)
4. los pendientes (no)

5. las monedas (no)
6. la pulsera (no)
7. los anteojos de sol (no)
8. la toalla (sí)

9. el sombrero (no)
10. la guitarra (sí)
11. el pañuelo (no)
12. la navaja (sí)

ACTIVIDAD 7   Intercambios

Roberto le propone a Elena ciertos intercambios, pero sin éxito *(success)*.
Haz los dos papeles.

⊃ el anillo / la medalla   Roberto: ¿Me das tu anillo?
                        Elena: Sí, te lo doy . . . por tu medalla.
                     Roberto: ¡Por mi medalla! ¡No! No quiero cambiártela.

1. la billetera / la libreta
2. los pendientes / las medallas
3. los dulces / el chicle
4. los billetes / las monedas
5. la pulsera / el anillo

6. el peine / el espejo
7. los esquís acuáticos / la tabla hawaiana
8. el sombrero / los anteojos de sol
9. el reloj pulsera / la navaja
10. el lápiz / el bolígrafo

C. Repaso: el pronombre *se*

Review the use of the pronoun **se** in the sentences below.

¿**Le** prestas tu moto **a Carlos?**   Sí, **se** la presto.
¿**Le** vendes tus libros **a María?**   No, no **se** los vendo.
¿**Les** mandas el telegrama **a tus primos?**   Sí, voy a mandárselo.

Se replaces **le** and **les** before the direct object pronouns **lo, la, los, las.**

ACTIVIDAD 8   Isabel

Isabel actúa positivamente con chicas y actúa negativamente con chicos. Di cómo va a actuar ella.

∑⟩ ¿Le da su dirección a Andrés?   No, no se la da.
∑⟩ ¿Le da sus tareas a Rita?   Sí, se las da.

1. ¿Le enseña sus fotos a Roberto?
2. ¿Le enseña sus notas a Luisa?
3. ¿Les presta sus pulseras a sus amigas?
4. ¿Le presta su libreta a Ramón?

5. ¿Le manda el telegrama a su primo?
6. ¿Les manda la tarjeta a sus primas?
7. ¿Les da el chicle a León y Felipe?
8. ¿Le ofrece los dulces a Beatriz?

ACTIVIDAD 9   Regalos

Imagina que tienes dos amigos: Elena, a quien le gustan los deportes, y Ramón, a quien le gusta la música. Di a cuál de los dos vas a regalarle los siguientes objetos.

∑⟩   una tabla hawaiana   Se la doy a Elena.

1. unos discos
2. unas pelotas de tenis
3. una guitarra
4. un tocadiscos
5. una raqueta
6. unos zapatos de tenis

D. Repaso: el pronombre neutro *lo*

Review the use of the neuter pronoun **lo** in the sentencas below.

¿Sabes **dónde vive María?**   No, no **lo** sé.   *(I do not know it.)*
Juan dice **que tiene suerte.**   No **lo** creo.   *(I don't believe it.)*

The neuter pronoun **lo** replaces a part of a sentence (rather than a specific noun). It is often the equivalent of the English *it* or *so*. Note also the expression:

Lo siento.   *I am sorry (about that).*

ACTIVIDAD 10 Preguntas personales

1. ¿Sabes si vas a sacar una buena nota en español?
2. ¿Sabes dónde vive el (la) profesor(a)?
3. ¿Sabes dónde trabaja el papá de tu mejor amigo?
4. ¿Sabes dónde vas a pasar las vacaciones próximas?
5. ¿Sabes cuál es el signo del zodíaco de tu mejor amiga?
6. ¿Sabes si vas a ser millonario(a) un día?

Proponles ciertos intercambios a tus compañeros con dos cosas que tienes
en tu bolsillo o en tu bolso.

Por ejemplo: —Tengo lápiz. Te lo cambio por tu bolígrafo.

　　　　　　 —Pero no necesito un lápiz. Te cambio mi bolígrafo por tus
　　　　　　 llaves. . .

Lección 4   ¡No hay democracia!

Hoy es domingo. Como todos los domingos, la familia Morales va al cine. Pero, ¿qué película va a ver? ¡Eso es un problema! Cuando hay cinco hijos en una familia, casi siempre hay cinco opiniones diferentes. Pero en una familia tan organizada como la familia Morales, siempre hay una solución para los problemas de esa clase. . . .

Sra. de Morales:	¿Chicos, quieren ir al cine?
Roberto:	¡Claro, mamá!
Silvia:	¡Qué idea tan buena!
Carmen:	¡Vamos a ver una película romántica!
Manuel:	¡Qué ideas tan estúpidas tienes, Carmen! ¡Las películas románticas son tan tontas! ¡A mí me gustan las películas de aventuras!
Enrique:	¡Y a mí no me gustan! ¡Solamente me agradan las películas cómicas!
Silvia:	¡Y a mí me gustan las películas de horror!
Roberto:	¡Y a mí me gustan las películas del oeste!
Sra. de Morales:	Un momento, jóvenes. . . . ¿Quién va a comprar las entradas?
Silvia:	¡Espero que papá!
Roberto:	¡Lo espero también!
Sra. de Morales:	¡Entonces, papá tiene que decidir. . . ! Julio, ¿qué clase de película te gustaría ver?
Sr. Morales:	Una comedia musical, ¡por supuesto!
Enrique:	¡No es justo!
Sra. de Morales:	¿Quieren ir con nosotros, o no?
Carmen:	Bueno . . . vamos a ver una comedia musical . . . pero . . .
Roberto:	En esta familia . . .
Silvia:	. . .¡NO HAY DEMOCRACIA!

me agradan: *I like*

entradas: *tickets*

¡Espero que papá! = Espero que papá va a comprar las entradas.

justo: *fair*

La autoridad paternal

¿Quién decide adónde vas de vacaciones, o qué clase de coche o de ropa vas a comprar? Tal vez tu mamá, tu papá o quizá ambos°... o a veces tú decides.

En las familias hispanas tradicionales, es el padre quien gana el dinero. Por lo tanto° él toma las decisiones grandes o pequeñas que conciernen a la familia. ¡Y sus decisiones son finales! Sin embargo, el papel° de la madre en asuntos° familiares° es importantísimo. Aunque ella no toma las decisiones finales, ella toma parte en ellas y hasta° puede influir en los resultados. Cuando un joven tiene miedo° de pedirle algo a su padre, su mejor estrategia es ir a hablar con su madre.

ambos *both* **Por lo tanto** *Therefore* **papel** *role* **asuntos** *matters* **familiares** *family* **hasta** *even* **tiene miedo** *is afraid*

¡Vamos al cine!

A los jóvenes hispánicos les encantan las películas cómicas, policíacas, de misterio, de horror, de comedias musicales, de guerra,° de ciencia-ficción y, por supuesto, las de vaqueros.°

Existe una verdadera° «cinemanía».° Además, generalmente en la televisión no presentan películas buenas ni° modernas. Entonces, no hay más remedio. ¡Hay que° ir al cine! Algunas veces es necesario hacer cola,° especialmente cuando es un estreno.° La mayoría de los cines presentan dos películas, y durante el intermedio° puedes comprar rositas de maíz° y refrescos y hablar con tus amigos. Y después de la función, ¿te parece bien° ir a un café al aire libre° con tus amigos? Estupendo, ¿verdad?

guerra *war* **vaqueros** *cowboys* **verdadera** *real* **cinemanía** *movie madness* **ni** *nor* **Hay que** *One has to* **hacer cola** *to stand in line* **estreno** *premiere* **intermedio** *intermission* **rositas de maíz** *popcorn* **te parece bien** *how would you like* **al aire libre** *outdoor*

Vocabulario práctico

sustantivos	**una clase**	type, kind	**una entrada**	ticket
expresiones	**casi**	almost	**¿cuál? ¿cuáles?**	which
	entonces	then	**hay que**	one must,
	un momento	wait a minute		it is necessary to
	no es justo	it's not fair	**todos los**	every
	¡qué . . .!	what (a) . . .!	**(todas las)**	

NOTA: **¿Cuál?** is usually used instead of **¿qué?** in front of the verb **ser**. It suggests a choice between several possibilities.

    ¿Cuál es la mejor película?   *Which is the best picture?*

CONVERSACIÓN

¿Te gusta el cine?
¿Te gustan las películas de horror?
¿Te gusta la violencia?
¿Te gustan los deportes violentos?
¿Te gusta la música?
¿Te gustan las comedias musicales?

---

vocabulario especializado Las diversiones

los deportes
Hay deportes individuales y deportes de **equipo** *(team)*.
Un deporte puede ser **sano** *(healthy)*, **peligroso** *(dangerous)* o **violento**.

bailar
cazar *(to hunt)*
escalar *(to climb)* la montaña
jugar al basquetbol, al fútbol,
   al ping pong, al tenis
montar a caballo *(to ride)*
nadar
patinar *(to skate)*
el baile moderno, clásico
la caza *(hunting)*
el alpinismo *(mountain climbing)*
el básquetbol, el fútbol,
   el ping pong, el tenis
la equitación *(horseback riding)*
la natación *(swimming)*
el patinaje *(skating)*

ACTIVIDAD 1   Diálogo: Las diversiones

Pregúntales a tus compañeros si les gustan las siguientes diversiones, según el modelo.

🦋 el baile   Estudiante 1: ¿Te gusta el baile?
          Estudiante 2: Sí, me gusta bailar.
                (No, no me gusta bailar.)

1. el alpinismo
2. el tenis
3. la equitación

4. la cerámica
5. la lectura
6. el patinaje

7. la fotografía
8. la caza
9. la cocina

los pasatiempos

Hay pasatiempos artísticos. Otros son intelectuales.

cocinar	**la cocina** *(cooking)*
coleccionar	**la colección de sellos** *(stamps),* **de monedas**
hacer cerámica	**la cerámica** *(pottery)*
leer	**la lectura** *(reading)*
pintar *(to paint)*	**la pintura**
sacar fotos	**la fotografía**

los espectáculos

A veces somos espectadores.

el cine: **una película** de aventuras, de horror, del oeste
el teatro: **una obra de teatro** *(play),* **una tragedia, una comedia**
la televisión o la radio: **las noticias** *(news),* **un programa** de variedades,
          un partido *(game, match)* de fútbol o de tenis
la música: **una ópera, un concierto**

Estructuras

A. Repaso: el uso del artículo en el sentido general

Note the use of the definite article in the following sentences.

¿Qué piensas de **la** música moderna?	*What do you think of modern music (in general)?*
¿Es **el** fútbol un deporte bueno?	*Is soccer (generally) a good sport?*
Las comedias musicales son aburridas.	*Musical comedies (in general) are boring.*
¿Estás en pro o en contra de **la** violencia en la televisión?	*Are you for or against violence on TV (in general)?*

Spanish speakers use the definite article before a noun used in a general or collective sense. In English the article is omitted.

ACTIVIDAD 2   Tus opiniones

Expresa lo que piensas de las siguientes diversiones, usando los elementos de A y B.

1. fútbol
2. volibol
3. natación
4. cine
5. teatro
6. fotografía
7. lectura
8. televisión
9. cerámica
10. películas románticas
11. películas de ciencia-ficción
12. películas del oeste
13. baile
14. alpinismo
15. cocina
16. pintura
17. patinaje
18. caza
19. equitación
20. atletismo

A	B	
deporte	estupendo	difícil
espectáculo	interesante	peligroso
pasatiempo	aburrido	sano
	tonto	violento
	útil	artístico

≫ tenis   El tenis es un deporte interesante.

ACTIVIDAD 3   ¿En pro o en contra?

¿Estás en pro o en contra de las siguientes cosas? Explica tu opinión, usando los siguientes adjetivos en frases afirmativas o negativas: **útil, inútil, necesario, sano, peligroso, bueno, malo** (* indica que el sustantivo es femenino).

∞ violencia*   Estoy en contra (en pro) de la violencia.
                  La violencia es mala (buena).

1. justicia*
2. progreso social
3. progreso técnico
4. democracia*
5. libertad* *(freedom)*

6. injusticia*
7. revolución*
8. anarquía*
9. contaminación* *(pollution)* del aire
10. exámenes

B. Repaso: la construcción *me gusta(n)*

Note the forms of the expression **me gusta** in the following sentences.

¿**Te gusta** el jazz?   No, **me gusta** solamente la música clásica.
¿**Te gustan** los deportes?   Sí, **me gustan** especialmente los deportes como el tenis y la natación.

∞ Literally, **gustar** means *to please* or *to be pleasing.*
   In expressions such as **me gusta la música, me gustan los deportes,** the verb **gustar** agrees with the subject (**la música, los deportes**) and not with **me,** which is the indirect object.

∞ **Me** can be replaced by the other indirect object pronouns: **te, le, nos, les.**

Nos gusta el español, ¿verdad?   *We like Spanish, don't we?*
                                       (Spanish is pleasing to us . . .)

A Rita le gusta el tenis y   *Rita likes tennis and*
a Esteban le gusta la natación.   *Esteban likes swimming.*
¿**Le gustan** las películas   *Do you like American movies,*
norteamericanas, Sr. Morales?   *Mr. Morales?*

ACTIVIDAD 4   El turista mexicano

Imagina que un periodista norteamericano le hace una entrevista a un turista mexicano. Le pregunta a él si le gustan las siguientes cosas. Haz los dos papeles.

∞ Nueva York (sí)   El periodista: ¿Le gusta Nueva York?
                      El turista: Sí, me gusta mucho.

1. el béisbol (sí)
2. el fútbol americano (no)
3. la hospitalidad (sí)
4. las películas (no)

5. los programas de televisión (no)
6. la cocina (no)
7. los restaurantes (no)
8. los hoteles (sí)

me gusta(n) más	I prefer (. . . please[s] me more)	Me gusta la televisión, 　pero **me gusta más** el cine.
me gustaría(n)	I would like (. . . would please me)	**Me gustaría** ir a México.
me agrada(n)	I enjoy (. . . please[s] me)	**Me agradan** las películas del oeste.
me disgusta(n)	I hate (. . . disgust[s] me)	**Me disgustan** las películas violentas.
me encanta(n)	I like very much (. . . please[s] me very much)	**Me encanta** la música.
me interesa(n)	I am interested in (. . . interest[s] me)	**Nos interesa** la clase.
me importa(n)	. . . matter(s) to me	No **me importan** tus ideas.
me preocupa(n)	I am worried by (. . . worry[ies] me)	**Me preocupa** el futuro.
me falta(n)	I lack (. . . is[are] lacking to me) I do not have	**Nos falta** experiencia. **Me faltan** dos dólares para ir al cine.

ACTIVIDAD 5　　Expresión personal

Expresa tus reacciones personales a las siguientes cosas, usando las
expresiones del vocabulario en frases afirmativas o negativas.

mis estudios　　　(No) Me interesan (preocupan, importan . . .) mis estudios.

1. la música clásica
2. el baile tradicional
3. los deportes violentos
4. las películas violentas
5. los exámenes

6. las vacaciones
7. mis relaciones con mis amigos
8. mis relaciones con mis padres
9. mis notas
10. el futuro del mundo

ACTIVIDAD 6　　Lo que nos falta *(What we don't have)*

Hay muchas cosas que no podemos hacer porque nos falta algo. Expresa
eso, completando las frases con una idea personal.

Me falta dinero para . . .　　　Me falta dinero para comprar una moto.

1. Me falta experiencia para . . .
2. Me falta tiempo para . . .
3. Me falta paciencia para . . .

4. Me falta ambición para . . .
5. Me falta talento para . . .
6. Me falta inspiración para . . .

ACTIVIDAD 7   A cada uno su gusto *(Each to his or her own taste)*

En cinco minutos, ¿cuántas frases lógicas puedes crear? Usa los elementos
de las columnas A, B, C y D, según el modelo.

A	B	C	D
Marina	loco	gustar	el tenis
el Sr. Chávez	deportista	encantar	la música clásica
la Srta. Velázquez	intelectual	disgustar	los conciertos de rock
nosotros	liberal	agradar	el comunismo
mis amigos	músico		la ópera
	conservador		la violencia
	artístico		las modas extravagantes
			la libertad *(freedom)*
			el peligro *(danger)*
			las ideas revolucionarias
			la escultura
			la pintura
			la equitación
			la caza

Somos locos. Nos encanta la violencia.

C. La construcción *el (la, los, las)* + adjetivo

Note the use of the definite articles in the following questions and
answers.

¿Te gusta más el teatro moderno o el clásico?   **El** moderno. *(The modern **one**.)*
¿Te gusta más la música norteamericana o la hispana?   **La** hispana. *(The Spanish **one**.)*
¿Prefieres los programas cómicos o los dramáticos?   **Los** cómicos. *(The funny **ones**.)*
¿Prefieres las chicas morenas o las rubias?   **Las** morenas. *(The brunette **ones**.)*

To avoid repeating a noun, Spanish speakers often use the construction:

> **el, la, los, las**   +   adjective

In the above sentences,   el clásico   =   el teatro clásico
                          la hispana   =   la música hispana

There is a similar construction with the indefinite article:

un(a) joven   a young man (woman)
un(a) viejo(a)   an old man (woman)
un(a) francés(esa)   a French man (woman)

El Instituto Nacional de Bellas Artes

presenta

BALLET
FOLKLORICO
DE MEXICO

Directora General y Coreógrafa
General Director and Choreographer

AMALIA HERNANDEZ

Directora Artística y Coreógrafa Residente
Artistic Director Resident Company

NORMA LOPEZ HERNANDEZ

ACTIVIDAD 8   El honor nacional

Un chico español está discutiendo *(arguing)* con una chica mexicana. El
chico español dice que las cosas españolas son buenas. La chica mexicana
dice que las cosas mexicanas son mejores. Haz los dos papeles.

> las películas

El chico español: Las películas españolas son muy buenas.
La chica mexicana: ¡Quizá! Pero las mexicanas son mejores.

1. el teatro
2. la literatura
3. el arte
4. el clima *(climate)*
5. los restaurantes
6. la cocina
7. los atletas
8. los artistas
9. los museos
10. las películas

D. La construcción *el (la, los, las) + que*

We have seen several instances in which the definite article can be used to
replace a noun which has already been expressed.

> **el (la, los, las) + de**

¿Es la moto de Juan?
No, es **la de** Ramón.   *No, it is Ramón's (the one of Ramón).*
    (la moto de Ramón)

> **el (la, los, las) + adjetivo**

¿Te gustan los programas cómicos?
Sí, pero me gustan **los dramáticos** también.   *Yes, but I also like the **dramatic ones**.*
    (los programas dramáticos)

Also note the construction   **el + que**

Hay dos chicas aquí.
Alicia es **la que** estudia conmigo.   *Alicia is **the one who** studies with me.*
    (la chica que)
¿Cuál es el muchacho francés?
    Es **el que** habla con Luisa.   *It's **the one who** is talking with Luisa.*
    (el muchacho que)

ACTIVIDAD 9   En la fiesta internacional

Carlos y Luisa van a una fiesta internacional. Carlos le pregunta a Luisa cuáles son los siguientes invitados *(guests)*. Haz los dos papeles según el modelo.

▷ la chica francesa (toca la guitarra)

1. el muchacho italiano (habla con Carmen)
2. las muchachas mexicanas (bailan)
3. los estudiantes franceses (hablan con Elena)

Carlos: Luisa, ¿cuál es la chica francesa?
Luisa: Es la que toca la guitarra.

4. la estudiante argentina (lleva pendientes azules)
5. el muchacho norteamericano (bebe una Coca-Cola)
6. las chicas inglesas (comen un sándwich)

Describe tres cosas que te gustan y tres cosas que no te gustan particularmente en los siguientes lugares.

1. En el colegio . . .
2. En casa . . .
3. En el campo . . .
4. En los Estados Unidos . . .
5. En el mundo . . .

Antonio Machado

Antonio Machado (1875-1939) es uno de los grandes poetas españoles. Para él, no existe verdaderamente° una diferencia entre° la realidad y los sueños.° Somos lo que nos imaginamos ser. Éste es uno de los más famosos poemas de Machado. Un caballero° pasa por la ciudad y se lleva° con él una visión hermosa.°

verdaderamente: *truly*
  entre: *between*
sueños: *dreams*
caballero: *gentleman, knight*
se lleva: *brings away*
  hermosa: *beautiful*

La plaza tiene una torre,°
la torre tiene un balcón,
el balcón tiene una dama,°
la dama una blanca flor.°
Ha pasado° un caballero
—¡quién sabe por qué pasó!—,
y se ha llevado° la plaza
con su torre y su balcón,
con su balcón y su dama,
su dama y su blanca flor.

torre: *tower*

dama: *lady*

flor: *flower*

Ha pasado: *Has passed by*

se ha llevado: *he has carried away*

From "Consejos, coplas, apuntes", *De un cancionero apócrifo.*

Antonio Machado y Ruiz,
Obras Poesía y Prosa, 2a edición.
Aurora de Albornoz y Guillermo de Torre, eds.
Buenos Aires: Ed. Losada, 1973, pp. 327-328.

Picturesque Street, Córdoba, Spain

Unidad 3

Día tras día

3.1 Ocho cosas que no me gustan

3.2 La rutina diaria

3.3 El chinchoso

3.4 ¡Viva el amor!

VARIEDADES — Una chica como ninguna otra

Lección 1 — Ocho cosas que no me gustan

La vida no es siempre color de rosa ... De vez en cuando, tenemos nuestros pequeños problemas ... ¡Éstas son algunas cosas que no me gustan a mí, Patricia Álvarez!

color de rosa: fun

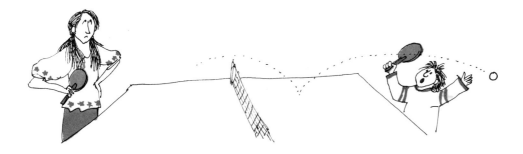

No me gusta ...

    ... jugar al ping pong con mi hermano.
       Juego bastante bien y él juega mal. No es divertido jugar con él. ¡Qué va!

¡Qué va!: Nonsense!

    ... jugar al tenis con mis primas.
       Juego bien pero ellas juegan mejor. Cuando jugamos juntas, ellas ganan y yo pierdo. ¡Siempre! ¡Qué lástima!

juntas: together

    ... perder el tiempo.
       ¡Especialmente cuando lo pierdo con personas aburridas! ¡Qué lata!

¡Qué lata!: What a bore!

    ... contar chistes.
       ¡No los cuento bien! ¡Qué lío!

chistes: jokes
¡Qué lío!: What a mess!

    ... pedirle dinero a mi papá.
       Mi papá es generoso conmigo solamente cuando recibo buenas notas. ¡Ay! Por eso no le pido dinero a menudo. ... ¡Se lo pido a mi mamá!

    ... almorzar en la cafetería de la escuela.
       Almuerzo allí cinco días por semana y cuarenta semanas por año ... ¡Qué horror!

    ... encontrar a personas antipáticas.
       ¡Afortunadamente, no las encuentro a menudo! ¡Qué bueno!

    ... dormir más de nueve horas por día.
       Cuando duermo más, me duele la cabeza y me siento de mal humor el resto del día. ¡Qué malo!

más de: more than
me duele la cabeza: my head aches

El dinero

Muchos padres hispánicos no acostumbran° darles una mensualidad° a sus hijos. Así, muchos jóvenes casi nunca reciben dinero. Generalmente, si reciben dinero es por ocasiones especiales, como el cumpleaños, la Navidad, el Año Nuevo, visitas de abuelos o de parientes ricos o cuando reciben buenas notas. Sin embargo, los jóvenes no tienen muchos gastos. Los padres les pagan el colegio, los libros, los gastos de transporte y las menudencias.° Cuando reciben dinero, los chicos siempre reciben más dinero que las chicas. ¿Es justo? Sí, porque cuando los chicos y las chicas salen a un café o a un concierto, es el chico el que paga.

acostumbran *are accustomed to*   **mensualidad** *(monthly) allowance*   **menudencias** *small things*

Vocabulario práctico

sustantivo	**un chiste**	joke
adjetivo	**juntos(as)**	together
expresiones	**así (es que)**	therefore, so (it is that)
	de vez en cuando	from time to time, once in a while
	me duele(n) . . .	my . . . hurt(s)
	mejor	better
	por eso	because of that
exclamaciones	**¡Qué lástima!**	Too bad!
	¡Qué lata!	What a bore!
	¡Qué lío!	What a mixup! What a mess!
	¡Qué malo / bueno!	How awful / great!
	¡Qué va!	Nonsense!

NOTAS: 1. The construction **me duele** is similar to **me gusta.**

        Me duele la cabeza.   *I have a headache. (Literally, the head hurts me.)*

        Me duelen los ojos.   *My eyes hurt.*

  2. **¡Qué. . .!** To express your feelings about something, you may use the following exclamations:

        ¡Qué + noun!   What a . . .!   ¡Qué lástima!

        ¡Qué + adjective! How . . .!   ¡Qué bueno!

CONVERSACIÓN

Di si te gusta hacer las siguientes actividades. Di también si las haces frecuentemente.

☜ ¿Te gusta jugar al volibol?

Sí (No, no) me gusta jugar al volibol. (No) Juego al volibol frecuentemente.

¿Te gusta jugar al tenis?
¿Te gusta jugar al básquetbol?
¿Te gusta jugar al ping pong?
¿Te gusta jugar al béisbol?
¿Te gusta dormir?

Estructuras

A. Repaso: los verbos con cambio en el radical (e → ie)

Review the changes which occur in the present tense stem of the verbs **pensar** *(to think, to intend)*, **querer** *(to like)*, **preferir** *(to prefer)*.

INFINITIVE	pensar	querer	preferir
PRESENT			
(yo)	pienso	quiero	prefiero
(tú)	piensas	quieres	prefieres
(él, ella, Ud.)	piensa	quiere	prefiere
(nosotros)	pensamos	queremos	preferimos
(vosotros)	pensáis	queréis	preferís
(ellos, ellas, Uds.)	piensan	quieren	prefieren
PRESENT PARTICIPLE	pensando	queriendo	prefiriendo

☜ In many verbs that have an **e** in the stem, the **e** becomes **ie** in the **yo, tú, él,** and **ellos** forms of the present tense.

☜ For **-ir** verbs only, another stem change occurs in the present participle: **e → i**.

☜ The endings of all stem-changing verbs are regular.

ACTIVIDAD 1   A cada uno su gusto (*Everyone to his or her own taste*)

Todos no tenemos los mismos gustos. Las siguientes personas no quieren hacer ciertas cosas porque prefieren hacer otras. Expresa esto, según el modelo.

⚖ Paco: estudiar francés / inglés   Paco no quiere estudiar francés.
Prefiere estudiar inglés.

1. Rafael: leer novelas / historietas (*comics*)
2. mis hermanas: escuchar la radio / discos
3. tú: salir con Teresa / con Roberto
4. yo: ir a México / a España
5. nosotros: jugar al tenis / al béisbol
6. Enrique: comer dulces / helado
7. Ud.: correr las olas / en la playa
8. Uds.: caminar por el centro / por el campo

---

vocabulario especializado   Verbos con cambio en el radical (e → ie)

verbos que terminan en -ar

cerrar	to close, to shut	Lucía **cierra** la ventana.
cerrar con llave	to lock	¿**Cierras** tu cuarto **con llave**?
comenzar	to begin, to start	Mateo **comienza** una novela.
comenzar a (+ infinitivo)	to begin, to start	**Comenzamos a** trabajar a las ocho.
empezar	to begin, to start	La película **empieza** a las nueve.
empezar a (+ infinitivo)	to begin, to start	Está **empezando a llover**.
pensar de	to think of, to have an opinion about	¿Qué **piensas de** Roberto?
pensar en	to think about	¿**Piensas** mucho **en** el futuro?
pensar (+ infinitivo)	to intend, to plan	¿**Piensas** hacer un viaje durante las vacaciones próximas?

verbos que terminan en -er

entender	to understand	No **entiendo** al profesor.
perder	to lose	¿Por qué **pierdes** la paciencia?
	to waste	No me gusta **perder** el tiempo con personas aburridas.
	to miss	No **pierdo** nunca el autobús.
querer	to want (something)	¿**Quieres** té o café?
querer a	to like, love (someone)	Pedro **quiere a** Anita.
querer (+ infinitivo)	to want	¿**Quiere** Ud. ir al cine conmigo?

verbos que terminan en -ir

mentir	to lie	No me gustan las personas que **mienten.**
preferir	to prefer	¿**Prefieres** ir al cine o al teatro?
sentir	to feel	**Siento** admiración por Rosita.
	to regret, to be sorry about	Mis hermanos **sienten** mucho su accidente.

ACTIVIDAD 2   Preguntas personales

1. ¿Cierras la puerta de tu cuarto cuando estudias? ¿cuando escuchas tus discos? ¿cuando estás allí con tus amigos?

2. Cuando vas al colegio, ¿cierras con llave tu cuarto? ¿los cajones *(drawers)* de tu escritorio *(desk)*?

3. ¿Cierras tu bicicleta con candado *(padlock)*?

4. ¿Cierras los ojos cuando ves una película de horror? ¿un accidente?

5. ¿A qué hora empieza la clase de español? ¿la clase de inglés? ¿la clase de matemáticas?

6. ¿Piensas mucho en los estudios? ¿en las fiestas? ¿en el futuro? ¿en los problemas del universo?

7. De vez en cuando, ¿pierdes la paciencia? ¿el tiempo? ¿el dominio de ti mismo *(self-control)*? ¿la cabeza? ¿tus facultades *(senses)*?

8. ¿Entiendes español? ¿francés? ¿inglés? ¿otro idioma *(language)*? ¿cuál?

9. ¿Entiendes bien cuando el (la) profesor(a) habla español?

10. ¿Quieres mucho a tus amigos? ¿a tus compañeros? ¿a otras personas que figuran en tu vida?

11. ¿Quieres ser ingeniero(a)? ¿fotógrafo(a)? ¿profesor(a)? ¿médico(a)? ¿artista?

12. De vez en cuando, ¿les mientes a tus amigos? ¿a tus padres? ¿a tus profesores?

13. ¿Sientes mucha admiración por los atletas? ¿por los artistas? ¿por tus padres? ¿por tus profesores?

14. ¿Sientes pena *(grief)* cuando tus amigos están tristes?

B. Repaso: los verbos con cambio en el radical (o, u → ue)

Review the stem changes in the verbs **contar** *(to tell)*, **volver** *(to return)*, and **dormir** *(to sleep)*.

INFINITIVE	contar	volver	dormir
PRESENT			
(yo)	**cue**nto	**vue**lvo	**due**rmo
(tú)	**cue**ntas	**vue**lves	**due**rmes
(él, ella, Ud.)	**cue**nta	**vue**lve	**due**rme
(nosotros)	contamos	volvemos	dormimos
(vosotros)	contáis	volvéis	dormís
(ellos, ellas, Uds.)	**cue**ntan	**vue**lven	**due**rmen
PRESENT PARTICIPLE	contando	volviendo	d**u**rmiendo

- In many verbs that have an **o** in the stem, the **o** becomes **ue** in the **yo, tú, él,** and **ellos** forms of the present tense.

- In addition, the **-ir** verbs have another stem change in the present participle: **o → u.**

- **Jugar** *(to play)* has the stem change **u → ue** in the **yo, tú, él,** and **ellos** forms of the present tense.

  Ju**ego al tenis con Silvia.   Jugamos a menudo.

ACTIVIDAD 3   El insomnio

Las siguientes personas no pueden dormir. Explica su insomnio según el modelo.

- Jaime / enfermo   Jaime duerme mal. No puede dormir porque está enfermo.

1. Elena / nerviosa
2. tú / de mal humor
3. mis primos y yo / constipados *(congested with a cold)*
4. nosotros / preocupados
5. yo / enfermo
6. Isabel y Chela / agitadas
7. Ud. / furioso
8. Uds. / de muy mal humor

*verbos que terminan en **-ar***

almorzar	to have lunch	**Almuerzo** en la cafetería.
contar	to count	Pedro **cuenta** su dinero.
	to tell	Elena **cuenta** un chiste.
costar	to cost	¿Cuánto **cuestan** tus libros?
encontrar	to find (like)	¿Cómo **encuentras** esta película?
	to meet	Voy a **encontrar** a mis amigos a las dos.
jugar (a + deporte)	to play	Esteban **juega** muy bien **al** tenis.
mostrar	to show	Clara le **muestra** sus fotos a Pedro.
probar	to try (out), to test	Inés **prueba** su bicicleta nueva.
	to taste	Roberto **prueba** el café.
recordar	to remember	No **recuerdo** tu visita.
soñar (con)	to dream (about)	**Sueñas con** cosas imposibles.
		Sueño con ser rico.

*verbos que terminan en **-er***

devolver	to give back, to return (an object)	Le **devuelvo** los discos a Pedro.
poder	can, to be able	¿**Puedes** prestarme cinco dólares?
volver	to return, to come back	¿A qué hora **vuelves**?

*verbos que terminan en **-ir***

dormir	to sleep	No **duermo** bien.

ACTIVIDAD 4   **¿Cuántas veces?** *(How often?)*

Di si haces las siguientes cosas. Usa expresiones como **siempre, de vez en cuando, nunca, casi siempre, a menudo, raras veces.**

↪ dormir bien   Casi siempre, duermo bien.

1. dormir en clase
2. soñar
3. soñar despierto(a) *(to daydream)*
4. soñar con cosas imposibles
5. soñar con ser rico(a)
6. almorzar en la cafetería de la escuela
7. almorzar en restaurantes elegantes
8. contar chistes
9. contar mentiras *(lies)*
10. contar tu dinero
11. recordar tus sueños *(dreams)*
12. devolver las cosas de tus amigos
13. probar las cosas que compras
14. mostrarles tus notas a tus padres
15. encontrar a tus amigos los fines de semana
16. volver a casa muy tarde

ACTIVIDAD 5   **Diálogo: Las diversiones**

Pregúntales a tus amigos si juegan a las siguientes cosas y con quién.

↪ al tenis   Estudiante 1: ¿Juegas al tenis?
Estudiante 2: Sí, juego al tenis. (No, no juego al tenis.)
Estudiante 1: ¿Con quién juegas?
Estudiante 2: Juego con mi hermana (Manuel, Bárbara . . .).

1. al volibol
2. al básquetbol
3. al fútbol
4. al ajedrez *(chess)*
5. a las damas *(checkers)*
6. a los naipes *(cards)*
7. al bridge
8. al póker
9. al chaquete *(backgammon)*
10. al béisbol

C. Repaso: los verbos con cambio en el radical (e → i)

Review the changes which occur in the stem of **pedir** *(to ask for)*.

INFINITIVE	pedir		
PRESENT			
(yo)	pido	(nosotros)	pedimos
(tú)	pides	(vosotros)	pedís
(él, ella, Ud.)	pide	(ellos, ellas, Uds.)	piden
PRESENT PARTICIPLE	pidiendo		

↪ In certain verbs in **-ir** that have an **e** in the stem, the **e** becomes **i** in the **yo, tú, él** and **ellos** forms of the present tense and in the present participle.

pedir	to ask for	Inés le **pide** su foto a Luisa.
reír	to laugh	**Reímos** a menudo en la clase.
repetir	to repeat	Roberto **repite** los verbos.
seguir	to follow	**Sigo** los consejos de mi profesor.
seguir (+ pres. part.)	to keep on	Carlos **sigue** trabajando.
servir	to serve	¿Qué **sirven** en la cafetería?
sonreír	to smile	¿Por qué estás **sonriendo**?

NOTAS:

1. The accent on the í of **reír** and **sonreír** exists in all forms of the present: **río, ríes, ríe, reímos, reís, ríen.** Note that there is no written accent in the present participle: **riendo.**
Río cuando mis amigos cuentan chistes.
Mis padres no **ríen** cuando saco una mala nota.

2. The **gu** of **seguir** becomes **g** before **o.**
No **sigo** tus instrucciones.

3. The construction **seguir** + present participle means *to keep on* or *to continue doing something.*
Marta sigue estudiando.   *Marta keeps on (continues) studying.*
Sigo escribiéndoles a mis amigos.   *I keep on writing to my friends.*

ACTIVIDAD 6   Preguntas personales

1. ¿Le pides consejos a tu papá? ¿a tu mamá? ¿a tus amigos? ¿a tus profesores?

2. ¿Sigues los consejos de tus amigos? ¿de tus profesores? ¿de tus padres?

3. ¿Sigues los buenos consejos? ¿los buenos ejemplos? ¿los malos ejemplos? ¿la moda?

4. ¿Sirven buenas comidas en la cafetería de tu colegio? ¿Sirven pizza? ¿hamburguesas? ¿tacos?

5. ¿Ríes mucho? ¿Ríes cuando un amigo te cuenta un chiste? ¿cuando el profesor te da una mala nota?

6. ¿Sonríes a los chicos (las chicas) cuando caminas en la calle? ¿cuando estás en la clase?

7. ¿Te gusta repetir los verbos? ¿Los repites a menudo?

ACTIVIDAD 7 La práctica hace al maestro *(Practice makes perfect)*

¿Por qué hacen las siguientes personas algunas cosas muy bien? Porque
siguen haciéndolas todos los fines de semana. Expresa eso según el modelo.

⟫ Silvia juega muy bien al tenis.
    Silvia juega muy bien al tenis porque sigue jugando todos los fines de semana.

1. Juan nada muy bien.
2. Esquío muy bien.
3. Bailamos muy bien.
4. Juegas a las damas *(checkers)* muy
   bien.

5. Mis hermanas juegan muy bien al
   ajedrez *(chess)*.
6. Clara canta muy bien.

ACTIVIDAD 8 Causas y consecuencias

Nuestras acciones producen ciertos resultados. Expresa esto según el
modelo.

⟫ María: estar muy cansada / jugar al tenis
    María va a estar muy cansada si sigue jugando al tenis.

1. Carlos: engordar *(get fat)* / comer mucho
2. Ana y yo: adelgazar *(get thin)* / comer
   poco
3. nosotros: ganar dinero / trabajar los
   fines de semana

4. yo: aprender mucho / estudiar
5. tú: aburrir *(bore)* a tus amigos / hablar
   todo el tiempo
6. Uds.: correr el maratón / correr todos
   los días

Imagina cuatro actividades que te gusta hacer y cuatro que no te gusta
hacer. Di cuándo, dónde, por qué y con quién haces estas actividades.
Puedes usar «Ocho cosas que no me gustan» como modelo.

⟫ Me gusta bailar. Bailo los sábados por la noche . . .

La rutina diaria

Cada mañana, nos levantamos.

¿Y qué hacemos después? Probablemente, nos miramos en el espejo, y a veces nos admiramos. Nos lavamos, nos peinamos, nos vestimos, nos desayunamos, luego vamos a la escuela o al trabajo . . . Y cada noche, nos acostamos y nos dormimos.

¿Es decir que no hay originalidad en nuestra vida?

¡Claro que no! Hacemos las mismas cosas, pero las hacemos de una manera un poco diferente. Considera a los siguientes amigos porteños. La rutina diaria de cada uno empieza a una hora diferente.

Es decir: *Is that to say*

porteños: *from Buenos Aires*

diaria: *daily*

Jaime (diez y ocho años)

—Yo soy estudiante en la universidad de Buenos Aires. Generalmente, me levanto a las siete, pero los martes no tengo clases por la mañana y no me levanto antes de las diez . . . excepto cuando tengo una cita.

Isabel (veinte y un años)

—Soy enfermera en el Hospital General. Mi trabajo empieza a las ocho. Pero como vivo lejos, tengo que levantarme a las seis . . . ¡Qué lata!

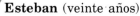

Esteban (veinte años)

—¿A qué hora me levanto? ¿Yo? Me levanto a las dos. No a las dos de la mañana . . . a las dos de la tarde. Soy guitarrista en un club de jazz. Toco toda la noche y me acuesto generalmente a las siete de la mañana.

Ramón (veinte y dos años)

—Soy portero de noche en el Hotel República. Yo también trabajo por la noche y duermo por el día . . . ¿Cuándo me levanto? Depende . . . A las tres o cuatro de la tarde . . .

portero: *doorman*

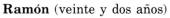

Nota cultural

Buenos Aires, la capital de la Argentina

¿Sabes quiénes son los porteños? Así se llama a los habitantes de Buenos Aires. La capital de la Argentina es una ciudad cosmopolita y enorme. Por su población, es la segunda ciudad de habla hispana° del mundo. Los porteños se sienten muy orgullosos° de su ciudad. Y ¿por qué? ¡Porque hay muchas cosas interesantes que hacer y ver en Buenos Aires!

• Buenos Aires es la ciudad más europea de las Américas. Muchos la llaman el París de Latinoamérica, porque es una ciudad muy bonita y donde hay mucha cultura.

• En el centro de la ciudad está la hermosísima° Plaza de la República con el famoso Obelisco.

• La Avenida 9 de Julio es la más ancha del mundo.

• El teatro Colón está considerado como uno de los mejores del mundo por su acústica.

• Allí está La Boca, parte de la ciudad muy pintoresca donde el tango se hizo° famoso.

Y hay muchísimas razones° más. Si vas a Buenos Aires un día, no olvides ver esa casa elegante de color de rosa, donde está la oficina del presidente. ¡Ésa es la Casa Rosada!°

de habla hispana *Spanish-speaking*　**orgullosos** *proud*
hermosísima *very beautiful*　**se hizo** *became*
razones *reasons*　**Rosada** *Pink*

Vocabulario práctico

expresiones	**cada**	each
	cada uno	each one
	como	since
	de una manera	in a way
	diario	daily
	luego	then
	por el día	during the day

NOTAS:　1. **Cada** *(each)* introduces masculine and feminine singular nouns. It has only one form.

　　　　Cada noche.　　**Cada** día.

　　2. **Cada uno** *(each one)* replaces nouns. It has two forms:

　　　Mira a los chicos.　　**Cada uno** juega al volibol.
　　　Mira a las chicas.　　**Cada una** juega al tenis.

　　3. **Como** has different meanings:

　　　like, as　　　Te hablo **como** a un hermano.
　　　　　　　　　Isabel trabaja **como** enfermera.
　　　since, because　　**Como** vivo lejos del centro, tomo el autobús.

CONVERSACIÓN

Ahora vamos a hablar de la rutina diaria de tu familia.

¿A qué hora te levantas los lunes?
¿A qué hora te levantas los domingos?
¿A qué hora se levanta tu papá durante la semana?
¿A qué hora se levanta tu mamá?
¿A qué hora se levantan tus padres los domingos?
¿A qué hora te acuestas durante la semana?

Estructuras

A. Repaso: la construcción reflexiva

Note the form and position of the pronoun in the conjugation of the reflexive verb **lavarse** *(to wash oneself)*.

INFINITIVE	lavarse		
PRESENT			
(yo)	**me** lavo	(nosotros)	**nos** lavamos
(tú)	**te** lavas	(vosotros)	**os** laváis
(él, ella, Ud.)	**se** lava	(ellos, ellas, Uds.)	**se** lavan
PRESENT PARTICIPLE	lavándo**se**		

↝ Reflexive verbs are formed with reflexive pronouns.

↝ Reflexive pronouns have the same position as other object pronouns. They usually come before the verb, except in affirmative commands:

¡Lávate!

↝ In an infinitive or present progressive construction, the reflexive pronouns come before the conjugated verb or after the infinitive or present participle.

Carlos va a lavar**se**.   **Se** va a lavar.
Isabel está peinándo**se**.   **Se** está peinando.

Compare the reflexive and nonreflexive constructions in the following sentences:

(nonreflexive)

Clara **lava** el perro.
*Clara **washes** the dog.*

(reflexive)

Después, **se lava**.
*Afterwards, **she washes herself**.*

(nonreflexive)	(reflexive)

Manuel **mira** a Isabel.
*Manuel **looks at** Isabel.*

Isabel **se mira** en el espejo.
*Isabel **looks at herself** in the mirror.*

Compro un helado para mi prima.
*I **buy** an ice cream cone for my cousin.*

Me compro una Coca-Cola.
*I **buy myself** a coke.*

María **prepara** un sándwich para Tomás.
*María **prepares** a sandwich for Tomás.*

María **se prepara** para la fiesta.
*María **prepares herself** for the party.*

⟫ In a reflexive construction, the subject performs the action for or on himself: the reflexive pronoun represents the same person as the subject.

⟫ Reflexive verbs are used very frequently in Spanish. Sometimes the reflexive pronouns **me, te, se** ... are the equivalent of the English pronouns *myself, yourself, himself* ... Most of the time, however, the English pronouns are implied but not expressed.

Me lavo.   *I am washing (that is, I am washing myself).*
Ramón se compra un reloj.   *Ramón is buying a watch (that is, Ramón is buying a watch for himself).*

ACTIVIDAD 1   En la feria de San Isidro (*At Saint Isidro's fair*)

Hay muchos vendedores ambulantes *(traveling)* y muchos compradores en la feria de San Isidro. Di lo que se compran las siguientes personas.

⟫ Isabel (un anillo)   Isabel se compra un anillo.

1. Roberto (una navaja)
2. Inés (una pulsera)
3. mis primas (pendientes)
4. yo (un sombrero)
5. tú (un helado)
6. Ud. (un reloj)
7. Uds. (un bolso)
8. nosotros (un collar)
9. tú y yo (dulces)

ACTIVIDAD 2   El cumpleaños de Roberto

Hoy es la fiesta de cumpleaños de Roberto. Los amigos de Roberto preparan sus regalos. Después se preparan para la fiesta. Expresa esto según el modelo.

⅏ Chela   Chela prepara su regalo. Después, se prepara para la fiesta.

1. Uds.
2. Carmen y Felicia
3. la novia de Roberto
4. mis amigos
5. tú

6. yo
7. nosotros
8. Uds.
9. tú y yo
10. Luis y yo

ACTIVIDAD 3   Diferencias de opinión

Las siguientes personas tienen una opinión elevada de ellas mismas. Pero sus amigos (entre paréntesis) tienen otra opinión. Expresa esto según el modelo.

⅏ Juan: inteligente (Pedro: tonto)   Juan se cree inteligente, pero Pedro lo cree tonto.

1. Silvia: bonita (Rita: ordinaria)
2. Ramón: interesante (Olga: aburrido)
3. Mis primos: superiores a todos (sus compañeros: tontos)
4. yo: muy inteligente (el profesor: perezoso[a])
5. tú: extraordinario (tu hermano: vanidoso [*vain*])
6. nosotros: simpáticos (los otros alumnos: presumidos [*stuck up*])
7. Ud.: delgado (yo: un poco gordo)
8. Tomás y yo: muy deportistas (nuestras hermanas: perezosos)

B. Repaso: los verbos reflexivos: el arreglo personal

Note the use of reflexive verbs in the following sentences.

Te bañas.	*You take a bath.*
Me corto el pelo.	*I cut my hair.*
Pepita **se lava las** manos.	*Pepita washes her hands.*
Mis hermanos **se quitan los** zapatos.	*My brothers take off their shoes.*

⅏ In Spanish, most of the verbs relating to personal care are used in the reflexive when the subject performs the action on or for the subject.

⅏ After such verbs, Spanish speakers often use the definite article before parts of the body and articles of clothing. (In English, the possessive adjective is used.)

sustantivos

un cepillo

el champú

un espejo

el jabón

el lápiz de labios

una afeitadora

unas tijeras

un peine

verbos

afeitarse	to shave (oneself)	Mi padre **se afeita** con una afeitadora.
bañarse	to take a bath	**Me baño** en el baño.
cepillarse	to brush	**Nos cepillamos** los dientes y las **uñas** *(nails)*.
cortarse	to cut (oneself)	Pedro **se corta** el pelo, la barba, el **bigote** *(mustache)* y las uñas.
lavarse	to wash (oneself)	**Te lavas** la cara, las manos, los pies y el pelo.
peinarse	to comb (one's hair)	**Me peino** con un peine.
pintarse	to put on makeup	Mi prima **se pinta** los ojos, la boca . . .
prepararse	to get ready	**Nos preparamos** para la fiesta.
quitarse	to take (something) off	Andrés **se quita** el suéter, los zapatos y los calcetines.
secarse	to dry	**Me seco** el pelo con la **secadora** *(dryer)*.
vestirse (e → i)	to dress, to get dressed	¡**Te vistes** con mucha elegancia, Carmen!

NOTA: Many of the above verbs can be used in reflexive and nonreflexive constructions with a slightly different meaning.

nonreflexive:	Ana **baña** el perro.	*Ana **gives a bath** to the dog.*
reflexive:	Ana **se baña**.	*Ana **takes a bath** (herself).*
nonreflexive:	Carmen **pinta** su cuarto.	*Carmen **paints** her room.*
reflexive:	Carmen **se pinta**.	*Carmen **puts on makeup** (that is, **paints herself**).*

ACTIVIDAD 4   En el cuarto de baño *(In the bathroom)*

Las siguientes personas usan ciertos objetos. Puedes decir qué hace cada una.

𝔇 Manuel usa jabón.   (Se baña, se lava las manos . . .)

1. Inés usa tijeras.
2. Felipe usa una secadora.
3. El Sr. Montero usa una afeitadora.
4. La Sra. de Martínez usa champú.
5. Isabel usa un peine.
6. Pablo usa un cepillo.
7. María usa un lápiz de labios.
8. Elena usa el espejo.

ACTIVIDAD 5   El orden lógico

Tenemos que hacer ciertas cosas antes de hacer otras. Para cada una de las siguientes personas, crea un párrafo usando las expresiones entre paréntesis en el orden lógico.

𝔇 Pedro (bañarse / quitarse la camisa / quitarse la corbata)
        Pedro se quita la corbata. Se quita la camisa. Se baña.

1. María (pintarse / bañarse / vestirse)
2. la Sra. de Ojeda (lavarse el pelo / peinarse / secarse el pelo)
3. Enrique (lavarse los pies / quitarse los calcetines / quitarse los zapatos)
4. tú (quitarse los pijamas / vestirse / lavarse)

C. Repaso: los verbos reflexivos: las actividades diarias

Review the use of reflexive verbs in the following sentences.

Me levanto a las siete.	*I **get up** at seven.*
¿A qué hora **te acuestas?**	*At what time do you **go to bed**?*
Mi padre **se va** al trabajo a las ocho.	*My father **leaves** for work at eight.*

𝔇 Many daily activities are expressed in Spanish by reflexive verbs, especially when these activities involve physical movement.

𝔇 Note that in the corresponding English expressions, the reflexive pronouns *(myself, yourself . . .)* are often implied but not expressed. For instance, the sentence **Pedro se acuesta** *(Pedro goes to bed)* literally means *Pedro puts himself to bed.*

despertarse (e → ie)	to wake up	Carlos **se despierta** a las siete,
levantarse	to get up	. . . pero no **se levanta** hasta las siete y media.
sentarse (e → ie)	to sit down	María **se sienta** en la silla.
acostarse (o → ue)	to go to bed	Elena **se acuesta** a las diez,
dormirse (o → ue)	to fall asleep	. . . pero no **se duerme** inmediatamente.
callarse	to keep quiet, silent	**¿Se callan** los alumnos cuando el profesor habla?
quedarse	to stay	Cuando estoy enfermo, **me quedo** en la cama.
despedirse (e → i)	to take leave, say good-bye	Cuando **me despido,** les digo «Adiós» a mis amigos.
irse (a)	to leave (for), go (away)	¿A qué hora **te vas a** la escuela?
marcharse	to leave	Si no me gusta la película, voy a **marcharme.**
darse prisa	to hurry	No **me doy prisa** para ir al colegio.
reunirse (con)	to meet	**Me reúno con** mis amigos en la heladería.

NOTA: Most of the above verbs can be used in nonreflexive constructions. Although there is a relationship between the reflexive and nonreflexive verbs, their meanings are different. Compare:

La Sra. de Morales **despierta** a Carlos.	*Mrs. Morales **wakes** Carlos **up**.*
Carlos **se despierta.**	*Carlos **wakes up**.*
Levanto la maleta.	*I **lift** the suitcase.*
Me levanto.	*I **get up** (that is, I **lift myself up**).*
Voy a la escuela.	*I **go** to school.*
Me voy a la escuela.	*I **leave** for school.*

ACTIVIDAD 6   Quince horas después

Las siguientes personas se acuestan exactamente quince horas después de
despertarse. Expresa eso según el modelo.

⟲ la Sra. de Martínez (6:30 / 9:30)   La Sra. de Martínez se despierta a las seis y media.
Se acuesta a las nueve y media.

1. el Sr. Ayala (6:00 / 9:00)
2. mi hermano (7:00 / 10:00)
3. yo (8:30 / 11:30)
4. Inés (8:15 / 11:15)
5. mis padres (7:30 / 10:30)
6. tú (7:45 / 10:45)
7. nosotros (10:00 / 1:00)
8. Uds. y yo (9:45 / 12:45)

ACTIVIDAD 7   Preguntas personales

1. ¿A qué hora te levantas los lunes? ¿los sábados? ¿los domingos?

2. ¿A qué hora te acuestas los lunes? ¿los viernes? ¿los sábados?

3. ¿Dónde se reúnen tú y tus amigos después de las clases? ¿los sábados?
   ¿cuando van a una película?

4. Cuando no te gusta una película, ¿te marchas del cine?

5. ¿Te das prisa cuando vas al colegio? ¿a una cita? ¿al cine?

6. ¿Dónde te sientas cuando miras la televisión? ¿en una silla? ¿en el
   sofá? ¿en el suelo *(on the floor)*?

7. ¿Te duermes cuando el programa es aburrido?

8. ¿Te marchas cuando asistes a una clase aburrida? ¿a una película
   estúpida? ¿a un concierto ridículo?

9. Cuando vas al cine, ¿te sientas en la primera fila *(row)*? ¿en la última
   fila?

10. En la clase de español, ¿quién se sienta a tu derecha *(on your right)*?
    ¿a tu izquierda *(on your left)*?

11. ¿Te callas en clase? ¿en la presencia de mayores *(adults)*? ¿cuando estás
    en la compañía de personas aburridas? ¿durante un concierto de
    música clásica? ¿durante un concierto de rock? ¿durante un partido de
    fútbol muy emocionante *(exciting)*? ¿durante una película de horror?

12. ¿Qué les dices a tus amigos cuando te despides? ¿a tus padres? ¿a tus
    abuelos?

13. ¿Te quedas en casa los sábados? ¿los domingos? ¿durante el verano?

14. ¿A qué hora te vas a la escuela los lunes? ¿los miércoles?

ACTIVIDAD 8   Las causas y las consecuencias

Para expresar las consecuencias lógicas de ciertas situaciones, forma frases afirmativas y negativas usando elementos de A, B, C y D, según el modelo.

A	B	C	D
yo	estar enfermo(a)	levantarse	a las nueve
tú	estar cansado(a)	acostarse	en el sofá
Carlos	estar aburrido(a)	quedarse	en la cama
mis amigos	tener mucho que hacer	marcharse	en el sillón *(armchair)*
Jaime y yo	tener una cita	darse	en casa
	encontrar la película aburrida	dormirse	de casa
		sentarse	del cine
			prisa
			en la silla

Cuando estoy enfermo, me quedo en casa.

¡A ti te toca!

1. Describe detalladamente *(in detail)* tus actividades de un día de la semana y de un sábado típico. Usa por lo menos *(at least)* diez verbos reflexivos.

2. Entrevista *(Interview)* a una persona que tiene un horario *(schedule)* especial y describe este horario. (O si no puedes tener una entrevista, usa tu imaginación.) Puedes entrevistar a una de las siguientes personas: un(a) enfermero(a), un(a) conductor(a) de autobús, un guardián nocturno *(night guard)*, un(a) portero(a), un(a) empleado(a) de hotel, un(a) camarero(a), un(a) policía, un(a) aeromozo(a).

El chinchoso

¿Qué es un chinchoso o una chinchosa? Es lo contrario de la persona ideal . . . El chinchoso lo critica todo . . . El chinchoso molesta a sus amigos . . . El chinchoso crea problemas para todo el mundo.

Esto es lo que hace el chinchoso:

1. Se siente superior a todos.
2. Se toma por un gran genio.
3. Se enoja con todos.
4. Se irrita por los más pequeños detalles.
5. Se impacienta fácilmente.
6. Se enfada cuando alguien lo critica.
7. No se preocupa por los demás.
8. Se alegra de los problemas de sus compañeros.
9. Se siente de mal humor cuando los otros están alegres.
10. Se siente de buen humor cuando los otros están tristes.

¿Conoces a tal persona? ¿Eres tú chinchoso(a) de vez en cuando?

Se toma: *He takes himself*
Se enoja: *He gets annoyed*
detalles: *details*

Se enfada: *He gets angry*
los demás: *others*

tal: *such a*

Nota cultural

Las peculiaridades de los profesores

Aunque los profesores son las personas más importantes fuera de° la familia y de los amigos, son también personas como los demás° . . .

¿Cuáles son las palabras que usan los jóvenes hispánicos para describir a los profesores? Aquí tenemos algunos cumplidos° y críticas:°

¡estricto(a)! En su clase, no debes mascar° chicle, llegar tarde o charlar° con tus compañeros.

¡generoso(a)! Te da buenas notas y poco trabajo.

¡chismoso(a)!° Llama a tus padres cuando no haces tu trabajo.

Por supuesto, la crítica es solamente entre° los estudiantes y nunca debe llegar a oídos° de los padres ni° de los profesores. ¡Ay, pobre de ti,° si te oyen criticándolos!

fuera de *outside of*   **los demás** *the rest*   **cumplidos** *compliments*   **críticas** *criticisms*   **mascar** *chew*   **charlar** *chat*   **chismoso(a)** *tattle-tale*   **entre** *among*   **llegar a oídos** *reach the ears*   **ni** *nor*   **pobre de ti** *poor you*

Vocabulario práctico

sustantivos	**un(a) chinchoso(a)**	a "pain"
	un detalle	detail
	un genio	genius
verbos	**crear**	to create
	molestar	to bother, to annoy
	tomarse por	to take oneself for, to think one is
expresiones	**los demás**	others, the other people, the rest
	tal (persona)	such a (person)
	todo	everything
	todo el mundo	everyone, everybody

CONVERSACIÓN

Ahora vamos a hablar de ti. ¿Qué tipo de persona eres?

¿Te sientes superior a todos?
¿Te tomas por un gran genio?
¿Te impacientas fácilmente?

¿Te enfadas cuando alguien te critica?
¿Te preocupas por tus amigos?
¿Te preocupas por los demás?

Estructuras

A. Los verbos reflexivos: las emociones

Note the use of reflexive verbs in the following sentences.

Carlos **se preocupa** sin razón.   *Carlos **gets worried** without any reason.*
¿Por qué **te enojas?**   *Why **do you get angry?***

Spanish speakers often use reflexive verbs to indicate emotions.

---

vocabulario especializado   **El mundo de las emociones**

aburrirse	to get bored
alegrarse (de)	to get / be happy (because of)
cansarse (de)	to get tired (of)
divertirse (e → ie)	to have fun
enfadarse (con)	to get angry (at)
enojarse (con)	to get angry (at)
impacientarse (con)	to get impatient (because of)
irritarse (con)	to get irritated (at, with)
ocuparse (con)	to occupy oneself (in)
preocuparse (por)	to get worried (because of)
sentirse (e → ie) (triste . . .)	to feel (sad . . .)

NOTAS: 1. The above verbs express emotional (or physical) states. Many of them correspond to English expressions beginning with *to get.*

2. The above verbs may be used in reflexive and nonreflexive constructions, with somewhat different meanings. Compare:

nonreflexive:	Juana **divierte** a sus amigos.	*Juana **amuses** her friends.*
reflexive:	Juana **se divierte.**	*Juana **is having fun** (that is, **is amusing herself**).*
nonreflexive:	Este problema **preocupa** a Carlos.	*This problem **worries** Carlos.*
reflexive:	Carlos **se preocupa.**	*Carlos **is getting worried** (that is, **he worries himself**).*

ACTIVIDAD 1   Las personas que figuran en tu vida

Las siguientes personas son muy importantes: tu mejor amigo, tu mejor
amiga, tus hermanos, tus padres, tu profesor(a) de español. Escoge (*choose*)
una de esas personas y di si hace las siguientes cosas.

⬧ preocuparse por tus estudios   Mi mejor amigo no se preocupa por mis estudios.
                                     (Mis padres se preocupan por mis estudios.)

1. preocuparse por tu salud (*health*)
2. preocuparse por tus problemas
   personales
3. divertirse contigo
4. alegrarse de tus éxitos (*successes*)

5. alegrarse de tu progreso en español
6. impacientarse contigo
7. enojarse mucho contigo
8. enojarse cuando llegas tarde

ACTIVIDAD 2   Tus sentimientos (*Your feelings*)

Describe tus sentimientos en las siguientes circunstancias.

⬧ Cuando saco una buena nota . . .   Cuando saco una buena nota, me alegro.

1. Cuando saco una mala nota . . .
2. Cuando un amigo está enfermo . . .
3. Cuando un amigo no viene a una
   cita . . .
4. Cuando el profesor no viene a
   clase . . .
5. Cuando mi mejor amigo no me dice la
   verdad . . .
6. Cuando mi mejor amigo se siente
   triste . . .
7. Cuando mi mejor amigo está de buen
   humor . . .

8. Cuando mi mejor amigo se enoja
   conmigo . . .
9. Cuando mi hermano rompe mis
   cosas . . .
10. Cuando alguien coquetea (*flirts*) con
    mi novio(a) . . .
11. Cuando estoy en una fiesta . . .
12. Cuando estoy en una fiesta donde no
    conozco a nadie . . .
13. Cuando el equipo de la escuela gana
    un partido importante . . .
14. Cuando el equipo pierde . . .

ACTIVIDAD 3   Nuestro humor

Nuestro humor cambia. A veces estamos alegres; a veces estamos tristes.
Di en qué ocasiones sientes los siguientes sentimientos.

⬧ Me aburro cuando . . .
     Me aburro cuando estoy enfermo(a) (cuando asisto a una película estúpida . . .).

1. Estoy de buen humor cuando . . .
2. Estoy de mal humor cuando . . .
3. Me impaciento cuando . . .
4. Me irrito cuando . . .
5. Me enojo cuando . . .

6. Me alegro cuando . . .
7. Me divierto mucho cuando . . .
8. Me preocupo cuando . . .
9. Me canso cuando . . .
10. Me siento feliz cuando . . .

B. Los verbos casi siempre reflexivos

As you have seen, most reflexive verbs can be used in nonreflexive constructions with a somewhat different meaning. Certain verbs, however, are almost always used in reflexive constructions.

Carlos **se porta** bien.   *Carlos **is behaving**.*
Sus hermanos no **se portan** bien.   *His brothers **are not behaving** properly.*

The verb **portarse** is always reflexive. Most of the verbs which are always reflexive are used to describe certain aspects of social behavior.

---

vocabulario especializado   **Algunos verbos siempre reflexivos**

burlarse (de)	to make fun of
darse cuenta (de)	to realize
equivocarse (de, en)	to make a mistake, to be mistaken
portarse bien	to behave
portarse mal	to misbehave
quejarse (de)	to complain about

ACTIVIDAD 4   Expresión personal

1. De vez en cuando, ¿te burlas de tus amigos? ¿de tus profesores?

2. De vez en cuando, ¿te quejas de tus estudios? ¿de los exámenes? ¿de la vida en general?

3. Generalmente, ¿te portas bien o mal en clase? ¿en casa? ¿con tus amigos? ¿cuando estás en una fiesta?

4. ¿Te das cuenta de tus errores? ¿de las cualidades de tus amigos? ¿de la suerte que tienes?

5. ¿Te equivocas en tus tareas de español? ¿en tus tareas de matemáticas?

ACTIVIDAD 5   Según nuestro carácter

A veces nuestro carácter influye en nuestras acciones. Expresa esto usando los elementos de A, B, C y D para construir frases lógicas, según el modelo.

A	B	C	D
yo	divertido(a)	alegrarse	bien
María	simpático(a)	divertirse	mal
nosotros	antipático(a)	impacientarse	a menudo
mis amigos	bien educado(a)	enojarse	mucho
	(polite)	criticarse	siempre
	mal educado(a)	portarse	nunca
	(impolite)	equivocarse	de vez en cuando
	irritable	quejarse	
	feliz		

➢ María es simpática. Se divierte siempre.

Reacciones

Describe lo que ocurre cuando . . .

- vuelves a casa a las tres de la mañana.
- rompes algo (un vaso o una lámpara, por ejemplo).
- el televisor no funciona.

Describe las reacciones de cada miembro de tu familia. Puedes usar los siguientes verbos en frases afirmativas o negativas:

alegrarse / divertirse / enfadarse / impacientarse / criticarse / preocuparse / sentirse / burlarse / quejarse

¡Viva el amor!

Ramón es un estudiante universitario.
Lucía trabaja en un banco.
Ramón no conoce a Lucía y Lucía no
conoce a Ramón.
No se conocen . . . pero ¡van a conocerse!

Un sábado, Ramón va a un baile.
Lucía va al mismo baile.
Ramón mira a Lucía.
Lucía mira a Ramón.
Se miran . . . y se hablan.
¡Ahora se conocen!

El lunes siguiente, Ramón llama a Lucía
por teléfono y la invita al cine.
El miércoles, Ramón y Lucía se
encuentran en un café.
El jueves, se reúnen en el cine.
El sábado, se ven de nuevo en el teatro.

de nuevo: *again*

Ahora, Ramón y Lucía se llaman por
teléfono todos los días.
Se ven casi todos los días y cuando no se
ven, se escriben . . .
Un día, se declaran su amor y se
prometen quererse siempre . . .

se prometen: *promise
each other*

¿Van a casarse Ramón y Lucía?
¡Tal vez! Pero primero Ramón va a
terminar sus estudios y a graduarse.
Luego van a comprometerse, y después de
unos meses, van a casarse.
¡Ay, qué romántico!

casarse: *to get
married*

terminar: *to finish*
graduarse: *to
graduate*
comprometerse: *to get
engaged*

El matrimonio

En los países hispánicos, el matrimonio es algo muy serio, algo que dura° toda la° vida. Los divorcios son raros y en algunos países el divorcio no existe. El matrimonio se considera° como una de las grandes y felices ocasiones de la vida.

Tradicionalmente, antes de la boda° hay otra ceremonia: la de compromiso° matrimonial. Allí se hace° la promesa de casamiento.° Esta ceremonia de compromiso es una gran ocasión social para los familiares.° Los padres del novio visitan la casa de los padres de la novia y les piden la mano de ella para su hijo. Los futuros esposos cambian los anillos matrimoniales y fijan° la fecha de la boda.

Unos pocos meses más tarde la boda se realiza.° Casi siempre hay dos bodas: la ceremonia civil y la religiosa. Generalmente ambas° tienen lugar° el mismo día.

dura *lasts*   **toda la** *the whole*   **se considera** *is considered*
boda *wedding*   **compromiso** *engagement*   **se hace** *is made*   **casamiento** *marriage*   **familiares** *family members*
fijan *fix*   **se realiza** *occurs*   **ambas** *both*   **tienen lugar** *take place*

Vocabulario práctico

sustantivos	**un banco**	bank
	un país	country
verbos	**durar**	to last
	prometer	to promise
	terminar	to finish, to end
expresiones	**de nuevo**	again
	más o menos	more or less
	primero	first

CONVERSACIÓN

¿Sales mucho?   Sí (No, no) salgo . . .
¿Sales todos los fines de semana?
¿Sales con tus amigos o solo(a)?
¿A qué hora sales de casa cuando vas al cine?

¿A qué hora sales cuando vas a un partido de fútbol?
¿A qué hora sales cuando vas a la heladería?

Estructuras

A. Repaso: verbos irregulares en la primera persona

Compare the **yo** and **tú** forms of the verb **salir** *(to go out)*:

¿Con quién **sales?**
Salgo con Elena y Carmen.

In the present, a few verbs have an irregular **yo** form which ends in **-go**.

---

vocabulario especializado Verbos irregulares en la primera persona

no reflexivos

caer	to fall	Mi cumpleaños **cae** el miércoles.
decir (e → i)	to say	**Digo** siempre la verdad.
hacer	to do	**Hago** la tarea.
	to make	**Hago** muchos planes.
oír	to hear	**Oigo** un **ruido** *(noise)*.
poner	to put	**Pongo** un disco de música clásica.
salir	to leave	**Salgo** de casa a las siete.
	to go out	**Salgo** con Enrique.
traer	to bring	**Traigo** mi tocadiscos a la fiesta.

reflexivos

caerse	to fall	Nunca **me caigo** de mi bicicleta.
hacerse (+ sustantivo)	to become	Carlos quiere **hacerse** médico.
ponerse (+ ropa)	to put on (clothes)	Teresa **se pone** un suéter.
ponerse (+ adjetivo)	to get, become	**Me pongo** (triste, alegre, furioso, nervioso).

NOTAS: 1. **Oír** *(to hear)* has the following forms: **oigo, oyes, oye, oímos, oís, oyen.**
2. **Caer** and **traer** have the ending **-igo** in the **yo** form: ca**igo**, tra**igo**.
3. Note the following expressions with **hacer:**

hacer la maleta	*to pack a suitcase*
hacer un papel	*to play a part, to play a role*
hacer un viaje	*to take a trip*

ACTIVIDAD 1 Diálogo

Pregúntales a tus compañeros si hacen las siguientes actividades.

> hacer la tarea todas las noches   Estudiante 1: ¿Haces la tarea todas las noches?
> Estudiante 2: Sí (No, no) hago la tarea.

1. hacer tu cama todas las mañanas
2. hacer muchos viajes
3. hacer muchos planes
4. decir mentiras de vez en cuando
5. salir mucho
6. salir todos los sábados
7. traer tus discos a la casa de tus amigos
8. traer muchos libros a la clase
9. oír ruidos por la noche
10. ponerse blue-jeans los domingos
11. caerse a veces de tu bicicleta

ACTIVIDAD 2 ¿Por qué se ponen rojos? *(Why do they blush?)*

Las siguientes personas muestran sus emociones poniéndose rojas *(by blushing)*. Expresa eso según el modelo.

> Cuando una chica lo mira, Carlos . . .
> Cuando una chica lo mira, Carlos se pone rojo.

1. Cuando un chico la mira, Anita . . .
2. Cuando me enojo, (yo) . . .
3. Cuando me equivoco, (yo) . . .
4. Cuando nos ponemos furiosos, (nosotros) . . .
5. Cuando mi hermano dice una mentira, (él) . . .
6. Cuando el profesor les pregunta algo, mis compañeros . . .
7. Cuando hablan con chicas, Carlos y Enrique . . .
8. Cuando un chico les da una ojeada *(glance),* mis primas . . .

ACTIVIDAD 3 Tus reacciones

Di cómo reaccionas en las siguientes circunstancias. Para eso, usa el verbo **ponerse** con uno de estos adjetivos: **alegre, triste, enfermo, rojo, furioso, nervioso, triste.**

> Un amigo se burla de mí.   Me pongo furioso(a) (rojo[a], triste . . .).

1. Saco una buena nota.
2. Mi hermano pierde mi disco favorito.
3. Pierdo mis tareas.
4. No digo la verdad.
5. Mi mejor amigo no me dice la verdad.
6. Me caigo de mi bicicleta en frente de mis amigos.
7. El profesor me pregunta algo y no puedo contestarle.
8. Hace mucho frío y salgo sin chaqueta.
9. Mi mejor amigo no me invita a su fiesta de cumpleaños.
10. Estoy en un barco y el mar está revuelto *(rough).*
11. Mis compañeros se ríen de mí.
12. Un(a) chico(a) me sonríe.

ACTIVIDAD 4 Ropa para cada ocasión

Carmenza tiene los siguientes artículos:

accesorios: una pulsera, un anillo, unos pendientes, un collar, unos anteojos de sol, un bolso

ropa: una blusa blanca, un suéter, una falda azul, un vestido amarillo, una camisa azul, una camiseta, unos pantalones negros, unos blue-jeans, unos pantalones cortos, un traje de baño

zapatos: unos zapatos negros, unas sandalias, unos zapatos de tenis

Di qué se pone Carmenza para las siguientes ocasiones.

⋙ Cuando va a una entrevista profesional . . .

Cuando va a una entrevista profesional, Carmenza se pone un vestido amarillo . . .

1. Cuando va a la playa . . .
2. Cuando va a una discoteca . . .
3. Cuando va a un restaurante . . .
4. Cuando va al mercado . . .
5. Cuando hace un viaje . . .
6. Cuando va al colegio . . .
7. Cuando va a una cita con Ramón . . .
8. Cuando va a una cita con Isabel . . .
9. Cuando va a la iglesia . . .
10. Cuando juega al tenis . . .

B. El uso de los verbos reflexivos para indicar la reciprocidad

Note the use of reflexive verbs in the following sentences.

Carlos quiere a Elena. ⎫
Elena quiere a Carlos. ⎭ **Se quieren.** *They love each other.*

Ana le escribe a Luis. ⎫
Luis le escribe a Ana. ⎭ **Se escriben.** *They write to each other.*

Reflexive verbs are sometimes used to express reciprocal actions or interaction between two or more subjects.

⋙ Since interaction involves at least two people, reflexive verbs indicating reciprocal actions are generally used in the *plural*.

Nos llamamos por teléfono. *We phone each other.*

⋙ In Spanish, reflexive pronouns cannot be omitted with verbs expressing reciprocal action. (In English, the expressions *each other* or *one another* are frequently left out.)

Se casan. *They are getting married (to each other).*

ACTIVIDAD 5   Reciprocidad

Ramón habla de las relaciones de sus amigos. Julia quiere saber si ésas son relaciones recíprocas. Ramón dice que sí. Haz los dos papeles según el modelo.

☞   Carlos invita a Rodrigo al café.   Ramón: Carlos invita a Rodrigo al café.
Julia: ¿Y Rodrigo invita a Carlos al café?
Ramón: ¡Sí! Se invitan.

1. Paco quiere a Carmen.
2. Elena quiere a Felipe.
3. Juan Carlos adora a Sofía.
4. Silvia llama a Tomás.
5. Eduardo mira a Ana.

6. Roberto insulta a Rafael.
7. Rubén ve a Sarita.
8. Jaime encuentra a Pilar.
9. Andrés admira a Beatriz.
10. Emilia visita a Elena.

ACTIVIDAD 6   ¿Y tus amigos?

¿Tienes buenas relaciones con tus amigos? Vamos a ver. Contesta según el modelo.

☞   ¿Los conoces bien?   Sí (No), mis amigos y yo (no) nos conocemos bien.

1. ¿Los llamas por teléfono?
2. ¿Los invitas al cine?
3. ¿Los visitas?
4. ¿Les escribes durante las vacaciones?
5. ¿Les hablas de tus problemas?
6. ¿Los admiras?

7. ¿Los ayudas con las tareas?
8. ¿Les cuentas chistes?
9. ¿Los encuentras a menudo?
10. ¿Les muestras tus fotos?
11. ¿Les pides consejos?
12. ¿Les pides dinero?

vocabulario especializado   ¡Amor!

el amor	love	la amistad	friendship
el cariño	affection		
el esposo	husband	la esposa	wife
el matrimonio	marriage	la boda	wedding (ceremony)

los estados de la vida social

casarse	to get married	Jamie y yo **nos casamos** el cinco de julio.
casarse con	to marry	Manuel va a **casarse con** Luisa.
enamorarse (de)	to fall in love (with)	Luis **se enamora de** todas las chicas que encuentra.
llevarse (con)	to get along (with)	Pablo **se lleva** bien **con** sus amigos.
pelearse	to fight, to quarrel	**Aun** (*Even*) los buenos amigos **se pelean** de vez en cuando.

ACTIVIDAD 7   Expresión personal

1. ¿Sientes mucho cariño por tus padres? ¿por tus parientes? ¿por tus hermanos?

2. ¿Sientes mucha amistad por tus amigos? ¿por tus compañeros de clase?

3. Sientes simpatía *(liking)* por tus profesores? ¿por los políticos? ¿por tus vecinos?

4. Generalmente, ¿te llevas bien con tus profesores? ¿con tus compañeros? ¿con tus vecinos? ¿con las personas que no conoces bien?

5. De vez en cuando, ¿te peleas con tu mejor amigo? ¿con tu mejor amiga? ¿con tus hermanos? ¿con tus padres?

6. ¿Eres una persona muy sentimental? ¿Te enamoras a menudo? ¿fácilmente? ¿Qué piensas de las personas que se enamoran fácilmente?

7. ¿Quieres casarte o quedarte soltero(a) *(single)*? Si te casas, ¿quieres tener una familia grande?

C. Los verbos reflexivos en el infinitivo y con *estar* + el participio presente

Compare the position and the form of the reflexive pronouns in the sentences on the right and on the left.

Clara **se** casa.	Va a casar**se** con Ramón.
	(**Se** va a casar con Ramón.)
Me peleo con mi hermano.	No quiero pelear**me** con él.
	(No **me** quiero pelear con él.)
Nos lavamos.	Estamos lavándo**nos** la cara.
	(**Nos** estamos lavando la cara.)

The basic infinitive form of a reflexive verb is always given with the pronoun **se**: **casarse**.

When the reflexive verb is used in the infinitive form or in a present progressive construction, the reflexive pronoun changes to agree with the subject.

Voy a **casarme**.   *I am going to **get married**.*

ACTIVIDAD 8   El ejemplo de Francisca

Las amigas siguen el ejemplo de Francisca. Ellas también quieren casarse. Di cuando va a casarse cada una.

∑⊃   Elena (en julio)   Elena va a casarse en julio.

1. Carmen (en agosto)
2. Susana y Luisa (el 3 de abril)
3. nosotros (el año próximo)
4. yo (antes de la Navidad)
5. tú (en septiembre)
6. la hermana de Silvia (el 2 de octubre)
7. Ud. y yo (después de las vacaciones)
8. Uds. (el primero de junio)

ACTIVIDAD 9   Planes profesionales

Unos amigos están hablando del futuro. Di lo que cada uno quiere hacerse.

▷ Roberto: periodista   Roberto quiere hacerse periodista.

1. Susana: médica
2. Luis y Guillermo: ingenieros
3. nosotros: pilotos
4. yo: trabajador social

5. tú: el mejor actor del mundo
6. Ud.: explorador
7. Uds.: policías
8. Enrique y yo: astronautas

ACTIVIDAD 10   Unas actividades peligrosas

Algunas de nuestras actividades son más peligrosas que otras. Di qué
parte del cuerpo (por ejemplo: **el brazo, la mano, el pie, la pierna, la
nariz, los dientes**) pueden romperse las siguientes personas en las
siguientes situaciones.

▷ Si esquías . . .   Si esquías, puedes romperte el brazo (la pierna).

1. Si jugamos al fútbol . . .
2. Si juegas al volibol . . .
3. Si me caigo del tercer piso . . .
4. Si boxeas contra (against) Mohamed
   Alí . . .
5. Si Carlos tiene un accidente de
   automóvil . . .

6. Si Enrique tropieza contra (bumps
   against) un árbol . . .
7. Si mis primos tienen un accidente de
   bicicleta . . .
8. Si Clara y Elena se lanzan en
   paracaídas (parachute jump) . . .
9. Si te caes de tu moto . . .

¡A ti te toca!

a) Las personas ideales

En un pequeño párrafo describe a las siguientes personas. Puedes usar estos verbos en frases negativas o afirmativas: **visitar / hacer / decir / traer / ponerse / pelearse / llevarse / reunirse / quererse.**

- los amigos ideales
- los esposos ideales
- los hermanos ideales
- los vecinos ideales
- los novios ideales

> Hacen muchos planes. Se traen regalos y se dicen cosas amables...

b) ¡Qué romántico!

Éste es el principio *(beginning)* de la historia de un gran amor:

> Linda es una estudiante norteamericana de veinte y un años. Es muy inteligente y bastante independiente. Como estudia español, decide pasar el tercer año de la universidad en España. En Madrid una amiga la presenta a Vicente. Vicente es moreno, bastante guapo, romántico... Trabaja como intérprete en una agencia de viajes...

Ahora, imagina la continuación de la historia. (Si quieres, puedes encontrar inspiración en «¡Viva el amor!».)

Una chica como ninguna otra

Se llama Maribel Atienza. Es pequeña, tiene ojos café y pelo castaño. Y a los diez y ocho años, ¡es la mujer más famosa de España!

¿Es una actriz o una cantante? No. Maribel Atienza tiene una profesión totalmente diferente. Es torera,° la torera más joven del mundo. Y aunque ella pesa° menos de cincuenta kilos, se enfrenta° regularmente a toros° de más de quinientos kilos.

¿Por qué decidió ser torera? Porque un día un amigo le dijo que el peligro físico° no era° para las mujeres. Desde° entonces, ella ha matado° a más de doscientos toros. Y ahora es una celebridad no solamente en España, sino° también en Venezuela y Colombia.

La profesión de torera no es solamente muy peligrosa. Requiere entrenamiento° físico. Maribel se levanta a las ocho, se desayuna y hace sus ejercicios° diarios° hasta las dos de la tarde. También juega al tenis, nada, monta a caballo . . . Después se dedica° a otras actividades más personales: sale con sus amigos y ayuda a su mamá en casa. A Maribel le gusta cocinar, limpiar° la casa y lavar los platos.

torera: *bullfighter*
pesa: *weighs*
  se enfrenta: *she faces*
toros: *bulls*
peligro físico: *physical danger*
  era: *was*
  Desde: *Since*
ha matado: *has killed*
sino: *but*
entrenamiento: *training*
ejercicios: *exercises*
  diarios: *daily*
se dedica: *she devotes her time*
limpiar: *to clean*

El día antes de la corrida° es muy diferente. Se despierta tarde y no se levanta antes de las diez. Se queda en la cama, leyendo los periódicos. Se lava el pelo y se desayuna. Y pasa el resto del día mirando la televisión o visitando a sus amigos. Finalmente, llega el día de la corrida. Se pone su traje de luces,° es decir, su traje de torera. Y nunca olvida° rezar° para ponerse bajo° la protección de Cristo, de la Virgen y de todos los santos.°

¿Se siente nerviosa Maribel antes de la corrida? ¡Claro que sí! Después de todo, el toro es un animal peligroso. Es feroz,° fuerte y está listo a matar. Pero cuando Maribel entra en el ruedo° y cuando el público grita° «olé», ella no se siente nerviosa. Se siente calmada, orgullosa° y lista.

corrida: *bullfight*

traje de luces: *"suit of lights"*
olvida: *she forgets*
rezar: *to pray*
bajo: *under*
santos: *saints*
feroz: *ferocious*
ruedo: *ring*
grita: *shouts*
orgullosa: *proud*

vista

número dos

2

El Caribe

Un poco de historia

El Caribe es la puerta por donde Europa entró° en América. ¿Y cómo llegaron los europeos a América? En barco, ¡claro! El mar hizo un gran papel en la historia de la región. Vamos a ver.

1300

Los indios caribes comienzan a invadir las islas° donde viven los indios arawakos. Los caribes son agresivos y guerreros.° Así es que dominan fácilmente a los arawakos.

1492

A las costas del Caribe llega el primer europeo (Cristóbal Colón) y sus tres barcos (la Niña, la Pinta y la Santa María).

1496

En la costa de una isla, Bartolomé Colón (un hermano de Cristóbal) funda° Santo Domingo, hoy capital de la República Dominicana. Es la ciudad fundada° por los españoles más vieja del Nuevo Mundo.

1512

Los barcos españoles comienzan a llegar con esclavos° negros para trabajar en las plantaciones de caña de azúcar° en Cuba y otras islas.

entró *entered*   islas *islands*   guerreros *warlike*   funda *founds*   fundada *founded*
esclavos *slaves*   caña de azúcar *sugarcane*

Sʳ FRANCIS DRAKE.

1595

Sir Francis Drake, el pirata inglés, trata de° apoderarse de° Puerto Rico. Ataca e incendia° la ciudad de San Juan.

1853

Los Estados Unidos quieren comprar Cuba. España no acepta la oferta: ¡130 millones de dólares por Cuba!

1868

En Cuba comienza la Guerra° de los Diez Años. Los patriotas cubanos demandan dos cosas: la independencia de la isla y la abolición de la esclavitud.° España anuncia la abolición de la esclavitud en la isla, pero no declara su independencia.

1898

En el puerto° de La Habana una explosión de origen misterioso destruye el barco *Maine* de los Estados Unidos. Los Estados Unidos le declaran la guerra a España e intervienen en la segunda guerra de la independencia de Cuba. La guerra es corta y España pierde sus últimas colonias en América: Cuba y Puerto Rico.

1952

Los Estados Unidos aprueban° una constitución para Puerto Rico creando así el Estado Libre Asociado. Esta constitución establece una relación muy especial entre° los Estados Unidos y Puerto Rico. Puerto Rico no es un estado como Alaska o Hawai. Tampoco° es una colonia en el sentido° tradicional.

1959

Después de años de lucha,° Fidel Castro asume el poder° en Cuba. Castro establece en Cuba el primer gobierno° comunista en América. Muchos cubanos, descontentos con el nuevo régimen, deciden emigrar a otros países, incluyendo los Estados Unidos.

trata de *tries to*   **apoderarse de** *to seize*   **incendia** *burns*   **Guerra** *War*   **esclavitud** *slavery*   **puerto** *port*
aprueban *approve*   **entre** *between*   **Tampoco** *Neither*   **sentido** *sense*   **lucha** *fighting*   **poder** *power*
gobierno *government*

LOS PAÍSES HISPANOS DEL CARIBE

Cuba

Población: 9.762.000
Ciudad capital: La Habana
Unidad monetaria: el peso
Productos principales:
  azúcar, níquel
Otros datos° de interés:
  En Cuba hay algunos negros que
  todavía hablan yoruba, una lengua°
  africana.

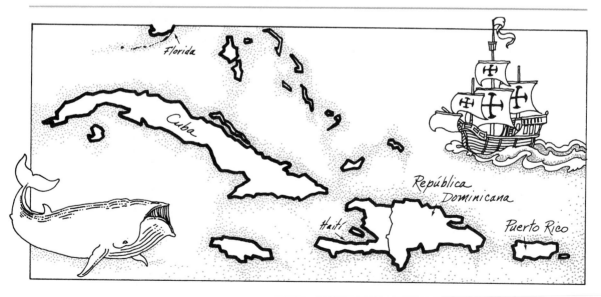

datos *facts*   lengua *language*

La República Dominicana

Población: 5.115.000
Ciudad capital: Santo Domingo
Unidad monetaria: el peso
Productos principales:
    caña de azúcar, bauxita
Otros datos de interés:
    La universidad más vieja del Nuevo
    Mundo está en Santo Domingo.
    Fue fundada en 1538.

Puerto Rico

Población: 3.385.000
Ciudad capital: San Juan
Unidad monetaria: el dólar
Productos principales:
    azúcar, café, bananas
Animal típico:
    el coquí, una rana° encantadora°
Otros datos de interés:
    Más de un millón de turistas
    norteamericanos visitan Puerto Rico
    cada año.

rana *frog*   **encantadora** *delightful*   **137**

CRISTÓBAL COLÓN
el misterioso descubridor de América

Cristóbal Colón. Un hombre lleno° de gloria. Y lleno de misterio también. Descubrir la verdadera° vida de este hombre parece una misión imposible. Su vida es una sucesión de enigmas.

¿Dónde nació?°

Mucha gente dice que Colón fue un navegante italiano. Pero esto no es completamente seguro. Fue navegante, sí, pero, ¿nació realmente en Génova, Italia? Hay investigadores° convencidos de que Colón fue portugués. Otros dicen que nació en España, en Grecia,° en . . . Bueno, son muchos los países que pelean por la cuna° de Colón.

El descubrimiento°

Todo el mundo sabe que Colón llegó a América por primera vez el 12 de octubre. Es un día que se conmemora con «Columbus Day» en los Estados Unidos y con «Día de la Raza» en los países hispanos. Pero, ¿adónde llegó? ¿Fue a la isla de Guanahaní,° como dicen los historiadores? ¡No, según algunos! Dicen que la isla de Guanahaní y la

LOS CUATRO VIAJES DE CRISTÓBAL COLÓN

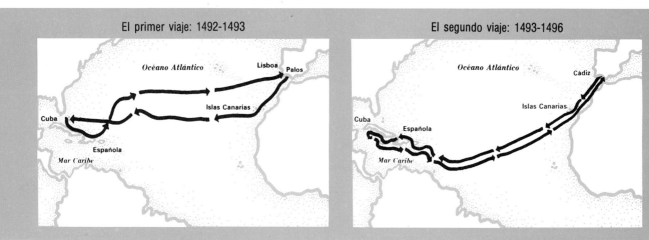

El primer viaje: 1492-1493

Océano Atlántico — Lisboa — Palos — Islas Canarias — Cuba — Española — Mar Caribe

El segundo viaje: 1493-1496

Océano Atlántico — Cádiz — Islas Canarias — Cuba — Española — Mar Caribe

lleno *full*   **verdadera** *true*   **nació** *was he born*   **investigadores** *researchers*   **Grecia** *Greece*
cuna *cradle, birthplace*   **descubrimiento** *discovery*   **Guanahaní** *island in the Bahamas*

descripción de esta isla en el diario de Colón son dos cosas muy diferentes. ¿Describió Colón una isla que no existe?

Sus otros viajes

Cuando volvió a España después de su primer viaje, Colón fue recibido como un héroe. Pero después, hizo tres viajes más y ¿qué pasó? Después del segundo viaje Colón fue a vivir a un monasterio. Durante el tercer viaje fue arrestado, y volvió a España encadenado.°

Sus últimos días

Colón murió° dos años después de su cuarto y último viaje. ¿El año? 1506. ¿La ciudad? Valladolid, España. Murió sin amigos, sin honores, sin dinero. Es difícil creer que murió así, pero es cierto. El lugar donde Colón está enterrado° es un misterio. Colón descubrió la República Dominicana en 1492. Los dominicanos dicen que Colón sigue° allí todavía.

En honor a Colón hay muchos monumentos en todo el mundo. Y no todos son estatuas. Colombia, por ejemplo, es un país que se llama así en su honor. También hay ciudades (Colón en Panamá), universidades (Columbia, en Nueva York), calles, avenidas, plazas, parques . . .

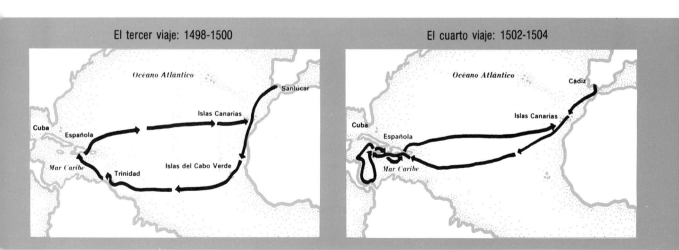

El tercer viaje: 1498-1500

El cuarto viaje: 1502-1504

---

encadenado *in chains*　murió *died*　enterrado *buried*　sigue *is*

LO ANTILLANO° EN NUESTRA LENGUA

¿Sabes de dónde viene la palabra «huracán»? Viene de la palabra taína «Jurakan».

Los taínos fueron una tribu arawaka que pobló° Puerto Rico antes de la llegada° de los españoles. Y Jurakan se refiere a un espíritu malo y destructivo. Jurakan es el espíritu que causa tormentas° violentas y devastadoras.

Cuando los españoles llegan al Caribe, el nombre° Jurakan da origen a la palabra «huracán» en español. Pasa al inglés como «hurricane».

En inglés hay muchas palabras que vienen del español. En algunos casos son palabras que (como «hurricane») tienen su origen en las lenguas° indígenas° del Caribe.

Aquí hay algunas:

español	inglés	español	inglés
canoa	canoe	papaya	papaya
barbacoa	barbecue	sabana	savanna
hamaca	hammock	tabaco	tobacco
maíz	maize		

Antillano *Caribbean* **pobló** *populated* **llegada** *arrival* **tormentas** *storms* **nombre** *name*
lenguas *tongues* **indígenas** *native*

corazón *heart* ciego *blind* Nació *He was born*
felicidad *happiness* edad *age* descubierto *discovered*
ha visto *has he seen* sueño *dream* hecho *made*

Ojos que no ven, corazón que siente

Todos conocemos el refrán que dice, «Ojos que no ven, corazón° que no siente». Pero en el caso de José Feliciano no es así. José Feliciano es ciego,° pero canta con la emoción de los grandes artistas. Es un cantante puertorriqueño muy famoso.

Nació° ciego, pero optimista. Su apellido, Feliciano, nos hace pensar en *feliz, felicidad.*° A la edad° de seis años aprendió a tocar su primer instrumento musical. Y como un niño ciego, la música fue siempre su mejor amiga. Pasaron los años . . . Un día, fue descubierto° cantando en un café del Greenwich Village en Nueva York.

Cuando este gran artista canta, multitudes lo escuchan. Sus discos se venden por millones. José Feliciano es un cantante internacional, muy popular en todo el mundo. Nunca ha visto° el color de su guitarra. Nunca ha visto las caras del público que lo admira. Pero para este muchacho puertorriqueño, la vida es un sueño° hecho° realidad.

¡No todas las bananas son amarillas!

¡No todas las bananas son amarillas! Por ejemplo, hay bananas rojas. También hay otras que no se comen crudas.° ¿Conoces los plátanos? Generalmente hay que cocinarlos. Son más grandes que las bananas y cuando están bien maduros° tienen la cáscara° negra. En los Estados Unidos casi siempre puedes encontrar plátanos en los mercados hispanos.

crudas *raw* **maduros** *ripened* **cáscara** *peel*

Plátanos fritos°

Necesitas:

2 plátanos, verdes o maduros
   (Si no encuentras plátanos, ¡usa bananas!)

aceite para freír°

sal o azúcar

Preparación:

1. Corta° los plátanos diagonalmente, en rodajas° delgadas.

2. Calienta° aceite en una sartén.°

3. Fríe° los plátanos en aceite bien caliente.°

4. Ponlos en una toalla de papel° para quitar el exceso de aceite.

5. Si usaste plátanos verdes: échales sal° y sírvelos con el plato principal.
   Si usaste plátanos maduros: échales azúcar y sírvelos como postre.

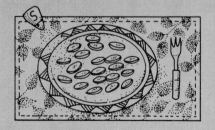 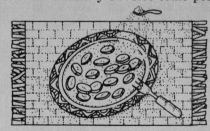

¡Buen provecho!°

---

fritos *fried* **freír** *frying* **Corta** *Cut* **rodajas** *slices* **Calienta** *Heat* **sartén** *frying pan*
Fríe *Fry* **caliente** *hot* **toalla de papel** *paper towel* **échales sal** *salt them* **¡Buen provecho!** *Enjoy it!*

La voz poética de un líder revolucionario

José Martí (1853-1895): periodista, poeta y líder político. Dedicó su vida a la libertad° y, en particular, a la libertad política de Cuba. A los 16 años de edad° fue deportado de Cuba por sus actividades revolucionarias. Después, la segunda vez que volvió, murió° en una batalla, peleando contra° las fuerzas españolas por la independencia de Cuba. En La Habana hay un monumento grande dedicado a Martí.

Los poemas de Martí revelan su gran idealismo. ¿Los conoces? Algunos versos de Martí se usaron para hacer una canción que fue muy popular.

Yo soy un hombre sincero
de donde crece° la palma,
y antes de morirme° quiero
echar° mis versos del alma.°

Con los pobres de la tierra
quiero yo mi suerte echar:°
el arroyo° de la sierra
me complace° más que el mar.

libertad *liberty*   **edad** *age*   **murió** *he died*   **contra** *against*   **crece** *grows*   **morirme** *I die*
echar *to pour out*   **alma** *soul*   **echar** *cast*   **arroyo** *stream*   **complace** *pleases*

Actividades

EL OTRO NOMBRE DE PUERTO RICO   If you read the historical section of these "Vistas" carefully, you know that Puerto Rico was once inhabited by Indian tribes. At that time, the island had an Indian name. To find out this name, which many Puerto Ricans still use, find the words corresponding to the following definitions. Then put the numbered letters in their appropriate boxes at the bottom of the page. (To help you, the page numbers on which these words appear are given in dark type.) Remember that ch and ll are single letters.

1. un hermano de Cristóbal Colón   **134**   _ _ _ _ _ _ _ _

1

2. la capital de la República Dominicana   **134**   _ _ _ _ _   _ _ _ _ _

2

3. el apellidoº del pirata inglés que atacó la ciudad de San Juan, P.R.   **135**   _ _ _ _ _

3

4. la ciudad de España donde murió Cristóbal Colón   **139**   _ _ _ _ _ _ _ _ _

4

5. la capital de Cuba   **136**   _ _ _ _ _ _ _ _

5

6. un animal típico de Puerto Rico   **137**   _ _ _ _ _

6

7. un producto de Puerto Rico   **137**   _ _ _ _ _ _

7

8. un poeta y líder político cubano del sigloº XIX   **144**   _ _ _ _ _ _ _ _

8

9. un cantante puertorriqueño que nació ciego   **141**   _ _ _ _ _ _ _ _ _ _ _

9

El otro nombre de Puerto Rico

1	2	3	4	5	6	7	8	9

apellido *last name*   **siglo** *century*

Unidad 4

El coche del Sr. Molina

(Un mini-drama en cuatro actos)

4.1   ¡Sola en casa!

4.2 La decisión de Isabel   **4.3 ¡Qué tragedia!**   **4.4 ¿Un coche nuevo?**

VARIEDADES — ¿Tienes sentido de orientación?

Primer acto: ¡Sola en casa!

Estamos en julio. Hace muchísimo calor. La familia Molina, una familia española, está de vacaciones. Todos los años pasa las vacaciones en San Felíu, una playa en la Costa Brava. Ahora Isabel, la hija menor (tiene diez y siete años), regresa de la calle.

regresa: *returns*

Isabel:	¡Hola, mamá!
Sra. de Molina:	¡Hola, Isabel!
Isabel:	¿No está aquí Elena?
Sra. de Molina:	¡No! Tu hermana acaba de salir con una amiga.
Isabel:	¿Y Ricardo?
Sra. de Molina:	Acaba de llamar por teléfono. Hace unas dos horas que está en la playa con sus amigos. Dijo que después van a ir a una discoteca.
Isabel:	¿Papá está también en la calle?
Sra. de Molina:	¡Sí! Acaba de salir con el Sr. Martínez. Van a ver un partido de fútbol.
Isabel:	Y tú, mamá, ¿vas a salir?
Sra. de Molina:	Sí, hija. Tengo que ir de compras con la Sra. de Onís.
Isabel:	¿Me voy a quedar sola en este apartamento?
Sra. de Molina:	Sí, ¡pero no es una tragedia!
Isabel:	¡Claro que no! Voy a leer las revistas que acabo de comprar.

acaba de salir: *has just gone out*

¿está . . . en la calle?: *is he out?*

ir de compras: *go shopping*

• • • • • • • • • • • • • •

Hace unos diez minutos que Isabel está sola en casa . . .
¿Va a leer sus revistas?
¡No! Isabel tiene otra idea . . .
¡y esta idea es mucho más interesante!

Nota cultural

Las vacaciones de verano en España

Tradicionalmente, julio y agosto son los meses de vacaciones en España. Los estudiantes españoles tienen más o menos tres meses de vacaciones y sus padres tienen más o menos cuatro semanas. Como los veranos son muy calurosos, muchas familias van a veranear° a la playa.

Las playas españolas son unas de las más bonitas del mundo. También en el verano son unas de las más llenas.° Durante esta temporada,° millones de turistas (de Alemania, de Francia, de Inglaterra, de los Países Bajos° y de Suiza°) vienen a estas playas. Los españoles y los extranjeros° vienen a descansar y a gozar del° sol ... ¡y a recibir quemaduras de sol° si no tienen cuidado!°

veranear *to spend the summer*   **llenas** *crowded*
temporada *season*   **Países Bajos** *Belgium, Luxembourg, The Netherlands*   **Suiza** *Switzerland*   **extranjeros** *foreigners*
gozar del *enjoy the*   **quemaduras de sol** *sunburns*   **no tienen cuidado** *they are not careful*

Vocabulario práctico

sustantivos	**las compras**	shopping
	las vacaciones	vacation(s)
verbos	**estar de vacaciones**	to be on a vacation
	estar en la calle	to be out
	gozar de (las vacaciones)	to enjoy (the vacation)
	ir de compras	to go shopping
	ir de vacaciones	to go on a vacation
	pasar (las vacaciones)	to spend (one's vacation)
	regresar	to return, to come back
adjetivos	**menor**	younger
	solo	alone
expresión	**hace muchísimo calor**	it is *very* hot

NOTA: The endings **–ísimo(s)** and **–ísima(s)** added to an adjective are equivalent to the English words *very* or *extremely*.

When the adjective ends in a consonant, the ending is attached directly to it:

difícil → dificil**ísimo**   una tarea dificil**ísima**

When the adjective ends in a vowel, this vowel is dropped before attaching the ending:

guapo → guap**ísimo**   unos chicos guap**ísimos**
interesante → interesant**ísimo**   unas novelas interesant**ísimas**

CONVERSACIÓN

Vamos a hablar de lo que hiciste recientemente.

¿Acabas de levantarte?

¿Acabas de comer?

¿Acabas de leer una novela
interesante?

¿Acabas de escuchar un buen chiste?

¿Acabas de hacer un viaje?

¿Acabas de recibir noticias de tus
primas?

Estructuras

A. Repaso: la duración: *hace* + el presente

In Spanish, the present tense is used to describe actions or conditions
which began in the past and which are still going on now. Compare the
use of verb tenses in Spanish and English.

Hace una hora que **espero** a Carlos.	*I **have been waiting** for Carlos **for** one hour.*
Hace dos semanas que Isabel **está** de vacaciones.	*Isabel **has been** on vacation **for** two weeks.*
Hace dos años que **estudiamos** español.	*We **have been studying** Spanish **for** two years.*

To express the duration of such actions, Spanish speakers use the following
constructions:

hace + period of time + **que** + present + rest of sentence

Note also the question constructions:

¿Hace cuánto tiempo que (+ present)?
¿Cuánto tiempo hace que (+ present)?

¿Hace cuánto tiempo que estás aquí?	*(For) How long have you been here?*
¿Cuánto tiempo hace que estudias español?	*(For) How long have you been studying Spanish?*

ACTIVIDAD 1 Una entrevista

Una periodista en Miami hace una entrevista a un músico español famoso.
Haz los dos papeles según el modelo.

> Ud. toca la guitarra. (10 años)

La periodista: ¿Hace cuánto tiempo que Ud. toca la guitarra?

El músico: Hace diez años que toco la guitarra.

1. Ud. canta. (12 años)
2. Ud. vive en Madrid. (20 años)
3. Ud. da conciertos. (8 años)
4. Ud. está casado. (1 año)

5. Ud. graba (record) discos. (6 años)
6. Ud. está de viaje. (3 semanas)
7. Ud. está en los Estados Unidos. (1 semana)
8. Ud. está en Miami. (2 días)

ACTIVIDAD 2 Diálogo: ¿Cuánto tiempo hace que . . . ?

Pregúntales a tus amigos cuánto tiempo hace que hacen las siguientes cosas.

> estudiar español (¿cuántos años?)

Estudiante 1: ¿Cuántos años hace que estudias español?

Estudiante 2: Hace dos años que estudio español.

1. vivir en esta ciudad (¿cuántos años?)
2. asistir a este colegio (¿cuántos años?)
3. conocer a tu mejor amigo (¿cuántos años?)
4. ser amigo(a) de él (¿cuántos años?)

5. conocer a tu mejor amiga (¿cuántos meses?)
6. ser amigo(a) de ella (¿cuántos meses?)
7. estar en la clase (¿cuántos minutos?)
8. hacer esta tarea (¿cuántos minutos?)

B. Repaso: *acabar de* + infinitivo

Note the use of the expression **acabar de** in the sentences below.

Acabo de llamar a Isabel.
- *I **just called** Isabel.*
- *I **have just called** Isabel.*

Ricardo **acaba de salir.**
- *Ricardo **just went out.***
- *Ricardo **has just gone out.***

Acabamos de llegar.
- *We **just arrived.***
- *We **have just arrived.***

To express an event which has just happened, Spanish speakers use the construction:

> present tense of **acabar** + **de** + infinitive

> Object pronouns and reflexive pronouns are attached to the infinitive.
>
> Acabo de levantar**me**.   *I just got up.*
>
> —¿Sabes dónde está Isabel?
> —Sí, acabo de ver**la**.   *Yes, I just saw **her**.*

ACTIVIDAD 3   Furiosos y contentos

Algunos amigos de Isabel están furiosos. Otros están contentos. Describe los sentimientos de cada persona (¿Está furiosa o contenta?) y explica por qué según los modelos.

Carlos saca una mala nota.   Carlos está furioso porque acaba de sacar una mala nota.

Luisa saca una buena nota.   Luisa está contenta porque acaba de sacar una buena nota.

1. Enrique pierde el partido de tenis.
2. Felicia gana el partido.
3. Francisco recibe una carta de su novia.
4. Silvia vende su bicicleta a buen precio (price).
5. Encontramos a nuestros amigos.
6. Pierdo mi billetera.
7. Tú recibes diez dólares de tu papá.
8. Elena se enoja con su novio.
9. Me peleo con mis amigos.
10. Enrique y Ana se llaman por teléfono.

ACTIVIDAD 4   ¿Por qué?

¿Puedes explicar por qué las siguientes personas sienten varios sentimientos? Tienes que usar la imaginación . . . y la construcción **acabar de** + infinitivo, según el modelo.

Isabel está contenta porque . . .

    Isabel está contenta porque acaba de llamar a su novio.
    (Isabel está contenta porque su amiga acaba de llamarla.)
    (Isabel está contenta porque su papá acaba de comprarle un coche.)

1. Rafael está triste porque . . .
2. Ramón y Luis están enojados porque . . .
3. Estoy muy contento porque . . .
4. Estamos de buen humor porque . . .
5. Tú estás de mal humor porque . . .
6. El profesor está de un humor horrible porque . . .

C. Repaso: los numerales ordinales

Ordinal numbers, such as first, second, third, are used to rank people and things.

1°	primero	6°	sexto
2°	segundo	7°	séptimo
3°	tercero	8°	octavo
4°	cuarto	9°	noveno
5°	quinto	10°	décimo

☞ Ordinal numbers are adjectives. They agree in gender and number with the nouns they introduce.

Carmen es la **primera** chica a quien voy a invitar.

☞ **Primero** and **tercero** become **primer** and **tercer** before a masculine singular noun.

Enero es el **primer** mes del año.
¿Vas a ver el **tercer** acto?

☞ Beyond **décimo,** you would use cardinal numbers instead of ordinal numbers.

Carlos vive en **el piso trece.**	*Carlos lives on **the thirteenth floor (floor thirteen).***
En **el siglo veinte** . . .	*In the twentieth century (century twenty). . .*

ACTIVIDAD 5 El torneo de tenis *(The tennis tournament)*

Hay un torneo de tenis en tu escuela. Les anuncias los resultados a los siguientes participantes.

☞ Jaime: 10   Jaime, eres décimo.
☞ Juana: 9   Juana, eres novena.

1. Julia: 2
2. Felipe: 4
3. Isabel y Luisa: 5
4. Ramón y Manuel: 7
5. Silvia: 6
6. Antonio: 8
7. Esteban: 3
8. . . . y yo: 1

ACTIVIDAD 6 El rascacielos *(The skyscraper)*

Este rascacielos tiene veinte pisos. Algunos tienen oficinas y otros tienen apartamentos. Tú tienes muchos amigos que viven allí. Di en qué piso viven.

☞ Ricardo: 4   Ricardo vive en el cuarto piso.

1. Raúl: 9
2. los Montoya: 12
3. Consuelo: 7
4. el Dr. Vega: 5
5. la compañía de seguros: 15
6. la Srta. Arroyo: 3
7. el dentista: 8
8. mi tío Ignacio: 6
9. el Dr. Ramos: 14
10. la oficina de I.B.M.: 1

D. Repaso: algunos adjetivos indefinidos

The adjectives in heavy print below do not refer to a specific number of people or things. They are indefinite adjectives. Note the uses and forms of these adjectives.

alguno

algún, alguna	some	**Algún** día, voy a visitar España.
algunos, algunas	some, several	Tengo **algunos** amigos allá.
cada	each	Para la fiesta, **cada** chico va a invitar a una chica.

otro

otro(a)	other, another	¿Cómo se llama la **otra** amiga de Inés? ¿Tiene **otro** hermano, Isabel?
otros(as)	other	Mis **otros** amigos no pueden venir a la fiesta.

todo

todo(a)	the whole, all	—¿Vas a leer **toda** la novela?
todos(as)	all, every	—No, pero voy a leer **todas** las revistas.

☞ **Alguno** → **algún** before a masculine singular noun.

☞ The indefinite article (**un, una**) is never used before the word **otro**.

Dame **otra** revista, por favor.   *Please give me **another** magazine.*

☞ The above indefinite expressions can be used to replace a noun which has already been expressed.

Conozco a aquella chica pero no conozco a **la otra** (= la otra chica).	*I know this girl, but I do not know **the other one**.*
No me gustan estas revistas. Dame **otras** (= otras revistas).	*I do not like these magazines. Give me **other ones**.*

Exception: **Cada** cannot be used alone. **Cada uno(a)** is used when the noun is not expressed.

Tengo muchas amigas.	*I have many friends.*
Cada una me escribe para mi cumpleaños.	***Each one*** *writes me on my birthday.*

ACTIVIDAD 7   Generalizaciones

Ricardo hace generalizaciones, pero Isabel no está de acuerdo *(in agreement)* con él. Haz los dos papeles según el modelo.

☞ Los muchachos son inteligentes.   Ricardo: Todos los muchachos son inteligentes.
                                                Isabel: ¡Claro que no! No todos son inteligentes.

1. Las muchachas son simpáticas.
2. Los norteamericanos son altos.
3. Las norteamericanas son rubias.
4. Los españoles son bajos.
5. Las españolas son morenas.
6. Las novelas son interesantes.
7. Los profesores son interesantes.
8. Las generalizaciones son tontas.

ACTIVIDAD 8   No, gracias

Elena le dice a Ricardo que acaba de terminar varias cosas. Ricardo le
ofrece otras, pero Elena no acepta su oferta. Haz los dos papeles.

ᗡ   Elena lee un libro.   Elena: Acabo de leer el libro.
                                Ricardo: ¿Quieres otro?
                                Elena: No, gracias.

1. Elena lee una revista.   4. Lee unos periódicos.
2. Mira unas fotos.   5. Toma una aspirina.
3. Come unos dulces.   6. Bebe una Coca-Cola.

1) La autobiografía

Imagina que acabas de recibir un premio *(prize)* importante. Un periodista
habla contigo. Él quiere saber cuáles son tus actividades y cuánto tiempo
hace que las haces. Contéstale en un párrafo de ocho frases. Puedes usar
los siguientes verbos.

   vivir / estudiar / asistir a / trabajar / jugar a / ir / hablar / tocar

ᗡ   Vivo en Miami. Hace diez años que vivo aquí . . .

2) Las noticias del día

Elige *(Choose)* seis noticias recientes (políticas, artísticas, deportivas . . .) y
descríbelas usando la construcción **acabar de** + infinitivo.

ᗡ   El presidente acaba de hacer un viaje a Latinoamérica.

ᗡ   Los Patriotas de Nueva Inglaterra acaban de vencer *(beat)* a los Delfines de Miami.

ᗡ   El FBI acaba de arrestar a un criminal . . .

3) En la ventana

Asómate *(Look out)* a la ventana (de tu casa, de la sala de clase . . .) por
unos diez minutos y describe en ocho frases qué ocurrió, usando la
construcción **acabar de** + infinitivo. Si quieres, puedes usar los siguientes
verbos:

   salir / llegar / regresar / pasar / entrar / caerse / ver / hablar / charlar *(chat)*

ᗡ   La vecina acaba de salir. Dos coches acaban de pasar . . .

Hace varios días que Isabel piensa en esta idea: ¡probar el SEAT de su padre! . . . En secreto, por supuesto, porque el Sr. Molina nunca presta su coche nuevo. . .
Pero hay una voz interior que no está de acuerdo con Isabel.

varios: *several*

voz: *voice*
de acuerdo: *in agreement*

Esta voz le dice:
—¡Escúchame, Isabel!
Hace solamente unos dos meses que tienes el permiso de conducir.
No sabes todavía conducir bien . . .
Además, ¿de quién es el coche?
¿Es tuyo? ¡No! Es de tu papá . . . Y si lo tomas, ¡sabes que él va a enojarse!

el permiso de conducir: *driver's license*

tuyo: *yours*

También hay otra voz, y ésta le dice:
—Por supuesto, el coche es de tu papá . . .
Pero si es suyo, es un poco tuyo también, ¿no? ¡Isabelita, estás sola! ¡Es tu oportunidad! *(Es una voz fuerte, muy fuerte. . .)* —¿Suyo, mío? ¿Qué importa? — piensa Isabel, sin poder resistir la tentación . . .

suyo: *his*

mío: *mine*
¿Qué importa?: *What does it matter?*

• • • • • • • • • •

Isabel decidió no perder más tiempo. Llamó por teléfono a Anita, su mejor amiga. Le explicó su idea. La invitó a dar una vuelta en el coche. Anita aceptó la invitación, con mucho gusto. Isabel tomó las llaves del coche de su padre. Entró en el garaje y arrancó el coche. ¡Lo sacó del garaje muy de prisa y con mucho ruido!
—¿No sabes conducir bien? Vamos a ver,—se dice Isabel, empujando el acelerador . . . Se dirige hacia la plaza mayor, donde vive Anita.

arrancó: *started up*
de prisa: *quickly*
ruido: *noise*
empujando: *stepping on*

Se dirige: *She heads*

Br-u-u-m

La plaza mayor

Todas las ciudades de España y hasta° los pueblos pequeños tienen una plaza mayor.° Esta plaza tiene una arquitectura cuadrangular° y casi siempre está rodeada de° casas muy antiguas. La plaza mayor es el centro histórico de la ciudad. En el pasado° (¡y todavía ahora!) servía° para fiestas, corridas, competencias,° dramas y obras de teatro.

Hoy día la plaza mayor es el centro de mucha actividad. Hay apartamentos. También hay tiendas y cafés al aire libre.° Es agradable sentarse en uno de estos cafés y contemplar la belleza° y perfección de la arquitectura de la plaza. ¡Qué maravilla!

hasta *even*   **plaza mayor** *main square*
cuadrangular *square*   **rodeada de** *surrounded by*
pasado *past*   **servía** *it was used*   **competencias** *contests*
al aire libre *outdoor*   **belleza** *beauty*

Vocabulario práctico

sustantivos	**un permiso**	permission, permit	**una voz**	voice
	el permiso		**(pl. voces)**	
	de conducir	driver's license		
	un ruido	noise		
verbos	**arrancar**	to start (a car), to pull out		
	dirigirse (a)	to go (towards)		
	empujar	to push		
	explicar	to explain		
	probar (o → ue)	to try		
	sacar	to take out		
expresiones	**dar una vuelta**	to go for a ride		
	de prisa	fast, quickly		
	estar de acuerdo	to agree		
	hacia	toward, in the direction of		
	todavía	still, yet		

NOTA: **Unos (unas)** is used in front of a number to indicate an approximation.

Hace **unos** ocho años que vivo en Madrid.   *I have been living in Madrid for **about (approximately, more or less) eight years.***

CONVERSACIÓN

Vamos a hablar de lo que hizo tu papá (o tu mamá, si prefieres) ayer.

¿Se levantó temprano él (ella)?
¿Preparó el desayuno?
¿Tomó café?
¿Tomó el autobús para ir al trabajo?
¿Compró algo especial? ¿Qué?
¿Miró la televisión? ¿Qué programa(s)?
¿A qué hora se acostó?

Estructuras

A. Los adjetivos y los pronombres posesivos

There are two kinds of possessive adjectives in Spanish:

—the short or *unstressed adjectives* (**mi, tu, su, nuestro**);
—the long or *stressed adjectives*.

Note the masculine singular forms of the stressed adjectives in the chart below.

POSSESSOR		POSSESSOR	
(yo)	el coche **mío**	(nosotros)	el coche **nuestro**
(tú)	el coche **tuyo**	(vosotros)	el coche **vuestro**
(él, ella, Ud.)	el coche **suyo**	(ellos, ellas, Uds.)	el coche **suyo**

☞ Stressed possessive adjectives agree in gender and number with the noun they modify (and *not* with the possessor).

Carmen es amiga **mía**.   *Carmen is a friend **of mine**.*
Vamos a invitar a unas amigas **nuestras**   *We are going to invite a few friends **of**
  a la fiesta.   ***ours** to the party.*

☞ The stressed possessive adjectives correspond to the English forms *of mine, of yours,* etc. They always come *after* the noun. When the noun comes after **ser**, the indefinite article may be omitted.

Inés es **amiga tuya,** ¿verdad?   *Inés is **a friend of yours,** isn't she?*

☞ Stressed possessives may also be used alone after **ser**.

Los periódicos son **míos**, pero   *The newspapers are **mine**, but
  las revistas son **tuyas**.   *the magazines are **yours**.*

☞ Note also the following construction.

Carlos y yo tenemos bicicletas.

La mía (= mi bicicleta) es roja.   ***Mine** is red.*
La suya (= su bicicleta) es blanca.   ***His** is white.*

In the preceding sentences, the expressions in heavy print replace nouns already expressed: they are *possessive pronouns*. Possessive pronouns are formed as follows:

definite article + stressed possessive adjective

🌊 Note that both parts agree with the noun which is replaced.

mi coche = **el mío**   mis discos = **los míos**
mi casa = **la mía**   mis revistas = **las mías**

ACTIVIDAD 1   Los amigos de Raquel

Raquel quiere saber si Enrique conoce a varias personas. Enrique le pregunta si esas personas son amigas suyas. Raquel le contesta afirmativamente.

🌊 Isabel   Raquel: ¿Conoces a Isabel?
            Enrique: Es amiga tuya, ¿verdad?
            Raquel: Sí, es buena amiga mía.

1. Felipe
2. Carlos y su hermano
3. Ramón
4. Elena y Felicia
5. Roberto y Paco
6. Luisa y Silvia

ACTIVIDAD 2   Durante las vacaciones

Durante las vacaciones, las siguientes personas van a visitar a amigos o parientes. Expresa eso según el modelo.

🌊 Carlos (una amiga)   Carlos va a visitar a una amiga suya.

1. Elena (un amigo)
2. Roberto (un amigo)
3. Federico (una amiga)
4. Ud. (un tío)
5. Uds. (unos amigos)
6. yo (un primo)
7. tú (una prima)
8. mis hermanas (unos compañeros de colegio)
9. nosotros (un amigo)
10. Ana y yo (una prima)

ACTIVIDAD 3   ¿Qué vas a escoger *(choose)*?

En cada par *(pair)* de objetos, puedes escoger un objeto para ti y otro para un(a) compañero(a). Di qué escoges para ti y qué para él (ella).

🌊 un coche / una moto   El coche es mío. La moto es tuya.
                          (La moto es mía. El coche es tuyo.)

1. un reloj digital / una calculadora
2. una revista de historietas *(comics)* / una novela policíaca *(detective)*
3. unos discos de jazz / unas revistas de modas
4. unos esquís acuáticos / una tabla hawaiana *(surfboard)*
5. un televisor / una bicicleta
6. unos anteojos de sol / un bolso

ACTIVIDAD 4　Diálogo: ¿Puedes usar ...?

Pídeles a tus compañeros varios objetos suyos.

⟩⟩ la bicicleta　Estudiante 1: No tengo mi bicicleta. ¿Puedo usar la tuya?
　　　　　　　　Estudiante 2: ¡Claro! Puedes usar la mía.
　　　　　　　　　　　　　　(No, no puedes usar la mía.)

1. el espejo
2. el peine
3. las revistas
4. el reloj
5. la calculadora
6. la guitarra
7. los discos
8. la navaja

B. Repaso: el pretérito de los verbos que terminan en -ar

The *preterite* is used to describe actions which took place in the *past*. All regular –ar verbs have the same preterite endings. Note these endings in the chart below.

INFINITIVE	**hablar**		
PRETERITE			
(yo)	habl**é**	(nosotros)	habl**amos**
(tú)	habl**aste**	(vosotros)	habl**asteis**
(él, ella, Ud.)	habl**ó**	(ellos, ellas, Uds.)	habl**aron**

⟩⟩ Many –ar verbs which have a stem change in the present, do *not* have this stem change in the preterite.

pensar	¿Qué **pensaste** de esa película estúpida?
despertarse	Ayer, me **desperté** a las nueve.
encontrar	**Encontré** a María en la cafetería.
acostarse	Anoche, Carlos se **acostó** temprano.

⟩⟩ Verbs which end in **–car, –gar** and **–zar** have a spelling change in the preterite. This change concerns only the **yo** form and is made to preserve the sound of the stem.

-car (c → qu)	¿**Sacaste** fotos el fin de semana pasado?
	Sí, **saqué** muchas fotos.
-gar (g → gu)	¿Con quién **jugaste** al tenis?
	Jugué con Roberto.
-zar (z → c)	¿Dónde **almorzaste** ayer?
	Almorcé en un restaurante mexicano.

ACTIVIDAD 5 De compras

Isabel y sus amigos van de compras. Di qué compró cada uno y si, según tú, gastó mucho dinero o no.

Isabel: una revista   Isabel compró una revista.
No gastó mucho dinero.

1. Tere: una camiseta
2. Enrique: una bicicleta
3. los hermanos de Tere: dulces
4. yo: chicle
5. tú: postales (postcards)
6. nosotros: una moto

ACTIVIDAD 6 Diálogo: El fin de semana pasado

Pregúntales a tus compañeros qué hicieron el fin de semana pasado.

hablar (¿con quién?)

      Estudiante 1: ¿Con quién hablaste el fin de semana pasado?
      Estudiante 2: Hablé con un chico de Panamá.

1. llamar por teléfono (¿a quiénes?)
2. visitar (¿a quiénes?)
3. encontrar (¿a quiénes?)
4. levantarse (¿cuándo?)
5. acostarse (¿a qué hora?)
6. jugar (¿a qué?)
7. almorzar (¿dónde?)
8. bailar (¿dónde?)
9. comprar (¿qué?)

ACTIVIDAD 7 Nunca los domingos (Never on Sundays)

Éstas son las cosas que las siguientes personas hacen durante la semana.
Di que no hicieron esas cosas el domingo pasado.

Mi hermana se despierta temprano.   El domingo pasado, no se despertó temprano.

1. Me acuesto tarde.
2. Te acuestas a las diez.
3. Pedro encuentra a sus amigas.
4. Encontramos al profesor en la calle.
5. Juego al tenis.
6. Juegas al volibol.
7. Jugamos al fútbol.
8. Almuerzo en la cafetería.
9. Almorzamos de prisa.
10. Ud. toca el piano.
11. Practico la guitarra.
12. Busco apartamento.

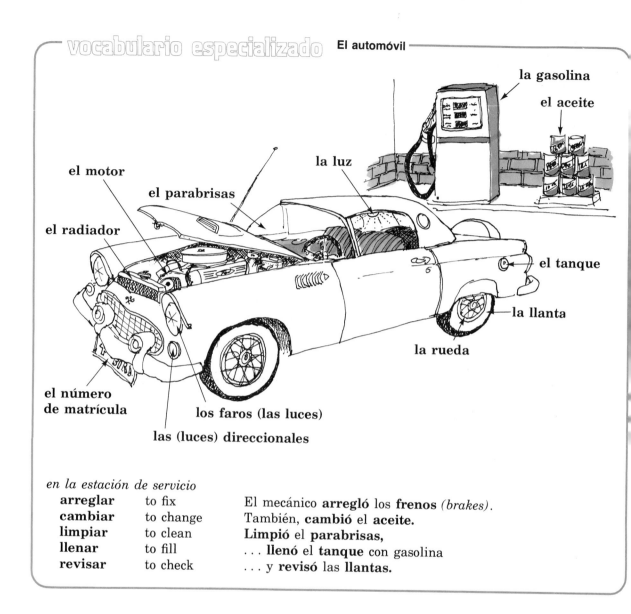

la gasolina

el aceite

la luz

el motor

el parabrisas

el radiador

el tanque

la llanta

la rueda

el número
de matrícula

los faros (las luces)

las (luces) direccionales

en la estación de servicio

arreglar	to fix	El mecánico **arregló** los **frenos** *(brakes)*.
cambiar	to change	También, **cambió** el **aceite**.
limpiar	to clean	**Limpió** el **parabrisas**,
llenar	to fill	. . . **llenó** el **tanque** con gasolina
revisar	to check	. . . y **revisó** las **llantas**.

ACTIVIDAD 8 Preguntas personales

1. ¿Tiene coche tu familia? ¿De qué marca *(make)*? ¿Es viejo o nuevo? ¿De qué color es? ¿Usa mucha gasolina? ¿mucho aceite?

2. ¿Lavas el coche de tu familia? Si no, ¿quién lo limpia?

3. ¿Sabes conducir? ¿Tienes el permiso de conducir? Si no, ¿cuándo esperas obtenerlo?

4. ¿Sueñas con tener un coche deportivo? ¿Qué clase de coche prefieres?

ACTIVIDAD 9   Un buen mecánico

Imagina que llevaste tu coche a una estación de servicio. Di qué hizo el mecánico, usando los verbos del vocabulario.

✏ los frenos   Arregló (revisó) los frenos.

1. el tanque
2. el parabrisas
3. el radiador
4. las llantas
5. el motor
6. los faros
7. el aceite
8. las luces direccionales

C. El diminutivo –ito

Note the endings in heavy print.

Carlos tiene una herman**ita.**	*Carlos has a **little** sister.*
Vivimos en una cas**ita.**	*We live in a **small** house.*
¿Quién es ese hombre**cito?**	*Who is that **little** man?*
¿Dónde está Carmen**cita?**	*Where is **dear** Carmen?*

To convey affection or smallness, Spanish speakers often use the endings:

-ito(a)   with nouns ending in **-o, -a, -l**
-cito(a)   with other nouns

ACTIVIDAD 10   Elena y Silvia

Elena le pregunta muchas cosas a Silvia. Haz el papel de Silvia, según el modelo.

✏ ¿Tienes un hermano menor?   Silvia: Sí, tengo un hermanito.

1. ¿Tienes hermanas menores?
2. ¿Vives en una casa pequeña?
3. ¿Tienes un perro pequeño?
4. ¿Tienes un gato pequeño?
5. ¿Me esperas un momento?
6. ¿Conoces a Carmen?
7. ¿Conoces a Miguel?
8. ¿Conoces a ese hombre pequeño?

¡A ti te toca!

El fin de semana pasado
En un pequeño párrafo describe lo que hizo cada miembro de tu familia. Puedes usar los siguientes verbos.

en casa: quedarse / limpiar / arreglar / escuchar / mirar / llamar
fuera de la casa: visitar / jugar / encontrar / regresar / mirar

• Mi hermano . . .
• Mi hermana . . .
• Mis padres . . .

✏ Yo: ¿Me quedé en casa? ¡Yo, no! Llamé a un amigo y salimos . . .

Tercer acto: ¡Qué tragedia!

Isabel estacionó el coche frente al edificio de apartamentos de Anita. Entró en el edificio y subió de prisa al apartamento de su amiga en el segundo piso.

estacionó: *parked*
edificio: *building*
subió: *went up*

Al entrar en el apartamento, Isabel oyó un ruido increíble, un ruido horrible, realmente.
—¡Dios mío! — exclamó Anita. —¡Es el coche de tu papá!
Las chicas corrieron a la ventana.
Desde allí vieron un espectáculo desastroso:
¡El coche nuevo del Sr. Molina chocado por un automovilista descuidado!
¡Qué tragedia!

Desde allí: *From there*
chocado: *wrecked*
descuidado: *careless*

Isabel abrió la ventana, vio al conductor culpable y exclamó:
—¡Un momentito, señor! ¡Ud. acaba de chocar mi coche! ¡Voy a bajar! ¡Señor, señor . . . !

culpable: *guilty*
chocar: *run into*
  bajar: *come down*

Pero el conductor no oyó a Isabel y no la esperó. ¡Al contrario!
Al verla se fue muy de prisa.
—¡Válgame Dios! — exclamó Isabel. —¿Qué hago ahora?

Al verla: *On seeing her*

● ● ● ● ● ● ● ● ● ● ● ●

Los problemas de Isabel acaban de comenzar.
¿Qué puede hacer?
¿Cómo va a explicarle el accidente a su papá?
. . . ¿Y qué le va a decir?
Isabel está muy triste y muy nerviosa.

Nota cultural

El coche

¿Qué significa° tener coche? ¿Tener transporte? ¡Claro! Pero para muchos hispanohablantes, un coche significa mucho más. Para algunos es un «hobby». Para otros es el símbolo de pertenecer a la clase acomodada.° Para muchos representa la posibilidad de tomarse unas vacaciones y de poder escaparse de la rutina diaria.

Algunos hispanohablantes cuidan mucho su coche, nuevo o viejo. Lo lavan, lo enceran,° lo mantienen en condición excelente. Para ellos es una verdadera° extensión de su propia° personalidad.

Así, un pequeño accidente significa más que un daño° a su propiedad° personal. ¡Es casi una verdadera catástrofe!

significa *does it mean*   clase acomodada *upper middle class*   enceran *wax*   verdadera *real*   propia *own*   daño *damage*   propiedad *property*

Vocabulario práctico

sustantivos	**un edificio de apartamentos**	apartment building	**una ventana**	window
	un espectáculo	sight, spectacle		
	un piso	floor		
adjetivos	**culpable**	guilty		
	chocado	wrecked		
	descuidado	careless		
	increíble	unbelievable		
	propio	(one's) own		
verbo	**exclamar**	to exclaim, to say		
expresiones	**al contrario**	on the contrary		
	desde allí	from there		
	¡Dios mío!	My goodness!		
	frente a	in front of		
	¡Válgame Dios!	God help me!		

CONVERSACIÓN

Vamos a hablar de lo que hiciste el sábado pasado.

¿Fuiste al campo?
   Sí (No, no) fui al campo.
¿Fuiste al cine?
¿Fuiste a un restaurante?
¿Fuiste a casa de tus amigos?

¿Asististe a un concierto?
   Sí (No, no) asistí a un concierto.
¿Asististe a un partido de fútbol?
¿Asististe a un espectáculo extraordinario?
¿Asististe a la ópera?

Estructuras

A. Repaso: el pretérito de los verbos que terminan en -er y en -ir

In the preterite, most verbs which end in **-er** and **-ir** have the same endings. Note the preterite endings of **correr** *(to run)* and **subir** *(to climb)*.

INFINITIVE	correr	subir
PRETERITE		
(yo)	corrí	subí
(tú)	corriste	subiste
(él, ella, Ud.)	corrió	subió
(nosotros)	corrimos	subimos
(vosotros)	corristeis	subisteis
(ellos, ellas, Uds.)	corrieron	subieron

Verbs in **-er** (but not those in **-ir**) which have a stem change in the present tense have no stem change in the preterite.

entender   Carlos no **entendió** al profesor.
volver   Anoche **volví** a casa a las once.

In the preterite, **dar** *(to give)* and **ver** *(to see)* take the endings of **-er** and **-ir** verbs with one exception: there are no accents on the **yo** and **él** forms.

Vi a mi primo ayer. Me **dio** noticias de la familia.

Verbs in **-aer**, **-eer**, **-uir** and the verb **oír** have a spelling change in the preterite. In the **él** and **ellos** forms, the **i** of the ending becomes **y**.

caer(se) *(to fall)*	Carlos **se cayó** en la calle.
	Inés y Luisa **se cayeron** en el suelo *(ground)*.
leer *(to read)*	Isabel no **leyó** la novela.
	Mis amigos **leyeron** historietas.
oír *(to hear)*	Enrique **oyó** un ruido *(noise)* terrible.
	Mis hermanas no te **oyeron** bien.
construir *(to build)*	Roberto **construyó** un radio.
	Tus amigos **construyeron** proyectos imposibles.

In addition, the **i** of these verbs (with the exception of verbs in **-uir**) has an accent in all other preterite forms.

¿Por qué **leíste** esa novela aburrida?

ACTIVIDAD 1   Diálogo: La semana pasada

Pregúntales a tus compañeros si hicieron las siguientes cosas durante la
semana pasada.

🐦 asistir a un concierto   Estudiante 1: ¿Asististe a un concierto?

Estudiante 2: Sí (No, no) asistí a un (ningún) concierto.

1. asistir a un partido de fútbol
2. comer en casa de un amigo
3. comer en un restaurante
4. ver a tus primas
5. recibir buenas notas
6. recibir una carta de tus abuelos

7. escribir a tus tíos
8. reunirte con tus parientes
9. salir con tus amigos
10. volver a casa después de las once
11. leer una novela policíaca
12. asistir a una película de horror

ACTIVIDAD 2   La casa encantada (The haunted house)

Hay una casa encantada en el pueblo donde vive Ramón. Un día, Ramón y
sus amigos decidieron entrar en la casa. Di que oyeron ruidos raros (strange)
pero que no vieron al fantasma (ghost).

🐦 Ramón   Ramón oyó ruidos raros pero no vio al fantasma.

1. las hermanas de Ramón
2. yo
3. tú

4. tú y yo
5. nosotros
6. el perro de Ramón

7. Susana
8. Uds.
9. Susana y Raúl

vocabulario especializado   **Algunos verbos de movimiento**

andar	to walk	**Andamos** de prisa.
	to work, to run	Mi moto **anda** bien.
parar	to stop	Isabel **paró** el coche frente a la casa de Anita.
pararse	to stop (oneself)	**Me paré** delante del cine.
darse prisa	to hurry	Carlos **se dio prisa** para tomar el autobús.
subir (a)	to get (in, on), to go up	**Subí al** taxi.
	to climb	Elena **subió** la **escalera** (stairs) de prisa.
bajar (de)	to get off, to descend	**Bajé del** autobús enfrente del colegio.
dar un paseo	to go for a walk, ride	Ayer, **dimos un paseo** a pie (en coche, en bicicleta, a caballo).
dar una vuelta	to take a walk, ride	**Di una vuelta** en el parque.

ACTIVIDAD 3   ¡En vano! *(In vain)*

Las siguientes personas se dieron mucha prisa, ¡pero fue en vano! Explica
eso según el modelo.

> Carmen / perder el autobús   Carmen se dio mucha prisa, pero perdió el autobús.

1. mi papá / perder el avión
2. yo / perder el tren
3. tú / no encontrar a tus amigos
4. los ladrones *(thieves)* / no escapar
   de la policía

5. nosotros / llegar tarde al concierto
6. Ricardo y yo / no ver la película
7. Ud. / no asistir al partido de fútbol
8. Uds. / no llegar a tiempo

ACTIVIDAD 4   ¿Por qué?

Explica por qué las siguientes personas están sin aliento *(out of breath)*.

> Elena / correr dos millas   Elena corrió dos millas.

1. yo / nadar unas dos millas
2. nosotros / correr unas tres millas
3. mi prima / subir la escalera muy de
   prisa
4. los vecinos / subir cinco pisos

5. tú / darse mucha prisa
6. Isabel y yo / bajar la escalera de prisa
7. Uds. / andar dos kilómetros
8. Ud. / nadar mil metros

vocabulario especializado   Accidentes

caer	to fall	El vaso **cayó** al **suelo** *(floor)*.
caerse	to fall down	**Me caí** en la calle.
chocar (con)	to bump into	El coche **chocó con** un árbol.

romper	to break	Carlos **rompió** el espejo.
romperse (la pierna)	to break (one's leg)	**Me rompí** la pierna esquiando.
tropezar (con)	to stumble (against)	**Tropecé con** la mesa.

ACTIVIDAD 5   Unos accidentes

Unos amigos se cuentan unos accidentes que pasaron. Ahora, cuenta los elementos principales de cada accidente en un párrafo pequeño, usando los verbos en frases afirmativas o negativas.

📖 Carlos: tomar el coche de su papá / ver una luz roja / parar / chocar el coche con un autobús / romperse una pierna

> Un día Carlos tomó el coche de su papá. Desafortunadamente no vio la luz roja. No paró. Chocó el coche con un autobús y Carlos se rompió la pierna.

1. yo: entrar en la cocina de prisa / tropezar con la mesa / romper algunos vasos

2. tú: dar una vuelta por la noche / ver un árbol / chocar con él / caerse / romper tus anteojos

3. Enrique: visitar a Elena / subir la escalera de prisa / tropezar con el gato de Elena / caerse / bajar la escalera con ruido / romperse la pierna

4. nosotros: dar un paseo en auto / ver un perro en la calle / subir a la acera *(sidewalk)* / chocar con un poste telegráfico

5. los ladrones *(thieves)*: salir del banco / subir a su coche / salir de prisa / ver a los policías / chocar con una pared *(wall)*

B. Repaso: el pretérito de los verbos con cambios que terminan en -*ir*

Verbs in **-ir** which have a stem change in the present have a stem change in the preterite.
The following stem change occurs only in the **él** and **ellos** forms:

e → i	**pedir**	Carlos le **pidió** el coche a su papá.
		Mis amigos me **pidieron** cinco dólares.
o → u	**dormir**	Pedro no **durmió** bien ayer.
		Mis amigos **durmieron** en mi casa.

ACTIVIDAD 6   En la fiesta de Ana María

Ana María invitó a sus amigos a una fiesta. Algunos se sintieron contentos toda la fiesta y se divirtieron. Otros no. Expresa esto según el modelo.

📖 tú: enfermo   Te sentiste enfermo. No te divertiste.

1. Clara: contenta
2. Paco: mal
3. mis hermanas: muy contentas
4. tus amigos: enfermos

5. nosotros: bien
6. yo: bien también
7. Uds. y yo: cansados
8. Ud.: aburrido

C. Repaso: el pretérito de *ir* y *ser*

Ir *(to go)* and **ser** *(to be)* have the same irregular preterite.

(yo)	**fui**	(nosotros)	**fuimos**
(tú)	**fuiste**	(vosotros)	**fuisteis**
(él, ella, Ud.)	**fue**	(ellos, ellas, Uds.)	**fueron**

Usually the context helps clarify the meaning of the above preterite forms.

Mi hermano **fue** a la universidad.   *My brother **went** to the university.*
¡**Fue** un estudiante malo!   *He **was** a bad student!*

ACTIVIDAD 7   El sábado pasado

Unos amigos se cuentan lo que hicieron el sábado pasado. Di adónde fue cada uno y qué hizo. Usa por lo menos *(at least)* tres de los verbos en paréntesis . . . y tu imaginación.

Manuel: el centro (ver, comprar, asistir, dar un paseo)
> Manuel fue al centro. Compró unos discos. Después dio un paseo en el parque donde vio a una amiga.

1. Rafael: una fiesta (escuchar, mirar, bailar, divertirse, contar)
2. nosotros: el campo (ver, dar una vuelta, almorzar, sacar fotos, volver a casa)
3. yo: el museo (mirar, admirar, romper, salir, darse prisa)
4. tú: una cita (buscar, esperar, enojarse, impacientarse, excusarse)
5. Elena y Cora: el estadio (correr, jugar, subir, caerse, irse)

D. *Al* + infinitivo

Note the construction in heavy type in the following sentences:

Al entrar, Isabel oyó un ruido.   ***When she came in,*** *Isabel heard a noise.*
Al ver el accidente, Anita no se sintió bien.   ***On seeing*** *the accident (**when she saw** the accident), Anita did not feel well.*
Supimos la noticia **al hablar** con nuestros amigos.   *We learned the news **while talking** to our friends.*

To express the fact that two actions are going on at about the same time, you may use the construction:

$$\text{al} \ + \ \text{infinitive}$$

In this construction, **al** is the contraction of **a** + **el.** It means *at the (moment of)* and corresponds to the English expressions *on (doing something), upon (doing something), while, when.*

ACTIVIDAD 8   Preguntas personales

1. ¿Te sientes nervioso(a) al ver un accidente?
2. ¿Te sientes contento(a) al encontrar a tus amigos?
3. ¿Te pones nervioso(a) al hablar en público?
4. ¿Saludas *(do you greet)* a tus amigos al encontrarlos?
5. ¿Te acuestas al regresar a casa?
6. ¿Te duermes al mirar la televisión?
7. ¿Qué vas a hacer hoy al regresar a casa?
8. ¿Qué vas a hacer al graduarte?

ACTIVIDAD 9   Nuestras emociones

Describe las emociones de las siguientes personas, usando la construcción
al + infinitivo y el verbo **ponerse (nervioso, triste, contento, furioso,
rojo . . .).**

⟁   Carmen encuentra a su novio.   Se pone contenta al encontrar a su novio.

1. Roberto encuentra a su novia.
2. Paco dice una mentira *(lie)*.
3. Felipe recibe un regalo de su tía.
4. Recibimos buenas noticias.
5. Mis amigos se informan de la muerte *(death)* de su abuelo.
6. Bailas por la primera vez *(time)*.

ACTIVIDAD 10   El accidente

Di cómo y cuándo las siguientes personas se informaron del accidente,
usando la construcción **al** + infinitivo.

⟁   Leí el periódico.   Me informé del accidente al leer el periódico.

1. Esteban escuchó la radio.
2. Miraste la televisión.
3. Hablamos con nuestros amigos.
4. Carmen llegó al colegio.
5. Mis amigos fueron al centro.
6. El Sr. Vargas entró en su oficina.
7. Juan y Felipe entraron en el café.
8. Salimos del cine.

¡A ti te toca!

Un espectáculo

Describe un espectáculo a que asististe (o en que participaste).
Si quieres, puedes usar las siguientes palabras.

• un accidente: salir / ir / oír / ver / subir / chocar / romper
• una carrera *(race)*: oír / ver / ir / correr / pararse / darse
   prisa / caerse / ganar / perder / tropezar
• una carrera de coches: oír / ver / subir / salir / ir / darse
   prisa / parar / pararse / chocar / ganar

Cuarto acto: ¿Un coche nuevo?

El Sr. Molina volvió a su casa a las siete . . . ¿Y qué fue la primera cosa que vio? Su coche nuevo, por supuesto . . . ¡pero en qué estado! También vio a la policía, a los fotógrafos y a los periodistas.

policía: *police*

Entonces, vio a Isabel.

Sr. Molina: ¡Dime, hija! ¿Qué pasó? ¿Por qué está el coche así? Y esta gente, ¿qué quiere? ¿Por qué está en nuestra casa?

Isabel: ¡Yo soy la culpable, papá!

Sr. Molina: ¿Tú, la culpable? ¿Tomaste mi coche?

Isabel: ¡Sí, papá! ¡Quise probarlo!

Esta vez, el Sr. Molina se puso furioso.

Sr. Molina: ¿Cómo? ¡Quisiste probarlo! ¡Mira lo que hiciste . . .! ¡Dios mío! ¿No sabes cuánto dinero gasté por ese coche?

Isabel: Papá, por favor . . . ¡no te enojes! ¡Te voy a comprar un coche nuevo!

Sr. Molina: ¿Qué dices? Que me vas a comprar qué . . . ¿Otro coche? ¿Y con qué dinero?

Isabel: ¡Con el mío, por supuesto! Ahora te voy a explicar cómo.

● ● ● ● ● ● ● ● ●

Isabel le explicó a su papá el accidente y le explicó otras cosas también:

—Cuando el conductor se fue de prisa, naturalmente estuve muy sorprendida . . . Pero me quedé tranquila y afortunadamente, pude ver su número de matrícula y lo escribí en un papel. Inmediatamente llamé a la policía, les di ese número y, ¿adivina qué pasó? . . .

Veinte minutos después de mi llamada, la policía pudo arrestar al conductor culpable. ¿Y quién crees que es él? ¡Nada menos que el ladrón del Banco de Bilbao en Barcelona! ¡El ladrón que la semana pasada huyó con quinientos millones de pesetas! La policía encontró casi todo el dinero en el coche.

¡Qué suerte! ¿Verdad?

Pero eso no es todo . . . Hace unos dos minutos, el director del banco me llamó por teléfono. Naturalmente me felicitó y me dijo también que gané la recompensa: ¡un millón de pesetas! ¡Es bastante para comprarte un coche nuevo, papá! Y por supuesto, no te voy a comprar un SEAT, sino un Jaguar.

● ● ● ● ● ● ● ● ● ● ● ●

Un periodista se acercó a Isabel y a su papá.

El periodista: Por favor, Sr. Molina, ¿me permite Ud. sacar una foto de Ud. con su hija?
Sr. Molina: Sí . . . con mucho gusto.
El periodista: Sr. Molina, ¡su hija tuvo una suerte increíble!
Sr. Molina: ¿Ud. dijo «una suerte increíble»? . . . No es ésa la palabra, señor. ¡Mi hija no tuvo suerte sino presencia de ánimo!
El periodista: ¡Claro! Ud. debe estar muy orgulloso y muy feliz.
Sr. Molina: ¡Por supuesto! ¡Estoy muy orgulloso de mi Isabelita! . . . No hay muchos padres con hijas tan inteligentes y tan listas, ¿verdad?

papel: *paper*
adivina: *guess*

llamada: *call*
Nada menos: *No one less*
ladrón: *thief*
huyó: *fled*

felicitó: *he congratulated*
recompensa: *reward*

sino: *but rather*

se acercó: *approached*

orgulloso: *proud*

El honor familiar

¿Qué es el honor? ¿Es una cualidad personal o es una cualidad familiar?° En la sociedad hispánica, el honor es una mezcla° de las dos. Se identifica con la persona pero también con la familia. ¡Eso explica por qué el Sr. Molina está tan orgulloso de su hija!

Los jóvenes hispanos son verdaderamente° el orgullo° de sus padres, de sus abuelos y de sus parientes. Ellos tienen que cumplir° no sólo las aspiraciones de sí mismos,° sino° también las de su familia. Deben mantener° las tradiciones de ella y, sobre todo, los valores de honestidad, valentía° y generosidad.

familiar *family*   **mezcla** *mixture*   **verdaderamente** *truly*
orgullo *pride*   **cumplir** *fulfill*   **sí mismos** *themselves*
sino *but*   **mantener** *maintain, keep*   **valentía** *courage*

Vocabulario práctico

sustantivos	**el ánimo**	spirit, mind	**la gente**	people
	la presencia de ánimo	mental alertness	**una llamada**	(phone) call
			una palabra	word
	un estado	state	**una recompensa**	reward
	un ladrón	thief		
	un papel	paper		
adjetivos	**orgulloso**	proud	**sorprendido**	surprised
	tranquilo	calm		
verbos	**acercarse**	to approach, to get near	**huir**	to flee
			pasar	to happen
	adivinar	to guess	**¿Qué pasó?**	What happened?
	felicitar	to congratulate		
	gastar	to spend	**permitir**	to permit
expresión	**sino**	but		

NOTA: **Sino** is used instead of **pero** *(but)* in a statement which contradicts a previous negative statement. It means *but* in the sense of *on the contrary* or *but instead.*

No conduzco un Jaguar **sino** un Ferrari. *I do not drive a Jaguar,* **but** *a Ferrari.*
Isabel no tuvo suerte, **sino** presencia de ánimo. *Isabel was not lucky,* **but** *alert.*

CONVERSACIÓN

Vamos a hablar de lo que hiciste ayer.

¿Hiciste la tarea? Sí (No, no) hice . . .
¿Hiciste algo especial? ¿Qué?
¿Hiciste algo divertido? ¿Qué?
¿Hiciste algo interesante? ¿Qué?

¿Tuviste tiempo para escribirles a tus
   abuelos? Sí (No, no) tuve . . .
¿Tuviste tiempo para mirar la televisión?
¿Tuviste que ayudar a tus padres?
¿Tuviste que estudiar mucho?

Estructuras

A. Repaso: el pretérito del verbo *conducir*

Note the preterite forms of **conducir** *(to drive).*

(yo)	conduje	(nosotros)	condujimos
(tú)	condujiste	(vosotros)	condujisteis
(él, ella, Ud.)	condujo	(ellos, ellas, Uds.)	condujeron

In the preterite, **decir** *(to say),* **traer** *(to bring),* and verbs ending in
–ucir are conjugated like **conducir.**

They have a preterite stem ending in **–j.**
They all have the same endings in the preterite:

–e, –iste, –o, –imos, –isteis, –eron.

INFINITIVE	PRETERITE STEM	
decir	**dij-**	Carlos **dijo** la verdad.
traer	**traj-**	Mis amigos **trajeron** sus discos a la fiesta.
traducir	**traduj-**	**Traduje** un artículo de un periódico español.

ACTIVIDAD 1   El secreto de Isabel

Isabel les dijo un secreto a sus amigos. Di quiénes repitieron el secreto y
quiénes no.

> Carlos (no)   Carlos no lo dijo.

1. Enrique (sí)
2. Uds. (sí)
3. nosotros (no)
4. yo (no)

5. tú (sí)
6. Marta y yo (no)
7. Elena y Susana (sí)
8. Ud. (no)

B. Repaso: otros pretéritos irregulares

Note the preterite forms of **estar.** Pay special attention to the endings.

(yo)	estuve	(nosotros)	estuvimos
(tú)	estuviste	(vosotros)	estuvisteis
(él, ella, Ud.)	estuvo	(ellos, ellas, Uds.)	estuvieron

🔊 Note that the **yo** and **él** forms have no accent marks.

🔊 Other irregular verbs have the same preterite endings, but different preterite stems. These verbs can be grouped according to their stem vowels.

INFINITIVE	PRETERITE STEM	
the "i" group		
hacer	**hic-**	¿Qué **hiciste** ayer?
querer	**quis-**	Carmen **quiso** ir al cine conmigo.
venir	**vin-**	¿A qué hora **vinieron** Uds.?
the "u" group		
andar	**anduv-**	Enrique **anduvo** rápidamente.
estar	**estuv-**	Anita y yo **estuvimos** de buen humor.
poder	**pud-**	No **pude** ir a la fiesta.
poner	**pus-**	El papá de Isabel **se puso** furioso.
saber	**sup-**	¿**Supiste** la verdad?
tener	**tuv-**	¡No **tuve** tiempo para escribirte!

🔊 The **él** form of the preterite of **hacer** is **hizo.** The c → z change is needed to maintain the sound of the stem.

¿Qué **hizo** Isabel después del accidente?

ACTIVIDAD 2   Las vacaciones de verano

Unos amigos están hablando de las vacaciones pasadas. Di adónde fue cada uno.

🔊   Isabel: a Colombia   Isabel hizo un viaje a Colombia.

1. Manuel: a España
2. Uds.: a México
3. tú: a Francia
4. yo: a Puerto Rico
5. nosotros: a Italia
6. mis primos: a Suecia *(Sweden)*

ACTIVIDAD 3   En lugar de eso *(Instead . . .)*

Las siguientes personas quisieron hacer varias cosas el sábado pasado. En lugar de eso, tuvieron que hacer cosas diferentes. Expresa eso.

   Isabel: ir a la playa / a la biblioteca   Isabel quiso ir a la playa pero no pudo.
                                                   Tuvo que ir a la biblioteca.

1. Rafael: invitar a María al cine / a su prima
2. yo: hacer un viaje / la tarea
3. tú: salir con Olga / con Susana
4. nosotros: almorzar en el restaurante / en casa
5. mis amigos: leer historietas *(comics)* / el libro de inglés
6. Concepción: ir a la discoteca / de compras
7. Uds. y yo: comprar dulces / un cuaderno
8. Ud.: ir a un partido de tenis / de compras

ACTIVIDAD 4   Excusas

Ana María organizó una fiesta, pero sus amigos no vinieron. Expresa eso, dando la excusa de cada uno.

   Carmen: tiene un accidente   Carmen no vino porque tuvo un accidente.

1. Fernando: tiene que ayudar en casa
2. mis amigos: su coche no anda bien
3. Marta: no puede recordar la fecha
4. Inés: no sabe la dirección de Ana María
5. Enrique y Luis: están enfermos
6. Héctor: su padre se pone enfermo

ACTIVIDAD 5   Diálogo: ¿Qué pasó?

Pregúntales a tus compañeros si hicieron las siguientes cosas el fin de semana pasado.

   ir de compras   Estudiante 1: ¿Fuiste de compras?
                                 Estudiante 2: Sí (No, no) fui de compras.

1. andar al centro
2. andar por las calles con tus amigos
3. hacer una fiesta
4. hacer un viaje
5. estar en casa de tus amigos
6. estar contento(a)
7. estar enfermo(a)
8. tener disputa *(quarrel)* con tus hermanos
9. tener dificultades con tus padres
10. tener que ayudar en casa

En cinco minutos, ¿cuántas frases lógicas puedes crear? Usa los elementos
de las columnas A, B, C y . . . tu imaginación.

A	B	C	D
anoche	yo	hacer un viaje	
ayer	tú	conducir	
la semana pasada	mis amigos y yo	traducir	
el año pasado	Isabel	traer	
el mes pasado	mis padres	tener	
el lunes pasado	los alumnos	tener que	
		saber	
		poder	

Ayer, le trajimos un regalo a la profesora.

El año pasado, mis padres hicieron un viaje a San Francisco.

La semana pasada, (yo) conduje el coche de mi hermana.

C. El pretérito + *hace*

Note the use of **hace** in the following sentences:

El director habló con Isabel **hace diez minutos.**   *The director spoke to Isabel **ten minutes ago.***

Fui a España **hace dos años.**   *I went to Spain **two years ago.***

To express the time elapsed since a past event took place, Spanish
speakers use the construction:

> verb in the preterite + **hace** + time

In this construction, **hace** corresponds to the English *ago.*

ACTIVIDAD 7   ¿Dónde está Isabel?

Son las seis de la tarde. Carlos está buscando a Isabel. Sus amigos le dicen cuándo la vieron. Haz el papel de Carlos y de los amigos. Calcula el tiempo según el modelo.

> Pedro (4:00)   Carlos: ¿Viste a Isabel?
> Pedro: Sí, la vi hace dos horas.

1. Pilar (5:00)
2. Ricardo (4:00)
3. Tomás (2:00)
4. Ramón (3:00)
5. Teresa (5:45)
6. Lupe (5:50)

ACTIVIDAD 8   ¿Tienes una buena memoria?

Completa las siguientes frases con **hace** + tiempo.

> Me levanté . . .   Me levanté hace (tres horas).

1. Me desayuné . . .
2. Salí de casa . . .
3. Llegué a la escuela . . .
4. La clase de español empezó . . .
5. Mi papá compró su coche . . .
6. Mis padres se casaron . . .

D. Los adverbios que terminan en *–mente*

The words in heavy print indicate how the subject acts. They are adverbs of manner. Compare these adverbs with the adjectives from which they are derived.

Carlos es inteligente.	*Carlos is intelligent.*
Habla **inteligentemente.**	*He speaks **intelligently.***
Carmen es prudente.	*Carmen is cautious.*
Conduce **prudentemente.**	*She drives **carefully.***

Many Spanish adverbs of manner are derived from adjectives, as follows:

> feminine form of the adjective   +   **-mente**

(masculine)	(feminine)	(adverb)
rico	rica	rica**mente**
prudente	prudente	prudente**mente**
natural	natural	natural**mente**

> The **-mente** ending often corresponds to the *-ly* in English.

afortunado	≠	**desafortunado**	fortunate, lucky	≠	unfortunate, unlucky
cuidadoso	≠	**descuidado**	careful	≠	careless
limpio	≠	**sucio**	clean	≠	dirty
prudente	≠	**imprudente**	cautious, careful	≠	careless
rápido	≠	**lento**	quick, fast	≠	slow
seguro	≠	**peligroso**	sure, safe	≠	dangerous

ACTIVIDAD 9   Lo contrario

Carlos hace lo contrario de lo que hace Ramón. Expresa eso usando
adverbios derivados de los adjetivos en paréntesis.

> conducir (prudente, peligroso)   Carlos conduce prudentemente.
> Ramón conduce peligrosamente.

1. comer (rápido, lento)
2. vestirse (rico, pobre)
3. estudiar (cuidadoso, descuidado)
4. hablar (fácil, difícil)
5. contestar en clase (cuidadoso, descuidado)
6. portarse con sus amigos (cortés, descortés)
7. reaccionar en todas ocasiones (prudente, imprudente)
8. jugar al tenis (rápido, lento)

ACTIVIDAD 10   El accidente

En el accidente, cada uno reacciona según su carácter. Expresa eso.

> Carlos es valiente (brave).   Reacciona valientemente.

1. Isabel es segura.
2. Enrique es tonto.
3. Carmen es prudente.
4. Ramón es rápido.
5. Angela y Encarnación son lentas.
6. Paco es imprudente.

¡A ti te toca!

Un viaje

Describe un viaje que hiciste con tu familia. Si quieres, puedes usar las siguientes preguntas como inspiración.

¿Cuándo hiciste este viaje? ¿Con quiénes?

¿Adónde fueron?

¿Tomaron Uds. el coche? ¿Quién condujo?

¿Anduvo bien el coche?

¿Hicieron Uds. algo especial?

¿Tuvieron Uds. un accidente? ¿Otras dificultades?

¿Unas disputas pequeñas?

¿Qué tuvieron que hacer?

¿Qué cosas pudieron hacer? ¿Qué cosas no pudieron hacer?

Variedades

¿Tienes sentido de orientación?

¿Tienes sentido de orientación? ¿Sí? Bien. Entonces, puedes ayudar a Rafael y Marisa.

Rafael y Marisa son dos jóvenes turistas muy confundidos.° Anoche llegaron muy tarde a Santa Cruz del Mar, un pueblo donde tú pasas las vacaciones. Esta mañana decidieron dar un paseo pero se perdieron.

Tú los encontraste y te pidieron direcciones para llegar a su hotel. Pero no recuerdan el nombre° del hotel. Aquí tienes lo que ellos recuerdan.

1. Salieron del hotel a las 10 de la mañana. Compraron tarjetas postales en una librería° que está cerca del hotel.

2. Caminaron un poco, luego pasaron por un parque. Allí sacaron una foto de la estatua de un hombre a caballo.° Después se sentaron en un banco.°

3. Salieron del parque y cruzaron° un puente.°

4. Después de cruzar el puente, se sentaron en un café y comieron un sándwich.

5. Dieron un paseo a lo largo del° muelle° y sacaron fotos de algunos barcos.

6. Entraron en un banco para cambiar dinero.

7. Cruzaron otro puente.

8. Fueron a otro café y allí se dieron cuenta de que estaban° perdidos.°

confundidos: *confused*

nombre: *name*

librería: *bookstore*

a caballo: *on horseback*
banco: *bench*
cruzaron: *crossed*
   puente: *bridge*

a lo largo de: *along*
   muelle: *wharf*

estaban: *they were*
   perdidos: *lost*

Tienes el mapa de Santa Cruz del Mar. ¿Puedes explicarles a Rafael y a Marisa el itinerario° que tomaron? ¿Puedes indicarles el nombre de su hotel?

itinerario: *path*

Unidad 5

¡Cómo transcurre el tiempo!

5.2 ¿Ángel o diablo? **5.3 ¡Ay, qué día!** **5.4 Un accidente en Cartagena**

VARIEDADES — El robo del museo

Unos «tipos»

En la vida, encontramos a muchas personas simpáticas. De vez en cuando encontramos a un «tipo», es decir a una persona no como las otras . . . Esa persona no es necesariamente antipática. Es solamente diferente . . . ¿Conoces a esos tipos?

«tipo»: *"character"*
es decir: *that is to say*

El holgazán

No estudia nunca.
No trabaja nunca.
No hace nada, excepto divertirse . . .
¡y dormir!

holgazán: *loafer*

El sabelotodo

Naturalmente, cree saberlo todo . . .
pero, en realidad, no sabe nada.

sabelotodo: *know-it-all*

El chismoso

Jamás puede guardar un secreto.
Repite todo lo que le dicen sus amigos.
Por eso, ¡nadie le dice nada!

chismoso: *gossip*
Jamás: *Never*
guardar: *keep*

El sablista

¿Tiene discos, libros, revistas, dinero?
Sí, pero siempre dice que no . . .
Así, pide todo prestado a sus amigos.
Lo terrible es que él no devuelve nada
jamás.

sablista: *sponger*

pide prestado:
borrows

El esnob

Para él, lo importante es impresionar
a otros.
Así, prefiere . . .
   lo caro a lo barato,
   lo vistoso a lo útil,
   lo artificial a lo natural.
Por eso, ¡no impresiona a nadie!

vistoso: *showy*

El imitador

No tiene personalidad.
Siempre hace lo que hacen los otros,
y dice lo que dicen ellos.
¡Imita a todos!

imitador: *mimic*

El bobo

Cree todo lo que le cuentan sus
amigos.
De vez en cuando, no cree lo
verdadero . . .
¡pero siempre cree lo falso!

bobo: *dummy*

El payaso

¿Qué toma él en serio?
¡Nada!
Se ríe de todo.
Para él, la vida es una broma.

payaso: *clown*

Se ríe: *He makes fun of*

Un tipo de la literatura española: don Quijote

No necesitas ser un experto en la literatura española para saber quién es don Quijote. Don Quijote es el personaje° principal de una novela escrita por° Cervantes, uno de los más famosos escritores° españoles.

Acompañado de su fiel° compañero Sancho Panza, don Quijote sobrevive° una serie de aventuras cómicas o fantásticas. Un día, él ataca° molinos de viento,° creyendo que son gigantes.° Otro día toma una posada° por un castillo° que debe defender . . .

Para algunas personas, don Quijote es un idealista, siempre buscando justicia. Para otros, él es un hombre loco y extravagante. Sobre todo, don Quijote es una persona muy independiente y orgullosa;° él es el símbolo del individualismo . . . Don Quijote es realmente más que un «tipo»: ¡Es un hombre extraordinario!

personaje *character* **escrita por** *written by*
escritores *writers* **fiel** *faithful* **sobrevive** *survives*
ataca *attacks* **molinos de viento** *windmills*
gigantes *giants* **posada** *inn* **castillo** *castle*
orgullosa *proud*

Vocabulario práctico

sustantivos	**un bobo**	dummy, fool	**una broma**	joke
	un chismoso	tattletale, gossip		
	un holgazán	lazy bum, loafer		
	un payaso	clown		
	un sabelotodo	know-it-all		
	un sablista	sponger		
verbos	**guardar**	to keep		
	impresionar	to impress		
	pedir prestado	to borrow		
expresiones	**excepto**	except		
	jamás	never		

NOTA: The Spanish ending **-idad** corresponds to the English ending *-ity*. Nouns ending in **-idad** are feminine.

en realidad	*in reality*
personalidad	*personality*

CONVERSACIÓN

Vamos a hablar de lo que hiciste ayer.

¿Hiciste algo especial? Sí, hice algo especial.

(No, no hice nada especial.)

¿Hiciste algo extraordinario?   ¿Viste algo extraordinario?

¿Hiciste algo divertido?   ¿Aprendiste algo interesante?

¿Viste algo cómico?   ¿Aprendiste algo raro?

Estructuras

A. La construcción negativa

Compare the affirmative and negative sentences below.

Elena **siempre** sale los sábados.   **No** sale **nunca** los domingos.

Nunca sale los domingos.

Le dice **algo** a Carlos.   **No** le dice **nada** a Carlos.

Most Spanish negative words begin with **n** (**nunca, nada** ...). When these negative words come after the verb, the construction to use is:

no + verb + negative word

Compare:

No hablo con **nadie.**   *I do **not** speak to **anyone.***

Nadie me habla.   ***Nobody** speaks to me.*

algo	something	—¿Haces **algo** interesante?
nada	nothing, not anything	—No, **no** hago **nada.**
alguien	someone, somebody	—¿Conoces a **alguien** aquí?
nadie	no one, nobody, not anyone	—No, **no** conozco a **nadie.**
alguno	some	—¿Tienes **algunas** ideas interesantes?
ninguno	no, not any, none	—No, **no** tengo **ninguna.**

una vez	once	—Fui a una ópera **una vez.**
a veces	sometimes	—**A veces** voy a un concierto.
siempre	always	—Los sábados, **siempre** voy al cine. ¿Y tú?
nunca	never	—Yo **no** voy **nunca** al cine.
o	or	—¿Quieres té **o** Coca-Cola?
ni . . . ni	neither . . . nor	—**No** quiero **ni** té **ni** Coca-Cola.
también	also, too; so (do I)	—Digo siempre la verdad.
		—¡Yo **también!**
tampoco	neither, nor (do I)	—No digo **mentiras** *(lies).*
		—¡Yo **tampoco!**

NOTAS:
1. **Alguno** and **ninguno** become **algún** and **ningún** before a masculine singular noun.

    | **Algún** día, voy a hacer un viaje a España. | *Some* day I'm going to take a trip to Spain. |
    | El pobre Guillermo no tiene **ningún** plan de viajes. | *Poor Guillermo hasn't **any** travel plans.* |

2. Note also the expressions:

    | **en (a) alguna parte** | somewhere | **en (a) ninguna parte** | nowhere |
    | **de alguna manera** | (in) some way | **de ninguna manera** | (in) no way |

3. **Tampoco** is used to express agreement with negative statements.

    | Carlos no habla inglés. | *Carlos does not speak English.* |
    | Elena **tampoco.** | ***Neither** does Elena. (**Nor** does Elena.)* |

ACTIVIDAD 1   Las vacaciones

Durante las vacaciones, Isabel no hace lo que hace generalmente. Expresa esto usando la palabra **nunca.**

▷   Trabaja.   Durante las vacaciones no trabaja nunca.

1. Hace la tarea.
2. Ayuda a sus hermanos.
3. Se levanta temprano.

4. Mira la televisión.
5. Toca el piano.
6. Se siente triste.

ACTIVIDAD 2   ¿Estás de mal humor?

Imagina que estás de mal humor. Un amigo quiere saber lo que hiciste el sábado pasado. Contéstale negativamente, usando las expresiones apropiadas (**nada, nunca, nadie** . . .).

▷   ¿Hiciste algo especial?   No, no hice nada especial.

1. ¿Leíste algo interesante?
2. ¿Viste algo divertido en el televisor?
3. ¿Compraste algo?
4. ¿Saliste con alguien?
5. ¿Invitaste a alguien al teatro?

6. ¿Jugaste al tenis con alguien?
7. ¿Hablaste con alguno de tus amigos?
8. ¿Viste a alguna de tus amigas?
9. ¿Te llamó alguien por teléfono?
10. ¿Te dijo alguien que eres brillante?

ACTIVIDAD 3   ¡Yo también!

Elena le dice a Conchita lo que hace y lo que no hace. Conchita le dice que hace (o no hace) las mismas cosas. Haz los papeles según el modelo.

▷   Bailo muy bien.   Elena: Bailo muy bien.
                        Conchita: ¡Yo también!

▷   No nado bien.   Elena: No nado bien.
                      Conchita: ¡Yo tampoco!

1. Hablo inglés.
2. No hablo ruso.
3. Juego al tenis.
4. No juego a los naipes *(cards)*.
5. De vez en cuando, digo una mentira.
6. No digo siempre la verdad.
7. Les pido dinero a mis padres.
8. No les pido dinero a mis amigos.
9. Soy simpática.
10. No soy egoísta.
11. No imito a los otros.
12. Guardo los secretos de mis amigos.
13. Pido prestados discos.
14. No pido prestado dinero.

B. La construcción *lo* + adjetivo

The Spanish neuter pronoun **lo** is often used with a masculine adjective.
Note the meaning of such constructions in the sentences below.

Elena quiere hacer **lo imposible.**   *Elena wants to do **the impossible.***
   (= las cosas imposibles)

¿Prefieres **lo viejo** o **lo nuevo?**   *Do you prefer **the old** or **the new?***
   (= las cosas viejas, las cosas   (*Do you prefer **things** that are **old** or **new?***)
   nuevas)

Lo bueno es que él sabe la verdad.   ***What's good** is that he knows the truth.*
   (= la cosa buena)

The Spanish construction **lo** + masculine adjective corresponds to several
English constructions:

lo nuevo	$\left\{\begin{array}{l}\textbf{\textit{the new, the new thing(s)}}\\ \textbf{\textit{the things that are new}}\\ \textbf{\textit{what's new}}\end{array}\right.$

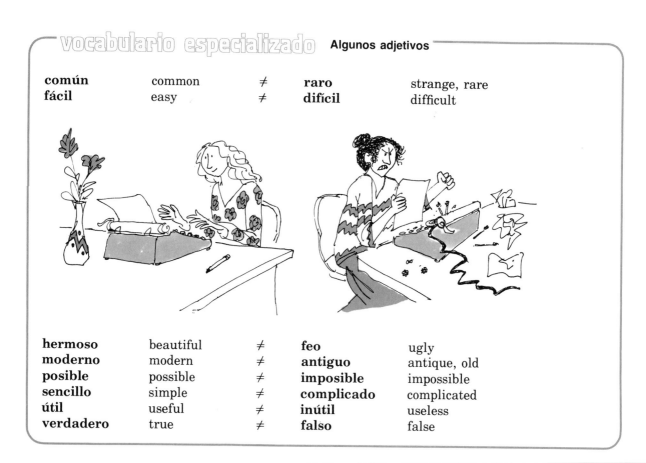

vocabulario especializado   **Algunos adjetivos**

común	common	≠	**raro**	strange, rare
fácil	easy	≠	**difícil**	difficult

hermoso	beautiful	≠	**feo**	ugly
moderno	modern	≠	**antiguo**	antique, old
posible	possible	≠	**imposible**	impossible
sencillo	simple	≠	**complicado**	complicated
útil	useful	≠	**inútil**	useless
verdadero	true	≠	**falso**	false

ACTIVIDAD 4   La filosofía de la vida

Expresa tu filosofía de la vida. Haz frases que empiezan con **debemos hacer** (*we should do*) o con **no debemos hacer** (*we should not do*).

≫ bueno   (No) Debemos hacer lo bueno.

1. malo
2. útil
3. imposible
4. hermoso
5. feo
6. sencillo
7. fácil
8. ridículo
9. absurdo
10. inútil
11. importante
12. difícil

ACTIVIDAD 5   ¡Por supuesto!

A menudo, nuestras acciones reflejan nuestra personalidad. Expresa esto según el modelo, en frases afirmativas o negativas.

≫ realista / hacer: imposible   Una persona realista no hace lo imposible.

1. buena / hacer: malo
2. mala / hacer: bueno
3. idealista / creer en: absoluto
4. práctica / hacer: útil
5. lógica / creer en: absurdo
6. perezosa / escoger (*to choose*): difícil
7. moderna / comprar: viejo
8. avara (*miserly*) / comprar: caro
9. prudente / hacer: peligroso
10. supersticiosa / creer en: sobrenatural
11. racional / creer en: lógico
12. realista / creer en: fantástico

ACTIVIDAD 6   ¿Qué hacen?

Lo que hacemos depende de la personalidad de cada uno de nosotros. Puedes expresar esto según el modelo.

≫ un artista hace . . . (¿feo o hermoso?)   Un artista hace lo hermoso.

1. un ángel hace . . . (¿bueno o malo?)
2. un diablo hace . . . (¿bueno o malo?)
3. una persona avara (*miserly*) compra . . . (¿caro o barato?)
4. un estudiante perezoso hace . . . (¿fácil o difícil?)
5. una persona moderna compra . . . (¿antiguo o nuevo?)
6. una persona prudente hace . . . (¿peligroso o fácil?)
7. una persona racional hace . . . (¿posible o imposible?)
8. una persona supersticiosa cree en . . . (¿natural o sobrenatural?)
9. una persona extravagante hace . . . (¿raro o común?)
10. un esnob hace . . . (¿sencillo o complicado?)

ACTIVIDAD 7   Unas críticas

Critica a las siguientes personas y cosas expresando lo bueno y lo malo.

🦋 la escuela   Lo bueno de la escuela es la clase de español.
                  Lo malo es la clase de matemáticas.

1. mi ciudad
2. mi casa
3. mi mejor amigo
4. mi mejor amiga
5. mi vida

C. Repaso: *lo que*

Note the meaning of the Spanish expression **lo que.**

Me gusta **lo que** hace Carlos. (= las cosas que)	*I like **what** Carlos does.*
Por favor, repite **lo que** dijiste. (= las cosas que)	*Please repeat **what** you said.*
Lo que contesta Pedro es ridículo. (= las cosas que)	***What** Pedro answers is ridiculous.*

The Spanish expression **lo que** corresponds to the English expression *what,* in the sense of *the thing(s) which.*

🦋 The word order is usually:

lo que + verb + subject (when expressed)

ACTIVIDAD 8   ¡El pobre Ramón!

El pobre Ramón no sabe nada. Haz el papel de Ramón según el modelo.

🦋 ¿Qué explicó el profesor?   Ramón: No sé lo que explicó el profesor.

1. ¿Qué dijo Ana?   5. ¿Qué lee Lupe?
2. ¿Qué compró Roberto?   6. ¿Qué dice Inés?
3. ¿Qué contestó Carmen?   7. ¿Qué van a hacer Uds. mañana?
4. ¿Qué hicieron Paco y Luis?   8. ¿Qué van a comprar Uds.?

ACTIVIDAD 9   En la oficina del consejero

Haz el papel del paciente y del consejero según el modelo.

🦋 preocupar   el (la) paciente: Hay algo que me preocupa.
                     el (la) consejero(a): Dígame lo que lo (la) preocupa.

1. atormentar   4. inquietar   7. aburrir
2. molestar   5. impresionar   8. irritar
3. alegrar   6. enojar

ACTIVIDAD 10   Expresión personal

¿Hacemos siempre lo que queremos? Claro que no . . . y no nos gusta
siempre lo que hacemos. Describe tu experiencia personal en frases
afirmativas o negativas usando expresiones como **siempre, a menudo, a
veces, nunca.**

⋈   con mis amigos: decir / pensar   Con mis amigos, siempre digo lo que pienso.
                                        (Con mis amigos, a veces no digo lo que pienso.)

1. en clase: decir / pensar   6. en las tiendas: comprar / necesitar
2. en casa: hacer / querer   7. en el periódico: creer / leer
3. en la cafetería: comer / querer   8. en la televisión: creer / ver
4. en el examen: contestar / saber   9. en la vida: creer / ver
5. en toda ocasión: saber / decir   10. en mi cuarto: encontrar / buscar

Expresión personal

Escoge una de las siguientes circunstancias y describe algunos de sus
aspectos según el modelo:

• en la escuela
• en casa
• con mis amigos
• en la vida

⋈   esencial   En la escuela lo esencial para mí es aprender algo
                 interesante (sacar buenas notas, divertirme, ser amigo de todos . . .).
                 En casa, lo esencial es divertirme . . .
                 En la vida, lo esencial es conocerse . . .

1. importante   6. ridículo
2. necesario   7. absurdo
3. divertido   8. aburrido
4. bueno   9. raro
5. malo   10. magnífico

Lección 2   ¿Ángel o diablo?

No son tan diferentes los niños de los adultos. Tienen las mismas
virtudes . . . y los mismos defectos. Hay niños simpáticos y también
hay niños antipáticos. Algunos son atentos, otros son mal educados.
¿Recuerdas la época feliz de tu niñez? ¿Cómo eras tú cuando tenías
ocho o nueve años? ¿Un ángel o . . . un diablo?

virtudes: *virtues*

atentos: *polite*
  mal educados:
   ill-mannered
eras: *were*
  tenías: *had / were*

Contesta estas preguntas sinceramente:

	Sí	No	
1. ¿Estudiabas mucho en clase?	☐	☐	**Estudiabas:** *Did you study*
2. ¿Respetabas a tus maestros?	☐	☐	
3. ¿Llegabas a tiempo a las clases?	☐	☐	
4. ¿Volvías a casa temprano?	☐	☐	
5. ¿Hacías tus tareas todos los días?	☐	☐	
6. ¿Escuchabas los consejos de tus padres?	☐	☐	
7. ¿Tenías buenos modales?	☐	☐	**buenos modales:** *good manners*
8. ¿Te acostabas y te levantabas temprano?	☐	☐	
9. ¿Te lavabas las manos antes de las comidas?	☐	☐	
10. ¿Ayudabas en casa?	☐	☐	
11. ¿Les prestabas tus juguetes a tus amigos?	☐	☐	**juguetes:** *toys*
12. ¿Decías siempre la verdad?	☐	☐	

O, al contrario . . .

Sí	No		
☐	☐	1. ¿Te gustaba pelear?	
☐	☐	2. ¿Te peleabas a menudo con tus amigos?	
☐	☐	3. ¿Te peleabas con tus hermanos?	
☐	☐	4. ¿Maltratabas a los animales?	**Maltratabas:** *Did you mistreat*
☐	☐	5. ¿Insultabas a tus amigos?	
☐	☐	6. ¿Rompías los juguetes de tus amigos?	
☐	☐	7. ¿Comías muchos dulces?	
☐	☐	8. ¿Tenías malos modales?	
☐	☐	9. ¿Dormías en clase?	
☐	☐	10. ¿Te hacías el payaso en clase?	**Te hacías el payaso:** *Did you clown around*
☐	☐	11. ¿Te enojabas a menudo?	
☐	☐	12. ¿Decías mentiras a veces?	

INTERPRETACIÓN

Las respuestas afirmativas a las preguntas de la izquierda tienen un valor positivo: +1. Las respuestas afirmativas a las preguntas de la derecha tienen un valor negativo: −1. Suma tus puntos. ¿Cuántos tienes?

¿Más de 8?:   Eras un(a) santo(a).
¿De 4 a 8?:   Eras un ángel.
¿De −2 a 4?:   Eras un(a) niño(a) normal.
¿De −3 a −7?:   Eras un diablo.
¿Menos de −7?:   Eras un demonio.

Eras: *You were*

Nota cultural

La idea de ser bien educado

¿Qué cualidades consideras más importantes en los niños? ¿Es más importante ser inteligente o ser generoso? ¿Sacar buenas notas o tener buenos modales? ¿Ser independiente o ayudar en casa? Por supuesto, los padres hispanos se sienten orgullosos de tener hijos inteligentes y brillantes . . . pero sobre todo° desean que sus hijos sean° bien educados.

Un niño bien educado respeta a los mayores. Se calla cuando sus padres están hablando, y no los interrumpe con preguntas inútiles. Tiene buenos modales. Obedece a sus profesores y ayuda a sus amigos. No es arrogante sino cortés, no es fatuo° sino servicial.°

¿Eras° tal° niño(a)?

sobre todo *above all*   **sean** *be*   **fatuo** *vain*
servicial *helpful*   **Eras** *Were you*   **tal** *such a*

sustantivos	**un consejo**	(piece of) advice	**una época**	period, time
	los mayores	adults	**la niñez**	childhood
	un punto	point		
	un valor	value		
verbo	**llegar**	to arrive, to get to		
expresiones	**a tiempo**	on time		
	a la derecha	on the right	≠ **a la izquierda**	on the left
	temprano	early	≠ **tarde**	late

CONVERSACIÓN

Vamos a hablar del sábado pasado. Vamos a ver si hiciste estas actividades.

1. **¿Jugaste** al fútbol?
   Sí (No, no) **jugué** . . .
2. **¿Jugaste** al tenis?
3. **¿Miraste** la televisión?
4. **¿Nadaste?**
5. **¿Tomaste** el sol?

Ahora vamos a hablar del verano pasado. Vamos a ver si te ocupabas en estas actividades a menudo durante las vacaciones.

6. **¿Jugabas** al fútbol a menudo?
   Sí (No, no) **jugaba** . . .
7. **¿Jugabas** al tenis a menudo?
8. **¿Mirabas** la televisión a menudo?
9. **¿Nadabas** a menudo?
10. **¿Tomabas** el sol a menudo?

OBSERVACIÓN

All of the above questions concern activities which took place in the past.
The verbs are all in the past.
The first five questions concern activities which you did once *on a particular day:*
last Saturday.
• What tense is used?
The last five questions do not concern activities that you did once, but rather
activities which you did *regularly* (or *used to do*) during vacation.
• Is the *preterite* used in these questions? The tense used is another past tense, the *imperfect*.

Estructuras

A. El imperfecto de los verbos que terminan en *-ar*

Spanish speakers use two simple past tenses to describe past actions and events: the *preterite,* which you already know, and the *imperfect.* The choice between these two tenses depends on what type of past actions are described.

First you will learn how to form the imperfect. Then you will learn the difference in uses between the imperfect and the preterite.

Note the imperfect forms of **hablar,** paying special attention to the endings.

INFINITIVE	**hablar**	IMPERFECT ENDINGS
IMPERFECT		
(yo)	**Hablaba** español.	**-aba**
(tú)	**Hablabas** inglés.	**-abas**
(él, ella, Ud.)	**Hablaba** portugués.	**-aba**
(nosotros)	**Hablábamos** italiano.	**-ábamos**
(vosotros)	**Hablabais** francés.	**-abais**
(ellos, ellas, Uds.)	**Hablaban** japonés.	**-aban**

To form the imperfect of **-ar** verbs, the **-ar** ending of the infinitive is replaced by the endings shown above.

All **-ar** verbs are regular in the imperfect, even those which are irregular in the present.

| **estar** | ¿Dónde **estaba** Carlos? | *Where **was** Carlos?* |
| **dar** | El Sr. López nunca **daba** buenas notas. | *Sr. López never **gave** good grades.* |

ACTIVIDAD 1   La clase de la Srta. Chávez

La Srta. Chávez tenía *(had)* unos alumnos buenos y unos malos. Di quiénes estudiaban y quiénes no.

Miguel: no   Miguel no estudiaba.

1. Sarita: sí
2. yo: no
3. tú: sí
4. mis primos: no
5. la prima de Danilo: no
6. Uds.: sí
7. Carmen y yo: sí
8. Jacinto y Manuel: no

sustantivos

un ángel	angel	≠	**un diablo**	devil
una virtud	virtue	≠	**un defecto**	defect
los buenos modales	good manners	≠	**los malos modales**	bad manners

adjetivos

bien educado	well-mannered	≠	**mal educado**	bad-mannered
limpio	clean	≠	**sucio**	dirty
cortés	polite	≠	**descortés**	impolite
atento	attentive, polite	≠	**desagradable**	unpleasant

verbos

compartir	to share	Un niño bien educado **comparte** sus **juguetes** *(toys)* con sus amigos.
cuidar	to care for, to take care of	**Cuida** a sus hermanos menores.
limpiar	to clean	**Limpia** su cuarto.
maltratar	to mistreat	No **maltrata** a los animales.
obedecer	to obey	**Obedece** a sus profesores y a sus padres.
pelear(se)	to fight	No **pelea** con sus hermanos.
saludar	to greet, to say hello	**Saluda** a los mayores.

ACTIVIDAD 2   Diálogo: La niñez de tus compañeros

Pregúntales a tus compañeros(as) si hacían *(they did)* estas cosas cuando eran *(they were)* niños(as).

> jugar al fútbol   Estudiante 1: ¿Jugabas al fútbol?
> Estudiante 2: Sí, jugaba al fútbol.
> (No, no jugaba al fútbol.)

1. mirar la televisión
2. prestar tu bicicleta
3. jugar con los juguetes de tus compañeros
4. prestar tus juguetes
5. pelear en la escuela
6. pelear con tus hermanos
7. portarte bien
8. portarte mal
9. levantarte temprano
10. acostarte temprano
11. limpiar tu cuarto
12. maltratar a los animales

B. El imperfecto de los verbos que terminan en -er y en -ir

In the imperfect, **-er** and **-ir** verbs have the same endings:

INFINITIVE	entender	vivir	
IMPERFECT			IMPERFECT ENDINGS
(yo)	**Entendía** español.	**Vivía** en San Juan.	**-ía**
(tú)	**Entendías** inglés.	**Vivías** en Seattle.	**-ías**
(él, ella, Ud.)	**Entendía** francés.	**Vivía** en Montreal.	**-ía**
(nosotros)	**Entendíamos** italiano.	**Vivíamos** en Roma.	**-íamos**
(vosotros)	**Entendíais** alemán.	**Vivíais** en Berlín.	**-íais**
(ellos, ellas, Uds.)	**Entendían** portugués.	**Vivían** en Saõ Paulo.	**-ían**

☞ To form the imperfect of almost all **-er** and **-ir** verbs, the infinitive endings (**-er, -ir**) are replaced by the endings shown above.

tener	¿**Tenías** mucho dinero?	*Did you **use to have** a lot of money?*
decir	¿**Decías** siempre la verdad?	***Did** you always **use to tell** the truth?*
hacer	¿**Hacías** tus tareas todas las noches?	***Did** you **use to do** your homework every night?*

☞ The imperfect form of **hay** is **había.**

Hay dos cines en mi barrio.
Antes **había** solamente uno.

ACTIVIDAD 3   El Papá Noel

Algunos chicos son más crédulos *(gullible)* que otros. Di cuáles de tus amigos creían en Papá Noel y cuáles no.

☞ Carmen: sí   Carmen creía en él.

1. mis primos: no
2. mi hermano mayor: sí
3. yo: no
4. tú: sí
5. nosotros: no
6. Carlos: sí
7. Felipe y Roberto: sí
8. mis otros amigos y yo: no

ACTIVIDAD 4   Aspiraciones profesionales

A menudo cambiamos de idea *(change our mind)*. Di lo que estos amigos quieren ser ahora y lo que querían ser antes.

☞ Carmen: dentista / aeromoza   Ahora Carmen quiere ser dentista.
        Antes quería ser aeromoza.

1. nosotros: periodistas / astronautas
2. tú: taxista / piloto de avión
3. Luisa: profesora / doctora
4. Juan: mecánico / actor
5. mis amigos: ingenieros / abogados
6. yo: vendedor(a) viajero(a) / gerente de un banco

ACTIVIDAD 5 Elena y su hermano Rafael

Elena le cuenta a su hermano mayor lo que hace en la escuela. Él admite que era mal estudiante. Dice que hacía lo contrario de lo que hace Elena. Haz los dos papeles según el modelo.

⟯⟯ tener buenas notas   Elena: Tengo buenas notas.
                           Rafael: Yo no tenía buenas notas.

1. leer mucho
2. obedecer al profesor
3. aprender inglés
4. saber las lecciones
5. hacer las tareas
6. no perder el tiempo
7. no leer historietas *(comics)*
8. no dormirme en clase

ACTIVIDAD 6 Viejas costumbres *(Old habits)*

Describe las viejas costumbres de las siguientes personas, usando los verbos en frases afirmativas o negativas. Por supuesto, ¡estas costumbres tienen que corresponder al carácter de cada uno!

⟯⟯ Tú eras *(were)* holgazán: estudiar, hacer la tarea, hacerse el payaso
     No estudiabas. No hacías la tarea. Te hacías el payaso.

1. María era generosa: prestar su bicicleta, compartir sus juguetes, ayudar a los otros, cuidar a los niños de su vecina

2. Luis era cortés: saludar a los vecinos, respetar a los mayores, obedecer a los profesores

3. Mi hermana tenía malos modales: obedecer a sus padres, decir mentiras, volver a casa tarde

4. Mis primos eran mal educados: tener buenos modales, dormir en clase, pelear con todo el mundo

5. Felipe era sucio: lavarse, bañarse, cortarse el pelo

6. Carmen y Elena eran pulcras *(neat)*: lavarse el pelo, limpiar su cuarto, bañarse

7. Yo era un ángel: decir la verdad, maltratar a los animales, reírse de los profesores, criticar a mis amigos

8. Tú y yo éramos hijos modelos: obedecer a nuestros padres, enojarse, impacientarse, insultar a nuestros vecinos, compartir todo lo que teníamos

C. El uso del imperfecto para describir sucesos repetidos

Spanish speakers distinguish between habitual or repeated events in the past and past events which are unique in some way. Compare the use of the tenses in the following sentences.

(repeated actions)	*(single actions)*
Carlos siempre **pasaba** las vacaciones en México . . .	pero un año las **pasó** en Puerto Rico.
Los sábados, (yo) **jugaba** al tenis con Anita . . .	pero un sábado, **jugué** con Sarita.
Generalmente **me levantaba** temprano . . .	pero un día **me levanté** a las diez.

The **imperfect** is used to describe *habitual or repeated events* in the past.
The **preterite** is used to describe a *particular or specific event.*

In English, habitual events are often expressed by the construction *used to* + verb. Such events are expressed in Spanish by the imperfect.

Carlos **pasaba** el verano en México.	*Carlos **used to spend** the summer in Mexico.*
Jugábamos al tenis.	*We **used to play** tennis.*

The *imperfect* is often used with expressions such as **siempre, los sábados, todos los días,** and **a menudo** since these expressions imply repetition.

The *preterite* is often used with expressions such as **una vez, el sábado pasado, un día, esta mañana,** and **anoche** since these expressions do not imply repetition.

ACTIVIDAD 7   ¡Qué vacaciones tan divertidas!

Inés recuerda las cosas que hacía durante las vacaciones y las que no puede hacer ahora. Haz el papel de Inés según el modelo.

Ahora no juego al fútbol.   Durante las vacaciones jugaba al fútbol todos los días.

1. Ahora no nado.
2. Ahora no organizo fiestas.
3. Ahora no invito a mis amigos al cine.
4. Ahora no escucho mis discos.
5. Ahora no miro la televisión.
6. Ahora no salgo.
7. Ahora no juego al tenis.
8. Ahora no me levanto tarde.
9. Ahora no me acuesto tarde.
10. Ahora no me divierto.

ACTIVIDAD 8   Una vida bien ordenada (A *well-ordered life*)

Cuando era niña, Leonor tenía una existencia bien ordenada. Di qué hacía
a las siguientes horas.

⟫   7:00 levantarse   A las siete, Leonor se levantaba.

1. 7:05 bañarse
2. 7:15 vestirse
3. 7:30 hacer la cama
4. 7:45 desayunarse
5. 8:00 salir
6. 8:05 esperar el autobús
7. 8:30 llegar a la escuela
8. 12:00 comer en la cafetería
9. 1:00 jugar
10. 4:30 regresar a casa
11. 5:00 hacer la tarea
12. 10:00 acostarse

ACTIVIDAD 9   ¡Sólo pasó una vez!

Carlos le pregunta a Julia si ella siempre hacía lo mismo durante las
vacaciones. Julia le contesta que sólo una vez hizo otras cosas. Haz los dos
papeles según el modelo.

⟫   jugar al tenis / al volibol
        Carlos: ¿Jugabas al tenis a menudo?
          Julia: Sí, jugaba al tenis siempre, pero una vez jugué al volibol.

1. levantarte tarde / temprano
2. desayunarte a las ocho / a las diez
3. comer en casa / en un restaurante
4. divertirte con tus amigos / con tus
   primos
5. comprar el periódico / una revista
   inglesa
6. salir con Inés / con Raquel
7. andar en bicicleta / en moto
8. acostarte tarde / temprano

ACTIVIDAD 10   Las promesas del primero de enero

Las siguientes personas decidieron cambiar sus malos modales. El primero
de enero no actuaron como de costumbre (*habitually*). Expresa esto según
el modelo.

⟫   Felipe: comer muchos dulces   De costumbre, Felipe comía muchos dulces.
                                       El primero de enero, no comió muchos dulces.

1. Carmen: pelear con sus hermanos
2. Raúl: contar cosas aburridas
3. Luisa y Tomás: pelearse
4. Roberto: decir palabrotas (*dirty words*)
5. yo: maltratar a mi prima
6. tú: decir mentiras
7. tú y yo: fumar (*smoke*) en el baño
8. los profesores: enojarse con los
   estudiantes

¡A ti te toca!

Tu niñez

Describe la época de tu niñez. Si quieres, puedes usar las siguientes ideas.

la residencia
vivir (¿dónde?)

la escuela
estudiar (mucho, poco, ¿qué?)
tener (maestros interesantes,
    compañeros simpáticos)

los amigos
tener (muchos amigos, amigos
    bien educados)
llamarse (¿cómo?)
salir (¿adónde?)
compartir (¿qué?)
prestar (¿qué?)

los hermanos
pelear (¿con quién?)
compartir

los padres
respetar
obedecer (¿cuándo?)

los animales
tener (¿qué?)
llamarse (¿cómo?)
tratar (bien)
cuidar (¿cómo?)

las diversiones
gustar (¿qué?)
jugar (¿a qué? ¿con quién? ¿dónde?)
leer (¿qué?)
escuchar (¿qué?)

los buenos y malos modales
bañarse
lavarse
limpiar
comer
enojarse
ponerse furioso(a)

¡Ay, qué día!

Ayer me levanté muy contenta. Era martes, y hacía muy buen tiempo.
Pero esto es lo que ocurrió:

Era: It was
hacía: it was

Me bañé . . .
    pero mientras me bañaba, de repente el agua se puso muy fría. ¡Ay!

Preparé el desayuno . . .
    pero mientras lo preparaba, quemé las tostadas.

mientras: while
me bañaba: I was bathing
de repente: suddenly
tostadas: pieces of toast

Me desayuné . . .
    pero mientras me desayunaba, mi gato saltó a la mesa y rompió unos platos.

saltó: jumped

Limpié la jaula de Paco, mi papagayo, . . .
    pero mientras la limpiaba, Paco se escapó.

jaula: cage

Esperé el autobús . . .
    pero mientras lo esperaba, un taxi me salpicó.

salpicó: splattered

Fui a la oficina . . .
    pero mientras iba allá, perdí mi billetera.

iba: I was going

Finalmente, a la una me encontré con mi novio, y cuando le conté los eventos del día, él me dijo:

—¡Por supuesto, Gloria! . . . ¿No sabes que hoy es martes trece?

Nota cultural

Las supersticiones

¿Piensan los hispanohablantes que el viernes trece es un día de mala suerte? ¡No! Para ellos, el día de mala suerte es el martes trece. Hay otras supersticiones también. Vamos a ver algunas de éstas. ¡Presta° atención!

¡Pobrecito!°

¡Qué mala suerte vas a tener si . . .

es domingo siete!

es martes trece!

atropellas° un gato!

riegas° sal!

rompes un espejo!

¡Estupendo!

¡Qué buena suerte vas a tener si . . .

encuentras un trébol° de cuatro hojas!°

bebes la última copa° de la botella° de vino!

llevas en el dedo un anillo de acero!°

tienes una pata de conejo!°

recibes el ramo de la novia!°

alguien te regala una estatua de un
    elefante blanco!

Presta Pay   **Pobrecito** Poor thing   **atropellas** you run over
riegas you spill   **trébol** clover   **hojas** leaves   **copa** glass
botella bottle   **acero** steel   **pata de conejo** rabbit's paw
ramo de la novia bride's bouquet

| *sustantivos* | **un plato** | plate, dish | **el agua** | water |
| | | | **una oficina** | office |

verbos	**escaparse**	to escape
	ocurrir	to occur, to happen
	quemar	to burn, to scorch
	saltar	to jump
	volverse	to become, to turn

| *expresiones* | **de repente** | suddenly |
| | **mientras** | while |

NOTA: **El** (and **un**) are used in front of a few feminine nouns which begin with a stressed **a** (or **ha**):

> **El** agua está fría.

In the plural, however, the articles **las** and **unas** are used: **las** aguas.

CONVERSACIÓN

¿Recuerdas lo que hiciste ayer? Di si hiciste lo siguiente.

1. ¿**Escuchaste** discos?
   Sí, **escuché** . . . (No, no **escuché** . . .)
2. ¿**Miraste** la televisión?
3. ¿**Hablaste** por teléfono a tu mejor amigo?
4. ¿**Estudiaste**?
5. ¿**Jugaste** con tus amigos?

Ahora, recuerda si hacías las siguientes actividades cuando tu mamá te llamó para la cena.

6. ¿**Escuchabas** discos?
7. ¿**Mirabas** la televisión?
8. ¿**Hablabas** por teléfono a tu mejor amigo?
9. ¿**Estudiabas**?
10. ¿**Jugabas** con tus amigos?

OBSERVACIÓN

In questions 1–5, you are asked if *you did* certain things yesterday.
• Which tense is used, the *imperfect* or the *preterite?*
In questions 6–10, you are asked whether *you were doing* those things *when* your mother called you to dinner.
• Which tense is used, the *imperfect* or the *preterite?*

Estructuras

A. El imperfecto de *ir, ser* y *ver*

In the imperfect, there are only three irregular verbs: **ir, ser,** and **ver.**

INFINITIVE	ir	ser	ver
IMPERFECT			
(yo)	**iba**	**era**	**veía**
(tú)	**ibas**	**eras**	**veías**
(él, ella, Ud.)	**iba**	**era**	**veía**
(nosotros)	**íbamos**	**éramos**	**veíamos**
(vosotros)	**ibais**	**erais**	**veíais**
(ellos, ellas, Uds.)	**iban**	**eran**	**veían**

ACTIVIDAD 1   Preguntas personales

1. ¿Veías muchas películas cuando eras niño(a)? ¿Veías películas del oeste? ¿Veías películas de aventuras?

2. ¿Iban tus padres al cine contigo? ¿Iban Uds. a menudo?

3. ¿Ibas a la escuela cuando tenías cinco años?

4. ¿Eras un(a) niño(a) bien educado(a)? ¿Eras mal educado(a)? ¿Eras bueno(a) con los animales? ¿Eran estrictos tus padres?

5. ¿Veías a menudo a tus abuelos? ¿Ibas a visitarlos con tus padres?

6. ¿Iban Uds. al circo? ¿Al zoológico? ¿Había muchos animales en el zoológico? ¿Te gustaba darles comida?

ACTIVIDAD 2   ¡Cómo cambia la vida!

Unos estudiantes universitarios se recuerdan de la época cuando eran alumnos en el colegio. Se dan cuenta de que han cambiado *(they have changed)* mucho desde entonces. Expresa esto según los modelos.

〽 Paco no es tímido con las chicas.   En el colegio, era muy tímido con las chicas.
〽 Teresa está enamorada de Jaime.   En el colegio, no estaba enamorada de Jaime.

1. Elena no es tímida con los chicos.
2. Felipe no es muy generoso con sus amigos.
3. No somos holgazanes.
4. Luisa y tú no están nerviosos durante los exámenes.
5. Carmen no se aburre con sus estudios.
6. Miguel y Felipe no son muy atentos.
7. Voy a menudo a la biblioteca.
8. Soy un estudiante bueno.
9. Tú eres muy paciente con tus profesores.
10. Carlos va al teatro.
11. Susana y Ana María van a la discoteca.

B. El uso del imperfecto para describir acciones continuas

Compare the verbs in the sentences below.

(specific action)	*(ongoing action)*
Cuando Carlos **llamó** . . .	yo **estudiaba.**
*When Carlos **called** . . .*	*I **was studying.***
Carmen **llegó** . . .	mientras **nos desayunábamos.**
*Carmen **arrived** . . .*	*when we **were having breakfast.***
Anita **sacó** una foto . . .	de unos niños que **jugaban** al fútbol.
*Anita **took** a picture . . .*	*of some children who **were playing** soccer.*

The **preterite** is used to describe a *well-defined action or event* which happened at a *specific point in time.*

The **imperfect** is used to describe *ongoing actions or events.* In English such actions are usually expressed by the construction *was (were) + . . .ing.*

Note that the time relationship between the preterite and the imperfect can be shown on a diagram:

specific action
(preterite)   Cuando Carlos **llamó** . . .   Carmen **llegó** . . .   Anita **sacó** una foto . . .

ongoing action
(imperfect)   yo **estudiaba.**   mientras **nos desayunábamos.**   de unos niños que **jugaban** al fútbol.

ACTIVIDAD 3   El robo *(The Burglary)*

Anoche a las diez, ocurrió un robo en el apartamento del Sr. Montero. Un detective les pregunta a los vecinos qué hacían a las diez de la noche. Haz los papeles del detective y de los vecinos.

☞   Carmen: estudiar   El detective: ¿Qué hacía Ud. anoche a las diez?
                                    Carmen: ¿Yo? ¡Estudiaba!

1. la Sra. de Chávez: mirar la televisión
2. Miguel: escuchar sus discos
3. la Sra. de Ortiz: hablar por teléfono con una amiga
4. el Sr. García: dar un paseo por la calle
5. Rosario: escribir una carta
6. el Sr. Ruiz: leer el periódico
7. Enrique: comer
8. el Sr. Ávila: visitar a unos amigos
9. la Sra. de Meléndez: dormir
10. el Sr. Herrera: trabajar

ACTIVIDAD 4   Las excusas

Ahora, el detective les pregunta a unos sospechosos *(suspects)* si tomaron parte en el robo. Todos los sospechosos tienen una excusa. Haz los papeles de los sospechosos y del detective.

☞   estar en el café / volver a casa a las 12:00
                El detective: ¿No tomó Ud. parte en el robo?
                El sospechoso: ¡Claro que no! A la hora del robo estaba en el café.
                        Volví a casa a las 12:00.

1. estar en el cine / volver del cine a las 11:00
2. estar en el estadio / regresar a casa muy tarde
3. cenar con unos amigos / llegar al restaurante a las 8:00
4 visitar a unos amigos / pasar la noche en su casa
5. bailar con mi novia / volver a casa a la 1:00
6. ver una película / salir del cine a las 11:00
7. estar trabajando / salir de la oficina a las 10:00
8. divertirme en una fiesta / después irme a un club

ACTIVIDAD 5   Cuando el director entró . . .

Los alumnos del Sr. Leblanc (el profesor de francés) no son muy atentos.
Di qué hacía cada uno ayer cuando el director entró en la sala de clase.

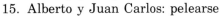 Pedro: pensar en las vacaciones   Pedro pensaba en las vacaciones.

1. Isabel: escribir una carta
2. Paco: comer chocolates
3. Elena: dormir
4. Luisa: leer una novela
5. Carlos: ofrecerles dulces a sus amigos
6. Manuel: peinarse
7. Anita: hacer la tarea de matemáticas
8. Luis y Pablo: leer historietas (comics)
9. Marisol: mirarse en el espejo
10. Anita y Gloria: divertirse
11. Pepe y Rolando: mirar a las chicas
12. Benjamín y Mercedes: contar chistes
13. Gloria y Danilo: hablar de modas
14. César y yo: esperar la hora de salir
15. Alberto y Juan Carlos: pelearse
16. Inés: maltratar a Roberto

ACTIVIDAD 6   De visita en la ciudad

En las calles de la ciudad, Dolores observa las siguientes cosas. Más tarde
le cuenta a un amigo lo que vio. Haz el papel de Dolores y dile a tu amigo
lo que viste.

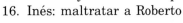 unos chicos juegan al fútbol   Vi a unos chicos que jugaban al fútbol.

1. unos niños comen dulces
2. dos chicos se pelean
3. una chica espera a su novio
4. unas muchachas cantan
5. un muchacho toca la guitarra
6. unos turistas sacan fotos
7. un hombre vende periódicos
8. unos jóvenes conducen muy rápido
9. una señora llama a su esposo
10. una niña tiene un perro

¡A ti te toca!

Unos percances *(Mishaps)*

Describe unos ocho o diez percances (¡reales o inventados!) similares a los que le ocurrieron a Gloria en «¡Ay, qué día!». Puedes encontrar inspiración en los percances de Gloria. Si quieres, puedes usar los siguientes verbos y tu imaginación.

volverse / quemar / escaparse / romper / romperse / chocar / huir / caer / caerse / ponerse / salir / encontrar / perder

☞ Mientras yo estaba en mi cuarto haciendo la tarea, ¡mi perro se escapó a la calle!

Lección 4 Un accidente en Cartagena

¿Tienes buen sentido de observación?

¡Vamos a ver!

Imagina que ayer dabas un paseo cerca de la Plaza Bolívar en Cartagena cuando ocurrió un accidente. Como fuiste el único testigo, debes contar los detalles del accidente a la policía.

¿Puedes contestar las preguntas según los dibujos?

único: *only*
testigo: *witness*

dibujos: *drawings*

5. ¿Quién conducía el coche?
   - ☐ A. Un hombre viejo lo conducía.
   - ☐ B. Un muchacho lo conducía.
   - ☐ C. Una muchacha lo conducía.

6. ¿Qué llevaba el muchacho?
   - ☐ A. Llevaba anteojos de sol.
   - ☐ B. Llevaba un sombrero.
   - ☐ C. Llevaba una corbata.

7. ¿Qué cruzó la calle en frente del coche? _cruzó: crossed_
   - ☐ A. Un gato cruzó la calle.
   - ☐ B. Un perro cruzó la calle.
   - ☐ C. Un burro cruzó la calle.

8. ¿Contra qué chocó el coche?
   - ☐ A. Chocó contra un árbol.
   - ☐ B. Chocó contra un farol. _farol: streetlight_
   - ☐ C. Chocó contra una escalera.

9. ¿Qué hizo el muchacho inmediatamente después del accidente?
   - ☐ A. Bajó del coche.
   - ☐ B. Se quedó en el coche.
   - ☐ C. Corrió tras el gato. _tras: after_

10. ¿Qué hizo la muchacha?
   - ☐ A. Bajó del coche.
   - ☐ B. Se quedó en el coche.
   - ☐ C. Corrió tras el gato.

11. Entonces, ¿qué hizo el muchacho?
   - ☐ A. Llamó a la policía.
   - ☐ B. Dio un beso a la chica. _beso: kiss_
   - ☐ C. Se fue de prisa.

12. ¿Qué hizo el gato?
   - ☐ A. Trepó a un árbol. _Trepó: It climbed_
   - ☐ B. Subió al coche.
   - ☐ C. Se fue de prisa. _alemán: German_

1. ¿Qué hora era?
   - ☐ A. Eran las seis.
   - ☐ B. Eran las nueve.
   - ☐ C. Eran las siete.

2. ¿Qué tiempo hacía?
   - ☐ A. Hacía buen tiempo.
   - ☐ B. Hacía mucho sol.
   - ☐ C. Llovía.

3. ¿Cuántas personas estaban en el coche?
   - ☐ A. dos
   - ☐ B. tres
   - ☐ C. cuatro

4. ¿De qué tipo era el coche?
   - ☐ A. Era un coche norteamericano.
   - ☐ B. Era un coche inglés.
   - ☐ C. Era un coche alemán.

Notas culturales

Cartagena

Cartagena de Indias en Colombia es una de las ciudades más fascinantes del hemisferio occidental.°

Cartagena es una ciudad fortificada fundada° en una isla° en 1533 (mil quinientos treinta y tres). Desde° allí los españoles mandaban las riquezas° del Nuevo Mundo a Europa. Las estrechas calles de la parte antigua de la ciudad dificultan° el tránsito.° Hoy día la nueva Cartagena es una de las ciudades más grandes de Colombia y un centro industrial muy activo.

occidental *western*   **fundada** *founded*   **isla** *island*
Desde *From*   **riquezas** *riches*   **dificultan** *make difficult*
tránsito *traffic*

« El Libertador »

Simón Bolívar (1783–1830) fue uno de los líderes del movimiento independentista de la América Latina. Su propósito° era conseguir° la independencia de las colonias de la madre patria,° España.

Bolívar proclamó la independencia y la creación de La Gran Colombia. Fue elegido° su primer presidente.

Hoy día, Simón Bolívar es uno de los héroes más grandes de toda América Latina.

propósito *aim*   **conseguir** *to obtain*   **patria** *country*
elegido *elected*

Vocabulario práctico

sustantivos	**un árbol**	tree	**una escalera**	ladder, stairs
	un beso	kiss		
	un testigo	witness		
verbos	**cruzar**	to cross (a street)		
	llover	to rain		
	trepar	to climb (a tree)		
expresión	**tras**	after, behind		

CONVERSACIÓN

¿Recuerdas los sucesos *(events)* importantes de tu vida? Por ejemplo, ¿puedes recordar el primer día que fuiste a la escuela? Vamos a ver si recuerdas las circunstancias y los hechos *(facts)* memorables de aquel día glorioso.

1. ¿Cuántos años **tenías** entonces?
2. ¿**Estabas** un poco nervioso(a)?
3. ¿**Estabas** un poco tímido(a)?
4. ¿Qué estación del año **era**?
5. ¿**Hacía** buen tiempo aquel día?
6. ¿**Tomaste** el autobús o **fuiste** a pie a la escuela?
7. ¿**Encontraste** a nuevos amigos?
8. ¿**Hablaste** con el (la) director(a)?
9. ¿**Te perdiste** en los corredores?
10. ¿**Tomaste** la decisión de ser un(a) estudiante brillante?

OBSERVACIÓN

In the first five questions, you are asked about the *circumstances* of an important event: your first day at school. The circumstances concern *your age, your feelings, the kind of weather.*
- Are the verbs used in the *preterite* or the *imperfect?*

In the last five questions you are asked about *certain specific events.*
- Are the verbs used in the *preterite* or the *imperfect?*

Estructuras

A. El imperfecto y el pretérito: circunstancias y acciones

Compare the verbs in these sentences:

(actions)	*(circumstances)*	
	Era el diez de abril.	*time*
	Eran las ocho de la noche.	
Vi un accidente.	**Hacía** mal tiempo.	*weather*
	Llovía.	
	Yo **iba** por la Avenida Libertad.	*location*
	El conductor **tenía** entre veinte y veinte y cinco años.	*age*
Vi al conductor muy bien.	**Era** un hombre alto.	*physical appearance*
	Llevaba un suéter gris.	
	Estaba nervioso.	*emotional state*
El año pasado mi hermano **visitó** México.	**Quería** aprender español.	*attitudes*
	Tenía ganas de conocer México.	

The **preterite** is used to describe *specific actions and events.*
The **imperfect** is used to describe the *circumstances and conditions*
surrounding the action. These circumstances and conditions may refer to:

    time, weather
    location
    age, physical appearance
    mental or emotional state, attitudes, beliefs

Note the use of the past tense forms of **hay:**

Hubo un accidente.	*There was an accident:* a specific event.	(preterite)
Había tres personas.	*There were three persons:* circumstances.	(imperfect)

ACTIVIDAD 1   La primera vez

Hay una primera vez para todo. Di cuántos años tenías cuando hiciste
estas cosas por primera vez.

  Fui a la escuela.   La primera vez que fui a la escuela tenía cinco años.

1. Fui al cine.
2. Fui al teatro.
3. Fui a una fiesta.
4. Asistí a un concierto.
5. Asistí a un partido de fútbol norteamericano.
6. Bailé.
7. Nadé.
8. Organicé una fiesta.
9. Hice un viaje.
10. Tomé un tren.
11. Tomé un avión.
12. Conduje un coche.

ACTIVIDAD 2   Excusas

Ayer estos alumnos no vinieron a la clase de español. Di la excusa de cada
uno.

  Carlos: está cansado   Carlos no vino porque estaba cansado.

1. Felipe: está enfermo
2. Inés: su mamá está enferma
3. Luisa: no tiene ganas de estudiar
4. Rafael: tiene gripe *(flu)*
5. Carmen: es su cumpleaños
6. Isabel: cree que es domingo

ACTIVIDAD 3   Tus excusas

Ahora explica por qué no hiciste las siguientes cosas. Inventa una excusa,
usando tu imaginación.

  No fui a la escuela . . .   No fui a la escuela porque estaba enfermo(a).

1. No aprendí los verbos.
2. No hice la tarea.
3. No escribí a mis abuelos.
4. No dije la verdad.
5. No me levanté temprano.
6. No ayudé a mis padres.
7. No presté mis discos.
8. No fui a la fiesta.

ACTIVIDAD 4   La pelea *(The fight)*

Imagina que el año pasado pasaste el verano en un país hispánico. Un día estabas en un café y viste una pelea entre dos clientes. Ahora cuéntale los detalles de esa pelea a un amigo. ¡Cuidado! Debes usar ciertos verbos en el pretérito y otros en el imperfecto.

> Hace calor.   Hacía calor.

1. Es el diez de agosto.
2. Son las cuatro de la tarde.
3. Tengo mucho calor.
4. Estoy en un café con un amigo.
5. Hablamos del próximo partido de fútbol.
6. Un hombre entra en el café.
7. Es un hombre bastante joven.
8. Lleva pantalones grises y una camisa blanca.
9. Lleva anteojos de sol.
10. Habla con otro cliente.
11. Este cliente lo insulta.
12. Los dos hombres se pelean.
13. Hacen mucho ruido.
14. El camarero llama a la policía.
15. La policía llega inmediatamente.
16. Un policía les pide identificación a los dos hombres.
17. Ellos no tienen identificación.
18. La policía se lleva *(take away)* a los dos hombres.

tener calor	to be warm, hot	**tener celos**	to be jealous
tener frío	to be cold	**tener vergüenza**	to be ashamed
tener hambre	to be hungry	**tener miedo (de** *or* **a)**	to be afraid (of)
tener sed	to be thirsty	**tener la culpa**	to be at fault,
tener razón	to be right		to be to blame
no tener razón	to be wrong	**tener prisa**	to be in a hurry
tener cuidado	to be careful	**tener éxito**	to be successful
tener sueño	to be sleepy		

NOTAS: 1. Spanish speakers use **tener** in many expressions indicating a physical or psychological state. English speakers would use *to be.*

2. Note the use of the expression **tener la culpa** in the following examples:
   No tengo la culpa.　　*It is not my fault.*
   ¡Teresa tiene la culpa!　　*It is Teresa's fault!*

ACTIVIDAD 5　¡Lógica!

Explica de una manera lógica qué hicieron (o no hicieron) las siguientes personas. Usa una expresión con **tener**.

Ɖ)　Felipe: no entrar en la casa de fantasmas *(haunted house)*
　　　Felipe no entró en la casa de fantasmas porque tenía miedo.

1. Juan Fernando: ir al restaurante
2. Mari-Carmen: beber una Coca-Cola
3. yo: dormirse en frente del televisor
4. tú: quitarse el suéter
5. nosotros: ponerse el abrigo
6. Ud. y yo: ponerse rojos *(to blush)*
7. Paco: no invitar al nuevo amigo de su novia al café
8. Roberto y Carlos: salir rápidamente

ACTIVIDAD 6　Expresión personal

Completa las siguientes frases usando tu imaginación.

Ɖ)　Tengo éxito con los (las) chicos(as) cuando . . .
　　　Tengo éxito con los chicos cuando les cuento bromas.
Ɖ)　No tengo éxito con ellos (ellas) cuando . . .
　　　No tengo éxito con ellos cuando me enojo con ellos.

1. Tengo cuidado cuando . . .
2. No tengo cuidado cuando . . .
3. Tengo sueño cuando . . .
4. No tengo sueño cuando . . .
5. Tengo celos cuando . . .
6. No tengo celos cuando . . .
7. Tengo prisa cuando . . .
8. No tengo prisa cuando . . .
9. Tengo miedo cuando . . .
10. No tengo miedo cuando . . .

B. Resumen: el uso del pretérito y del imperfecto

Spanish speakers view past actions and events as being either *continuous* or *isolated*.

—They use the **imperfect** to describe *continuous* actions (that is, actions or events that *were in progress during* a certain period of time).

—They use the **preterite** to describe *isolated* actions (that is, actions which *occurred at a specific moment in time*).

Compare the verbs in the following sentences.

(continuous actions or events)	*(isolated actions)*
Cuando yo **era** niño, no **hablaba** español.	Anoche **hablé** español con Ramón.
Julio **tenía** un tocadiscos.	Julio **vendió** su tocadiscos.
Anita **era** mi mejor amiga.	Anita **se fue** a vivir a México.
En el verano **íbamos** a la playa.	Ayer no **fuimos** a la playa.

More specifically, the preterite and the imperfect are used as follows:

TO DESCRIBE:	USE:	
a specific action or event completed in the past	preterite: **Visité** Puerto Rico . . .	*I visited Puerto Rico . . .*
the circumstances of a past action or event	imperfect: Cuando **tenía** diez y seis años . . .	*When I was sixteen (years old) . . .*
an ongoing past action or event	imperfect: Mis primos **vivían** en San Juan entonces.	*My cousins were living in San Juan then.*
a repeated past action or event	imperfect: Ellos me **invitaban** todos los veranos.	*They used to invite me every summer.*

ACTIVIDAD 7   Los vendedores

Di que estas personas ya no *(no longer)* tienen las cosas que tenían porque las vendieron.

⟍ Roberto: una bicicleta   Roberto tenía una bicicleta pero la vendió.

1. Alfredo: una moto
2. Inés: una cámara
3. Ramón: una calculadora
4. Fernando: una raqueta de tenis
5. Manuela: un reloj
6. Pepe: un tocadiscos
7. Luis: un coche
8. Gustavo: un televisor

ACTIVIDAD 8   En 1900

Lee cada descripción del mundo moderno y di si es aplicable al mundo de
mil novecientos o no.

La gente tiene coches.   En mil novecientos la gente no tenía coches.

La gente trabaja mucho.   En mil novecientos la gente también trabajaba mucho.

1. La gente mira la televisión.
2. La gente viaja mucho por avión.
3. Los niños tienen bicicletas.
4. Los niños van a la escuela.
5. Muchos jóvenes van a la universidad.
6. Los jóvenes se divierten.
7. Los jóvenes andan en moto.
8. El tenis es un deporte muy popular.
9. Las casas tienen teléfono.

10. Las casas tienen electricidad.
11. La contaminación (pollution) del aire
    es un problema.
12. Los Estados Unidos son el país más
    rico del mundo.
13. Mucha gente de origen hispano vive
    en ciudades norteamericanas.
14. La vida no es fácil para todos.

¡A ti te toca!

Recuerdos *(Memories)*

Cuenta uno de los siguientes sucesos *(events)* usando por lo menos *(at least)* cinco verbos en el imperfecto y cinco verbos en el pretérito.

Éstos son los sucesos:

- tu cumpleaños
- una fiesta
- un picnic
- una reunión familiar *(family reunion)*
- la cena del día de acción de gracias *(Thanksgiving)*
- la Navidad

Y éstas son algunas sugerencias:

Las circunstancias

    la fecha: ¿el día? ¿la hora?

    el tiempo: ¿Hacía calor? ¿Hacía frío? ¿Llovía? ¿Nevaba?

    el lugar: ¿tu casa? ¿la casa de tus amigos? ¿otro lugar?

    los invitados *(guests)*: ¿Cuántos eran? ¿Quiénes eran? ¿Qué ropa llevaban? ¿Estaban de buen humor?

    la comida: ¿Qué había para comer? ¿para beber?

Lo que ocurrió

    ¿Con quiénes hablaste? ¿De qué hablaste?

    ¿Qué comiste? ¿Qué bebiste?

    ¿Hubo una sorpresa? ¿para ti? ¿para otros?

    ¿Bailaste? ¿Cantaste? ¿A qué jugaste?

    ¿Pasó algo extraordinario? ¿qué?

Variedades

El robo del museo

El domingo pasado, temprano por la mañana, ocurrió un robo° en el Museo de Arte Moderno. Los ladrones° entraron en el museo y se escaparon con algunas obras° de arte muy valiosas.°

robo: *robbery*
ladrones: *robbers*
obras: *works*
   valiosas: *valuable*

Afortunadamente, dos personas observaron el robo. Esto es lo que declararon a la policía. (Atención a los detalles, ¡por favor! ¡Los testigos° no están de acuerdo!°)

testigos: *witnesses*
no están de
acuerdo: *don't agree*

• • • •

La Sra. de Muñoz:

Como todos los domingos, el domingo pasado fui a misa° muy temprano. Iba por la Avenida de la Libertad cuando vi un coche negro que se paró en frente del Museo de Arte Moderno. Como era de día,° pude observar muy bien lo que pasó.

Como acabo de decir, el coche se paró en frente del museo. Era un coche grande, de tipo norteamericano, probablemente un Ford o un Chevrolet. En el coche había dos personas: un hombre y una mujer.

La mujer era bastante joven. Creo que tenía menos de veinte y cinco años. Era rubia y llevaba anteojos de sol. (¡Qué raro! ¡A las seis y media de la mañana!) Ella era la conductora del coche y se quedó en el coche todo ese tiempo, esperando a su cómplice.°

Poco después que se paró el coche, el hombre se bajó. Pude verlo bien. Era bastante alto y moreno, con un bigote° pequeño. Llevaba pantalones de color anaranjado, una chaqueta gris y un sombrero. En la mano tenía un revólver.

Cruzó la calle y entró en el museo por una ventana que estaba abierta.° Eran exactamente las siete menos veinte y tres. (¡Estoy absolutamente segura de la hora porque miré mi reloj en aquel momento!)

Diez minutos después, el hombre salió del museo por la misma° ventana. En los brazos llevaba dos estatuas. Cruzó la calle y se subió al coche donde la mujer lo esperaba. Ella arrancó el coche y los dos se escaparon muy de prisa.

misa: *Mass*

de día: *daylight*

cómplice: *accomplice*

bigote: *mustache*

abierta: *open*

misma: *same*

El Sr. García:

Yo también vi el robo, y ese robo no ocurrió como dice la Sra. de Muñoz. Estoy seguro de lo que digo porque vivo en frente del museo. Así es que pude observar muy claramente° todo lo que ocurrió.

El domingo pasado me levanté a las seis menos cuarto. Como ya° hacía mucho calor, fui a abrir la ventana. La abrí y me quedé mirando la calle. No había nadie, excepto dos o tres personas que iban a misa.

A las seis vi un coche. Como explicó la Sra. de Muñoz, este coche se paró en frente del museo. ¿Y cómo era? No era negro, sino rojo. No era grande, sino pequeño. No era de tipo norteamericano, sino europeo. Creo que era un Renault o tal vez un Fiat. Es cierto que en el interior había dos personas, un hombre y una mujer, pero era el hombre el que conducía.

claramente: *clearly*
ya: *already*

A las seis y veinte, los dos ladrones se bajaron del coche, y pude verlos muy bien. La mujer era joven, alta, morena. No llevaba anteojos de sol. El hombre era bajo, moreno y llevaba anteojos. Llevaba pantalones de color anaranjado, pero en vez de° una chaqueta, llevaba un suéter blanco. No llevaba sombrero y no tenía un revólver en la mano. (¡Qué idea más tonta! ¡Es sólo en las películas que los ladrones tienen revólver!)

en vez de: *instead of*

El hombre y la mujer cruzaron la calle. El hombre entró en el museo por la puerta que estaba abierta y no por la ventana. La mujer no entró pero se quedó delante de la puerta. A las seis y media, el hombre salió del museo con dos paquetes muy grandes. La mujer lo ayudó a llevarlos al coche. Después ellos se subieron al coche y desaparecieron° inmediatamente.

desaparecieron: *disappeared*

• • • •

¡Es muy difícil ser buen testigo! A menudo, hay una diferencia entre lo que vemos y lo que creemos ver. Por eso, ambos° la Sra. de Muñoz y el Sr. García cometieron ciertos errores en testimonio.

ambos: *both*

¿Puedes decir cuándo tenían razón y cuándo no?

Mira las ilustraciones y lee la historia otra vez. Después contesta las siguientes preguntas.

Respecto a . . .	¿Quién tenía razón?	
	¿la Sra. de Muñoz?	¿el Sr. García?
1. el tipo de coche	☐	☐
2. el color del coche	☐	☐
3. la hora del crimen	☐	☐
4. el color del pelo de la mujer	☐	☐
5. lo que llevaba la mujer	☐	☐
6. el aspecto físico del hombre	☐	☐
7. lo que llevaba él	☐	☐
8. la manera en que entró en el museo	☐	☐
9. la manera en que salió del museo	☐	☐
10. lo que se llevó	☐	☐

¿Quién fue el mejor testigo? ¿Por qué?

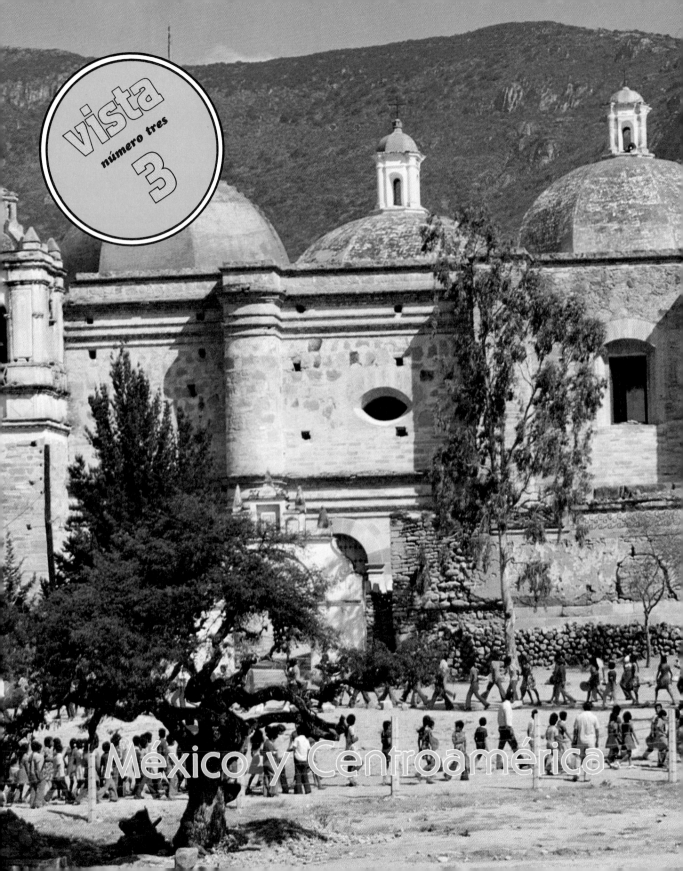

vista

número tres

3

México y Centroamérica

Un poco de historia

¡Qué fácil es imaginar príncipes° que llevan sombreros de plumas° de muchos colores . . . sacerdotes° que leen el futuro en las estrellas° . . . dioses° que demandan sacrificios humanos!

Imaginar esto y mucho más es muy fácil en México y Centroamérica. Aquí la historia comenzó hace miles de años.

500 d.C.°

Según los arqueólogos, la gran cultura maya comienza cerca de esta fecha. Más tarde aparecen° las grandes ciudades. En Tikal, Guatemala, los mayas construyen pirámides tan altas como un edificio de veinte pisos.

1325

Con el sacerdote Tenoch, los aztecas llegan a la tierra° prometida,° un lago.° Allí fundan° la ciudad de Tenochtitlán, hoy México. Es una de las ciudades más grandes del mundo.

1519

Hernán Cortés desembarca con 650 hombres y 16 caballos° en el Golfo de México, donde hoy está Veracruz. Comienza entonces la conquista de México por los españoles.

228

príncipes *princes*　**plumas** *feathers*　**sacerdotes** *priests*　**estrellas** *stars*　**dioses** *gods*
d.C. *después de Cristo*　**aparecen** *appear*　**tierra** *land*　**prometida** *promised*　**lago** *lake*
fundan *they found*　**caballos** *horses*

1521

El ejército° de Cortés completa la conquista de México cuando ataca Tenochtitlán y destruye la ciudad casi completamente. Toma a Cuauhtémoc, el último emperador azteca, como prisionero.

1776

Un violento terremoto° destruye la ciudad de Guatemala, sede° del gobierno° colonial en Centroamérica. Así se pierde° una de las ciudades coloniales más importantes del imperio español. Las autoridades deciden fundar la ciudad en otro lugar, donde hoy está la capital.

1810

El sacerdote Miguel Hidalgo y Costilla, padre de la independencia de México, proclama el «Grito° de Dolores», pidiendo el fin del gobierno por los españoles de España («gachupines»).

1821

Una junta política declara la independencia de Centroamérica. Dos años más tarde, se crean° las Provincias Unidas de Centroamérica, una unidad política que, por ambiciones locales, no dura mucho. En menos de veinte años se desintegra en cinco pequeños países.

1846

Una disputa fronteriza da origen a una guerra° entre° México y los Estados Unidos. La guerra termina dos años más tarde y México pierde casi la mitad° de su territorio. La nación victoriosa gana entonces lo que hoy es California, Arizona, Nevada, Utah, Nuevo México, Texas hasta el Río Grande y parte de Colorado.

1904

Bajo la supervisión del Cuerpo de Ingenieros del Ejército de los Estados Unidos, este país construye un canal interoceánico en Panamá. La construcción del canal toma diez años y los Estados Unidos gastan 375 millones de dólares en ello.

1977

Los presidentes de México y los Estados Unidos, José López Portillo y Jimmy Carter, respectivamente, se reúnen para demostrar la amistad que hoy existe entre las dos naciones vecinas.

---

ejército *army* **terremoto** *earthquake* **sede** *seat* **gobierno** *government*
se pierde *is lost* **Grito** *Cry* **se crean** *are created* **guerra** *war* **entre** *between* **mitad** *half*

MÉXICO Y LOS PAÍSES DE CENTROAMÉRICA

México

Población: 66.692.000
Ciudad capital:
  México, D.F. (Distrito Federal)
Unidad monetaria: el peso
Productos principales:
  algodón,° maíz, plata°
Otros datos° de interés:
  La ciudad de México es la ciudad más
  grande del mundo después de Tokio y
  Shangai.

Guatemala

Población: 6.360.000
Ciudad capital: Guatemala
Unidad monetaria:
  el quetzal, en honor al ave° nacional
Animal típico:
  el quetzal, un ave pequeña, de cola°
  larga y delicada. Es un símbolo de la
  libertad.
Productos principales: café
Otros datos de interés:
  Además del español, en Guatemala se
  hablan más de veinte lenguas°
  indígenas.°

algodón cotton **plata** silver **datos** facts **ave** bird
cola tail **lenguas** languages **indígenas** native

230

El Salvador

Población: 4.480.000
Ciudad capital: San Salvador
Unidad monetaria:
  el colón, en honor a Cristóbal Colón
Productos principales:
  café, algodón
Otros datos de interés:
  El Salvador es uno de los países
  americanos más pequeños. Es más o
  menos del mismo tamaño° que el estado
  de Massachusetts.

Honduras

Población: 3.431.000
Ciudad capital: Tegucigalpa
Unidad monetaria:
  el lempira, en honor a un jefe indígena
  que luchó contra° los españoles.
Productos principales: bananas
Otros datos de interés:
  El nombre *Honduras (Depths)* viene de
  una expresión de Colón. Después de
  dominar las malas condiciones de
  navegación frente a la costa
  centroamericana, Colón dice: —Gracias
  a Dios. Salimos de estas honduras.

Nicaragua

Población: 2.373.000
Ciudad capital: Managua
Unidad monetaria:
  el córdoba, en honor a Francisco
  Fernández de Córdoba, fundador de las
  ciudades de León y Granada
Productos principales: algodón
Otros datos de interés:
  Muchos nicaragüenses ricos pasan los
  fines de semana en sus islas del Lago de
  Nicaragua. Este lago tiene más de 500
  islas pequeñas, donde sólo cabe° una
  casa. Y otra cosa, el lago también tiene
  tiburones de agua dulce.°

tamaño *size*   **luchó contra** *fought against*
cabe *fits*   **tiburones de agua**
dulce *freshwater sharks*

231

Costa Rica

Población: 2.137.000
Ciudad capital: San José
Unidad monetaria:
el colón, en honor a Cristóbal Colón
Productos principales: café
Otros datos de interés:
Los españoles pensaron que este país
tenía muchos minerales.
Por eso, lo llamaron Costa Rica.

Panamá

Población: 1.857.000
Ciudad capital: Panamá
Unidad monetaria:
el balboa, en honor a Vasco Núñez de
Balboa, descubridor° del Océano Pacífico.
El balboa sólo existe en monedas. Los
billetes que se usan en Panamá son
dólares norteamericanos.

Productos principales: bananas
Otros datos de interés:
Entre 1821 y 1903, Panamá era parte
de Colombia. Los panameños se
independizaron con la ayuda de los
Estados Unidos que estaban interesados
en construir allí un canal interoceánico.

LAS POSADAS

¿Cuándo celebras la Navidad?
¿El 25 de diciembre o antes?

Bueno, en algunas ciudades hispanas la fiesta comienza diez días antes.
Sí. Comienza el 16, con la primera posada. Hay nueve posadas en total:
una todas las noches del 16 al 24 de diciembre. Las posadas son fiestas.
Conmemoran un episodio en la vida de San José y la Virgen María. Todos
sabemos que cuando ellos llegaron a Belén,° pasaron muchos apuros°
buscando un lugar donde pasar la noche. Por fin,° alguien les ofreció un
lugar donde podían quedarse. En otras palabras, alguien les dio posada.

Las posadas siempre se celebran de noche. Comienzan cuando los
invitados se separan en dos grupos. Así, los invitados se preparan para
actuar en una minicomedia musical. Un grupo sale a la calle, o al jardín, o
al patio de la casa. Este grupo hace los papeles de la Virgen y San José.
El otro grupo se queda en la casa, con los dueños.°

El grupo que está afuera comienza a cantar pidiendo posada. San José
canta:

> *En nombre del cielo°*
> *pedimos posada.*
> *Ábranle° la puerta,*
> *a mi esposa amada.°*

Pero, claro, los que están en la casa no abren la puerta. ¡Cómo le van a
abrir la puerta a gente a quien no conocen! El diálogo musical continúa
hasta que se descubre la identidad de la Virgen y San José. Entonces, ¡se
abren las puertas! Todos se abrazan.° Termina la canción. Sigue la fiesta.

Belén *Bethlehem* **apuros** *difficulties* **Por fin** *Finally* **dueños** *owners* **cielo** *heaven*
Ábranle *Open* **amada** *beloved* **se abrazan** *embrace*

233

El mensaje de las piedras

¿Te gusta la arqueología? Un arqueólogo es como un detective. Los dos buscan huellas.° Con las huellas que los arqueólogos encuentran y analizan es posible reconstruir el pasado.

En lugares como México y Guatemala, donde florecieron° grandes civilizaciones precolombinas, el pasado siempre tiene sorpresas. En estos lugares es muy emocionante° ser arqueólogo . . . ¿Quieres ser arqueólogo? ¿Tienes el talento necesario para descifrar° inscripciones antiguas? Vamos a ver:

¿Qué representa esta escultura?° Parece una estrella,° ¿verdad? En realidad, esta escultura se llama la Piedra del Sol. La figura que está en el centro es Tonatiuh o Nahui Ollin, el dios-sol.° Alrededor de él está toda la historia del universo según los aztecas.

En esta piedra, que también se llama la Piedra del Calendario Azteca, todas las figuras significan algo. En el círculo que está más cerca del dios-sol, están los días del mes. Allí están, por ejemplo:

Coatl, la serpiente, el día 5
Mazatl, el venado,° el día 7
Ozomatli, el mono, el día 11
Quiahuitl, el águila,° el día 15

En total, hay 20 símbolos en este círculo, uno por cada día del mes. (Sí, el mes azteca era de sólo veinte días.)

huellas *tracks* **florecieron** *flourished* **emocionante** *exciting* **descifrar** *decipher* **escultura** *sculpture* **estrella** *star* **dios-sol** *sun god* **venado** *deer* **águila** *eagle*

Ahora, mira esta escultura.
¿Ves las rayas y los puntos? . . .
¿Sabes qué representan?

Se encuentran estos símbolos misteriosos en muchas esculturas que tienen más de mil años. Las crearon escultores mayas que vivieron en Guatemala y Honduras durante los primeros siglos° de la era cristiana.

   ¿Y cómo sabemos esto? Por las rayas y los puntos, claro. Estos símbolos representan fechas. Son parte de un sistema numérico inventado por los mayas. Es un sistema que tiene tres símbolos: ━ , ● y ◉ . El símbolo ◉ no tiene valor. Representa el cero.

Mira cómo se escriben los números mayas del uno al diecinueve:

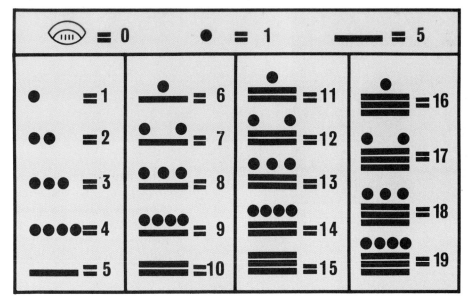

LAS MANOS CREADORAS

Talento, imaginación y manos flexibles. Los artesanos mexicanos necesitan estos tres para crear una gran variedad de objetos de cerámica. La cerámica mexicana no tiene límites. Es un arte popular y folklórico con objetos y estilos diferentes. Mira, por ejemplo:

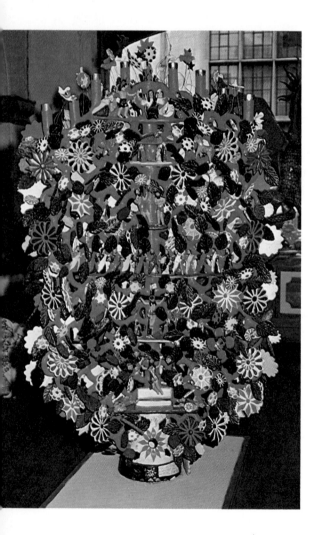

Éste es un candelero, típico de Acatlán, Puebla, cerca de la ciudad de México. Es un árbol con flores,° hojas,° pájaros y ángeles. Está pintado a mano con colores vivos° y fuertes.

Estas figuras son de Coyotepec, Oaxaca. Y como ves, aquí no hay colores alegres. Coyotepec es famoso por su cerámica negra que además de sirenas incluye otras figuras, todas completamente negras.

236   **flores** *flowers*   **hojas** *leaves*   **vivos** *lively*

Atzompa es otro pueblo de Oaxaca. Esta figura parece habitante de un cuento de hadas.°

Estos floreros son de Tonalá, Jalisco, cerca de Guadalajara. ¿Te gustan? Ésta es cerámica pulida,° moderna, de colores suaves.° El estilo de esta cerámica es único. Está pintada a mano y la decoración es típicamente mexicana.

cuento de hadas *fairytale*   **pulida** *polished*   **suaves** *delicate*

LA CREACIÓN DEL HOMBRE

Cuando Dios creó al hombre, ¿lo hizo de barro?° Sí, según la Biblia. No, según los mayas. La literatura de los mayas describe la creación del hombre en un libro antiguo y sagrado:° el *Popol Vuh.* Dice así:

Llegó el momento de la creación. Los dioses creadores,° Ahau Tepeu y Ahau Gucumatz, tenían que buscar la sustancia para hacer la carne° del hombre.

Los dioses creadores comenzaron a planear y a decidir cómo iban a hacer al hombre. Los hombres creados anteriormente habían salido° imperfectos. Era necesario encontrar la sustancia para hacer la carne del hombre.

Cuando los dioses creadores estaban reunidos, cuatro animales les revelaron la existencia de las mazorcas° de maíz blanco y de maíz amarillo.

La abuela Ixmucané tomó el maíz blanco y el maíz amarillo. Los usó para preparar una comida y una bebida de la que salió la carne y la gordura° del hombre. Sus brazos y sus pies también salieron de esta comida.

Los señores Tepeu y Gucumatz formaron así a nuestros primeros padres y madres.

barro *mud*   **sagrado** *sacred*   **creadores** *creators*   **carne** *flesh*   **salido** *come out*
mazorcas *ears*   **gordura** *thickness*

LOS PRODUCTOS DE LA TIERRA

¿Qué comían los indios antes de la llegada° de los españoles? Bueno, ¡lo mismo que tú! Sí. Tomates, chocolates, maíz, aguacates° . . .

El maíz

¿Dónde se originó el maíz? ¿En Guatemala? ¿En México? ¿En el Perú? Nadie está seguro, pero los indios ya° estaban cultivando maíz en México y Centroamérica hace 4.000 años. El cultivo del maíz hizo posible el desarrollo° de las grandes culturas precolombinas. Comenzó la observación de los fenómenos naturales para saber cuándo plantar. Aparecieron° los primeros dioses° que tenían que dar los recursos° necesarios. Entre° los mayas apareció Chac, el dios de la lluvia.° Entre los aztecas, Tonantzín, la diosa de la tierra.°

El tomate y el aguacate

Estos dos productos, indispensables en una buena ensalada, son de origen mexicano. Los dos nombres se derivan de náhuatl, la lengua de los aztecas. En náhuatl, tomate es tomatl y aguacate es ahuscatl.

El cacao

Éste es el ingrediente principal de algo que los enamorados se dan el 14 de febrero: chocolates. El cacao también es de origen mexicano. Los aztecas usaban granos° de cacao como moneda. Los granos de cacao sirven, también, para hacer chocolate y cacao en polvo.° Mucha gente dice que el chocolate era la bebida favorita del emperador azteca Moctezuma. Pero el chocolate que Moctezuma bebía no tenía azúcar y, seguramente, era muy diferente a la cacao que usas en casa.

llegada *arrival* **aguacates** *avocados* **ya** *already* **desarrollo** *development*
Aparecieron *Appeared* **dioses** *gods* **recursos** *resources* **Entre** *Among* **lluvia** *rain*
tierra *earth* **granos** *grains* **en polvo** *powdered*

238

Actividades

UNA ENSALADA DE LETRAS   Los nombres de las personas y cosas descritas°
aquí están escondidos° en la ensalada de letras. Para encontrar estos nombres,
búscalos horizontal y verticalmente en el crucigrama.

¿Cuántos nombres puedes encontrar?

```
T  U  T  E  G  U  C  I  G  A  L  P  A  Z
E  W  O  M  U  S  O  B  U  A  Y  I  I  L
N  G  A  M  A  C  R  E  C  V  N  E  T  A
O  J  I  L  T  V  D  L  U  E  G  D  E  S
C  O  R  T  E  S  O  S  M  G  D  R  F  P
H  M  B  L  M  U  B  E  A  F  R  A  S  O
T  O  V  C  A  C  A  O  T  B  C  D  A  S
I  C  Y  O  L  I  J  E  Z  V  H  E  E  A
T  D  E  B  A  L  B  O  A  M  Z  L  A  D
L  L  N  K  J  I  L  M  O  A  R  S  C  A
A  Z  T  E  C  A  S  E  P  I  R  O  X  S
N  A  K  C  U  Q  U  E  T  Z  A  L  A  B
B  W  C  T  D  D  F  S  R  G  F  M  H  C
N  U  E  V  O  M  E  X  I  C  O  I  A  G
```

1. el nombre de los indios que vivían en México antes de la conquista española   **228**

2. el nombre original de la ciudad de México   **228**

3. el apellido° del conquistador de México   **228**

4. el nombre de una ciudad capital
   destruida° por un terremoto en 1776   **229**

5. un estado norteamericano que formaba
   parte de México antes de 1848   **229**

6. un animal típico de Guatemala   **230**

7. la ciudad capital de Honduras   **231**

8. la unidad monetaria de Nicaragua   **231**

9. el descubridor del Océano Pacífico   **232**

10. celebración mexicana que conmemora la
    dificultad que la Virgen María y San José
    tuvieron cuando llegaron a Belén   **233**

11. el nombre de una escultura azteca muy
    famosa   **234**

12. uno de los dioses creadores del hombre
    según la leyenda° maya   **237**

13. un producto que los indios cultivaban en
    México hace 4.000 años   **238**

14. el ingrediente principal del chocolate   **238**

descritas *described*   **escondidos** *hidden*   **apellido** *last name*   **destruida** *destroyed*   **leyenda** *legend*

Unidad 6

Hoy y ayer

PROHIBIDO JUGAR BASEBALL
EN ESTE PARQUE

6.2 La vida está llena de misterios   **6.3 Dos chicas**   **6.4 ¡Demasiado tarde!**

VARIEDADES — Pablo Neruda

De viaje

Anuncios, letreros, señales de todo tipo . . . Por lo general, éstas son las primeras cosas que se ven cuando se viaja por un país extranjero. Lo importante es comprenderlas, ¿verdad?

¿Comprendes los siguientes anuncios?

Vamos a ver. Examina cada anuncio atentamente y después contesta las preguntas con sí o con no.

anuncios: *announcements*
letreros: *posters*
señales: *signs*
se ven: *one sees*
extranjero: *foreign*
atentamente: *carefully*

sí no

SE PROHIBE FUMAR

Un amigo te ofrece un cigarrillo.
¿Vas a aceptarlo? ☐ ☐

cigarrillo: *cigarette*

AQUÍ SE HABLA FRANCÉS
ICI ON PARLE FRANÇAIS

En ese lugar hablan otro idioma.
¿Se dan clases de francés allí? ☐ ☐

SE PROHIBE BAÑARSE

¡Qué linda playa!
¿Se puede nadar allí? ☐ ☐

SE PROHIBE ENTRAR

Éste es un lugar muy bonito.
¿Se puede tener un picnic aquí? ☐ ☐

lugar: *place*

SE PROHIBE ESTACIONAR

Me gustaría sacar una foto de este monumento.
¿Se puede parar aquí por cinco minutos? ☐ ☐

estacionar: *park*

SE REPARAN RELOJES

Mi reloj no funciona bien.
¿Puedo dejarlo allí?

☐ ☐

SE VENDEN GUITARRAS ELÉCTRICAS

Quiero vender mi guitarra.
¿Puedo venderla en esta tienda?

☐ ☐

SE ARREGLAN MOTOS AQUÍ

Mi moto no anda.
¿Puedo dejarla allí?

☐ ☐

SE BUSCA SECRETARIA BILINGÜE (francés—español)

Necesitan una empleada.
¿Es ésta una compañía
internacional?

☐ ☐

SE SOLICITAN MECÁNICOS

Allí se arreglan coches.
¿Es este lugar una estación
de servicio?

☐ ☐

Se solicitan: *Are
needed*

SE ALQUILAN COCHES

¡Qué cantidad de coches!
¿Puedo comprar un coche allí?

☐ ☐

Se alquilan:
Are rented
cantidad: *quantity*

Nota cultural

El tabaco, un producto de origen indio

¿Sabes que el tabaco es un producto de origen americano? Los indios lo cultivaban mucho antes del descubrimiento° del Nuevo Mundo y lo tomaban como° medicina. Cuando los españoles llegaron a América, los indios les ofrecieron el tabaco como señal de amistad y de paz.° Los españoles llevaron este producto a Europa en 1500 (mil quinientos). En 1560 (mil quinientos sesenta), el embajador francés en Portugal mandó polvo° de tabaco a su reina° para usarlo como medicina contra fuertes dolores de cabeza.°

En esa época, el tabaco no se usaba como se usa hoy. Algunos lo masticaban,° otros lo usaban como polvo aromático. Otros lo fumaban pero sólo en pipas y cigarros. Fue alrededor de 1830 (mil ochocientos treinta) cuando el tabaco se empezó a fumar en cigarrillos.

¡Así es como empezó la historia de una costumbre peligrosa!

descubrimiento *discovery* **como** *as* **paz** *peace*
polvo *powder* **reina** *queen* **dolores de cabeza** *headaches*
masticaban *would chew*

Vocabulario práctico

sustantivos	**un anuncio**	advertisement	**una cantidad**	quantity
	un letrero	sign, notice, poster	**una señal**	(traffic) sign
	un lugar	place		
adjetivo	**extranjero**	foreign		
verbos	**estacionar**	to park (a car)		
	fumar	to smoke		
	prohibir	to prohibit		

CONVERSACIÓN

1. ¿**Se habla** español en España?
2. ¿**Se habla** español en México?
3. ¿**Se habla** español en el Brasil?
4. ¿Qué lengua **se habla** en Francia?
5. ¿Qué lengua **se habla** en la clase de español?
6. ¿Qué lengua **se habla** en tu casa?

OBSERVACIÓN

In the above questions, you have been asked where certain languages *are spoken*.
• Which expression is used?
• Which pronoun is used in this expression?

Estructuras

A. El uso impersonal del pronombre reflexivo *se*

In the sentences below, the reflexive pronoun **se** refers to specific persons (Paco, Elena y Pedro) who perform the action.

Paco **se** lava. Paco washes **himself.**
Elena y Pedro **se** hablan. Elena and Pedro talk **to each other.**

Se can also be used in sentences where it does not refer to any specific person. Note this impersonal use of **se** in the following sentences.

Se habla español en México. ***They (people, one) speak(s) Spanish in Mexico.***
Se necesita trabajar. ***People (you, we, one) need(s) to work.***
¿Cómo **se** escribe . . .? *How does **one** (do **you**) write . . .?*
¿Cómo **se** va al restaurante? *How does **one** (do **we**) go to the restaurant?*

The Spanish impersonal construction **se** + verb often corresponds to constructions in English that use impersonal subjects such as *people, they, you, we, one* . . . The subjects are not expressed in Spanish. Note also the expression:

Se prohibe fumar. { *Smoking **is prohibited.*** / *People **cannot** smoke.* / ***No** smoking.* }

ACTIVIDAD 1 Preguntas personales

1. ¿Siempre se habla español en la clase de español?
2. ¿Se estudia mucho en el colegio?
3. ¿Se necesita estudiar mucho para sacar buenas notas?
4. ¿Se trabaja mucho en los Estados Unidos?
5. ¿Se necesita trabajar mucho en la vida?
6. ¿Se necesita tener mucho dinero para ser feliz?
7. ¿Se come bien en la cafetería del colegio?
8. ¿Se come bien en los restaurantes de tu ciudad?
9. ¿Se prohibe fumar en tu escuela?
10. ¿Se prohibe fumar en el autobús?

¡SE BUSCA!
MAD
EN ESPAÑOL

ACTIVIDAD 2 ¡Prohibiciones!

Algunas personas hacen cosas que no deben hacer. Diles que se prohibe hacer esas cosas.

꘎ (en el autobús) Un señor fuma.   ¡Lo siento, señor! Se prohibe fumar aquí.

1. (en el tren) Una señora fuma.
2. (en el museo) Una señorita saca fotos.
3. (en el parque) Una señora coge (picks) flores.
4. (en el hospital) Un señor habla en voz alta (in a loud voice).
5. (en la calle) Un señor estaciona su coche.
6. (durante el concierto) Un señor hace ruido.
7. (en la biblioteca) Un señor habla.

ACTIVIDAD 3 En un país extranjero

Imagina que estás visitando España. Hay ciertas cosas que quieres hacer, pero no sabes cómo hacerlas. Pídele ayuda a un amigo, según el modelo.

꘎ Quiero ir al museo.   Por favor, ¿cómo se va al museo?

1. Quiero ir al centro.
2. Quiero ir al cine.
3. Quiero telefonear.
4. Quiero estacionar.
5. Quiero invitar a un chico al café.

B. Otro uso impersonal del pronombre reflexivo se

Note the use of the impersonal construction with **se** in the following sentences.

Se necesita un mecánico.	*A mechanic **is needed.***
Se necesitan dos secretarias.	*Two secretaries **are needed.***
Se vende pan en la panadería.	*Bread **is sold** in the bakery.*
Se venden pasteles allí también.	*Cakes **are sold** there also.*

Often the impersonal construction **se** + verb + subject corresponds to the English passive construction:

$$noun + is\ (are) + past\ participle.$$

In such cases, the verb agrees with the noun subject, which follows it.

ACTIVIDAD 4 La agencia de empleo (The employment office)

Imagina que trabajas para una agencia de empleo. Esa oficina necesita a las siguientes personas. Prepara los anuncios según el modelo.

꘎ dos secretarias bilingües   Se necesitan dos secretarias bilingües.

1. un mecánico
2. dos electricistas
3. una enfermera
4. dos camareros
5. una camarera
6. una mecanógrafa (typist)
7. tres cocineros (cooks)
8. una farmacéutica (druggist)

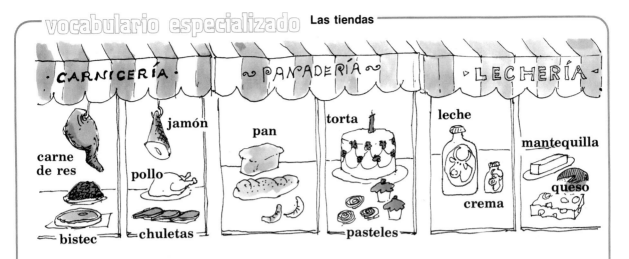

alquilar	to rent	En esa tienda **se alquilan** bicicletas.
arreglar	to fix	En una relojería **se arreglan** relojes.
reparar	to repair	En una estación de servicio **se reparan** los coches.
solicitar	to solicit, to seek (employees)	**Se solicitan** mecánicos.

NOTA: In Spanish, the names of many shops end in **–ería.**

zapato	→ zapat**ería**	*shoe store*
helado	→ helad**ería**	*ice cream parlor*
perfume	→ perfum**ería**	*perfume shop*
peluca *(wig)*	→ peluqu**ería**	*barber shop, hair dresser*

ACTIVIDAD 5   ¿Sí o no?

Di si las siguientes tiendas se especializan en los productos que están entre
paréntesis. En tus respuestas usa los verbos sugeridos.

✺   librería (zapatos): vender   En una librería no se venden zapatos.

1. librería (mapas): vender
2. carnicería (pan): vender
3. panadería (pasteles): vender
4. zapatería (sandalias): vender
5. mueblería (discos): vender
6. lavandería (vestidos): lavar
7. relojería (televisores): reparar
8. lechería (crema): comprar

ACTIVIDAD 6   Turistas

Unos turistas norteamericanos van de compras en Quito. El guardia les
indica donde se venden las cosas que buscan. Haz los dos papeles según el
modelo.

Las tiendas: la carnicería, la florería, la frutería, la lechería, la librería,
            la mueblería, la panadería, la perfumería, la zapatería

✺   ¿Dónde puedo comprar un litro de leche?
            Turista: ¿Dónde puedo comprar un litro de leche?
            Guardia: Se vende leche en esa lechería.

1. ¿Dónde puedo comprar bistec?
2. Me gustaría comprar zapatos nuevos.
3. Quiero comprar una lámpara para mi cuarto.
4. ¿Dónde se venden libros norteamericanos?
5. Deseo comprar dos panes y dos pasteles.
6. Necesitamos frutas frescas.
7. ¿Dónde venden perfumes franceses?
8. Deseo comprar flores *(flowers)*.

ACTIVIDAD 7   En casa

Describe las costumbres *(habits)* de tu casa, usando una de las expresiones
sugeridas.

✺   servir el desayuno: a las siete, a las ocho, a las nueve
            Se sirve el desayuno a las ocho.

1. servir la cena: a las cinco, a las seis, a
   las siete
2. comer: bien, mucho, muchas frutas,
   muchas legumbres
3. tomar: café, té, café con leche, leche,
   gaseosas

4. celebrar: la Navidad, la Pascua
   (Easter/Passover), los cumpleaños, los
   aniversarios
5. hablar: mucho, de los vecinos, de la
   política

ACTIVIDAD 8 En México y en los Estados Unidos

Un estudiante mexicano te habla de su país. Háblale de los Estados
Unidos, según el modelo.

🔅 En México hablamos español.
      En los Estados Unidos se hablan inglés y español también.

1. En México comemos tacos.
2. En México bebemos café.
3. En México jugamos al fútbol.
4. En México celebramos el día de la
   Independencia el 16 de septiembre.

5. En México usamos pesos.
6. En México cultivamos maíz *(corn)*.

ACTIVIDAD 9 Expresión personal

Completa las frases siguientes.

🔅 Se come bien en mi casa (en la cafetería, en los restaurantes franceses, en México, etc.).

1. Se come mal . . .
2. Se vive bien . . .
3. Se necesita dinero para . . .
4. Se necesita trabajar para . . .
5. Se necesitan amigos porque . . .
6. Se necesitan consejos cuando . . .

El mundo hispánico

Escoge un país hispánico (por ejemplo, México, la Argentina, Cuba, el
Perú) y escribe un párrafo describiendo algunos aspectos de la vida de allá.
Si quieres, puedes usar las siguientes preguntas:

    ¿Qué idiomas se hablan?
    ¿Qué fiestas se celebran?
    ¿Qué deportes se juegan?
    ¿Qué moneda se usa?
    ¿Qué productos se cultivan?
    ¿Qué alimentos se comen?
    ¿Qué religiones se practican?

🔅 En el Perú se hablan español y quechua . . .

La vida está llena de misterios

¿Por qué está Luis enamorado de Pilar y por qué está ella enamorada de Rafael?

¿Por qué siempre parece bronceada Elena aun en el invierno . . . ?

¿Por qué está Paco siempre pálido, aun en el verano?

bronceada: *tanned*

pálido: *pale*

¿Por qué siempre está ocupada la línea de nuestros amigos cuando queremos llamarlos?

línea: *line*

¿Por qué quiere darle su asiento a la Sra. de Oliva todo el mundo cuando el autobús está casi vacío . . . ?

¿Por qué no quiere darle su asiento nadie cuando el autobús está atestado y ella tiene muchos paquetes?

asiento: *seat*
todo el mundo: *everyone*
vacío: *empty*

atestado: *crowded*
paquetes: *packages*

¿Por qué están abiertas las ventanas de la clase cuando hace frío y están cerradas cuando hace mucho calor?

abiertas: *open*

¿Por qué está encendido el televisor y no hay nadie en la sala?

encendido: *turned on*

¿Por qué nos sentimos cansados cuando no hacemos nada y por qué nos sentimos descansados después de bailar toda la noche?

descansados: *rested*

¿Por qué . . .? ¿Por qué . . .?

¡Ay, la vida está llena de misterios!

llena: *full*

El teléfono

¿Qué haces cuando quieres invitar a un amigo a un café, charlar° un ratito° con tu mejor amigo o discutir un problema de matemáticas o un problema de tipo sentimental? Tal vez quieres saber qué tiempo va a hacer, o cuánto cuesta algo. Pues,° usas el teléfono.

En los países hispánicos, los jóvenes usan el teléfono menos que los jóvenes de los Estados Unidos. En las ciudades grandes muchas familias tienen teléfono, pero en las ciudades pequeñas y en los pueblos y aldeas° pocas personas lo tienen.

El teléfono es muy caro y pagas cada llamada° y cada minuto que lo usas. Por todos estos motivos, el teléfono es casi totalmente para el uso personal de los padres.

charlar *chat*   **ratito** *little while*   **Pues** *Well*   **aldeas** *villages*
llamada *call*

Vocabulario práctico

sustantivos	**un asiento**	seat		**una línea**	(phone) line
	un paquete	package			
adjetivos	**abierto**	open			
	atestado	crowded			
	lleno	full	≠	**vacío**	empty
	pálido	pale	≠	**bronceado**	tanned

CONVERSACIÓN

¿Cómo estás en este momento?

1. ¿Estás **sentado(a)** ahora?
2. ¿Estás **cansado(a)**?
3. ¿Estás **descansado(a)**?
4. ¿Estás muy **ocupado(a)**?

5. ¿Estás **preocupado(a)**?
6. ¿Estás **enojado(a)**?
7. ¿Estás **aburrido(a)**?
8. ¿Estás **dormido(a)**?

OBSERVACIÓN

The words in heavy print in the questions above are used as adjectives. These words, which are derived from verbs, are called *past participles*.
• From which verbs are these past participles derived?

Estructuras

A. Los participios pasados regulares

Compare the past participles and the infinitives of the verbs in the following examples:

preocupar	*(to worry)*	Pedro está muy **preocupado**.	*(worried)*
cerrar	*(to close)*	¿Está el banco **cerrado**?	*(closed)*
aburrir	*(to bore)*	Jorge está **aburrido**.	*(bored)*
vestir	*(to dress)*	Paco está bien **vestido**.	*(dressed)*

Past participles are formed by replacing the infinitive endings **–ar, –er, –ir** with **–ado, –ido, –ido**.

–ar verbs	**-ado**	hablar	→	**hablado**
–er verbs	**-ido**	comer	→	**comido**
–ir verbs	**-ido**	vivir	→	**vivido**

These endings often correspond to the English past participle ending *-ed*.

⟫ Past participles are often used as adjectives. When this occurs, they take the regular adjective endings.

María está **casada**.　　　*María is **married**.*
Tengo dos hermanos **casados**.　　*I have two **married** brothers.*

⟫ The verb **estar** is used with the past participle to indicate a state or condition or the result of an action.

Estoy **cansado**.　　　*I am (I feel) **tired**.*
La ventana **está cerrada**.　　*The window **is closed**.*

ACTIVIDAD 1　Preguntas personales

1. ¿Quién está sentado a tu derecha? ¿a tu izquierda?
2. ¿En qué calle está situada tu casa?
3. ¿Está tu casa situada en el centro? ¿cerca del colegio?
4. ¿Vives en una casa alquilada *(rented)*? ¿un apartamento alquilado?
5. ¿Tienes hermanos casados? ¿hermanas casadas?

ACTIVIDAD 2　En la clase de matemáticas

Describe la actitud de los siguientes alumnos usando participios pasados derivados de los verbos que están entre paréntesis.

⟫　Luisa (preocupar)　Luisa está preocupada.

1. Rafael (ocupar)
2. Inés y Sofía (ocupar)
3. Josefina (enojar)
4. Paco y Roberto (enfadar)
5. Raquel y Susana (interesar)
6. Pilar y Mercedes (aburrir)
7. Juan (dormir)
8. Carmen y Luisa (dormir)

ACTIVIDAD 3   ¡Un poco de lógica!

Lo que sentimos depende a veces de lo que acabamos de hacer. Expresa
esto usando los elementos de las columnas A, B y C en diez frases lógicas
por lo menos.

A	B	C
yo	cansar	dormir 24 horas
tú	descansar	correr 5 kilómetros
Susana	enfadar	sacar una mala nota
Raúl y Pedro	enojar	encontrar a un(a) chico(a) muy simpático(a)
Ana María y Elena	aburrir	oír malas noticias
mis hermanos y yo	preocupar	pasar una hora estudiando
	dormir	perder diez dólares
	enamorar	leer una novela tonta
	irritar	montar a caballo
	emocionar	hablar con un actor muy famoso

Susana está enojada porque acaba de perder diez dólares.

vocabulario especializado   Estados y condiciones

apagar	to turn off	El radio está **apagado.**
atestar	to crowd, to cram	El tren está **atestado.**
cerrar (e → ie)	to close	Los domingos, las tiendas están **cerradas.**
encender (e → ie)	to light, to turn on	Las luces están **encendidas.**
esconder	to hide	¿Dónde está **escondido** el dinero?
quebrar (e → ie)	to break	Tiene el brazo **quebrado.**
quemar	to burn, to scorch	¡Dios mío! Las tostadas (*pieces of toast*) están **quemadas.**
tostar (o → ue)	to toast, to tan	Carmen está **tostada.**

ACTIVIDAD 4   Una cuestión de tiempo (A *matter of time*)

Describe las cosas siguientes,
  a) a las ocho de la mañana,
  b) a las nueve de la noche.
Usa frases afirmativas o negativas.

> el televisor (apagar)   A las ocho de la mañana, el televisor está apagado.
> (A las nueve de la noche, no está apagado.)

1. el radio (apagar)
2. las luces (encender)
3. los autobuses (atestar)

4. la escuela (cerrar)
5. los restaurantes (cerrar)
6. el cine (atestar)

ACTIVIDAD 5   La clase de español

Describe la clase de español en frases afirmativas o negativas, según el modelo.

> el (la) profesor(a): sentar   El (la) profesor(a) (no) está sentado(a).

1. los alumnos: sentar
2. la clase: atestar
3. las luces: encender

4. la puerta: cerrar
5. las ventanas: cerrar
6. la calefacción (*heat*): apagar

ACTIVIDAD 6   ¡Más lógica!

Completa las siguientes frases con una explicación lógica. Usa los participios pasados derivados de los verbos del vocabulario.

> No deposité el dinero en el banco. El banco estaba . . . cerrado.

1. No encontré mis libros. Estaban . . .
2. No compré los pasteles. Estaban . . .
3. No miré la televisión. El televisor
   estaba . . .
4. Hace mucho frío. La calefacción está . . .
5. Hace fresco. El aire acondicionado está . . .
6. Hace mucho sol. Voy a estar muy . . .
7. El niño se cayó. Ahora tiene la pierna . . .

B. Preposiciones de lugar

Note the prepositions of place in the sentences below:

El coche está **en** el garaje.	*The car is **in** the garage.*
La antena está **sobre** el televisor.	*The antenna is **on** the TV set.*
Vivo **cerca de** un teatro.	*I live **near** a theater.*
Vivo **lejos de** la escuela.	*I live **far from** the school.*

Prepositions of place may consist of one or several words.

one word

en	in, into, on	El libro está **en** la mesa.
entre	between	El Ecuador está situado **entre** Colombia y el Perú.
hacia	toward	Caminamos **hacia** la escuela.
sobre	on, over, about	¿Está el lápiz **sobre** el cuaderno?
tras	after	El policía corre **tras** el ladrón.

several words

cerca de	near, close to	≠	**lejos de**	far from
debajo de	below, under(neath)	≠	**encima de**	on top of
alrededor de	around	≠	**en medio de**	in the middle of
dentro de	inside	≠	**fuera de**	outside
detrás de	behind, in back of	≠	**delante de**	before, in front of
a la derecha de	to the right of	≠	**a la izquierda de**	to the left of
al lado de	beside		**en frente de**	facing, in front of
junto a	next to			

NOTA: The above expressions that consist of two or more words may be used alone,
that is, without introducing a noun. In these cases, the **de** is dropped.

¡El gato está **fuera de** la casa!   *The cat is **outside of** the house.*
¡El gato está **fuera**!   *The cat is **outside**.*

ACTIVIDAD 7   ¿Dónde vives?

Di dónde vives en relación a las siguientes personas y lugares.

🔊 mi mejor amigo   Vivo al lado de (cerca de, lejos de, en frente de) mi mejor amigo.

1. mi mejor amiga
2. mis abuelos
3. mis primos
4. unos vecinos simpáticos
5. la escuela
6. la iglesia
7. un parque
8. una gran ciudad
9. Nueva York
10. Arizona

ACTIVIDAD 8 Los animales de Ana María

Ana María tiene tres animales: un gato (Sultán), un pájaro (Paco) y un pez
(Gordo). Por razones obvias, los tres animales están separados. Describe la
posición de cada uno.

Paco / Sultán

    Paco está encima de Sultán (a la derecha de Sultán, lejos de Sultán, etc.).

1. Gordo / Sultán
2. Gordo / el acuario
3. el acuario / la mesa
4. los discos / la mesa
5. Paco / la jaula
6. los discos / el suelo
7. la bombilla / la jaula
8. el agua / el acuario

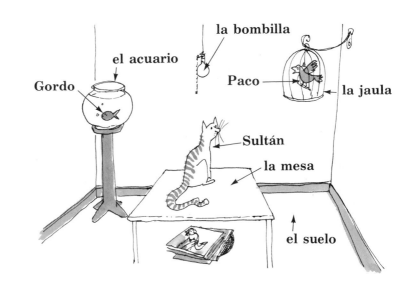

¡A ti te toca!

Tus emociones

A veces estamos de buen humor. Otras veces estamos de mal humor. Di si
sientes (a menudo, raras veces, nunca) las siguientes emociones y cuándo
las sientes.

- cansar
- descansar
- aburrir
- enojar
- agitar
- preocupar
- ocupar
- impresionar

aburrir   Estoy aburrido(a) de vez en cuando. Por ejemplo, estoy
aburrido(a) cuando escucho música romántica o cuando no hay
nada que hacer.

Dos chicas

Dos chicas están en la playa «La Romana» en la República
Dominicana. Bárbara se acerca y saluda a Marta.

Bárbara:	Perdóneme, Srta., ¿conoce Ud. a Conchita Beltrán?
Marta:	Por supuesto, somos compañeras de colegio.
Bárbara:	¿La ha visto Ud. recientemente?
Marta:	Sí, acabo de verla. Ella estaba aquí en la playa.
Bárbara:	Pues . . . algo terrible ha pasado.
Marta:	¡Dios mío! ¿Qué ha ocurrido?
Bárbara:	¡Mire! Ella ha tomado su bolsa, sus llaves, su moped y se ha ido al centro, se ha ido al cine con su novio.
Marta:	¿Con su novio? ¡Qué bien! . . . Esa chica tiene mucha suerte . . . y me alegro mucho por ella.
Bárbara:	Un momentito . . . Veo que Ud. no ha comprendido bien la situación. ¿Puedo tutearla?
Marta:	Está bien, no me importa.
Bárbara:	Es que Conchita ha tomado tu bolsa, tus llaves, tu moped y se ha ido al centro. ¡Se ha ido al cine con tu novio!
Marta:	¿Cómo? ¿Qué has dicho? ¡Qué horror!

ha pasado: *has happened*

tutearla: *use "tú" with you*

no me importa: *it doesn't matter to me*

La República Dominicana

La República Dominicana está situada en la isla de Santo Domingo, la isla más grande de las Antillas.° Tiene costas° sinuosas° y playas muy largas y bonitas como la de «La Romana».

Santo Domingo, la capital de la República Dominicana, fue fundada° en 1496 (mil cuatrocientos noventa y seis) por Bartolomé Colón, el hermano de Cristóbal Colón. ¡Es la ciudad de origen europeo más antigua de las Américas!

Antillas *West Indies*   **costas** *coastline*   **sinuosas** *winding*
fundada *founded*

El tuteo

¿Te preguntas por qué Marta y Bárbara se hablan de «Ud.»? Porque estas dos chicas no se conocen bien. Una señal de ser bien educado es hablar a la gente de «Ud.», por lo menos° al principio.° Hasta° en el colegio, muchas chicas se hablan de «Ud.», con excepción de las buenas amigas.

Poco a poco el uso de «tú» va aumentando.° En algunos países hispánicos tutean más que en otros.

A pesar de° esto, al visitar un país hispánico, siempre usa «Ud.» con todos. No olvides° que «Ud.» es una señal de cortesía y de respeto. Usa «tú» solamente cuando alguien te invita a hacerlo: «Por favor, háblame de tú».

por lo menos *at least*   **al principio** *at first*   **Hasta** *Even*   **va aumentando** *is increasing*   **A pesar de** *in spite of*   **olvides** *forget*

Vocabulario práctico

verbos	**olvidar**	to forget
	tutear	to say "**tú**" to someone (instead of "**Ud.**")
expresión	**¡No me importa!**	It doesn't matter to me!

Estructuras

A. La formación del pretérito perfecto

The *present perfect,* in Spanish as in English, is used to describe certain past events. Note the forms of this tense.

INFINITIVE	jugar		divertirse		
PRESENT PERFECT					
(yo)	he	jugado	me	he	divertido
(tú)	has	jugado	te	has	divertido
(él, ella, Ud.)	ha	jugado	se	ha	divertido
(nosotros)	hemos	jugado	nos	hemos	divertido
(vosotros)	habéis	jugado	os	habéis	divertido
(ellos, ellas, Uds.)	han	jugado	se	han	divertido

As in English, the present perfect consists of two words:

He hablado. *I have spoken.*

It is formed as follows:

present of **haber** (*to have*) + past participle

In *compound tenses,* such as the present perfect, the past participle does not change with the subject. It always ends in **o.**

María **ha ido** al cine. *María **has gone** to the movies.*
Tus hermanos **han ido** con ella. *Your brothers **have gone** with her.*

This construction, present of **haber** + past participle, forms a block that is never broken. Thus, the object pronouns and the negative word **no** always come before the verb.

¿**Ha llamado** Ud. a Carmen? ***Have** you **called** Carmen?*
No, no la **he llamado.** *No, I **have** not **called** her.*

ACTIVIDAD 1 Preguntas personales

1. ¿Has comprado algo bonito recientemente?
2. ¿Has encontrado a una persona simpática recientemente?
3. ¿Has ido al cine recientemente?
4. ¿Te has estado de buen humor recientemente?
5. ¿Te has divertido recientemente?
6. ¿Te has peleado con tus amigos recientemente?
7. ¿Has estado enfermo(a) recientemente?
8. ¿Has asistido a un concierto recientemente?

ACTIVIDAD 2 Turismo

Las siguientes personas han ido a países extranjeros pero no han visitado la capital. Expresa eso.

Marta (España: Madrid)
      Marta ha ido a España, pero no ha visitado Madrid.

1. Roberto (Italia: Roma)
2. Ud. (la Argentina: Buenos Aires)
3. Uds. (el Brasil: Brasilia)
4. mis padres (Francia: París)
5. yo (Chile: Santiago)
6. tú (Bolivia: La Paz)
7. nosotros (el Perú: Lima)
8. Felipe y Raúl (Colombia: Bogotá)

Colombia
una ruta diferente

ACTIVIDAD 3 Hay días buenos

Explica por qué estos jóvenes están contentos.

⊅ Ana María (recibir una carta de su novio)
  Hoy, Ana María ha recibido una carta de su novio.

1. Paco (recibir 100 pesetas)
2. Ramón (llamar a su novia por teléfono)
3. Beatriz (comprar unos pendientes lindos)
4. Manuel (vender su tocadiscos)
5. Luis (encontrar a un amigo en el centro)
6. Carmen (correr 5 kilómetros)
7. Pilar (tener suerte en el examen)
8. Gloria (salir con un chico simpático)
9. Clara (ser invitada a una fiesta)
10. Rafael (ganar mucho dinero)

ACTIVIDAD 4 Acusaciones

Paco acusa a Isabel de ciertas cosas. Isabel le dice que no ha hecho (*done*) nada y le indica quiénes lo han hecho. Haz los dos papeles, según el modelo.

⊅ leer mi diario: Rafael

Paco: ¡Caramba! ¿Has leído mi diario?
Isabel: ¡Claro que no! ¡Es Rafael quien lo ha leído!

1. leer mis cartas: Roberto
2. beber mi Coca-Cola: Inés
3. esconder mi libro: Susana
4. perder mis revistas: tu hermano
5. comer mi sándwich: Felipe
6. apagar el televisor: tus padres
7. desarreglar (*to mess up*) mi cuarto: tus hermanas

ACTIVIDAD 5 Diálogo: El mes pasado

Pregúntales a tus compañeros si han hecho las siguientes cosas durante el mes pasado.

⊅ comprar algo especial

Estudiante 1: ¿Has comprado algo especial el mes pasado?
Estudiante 2: Sí (No, no) he comprado algo (nada) especial.

1. tomar una decisión importante
2. ganar dinero
3. ganar un premio (*prize*)
4. oír noticias importantes
5. estar enfermo(a)
6. olvidar algo importante
7. ir a un restaurante francés
8. ir de vacaciones
9. crecer (*to grow*)
10. adelgazar (*to get thin*)

B. El uso del pretérito perfecto

Note the use of the present perfect tense in the following sentences:

¿Ha llamado alguien?	*Has anyone **called**?*
He recibido tu telegrama.	*I **have received** your telegram.*
El mes pasado, **he perdido** dos libras.	*In the past month, I **have lost** two pounds.*
Pedro no **ha mirado** la televisión.	*Pedro **has** not **watched** television.*
No **ha tenido** tiempo.	*He **has** not **had** time.*

As in English, the present perfect tense is used to describe events that *have* (or *have not*) happened. The present perfect may be used in Spanish whenever it is used in English, with the exception of constructions with **hace**.

Hace dos años **que vive** en Nueva York.   *He **has been living** in New York for two years.*

---

vocabulario especializado   **Algunas expresiones de tiempo**

alguna vez	*ever, once*	¿Has ido **alguna vez** a México? No, no he ido nunca a México.	*Have you **ever** gone to Mexico? No, I have never gone to Mexico.*
ya	*already*	¿Has llamado a Ramón? Sí, **ya** lo he llamado.	*Have you called Ramón? Yes, I have **already** called him.*
ya **no** ... **todavía**	*yet not yet*	¿Has comido **ya**? No, **no** he comido **todavía**.	*Have you eaten **yet**? No, I have **not** eaten **yet**.*

NOTA: Note the use of the present perfect with the above expressions.

ACTIVIDAD 6   El director y su asistente

El director le hace algunas preguntas a su asistente. El asistente contesta negativamente. Haz los dos papeles.

llamar / el Sr. Pérez   El director: ¿Ha llamado el Sr. Pérez?

El asistente: No, no ha llamado todavía.

1. venir / la Sra. de Gonzales
2. llegar / la secretaria
3. llegar / el correo (*mail*)
4. comprar el periódico / Ud.

5. recibir el dinero / nosotros
6. llamar / el Sr. Suárez
7. contestar / la Sra. de Muñoz
8. irse / los clientes

ACTIVIDAD 7   Diálogo: Actividades

Pregúntales a tus compañeros si han hecho las siguientes cosas alguna vez.

> conducir un coche   Estudiante 1: ¿Has conducido un coche alguna vez?
> Estudiante 2: Sí, ya he conducido un coche.
> (No, no he conducido un coche todavía.)

1. conducir un coche deportivo
2. pilotear un avión
3. montar a caballo
4. montar en un globo (*hot-air balloon*)
5. esquiar
6. jugar al tenis
7. jugar al ajedrez (*chess*)
8. correr dos kilómetros
9. correr diez kilómetros
10. nadar cinco kilómetros
11. andar en bicicleta cincuenta kilómetros
12. estar en Nueva York
13. estar en un país extranjero
14. dormirse en la clase de español
15. tener animales domésticos
16. cuidar un perro

C. Los participios pasados irregulares

A few verbs have irregular past participles.

decir	**dicho**	¿Qué **han dicho** por la radio?
hacer	**hecho**	¿Quién **ha hecho** eso?
escribir	**escrito**	¿Le **has escrito** a tu primo?
ver	**visto**	No **hemos visto** a Paco.
abrir	**abierto**	¿Quién **ha abierto** la puerta?
descubrir	**descubierto**	**Hemos descubierto** la verdad.
romper	**roto**	¡Caramba! ¡**He roto** tu cámara!
morir (*to die*)	**muerto**	**Se ha muerto** de risa (*laughter*).
poner	**puesto**	¿Dónde **has puesto** mi raqueta?
volver	**vuelto**	Rafael no **ha vuelto** todavía.

ACTIVIDAD 8   Diálogo: Sucesos pasados (*Past events*)

Pregúntales a tus compañeros si han hecho las siguientes cosas alguna vez.

> hacer un viaje en avión   Estudiante 1: ¿Has hecho un viaje en avión alguna vez?
> Estudiante 2: ¡Claro! Ya he hecho un viaje en avión.
> (No, no he hecho nunca un viaje en avión.)

1. hacer un viaje en helicóptero
2. hacer un viaje en globo (*hot-air balloon*)
3. decir mentiras a tus padres
4. decir mentiras a tus profesores
5. ver una película española
6. ver un fantasma (*ghost*)
7. escribir un poema
8. escribir una novela
9. escribirle al presidente
10. descubrir un tesoro (*treasure*)
11. romper una ventana
12. romperte un brazo
13. ponerte furioso(a)
14. volver a casa a las dos de la mañana

ACTIVIDAD 9   Los pequeños demonios *(Little devils)*

Hay chicos que no se portan bien. Explica lo que han hecho estos chicos.

▷ Pedrito: romper la lámpara   Pedrito ha roto la lámpara.

1. Isabelita: romper el radio
2. mis hermanitos: romper un vaso
3. Carlitos: decir mentiras
4. mis primos: decir palabrotas *(dirty words)*
5. Raúl: abrir la carta de su hermano
6. nosotros: abrir la jaula *(cage)* del pájaro
7. yo: poner sal en el té de mi abuela
8. tú: poner cola *(glue)* en la silla de tu compañero

1. **El mes pasado**

   Describe cinco cosas importantes que has hecho y cinco cosas que no has
   hecho el mes pasado.

   ▷ He sacado una buena nota en español.

   ▷ No he sacado una buena nota en biología.

2. **Los hechos más importantes**

   Haz una entrevista a tres personas que conoces bien. Pueden ser
   amigos, vecinos, parientes o amigos de la familia. Pídeles información
   sobre sus actividades importantes. Uds. pueden hablar de:

   los deportes
   un viaje
   los pasatiempos

   ▷ Antonio ha corrido una milla en menos de seis minutos.
   ▷ El Sr. Montoya ha pasado dos meses en la selva *(forest)* tropical del Ecuador.
   ▷ Concepción ha ido al cine cinco veces este mes.

¡Demasiado tarde!

Hay un refrán inglés que dice «El tiempo es oro».
¿Es el tiempo tan importante?
Depende.

¿Miras el reloj cuando descansas? ¿Cuando te diviertes en una fiesta? . . . ¿Cuando estás en la playa con tus amigos? ¡Claro que no! En esas ocasiones, el tiempo no cuenta.

Pero otras veces, por ejemplo, cuando tomas el autobús, cuando vas a una entrevista, cuando tienes un examen, el tiempo es importante. Tú tienes que ser puntual . . . De lo contrario . . .

refrán: *proverb*
oro: *gold*

entrevista: *interview*

De lo contrario:
Otherwise

El Sr. Fonseca se dio prisa . . .

. . . desafortunadamente, cuando él llegó a la parada del autobús, el autobús ya se había ido.

parada: *stop*
había ido: *had gone*

Héctor esperó hasta el fin de semana para invitar a Gabriela al baile . . .

. . . pero cuando la llamó, Ramón ya la había invitado. ¡Ay . . . pobre Héctor!

Carlos quería comprar una entrada para el partido de fútbol . . .

. . . pero cuando llegó a la taquilla, el empleado había vendido la última entrada . . . ¡Ay, qué lástima!

taquilla: *ticket office*

Anita hizo una torta de chocolate . . .

. . . pero cuando quiso decorarlo, alguien se había comido un pedazo.

pedazo: *piece*

Todos los días, la Sra. de Ortiz miraba su magnífica sandía . . .

. . . pero cuando decidió cogerla, ya había desaparecido (. . . en el estómago de Carlos y Paco).

sandía: *watermelon*
  había desaparecido:
  had disappeared
estómago: *stomach*

La liebre corrió tan rápido como pudo . . .

. . . pero la tortuga ya había llegado a la meta.

tan rápido como: *as fast as*
meta: *goal*

El valor del tiempo

Imagina que tienes una cita con un amigo a las dos de la tarde. ¿Te pones nervioso si tu amigo no está allí a las dos en punto?° ¿Te enojas si llega a las dos y cuarto . . . o a las dos y media?

En los países hispánicos, la gente no es tan exigente,° porque el concepto del tiempo es diferente. Nadie se enoja si un amigo llega con un retraso° de diez, veinte o treinta minutos . . . ¡Es que la puntualidad no se considera tan importante! ¿Por qué no? Después de todo, la vida es para gozar. No es una carrera° contra el reloj.

en punto *on the dot*   **exigente** *demanding*   **retraso** *delay*
carrera *race*

Vocabulario práctico

sustantivos	**el oro**	gold	**una entrevista**	interview
	un refrán	proverb, saying	**una meta**	goal
			una parada	stop, bus stop
			una taquilla	ticket office
verbo	**desaparecer**	to disappear		
expresiones	**de lo contrario**	otherwise		
	tan . . . como	as . . . as		

CONVERSACIÓN

Vamos a hablar de ayer y de anteayer *(the day before yesterday)*.

1. **¿Estudiaste** ayer?
   Sí (No, no) **estudié.**
2. **¿Habías estudiado** anteayer?
   Sí (No, no) **había estudiado.**
3. **¿Dormiste** bien ayer?
4. **¿Habías dormido** bien anteayer?
5. **¿Hablaste** con el (la) profesor(a) ayer?
6. **¿Habías hablado** con el (la) profesor(a) anteayer?
7. **¿Jugaste** al volibol ayer?
8. **¿Habías jugado** al volibol anteayer?
9. **¿Fuiste** al cine ayer?
10. **¿Habías ido** al cine anteayer?

OBSERVACIÓN

The odd-numbered questions refer to events that *happened* yesterday.
The even-numbered questions refer to events that *had happened* the day before yesterday.
• Are the verbs the same in each set of sentences?
In the odd-numbered questions, the verbs are in the *preterite*.
In the even-numbered questions, they are in the *pluperfect*.

Estructuras

La naturaleza

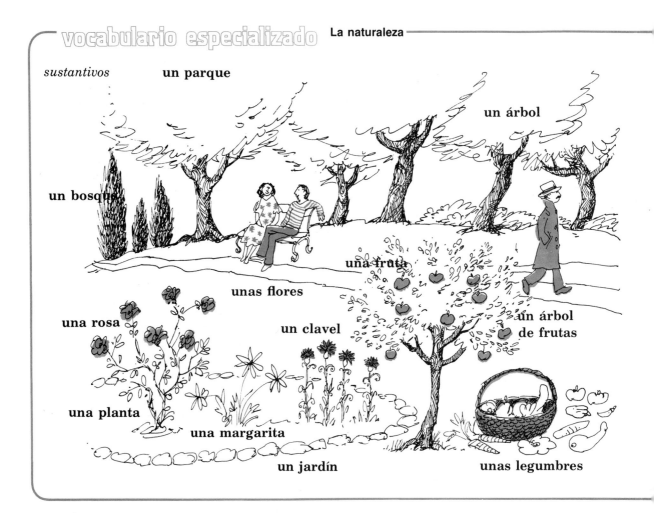

sustantivos   **un parque**   **un árbol**   **un bosque**   **una fruta**   **unas flores**   **una rosa**   **un clavel**   **un árbol de frutas**   **una planta**   **una margarita**   **un jardín**   **unas legumbres**

ACTIVIDAD 1   Preguntas personales

1. ¿Hay un jardín alrededor de tu casa? ¿Hay plantas allí? ¿flores? ¿árboles?

2. ¿Cultivas flores en tu casa? ¿de qué tipo?

3. ¿Qué frutas se cogen en la región donde vives? ¿naranjas? ¿manzanas? ¿peras? ¿cerezas? ¿melocotones *(peaches)*?

4. ¿Hay un parque cerca de tu casa? ¿un bosque? ¿un lago? ¿un río?

5. ¿Prefieres nadar en una piscina, en un río, en un lago o en el mar?

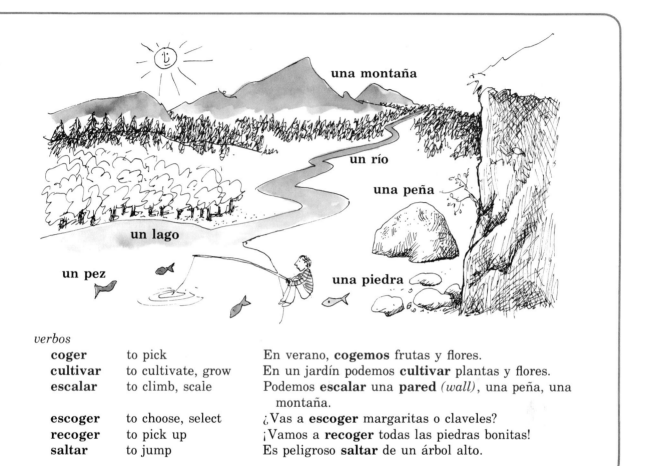

verbos

coger	to pick	En verano, **cogemos** frutas y flores.
cultivar	to cultivate, grow	En un jardín podemos **cultivar** plantas y flores.
escalar	to climb, scale	Podemos **escalar** una **pared** *(wall)*, una peña, una montaña.
escoger	to choose, select	¿Vas a **escoger** margaritas o claveles?
recoger	to pick up	¡Vamos a **recoger** todas las piedras bonitas!
saltar	to jump	Es peligroso **saltar** de un árbol alto.

6. Cuando eras niño(a), ¿te gustaba escalar las paredes? ¿las peñas?

7. ¿Has pescado alguna vez en un río? ¿en el mar? ¿en el océano?

8. ¿Has escalado alguna vez una peña? ¿una montaña? ¿dónde?

9. ¿Has nadado alguna vez en el Océano Atlántico? ¿en el Océano Pacífico? ¿en el Mar Mediterráneo?

10. ¿Has saltado alguna vez de una ventana? ¿de un árbol? ¿de una pared alta?

A. El pluscuamperfecto

Note the *pluperfect* forms of the verb **trabajar.**

INFINITIVE	**trabajar**				
PLUPERFECT					
(yo)	**había**	**trabajado**	(nosotros)	**habíamos**	**trabajado**
(tú)	**habías**	**trabajado**	(vosotros)	**habíais**	**trabajado**
(él, ella, Ud.)	**había**	**trabajado**	(ellos, ellas, Uds.)	**habían**	**trabajado**

Like the present perfect, the pluperfect is a compound tense.
It is formed as follows:

imperfect of **haber** + past participle

As in English, the pluperfect is used to describe past events that occurred before other past events.

Cuando llegué a la estación, el tren ya **había salido.**	*When I arrived at the station, the train **had** already **left**.*
¿**Habías hablado** con esa chica antes?	***Had** you **talked** with that girl before?*
No, no le **había hablado** nunca.	*No, I **had** never **talked** to her.*
He vendido mi reloj por veinte dólares.	*I have sold my watch for twenty dollars.*
Lo **había comprado** por diez. ¡Qué suerte!	*I **had bought** it for ten. What luck!*

ACTIVIDAD 2   El examen

Los alumnos de una clase de español sacaron las siguientes notas. ¿Puedes adivinar quiénes se habían preparado para el examen y quiénes no?

Roberto (D)   Roberto no se había preparado para el examen.

1. Silvia (A)
2. Mercedes (D)
3. nosotros (A)
4. yo (una buena nota)
5. tú (una mala nota)
6. Felipe (F)
7. Paco y Andrés (F)
8. mis primas (B+)

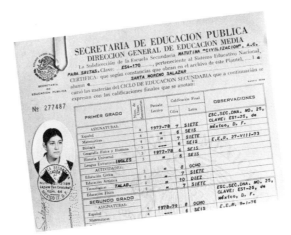

ACTIVIDAD 3   ¡Qué suerte!

Las siguientes personas han vendido ciertas cosas por el doble de lo que
habían pagado. Expresa esto.

⟩⟩   yo (mi reloj: 20 dólares)   He vendido mi reloj por 20 dólares.
                                   Lo había comprado por 10 dólares.

1. tú (tu tocadiscos: 40 dólares)
2. yo (mi raqueta: 20 dólares)
3. nosotros (nuestro radio: 30 dólares)
4. Carmen (su bicicleta: 100 dólares)
5. mis primos (su cámara: 40 dólares)
6. tú (tus discos: 20 dólares)

7. Ud. (su moped: 50 dólares)
8. Uds. (sus libros de español: 16 dólares)
9. Rafael y yo (nuestra grabadora:
   120 dólares)
10. Antonio (su moto: 200 dólares)

ACTIVIDAD 4   Siempre se empieza por la primera vez

Durante las vacaciones pasadas, las siguientes personas han hecho cosas
que nunca habían hecho antes. Expresa esto según el modelo.

⟩⟩   Paco ha montado a caballo.   Nunca había montado a caballo antes.

1. Carmen ha escalado una peña muy alta.
2. Silvia se ha bañado en el Océano Pacífico.
3. Yo he jugado al ajedrez (chess).
4. Nosotros hemos pescado en un lago.
5. Francisco ha cogido una manzana enorme.
6. Uds. han visto el Mar Mediterráneo.
7. Mi padre ha alquilado un coche.
8. Tú has conducido un coche deportivo.
9. Yo he esquiado en el agua.
10. Nosotros hemos corrido las olas.
11. Ud. y yo hemos cultivado rosas.

---

vocabulario especializado   Otras expresiones de tiempo

esta noche	tonight	**Esta noche** voy a ir al concierto.
anoche	last night	**Anoche** fui al teatro.
anteanoche	the night before (last)	**Anteanoche** había ido al cine.
ayer	yesterday	**Ayer** estuve de mal humor.
anteayer	the day before yesterday	**Anteayer** había estado de buen humor.
el (la) ... pasado(a)	last ...	**La semana pasada** invité a Marta al cine.
el (la) ... antepasado(a)	the ... before (last)	**La semana antepasada** había invitado a Elena.

ACTIVIDAD 5   **¡Abajo la rutina!** *(Down with routine!)*

Amalia no hizo las mismas cosas dos veces seguidas *(in a row)*. Di lo que hizo y lo que había hecho antes, usando las expresiones del **Vocabulario especializado.**

⤷   Hoy: salir con José / con Roberto

   Hoy salió con José. Ayer había salido con Roberto.

1. Ayer: volver a las diez / a las once
2. Esta noche: hacer la tarea de inglés / la tarea de ciencias
3. Anoche: ir a la piscina / al lago
4. La semana pasada: ver una película de horror / una película romántica
5. El mes pasado: romper un vaso / una estatua
6. El año pasado: visitar Francia / Alemania

Los dos últimos fines de semana

Describe lo que hiciste el fin de semana pasado. Di si habías hecho las mismas cosas el fin de semana anterior. Si quieres, puedes usar las expresiones sugeridas.

- ver una película
- jugar al volibol
- nadar
- divertirse
- ir al campo
- descubrir un restaurante estupendo
- hacer algo interesante

⤷   invitar a mis amigos al café

   El fin de semana pasado (no) invité a mis amigos al café.

   El fin de semana antepasado (no) había invitado a mis amigos al café.

Pablo Neruda (1904-1973), de Chile, es uno de los poetas sudamericanos más conocidos° de este siglo.° Ganó el premio° Nobel de literatura en 1971. ¿Te gustan las imágenes en este poema?

La reina

Yo te he nombrado° reina.°
Hay más altas que tú, más altas.
Hay más puras que tú, más puras.
Hay más bellas° que tú, hay más bellas.

Pero tú eres la reina.

Cuando vas por las calles
nadie te reconoce.°
Nadie ve tu corona° de cristal, nadie mira
la alfombra° de oro rojo
que pisas° donde pasas,
la alfombra que no existe.

Y cuando asomas°
suenan° todos los ríos
en mi cuerpo, sacuden°
el cielo° las campanas,°
y un himno llena el mundo.

Sólo tú y yo,
sólo tú y yo, amor mío,°
lo escuchamos.

Pablo Neruda, *Los versos del capitán* in *Obras completas,* tercera edición aumentada (B.A.: Ed. Losada, 1967) I, pp. 941-942.

conocidos:	*famous*
siglo:	*century*
premio:	*prize*
nombrado:	*named*
reina:	*queen*
bellas:	*beautiful*
reconoce:	*recognizes*
corona:	*crown*
alfombra:	*rug*
pisas:	*you step on*
asomas:	*you appear*
suenan:	*sing out (sound)*
sacuden:	*shake*
cielo:	*heaven*
campanas:	*bells*
mío:	*my*

Unidad 7

Mañana será otro día

7.2 Bobby   7.3 Si un día ...   7.4 El perro de Manolito

VARIEDADES—El secreto del jefe indio

El año 2000

El año 2000 es casi mañana . . . o muy pronto. Dentro de veinte años, estaremos en el año dos mil. ¿Cómo será la vida entonces? No podemos saber exactamente qué va a ocurrir en el futuro, pero casi siempre es posible imaginarlo.

Aquí vamos a ver algunas predicciones. ¡Atención: di si estas cosas serán imposibles, posibles o ciertas!

pronto: *soon*
estaremos: *we will be*
  Cómo será: *What will it be like*

ciertas: *certain*

En el año 2000 . . .

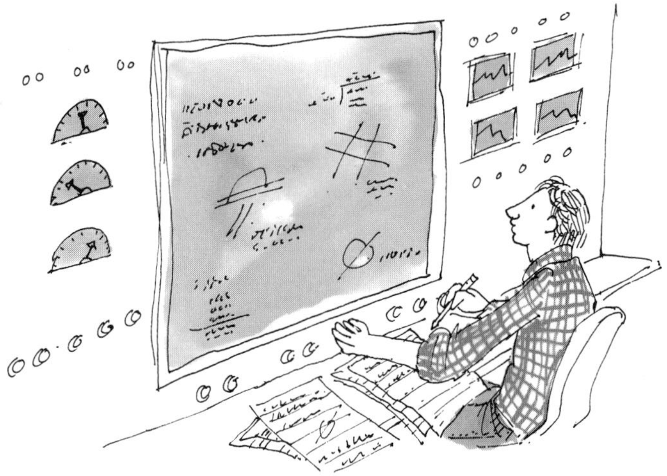

	imposible	posible	cierto
1. La gente trabajará solamente tres horas al día y tres días a la semana.	☐	☐	☐
2. La gente hablará un idioma universal. (¡Y este idioma no será ni el inglés, ni el francés, sino el español!)	☐	☐	☐

al día: *per day*

3. Los estudiantes no irán al colegio. Estudiarán sus lecciones en casa con su propia computadora.	☐	☐	☐
4. Los cohetes reemplazarán a los aviones como medio de transporte intercontinental. Tomará veinte minutos para ir de Nueva York a Madrid.	☐	☐	☐

irán: *will go*

su propia: *their own*

cohetes: *rockets*
  reemplazarán: *will replace*

	imposible	posible	cierto
5. La gente pasará sus vacaciones en la luna.	☐	☐	☐
6. Los habitantes de otros planetas nos visitarán regularmente.	☐	☐	☐
7. La gente vivirá en edificios de cien pisos y cada casa estará equipada con una computadora.	☐	☐	☐
8. Existirá una cura contra el cáncer.	☐	☐	☐
9. La población de los Estados Unidos será de más de seiscientos millones de habitantes.	☐	☐	☐
10. La gente será más feliz y el mundo será mejor que hoy.	☐	☐	☐

contra: *against*

ANÁLISIS

Ahora anota: 0 punto por cada contestación «imposible».

                1 punto por cada contestación «posible».

                2 puntos por cada contestación «cierto».

¿Cuántos puntos tienes?

menos de 2:   Tú no crees en el progreso.

  de 2 a 8:   Tú tienes confianza en el futuro de la humanidad.

  más de 8:   Tú eres un super-optimista.

confianza: *confidence*

El progreso

Cuando piensas en el progreso, ¿en qué clase de progreso piensas? Quizá tú piensas en el aterrizaje° de los astronautas norteamericanos en la luna,° en el lanzamiento° de un nuevo satélite por los rusos o en el futuro medio de transporte espacial entre la tierra° y la luna.

Pero el progreso no se limita a los desarrollos° de la tecnología espacial. Hay muchas otras áreas básicas como medicina, física y química° que afectan nuestra vida diaria. En estos dominios° y otros, los científicos hispanos han hecho contribuciones importantes. Algunas de estas contribuciones han merecido el Premio Nobel.

aterrizaje *landing* **luna** *moon* **lanzamiento** *launching*
tierra *earth* **desarrollos** *developments* **química** *chemistry*
dominios *domains*

Bernardo Houssay	Argentina	Premio Nobel de Medicina	Por sus estudios de las glándulas
Luis Leloir	Argentina	Premio Nobel de Química	Por sus investigaciones sobre la glucosa
Severo Ochoa	España	Premio Nobel de Medicina	Por sus estudios acerca de las enzimas

Vocabulario práctico

adjetivos	**cierto**	sure, certain
	(su) propio	(his, her, its, your, their) own
expresiones	**al día**	per day
	contra	against
	pronto	soon, quickly

CONVERSACIÓN

Vamos a hablar de lo que vas a hacer durante el verano próximo.

1. **¿Viajarás?** Sí (No, no) **viajaré.**
2. **¿Trabajarás?**
3. **¿Visitarás** a tus primos?
4. ¿Te **quedarás** en casa?
5. **¿Irás** a México?
6. **¿Irás** a Puerto Rico?

OBSERVACIÓN

In the above questions you are asked about what you *will do* next summer. The verbs are in a new tense: the *future*.

• In Spanish, does the future tense consist of one or two words?
• In which two letters does the **tú** form end? In which letter does the **yo** form end?

Estructuras

A. El futuro

Note the use of the future tense in the sentences below.

Hablaré con el profesor después de la clase.	*I **will speak** to the teacher after the class.*
Paco **visitará** México el año próximo.	*Paco **will visit** Mexico next year.*
No **seremos** ricos pero **seremos** felices.	*We **will not be** rich, but we **will be** happy.*

The future tense is used to describe actions and events that will happen in the future.

In Spanish, the future is a simple tense: it consists of *one* word.

Note the future forms of **comprar,** paying special attention to the endings.

INFINITIVE	**comprar**	INFINITIVE STEM	FUTURE ENDINGS
FUTURE			
(yo)	**Compraré** un coche deportivo.		**-é**
(tú)	**Comprarás** un reloj.		**-ás**
(él, ella, Ud.)	**Comprará** una guitarra.	**comprar-**	**-á**
(nosotros)	**Compraremos** un bote de vela.		**-emos**
(vosotros)	**Compraréis** una computadora.		**-éis**
(ellos, ellas, Uds.)	**Comprarán** unos pendientes.		**-án**

As in other simple tenses, the forms of the future consist of a stem and an ending.

> For most verbs, the future *stem* is the *infinitive*. Since the infinitive always ends in **r**, you always hear the consonant sound /r/ before the future ending.

> The future *endings* are the same for all verbs, regular and irregular.

hablar	Tomás nunca **hablará** inglés en España.
leer	Ud. no **leerá** los periódicos norteamericanos.
vivir	Isabel **vivirá** en Madrid un año.
ir	¿Adónde **irá** Ud. para las vacaciones?
ser	¿**Será** Juan millonario algún día?

ACTIVIDAD 1   Viajes

Un grupo de estudiantes va a pasar el verano en otros lugares. Di adónde irá cada uno y qué idioma (¿español, francés o inglés?) hablará.

𝕏 Javier (San Juan)   Javier irá a San Juan. Hablará español.

1. Mari-Carmen (Londres)
2. Esteban y Jorge (Santiago)
3. Pilar y Concepción (Quebec)
4. yo (París)
5. tú (Chicago)
6. Uds. (Buenos Aires)
7. nosotros (Montreal)
8. Ud. (Barcelona)

ACTIVIDAD 2   Diálogo: La bola de cristal

Dile el futuro a un compañero, usando los siguientes verbos en frases afirmativas o negativas. Tu compañero reaccionará a tus predicciones, según el modelo.

𝕏 casarse   Estudiante 1: Un día te casarás. (Nunca te casarás.)
              Estudiante 2: Tienes razón. (No tienes razón.)
                            Un día me casaré. (Nunca me casaré.)

1. hablar español perfectamente
2. comprar un Rolls Royce
3. conocer una persona extraordinaria
4. descubrir la cura contra el cáncer
5. conducir un coche deportivo
6. escribir una novela
7. ganar el Premio Nobel
8. vivir en un palacio
9. escalar los Andes
10. recibir un regalo fabuloso
11. ser millonario(a)
12. ser el (la) presidente de los Estados Unidos
13. ser campeón (campeona) de tenis
14. recibir un «Oscar»
15. ir a la China
16. casarse con un(a) millonario(a)
17. visitar el planeta Marte *(Mars)*
18. ser gerente de una carnicería

vocabulario especializado

sustantivos

un cohete	rocket	**una computadora**	computer
un medio	means	**la contaminación del aire**	air pollution
el mundo	world		
un planeta	planet	**la luna**	moon
el progreso	progress	**la paz**	peace
		la población	population
		la tierra	earth, land

verbos

construir	to build, construct
desarrollar	to develop
descubrir	to discover
eliminar	to eliminate
suprimir	to suppress
transformar	to transform

ACTIVIDAD 3 El futurismo

Haz predicciones para el año 2000. Haz predicciones para **la gente** en las frases 1–5, para **los hombres** en las frases 6–10 y para **nosotros** en las frases 11–15.

↪ vivir cien años   En el año dos mil, la gente (no) vivirá cien años.

1. trabajar diez semanas por año
2. ir a la luna los fines de semana
3. viajar en cohete
4. usar «robots»
5. vivir en casas de vidrio *(glass)*
6. dormir dos horas al día
7. vivir en paz
8. ser como hoy
9. ser inmortales
10. descubrir otros planetas
11. desarrollar buenas relaciones con los extraterrestres *(people from space)*
12. construir casas en el fondo *(bottom)* del océano
13. construir edificios de 300 (trescientos) pisos
14. eliminar la contaminación del aire
15. ser muy felices

B. *Para* + sustantivo

Note the use of **para** in the sentences below:

¿Es el telegrama **para** mí?	*Is the telegram **for** me?*
En España, compraré una guitarra **para** mi hermana.	*In Spain, I will buy a guitar **for** my sister.*
Trabajaremos **para** una línea aérea.	*We will work **for** an airline company.*

The construction **para** + noun is often used to express an objective or goal.
In this case **para** is usually equivalent to the English *for*.
The goal may involve:

- a *person*
  Trabajo **para el Sr. Díaz.**
- a *thing*
  ¿Estudiarán tus amigos **para el examen?**
  Mi mamá comprará una mesa **para el comedor** *(dining room)*.
- a *place*
  Tomaremos el avión **para Buenos Aires.**
- a *point in time*
  Tengo que leer el poema **para mañana.**

ACTIVIDAD 4   ¡Un poco de lógica!

En cinco minutos, ¿cuántas frases puedes crear? Usa los elementos de las columnas A, B, C y D.

A	B	C	D
yo	comprar	un regalo	mí
tú	llevar	un hueso *(bone)*	el examen
mi hermana	necesitar	aspirinas	el profesor
nosotros	estudiar	los verbos	la fiesta
Uds.	tomar	el avión	el perro
Paco y Carmen		unos discos	el cumpleaños de Enrique
		una guitarra	mañana
		el autobús	Madrid
		una caja *(box)*	Nueva York
		de chocolates	la gripe *(flu)*

Compraré un hueso para el perro.

C. Repaso: el comparativo de los adjetivos

To form comparisons with adjectives, Spanish speakers use the following constructions:

(+) **más** + adjective + **que**	En diez años, seremos **más ricos que** hoy.
(−) **menos** + adjective + **que**	¿Será el mundo **menos loco que** hoy?
(=) **tan** + adjective + **como**	Soy **tan seria como** mi hermana.

The comparative form of **bueno** is **mejor** *(better)*.

No soy tan **buen** estudiante como Andrés, *I am not as **good** a student as Andrés,*
pero soy **mejor** compañero que él. *but I am a **better** companion than he.*

ACTIVIDAD 5   Dentro de diez años . . .

Compara la vida dentro de diez años con la vida de hoy, según el modelo, usando el futuro de **ser.**

yo: rico   Yo seré más (menos) rico(a) que hoy.
              (Yo seré tan rico[a] como hoy.)

1. yo: serio
2. mis padres: generoso
3. los profesores: tolerante
4. nosotros: racional
5. la vida: fácil
6. los aviones: rápido
7. las medicinas: barato
8. las mujeres: independiente
9. el mundo: peligroso
10. la tierra: fértil
11. la contaminación del aire: fuerte
12. la paz entre las naciones: necesario
13. las computadoras: caro
14. la población mundial: grande

Tu trabajo futuro

Escribe un pequeño párrafo sobre tu trabajo futuro. Puedes usar las siguientes preguntas como guía.

¿Dónde vivirás?
¿Dónde trabajarás? ¿en un hospital? ¿en una oficina?
    ¿en una fábrica *(factory)*? ¿en una tienda?
    ¿en un laboratorio?
¿Para qué compañía trabajarás?
¿Trabajarás solo(a) o con otras personas?
¿Viajarás mucho?
¿Ganarás mucho dinero?
¿En qué consistirá tu trabajo?

Lección 2   *Bobby*

La directora del colegio «Eugenio Espejo» de Quito, Ecuador, siempre tiene ideas excelentes.

Este año ella ha tenido la idea de organizar un intercambio con un colegio en San José, California.

intercambio: exchange

El colegio norteamericano mandará a Bobby Williams (su mejor estudiante de español) a Quito por tres meses.

Los estudiantes del colegio «Eugenio Espejo» esperan con impaciencia la llegada de Bobby. Por fin . . . ¡el gran día es hoy! Una delegación de cinco alumnos va al aeropuerto a recoger a Bobby Williams.

llegada: arrival

Pero, los pobres chicos tienen un problema enorme . . . ¿cómo van a reconocer a Bobby Williams? En efecto, nadie tiene una foto de Bobby.

reconocer: to recognize
En efecto: In fact

Cada uno tiene una idea de cómo será Bobby. Pero cada idea es diferente.

Marina Ortega: Yo reconoceré a Bobby en seguida. Será un chico alto, moreno y atlético.

en seguida: right away

Rocío Villanueva: ¡No! No será moreno, será rubio como todos los norteamericanos.

Roberto García: ¡Ridículo! Reconoceré a Bobby por su ropa. Llevará blue-jeans, botas y una camisa de cuadros.

botas: boots
camisa de cuadros: checked shirt

Héctor Montero: Y un sombrero de cowboy, ¿verdad? Eso es absurdo. Yo reconoceré a Bobby por sus maletas. Tendrá una guitarra y una bolsa al hombro.

bolsa al hombro: *backpack*

Consuelo Pérez: Yo digo que Bobby tendrá anteojos de sol y una bufanda.

bufanda: *scarf*

Finalmente llega el avión de San Francisco. Hay muchísimos pasajeros. Los pasajeros salen unos tras otros . . . ¿Cuál de ellos es Bobby Williams?

Hay muchos turistas, hombres de negocios, personas de edad . . . pero no aparece Bobby Williams. Finalmente una joven llega. Es de estatura mediana, con pelo de color castaño y está vestida como todo el mundo.

hombres de negocios: *businessmen*
personas de edad: *older persons*
aparece: *appears*
estatura mediana: *medium height*
vestida: *dressed*

—¡Hola! Me llamo Bobby Williams . . . ¿Son Uds. alumnos del Colegio «Eugenio Espejo»? Yo los reconocí en seguida. Pero, ¡Uds. parecen sorprendidos! ¿Por qué?

sorprendidos: *surprised*

Nota cultural

¿Por qué se llama «Ecuador»?

Situado en la costa occidental de la América del Sur, entre Colombia y el Perú, el Ecuador es uno de los países más pintorescos° de Latinoamérica.

¿Por qué se llama Ecuador? Porque lo cruza la línea equinoccial o el ecuador,° que es una línea imaginaria que divide el mundo en dos hemisferios: el norte y el sur.

Quito, su capital, es una ciudad colonial de las más bellas, llena de iglesias, edificios y monumentos que reflejan° la gloria del pasado.

Otra ciudad de gran importancia es Guayaquil. Esta ciudad, muy comercial y activa, es el puerto° principal del país.

La variedad del Ecuador es asombrosa.° ¡Qué contraste entre la costa, la sierra° y el «oriente» o región amazónica! Si quieres dar un paseo en la época colonial, o la moderna o la prehistórica, ¡visita el Ecuador!

pintorescos *picturesque* **ecuador** *equator* **reflejan** *reflect*
puerto *port* **asombrosa** *amazing* **sierra** *mountain range*

Vocabulario práctico

sustantivos	**un hombre de negocios**	businessman	**una llegada**	arrival
	un intercambio	exchange	**una persona de edad**	older person
			una salida	departure
verbo	**reconocer**	to recognize		
expresiones	**en efecto**	in fact		
	en seguida	immediately		

Vamos a hablar de lo que vas a hacer el fin de semana próximo.

1. ¿**Tendrás** una fiesta en tu casa?
   Sí (No, no) **tendré** . . .
2. ¿**Tendrás** una cita?
3. ¿**Saldrás**?
4. ¿**Saldrás** con tus amigos?
5. ¿**Harás** muchas cosas el sábado?
6. ¿**Harás** algo interesante el domingo?

OBSERVACIÓN

In the above questions you are asked what you will do next weekend.
- Are the verbs in the present or the future?
- Can you guess the infinitive of the verb used in questions 1 and 2? in questions 3 and 4? in questions 5 and 6?
- For these verbs, is the future stem the same as the infinitive?

Estructuras

A. Futuros irregulares

A few verbs have irregular futures. Such verbs have:

—an irregular stem (that is, a stem that is different from the infinitive)

—regular future endings: **-é, -ás, -á, -emos, -éis, -án.**

VERBS	FUTURE STEMS	
decir	**dir-**	¿**Dirás** la verdad?
hacer	**har-**	**Haré** un viaje a Francia.
poder	**podr-**	**Podremos** visitar París.
poner	**pondr-**	Me **pondré** una camisa azul.
salir	**saldr-**	Carlos **saldrá** con una chica mexicana.
tener	**tendr-**	**Tendremos** que aprender español.
venir	**vendr-**	Mis primos **vendrán** mañana.
querer	**querr-**	Mis amigos **querrán** ver a sus amigos.
haber (hay)	**habr-**	¿**Habrá** mucha gente en la fiesta?
saber	**sabr-**	¿**Sabrás** tú los futuros irregulares para el examen?

Note that all future stems end in the consonant **r**.

ACTIVIDAD 1   En el aeropuerto

¿Cómo podemos reconocer a personas que no conocemos? No es difícil cuando esas personas deciden ponerse ropa distintiva. Di qué ropa se pondrán los siguientes estudiantes para ser reconocidos.

⧖ Juan: una chaqueta azul   Juan se pondrá una chaqueta azul.

1. Felipe: una corbata roja
2. Carmen: un vestido amarillo
3. yo: pantalones verdes
4. tú: un sombrero de cowboy
5. nosotros: un impermeable *(raincoat)*
6. mis amigos: un poncho de colores

ACTIVIDAD 2 Dentro de diez años . . .

¿Cuántos años tendrás dentro de diez años? Unos veinte y cinco, más o menos . . . ¿Puedes imaginar cómo será tu vida entonces? Di cuáles de las siguientes cosas harás.

>> tener un coche   Dentro de diez años, (no) tendré un coche.

1. estar casado(a)
2. tener hijos
3. tener trabajo de mucha responsabilidad
4. vivir en un apartamento cómodo (comfortable)
5. ser independiente
6. hacer muchos viajes
7. hacer cosas interesantes
8. ser alguien importante
9. salir mucho
10. saber correr las olas
11. saber hablar español muy bien
12. saber pilotar un avión
13. tener un bote de vela (sailboat)
14. tener un coche deportivo

ACTIVIDAD 3 Preguntas personales

Vamos a hablar del verano próximo.

1. ¿Harás un viaje? ¿adónde? ¿con quién?
2. ¿Qué harás si no haces un viaje?
3. ¿Tendrás trabajo? ¿dónde? ¿de qué tipo?
4. ¿Saldrás mucho? ¿con quién?
5. ¿Podrás usar el coche de tus padres?
6. ¿Tendrás que ayudar en casa?
7. ¿Vendrán tus primos a tu casa?

ACTIVIDAD 4 Optimismo

Un optimista piensa que la realidad de hoy cambiará por algo mejor. Haz predicciones optimistas según el modelo.

>> No soy rico(a).   No soy rico(a) ahora pero pronto seré rico(a).

1. Mis padres no tienen mucho dinero.
2. Paco no tiene amigos.
3. Dice mentiras.
4. Carmen dice cosas estúpidas.
5. Cometemos muchos errores.
6. No puedo usar la moto de Juan.
7. No podemos salir tarde.
8. Enrique no quiere salir conmigo.
9. Susana no sale con Roberto.
10. Mis amigos no salen los sábados.
11. No tenemos dinero.
12. Mis hermanas no saben conducir.
13. Hay mucha contaminación.
14. Hay muchos problemas en el mundo.

B. El uso del futuro para indicar probabilidad

Note the use of the future in the following sentences.

¿Qué hora es? *What time is it?*
No sé. **Serán** las dos. *I don't know.* ***It is probably (it may be)*** *two o'clock.*
¿Cuántos años tiene el profesor? *How old is the teacher?*
Tendrá unos cuarenta años. ***He is probably (he may be)*** *about forty.*

In Spanish the future is sometimes used to express a guess about the present.

ACTIVIDAD 5   En busca del culpable *(Looking for the culprit)*

Cuando Carlos volvió de vacaciones, descubrió que alguien había pintado *(painted)* su cuarto de rojo. Sospecha *(He suspects)* de muchas personas. Haz el papel de Carlos.

♭ Felipe   ¿Será Felipe el culpable?

1. Paco
2. Carmen
3. tu hermano

4. Uds.
5. tú
6. Conchita y Elena

ACTIVIDAD 6   El nuevo profesor

El director de la escuela anuncia que habrá un nuevo profesor. Cada alumno trata de adivinar cómo es el profesor y cuántos años tiene. Haz el papel de los siguientes alumnos.

♭ Carmen (muy guapo / 25)   Según Carmen, el nuevo profesor será muy guapo.
Tendrá unos 25 años.

1. Felipe (estricto / 60)
2. Elena (brillante / 40)

3. Manuel (un dictador / 50)
4. Silvia (como todos los profesores / 35)

ACTIVIDAD 7   ¡Un poco de psicología!

Explica cómo se sienten las personas de la columna A, usando los elementos de las columnas B y C en frases lógicas.

A	B	C
tú	enfermo	tener una cita
Carlos	cansado	tener gripe *(flu)*
Marisol	contento	tener un problema serio
nosotros	agitado	tener que hablar en público
mis amigos	ocupado	tener mucho que hacer
Paco y Enrique	preocupado	acabar de jugar al tenis
Ud. y yo	pálido	acabar de perder el partido de fútbol

♭ Paco y Enrique están cansados. Acabarán de jugar al tenis.

C. *Por* + sustantivo

The construction **por** + noun has many different uses.
It may express:

- *duration*
  - for, during   Estaré en Puerto Rico **por dos semanas.**
  - in   Te veré **por la tarde.**
- *manner or means*
  - by   Mandaré las maletas **por barco.**
  -      Te llamaré **por teléfono.**
  -      Mandarás el paquete **por correo.**
  -      Reconoceré a Juan **por su sombrero.**
- *movement*
  - along   Damos un paseo **por la avenida** José Antonio.
  - through   Si no tengo la llave, entraré **por la ventana.**
  - by   El tren pasará **por Nueva York** sin parar.
  - around   ¿Te gusta caminar **por la ciudad?**
- *exchange*
  - for   Te venderé mi bicicleta **por cincuenta dólares.**
  - against   ¿Quieres cambiarme tu tocadiscos **por mi guitarra?**
- *cause, motive*
  - for   Me casaré **por amor.**
  - because of   Me preocupo mucho **por ti.**
  - on behalf of   Hablaré con el profesor **por los otros alumnos.**
  - for the sake of   Haré lo imposible **por mis amigos.**
  - instead of   José trabaja **por Antonio.**

Por is also used in certain expressions:

ciento **por ciento**	*one hundred **percent***
cien kilómetros **por hora**	*one hundred kilometers **per hour***

↪ Although both **por** and **para** often correspond to the English preposition *for*, they have distinct uses and cannot be substituted for one another.

ACTIVIDAD 8 En la estación

Di cómo reconocerás a los siguientes pasajeros.

🔊 Alberto llevará una corbata amarilla.   Lo reconoceré por su corbata amarilla.

1. Carmen tendrá una guitarra.
2. Felipe viajará con su perro.
3. Esteban llevará una maleta gris.
4. Isabel y Susana llevarán un bolso negro.
5. Carlos traerá un saco de dormir (sleeping bag).
6. María y Ana llevarán pendientes de oro.

ACTIVIDAD 9 Despachos internacionales (International shipments)

Imagina que trabajas para una compañía de despachos internacionales situada en Nueva York. Debes despachar las siguientes cosas y animales. ¿Cómo (por avión, por barco, por autobús, por tren) los despacharás?

🔊 una guitarra a Filadelfia   La despacharé por tren (autobús).

1. un tocadiscos a Miami
2. un piano a Los Ángeles
3. un televisor a Chicago
4. unos discos a Buenos Aires
5. un elefante a Río de Janeiro
6. un perro a Madagascar
7. un pájaro a Tokio
8. una boa a Vancouver

ACTIVIDAD 10 Preguntas personales

1. ¿Llamas a tus amigos por teléfono a menudo?
2. Cuando vas de vacaciones, ¿te vas por una semana? ¿quince días? ¿un mes?
3. ¿Te preocupas mucho por tus amigos?
4. ¿Cuál es más barato, mandar cartas a Europa por avión o por barco?
5. ¿Estudias mucho por la tarde? ¿por la mañana?
6. ¿Das muchos paseos por las calles? ¿por el campo?
7. ¿Te gusta dar paseos por los bosques? ¿por los parques?
8. ¿Adónde vas los sábados por la tarde?
9. ¿Te casarás por amor o por dinero?
10. ¿Por cuánto venderás tu bicicleta? ¿y tus discos?
11. ¿Haces muchas cosas por tus hermanos? ¿por tus amigos?
12. ¿Tienes mucho respeto por tus amigos? ¿por tus profesores?

¡A ti te toca!

Tu futuro

Imagina cómo será tu vida:
- dentro de cinco años
- dentro de veinte años
- dentro de cuarenta años

Para cada época, escribe un párrafo de cinco o seis líneas, usando los siguientes verbos: **ser** / **estar** / **tener** / **hacer** / **saber** / **tener que** / **poder**.

> Dentro de cinco años, estaré casado(a) . . .

Lección 3   *Si un día...*

A veces nos encontramos en circunstancias excepcionales. Por eso es muy importante saber reaccionar con calma.
¿Qué harías en las siguientes circunstancias?

reaccionar: *to react*
harías: *would you do*

1. Ves una casa que está ardiendo . . .

    A. Entrarías a la casa para salvar a los ocupantes.
    B. Llamarías a los bomberos.
    C. Sacarías fotos del incendio.

ardiendo: *burning*
Entrarías: *You would enter*
salvar: *save*
bomberos: *firemen*
incendio: *fire*

2. Te paseas por un puente alto y ves a alguien que se ahoga . . .

    A. Saltarías del puente para ayudar a la víctima.
    B. Bajarías a la orilla y tomarías un bote para ayudar a la víctima.
    C. Te marcharías sin hacer nada.

puente: *bridge*
se ahoga: *is drowning*

orilla: *bank*

3. Estás solo(a) en una casa aislada. A las dos de la mañana, oyes unos ruidos misteriosos afuera . . .

    ¡TLONK!

    A. Tomarías una pistola y dispararías en la oscuridad.
    B. Encenderías la luz para identificar el ruido.
    C. Te esconderías debajo de la cama.

aislada: *isolated*

dispararías: *would shoot*

4. Ganas diez mil dólares en la lotería . . .

    A. Irías a Las Vegas para probar fortuna.
    B. Depositarías la mitad del dinero en el banco y gastarías el resto.
    C. Gastarías todo el dinero en seguida.

probar fortuna: *to try your luck*
mitad: *half*

5. Estás en el banco en el momento de un robo . . .

    A. Perseguirías a los bandidos.

    B. Anotarías el número del coche de los bandidos.

    C. Te marcharías del banco muy rápidamente.

robo: *robbery*
Perseguirías: *You would chase*
Anotarías: *You would note*

6. Descubres un tesoro fabuloso en una casa abandonada . . .

tesoro: *treasure*

    A. Lo compartirías inmediatamente con tus amigos.

    B. Les dirías a tus padres la buena noticia.

    C. Guardarías el tesoro sin decirle nada a nadie.

7. Estás pescando con un amigo, estalla una tormenta y el barco se hunde. Tu amigo está herido y estás a cinco kilómetros de la costa . . .

estalla una tormenta: *a storm breaks out*
se hunde: *sinks*
  herido: *injured*

    A. Nadarías hasta la costa con tu amigo.

    B. Buscarías un madero para sostenerse tú y tu amigo.

    C. Nadarías solito hasta la costa.

madero: *plank*
  sostenerse: *support*

solito: *alone*

INTERPRETACIÓN

- Si has escogido la letra «A» cuatro veces o más, eres una persona dinámica, valiente y generosa. Pero eres demasiado impulsivo. ¡Piensa antes de actuar!
- Si has escogido la letra «B» cuatro veces o más, eres una persona prudente. Actúas con calma. Tus amigos pueden contar contigo.
- Si has escogido la respuesta «C» cuatro veces o más, no tienes los reflejos necesarios para actuar racionalmente en casos de urgencia.
- Si no perteneces a ninguna de estas categorías, eres como todo el mundo: un poco indeciso frente a lo excepcional.

valiente: *brave*
actuar: *acting*

contar contigo: *count on you*

reflejos: *reflexes*

En busca de tesoros

En los cuentos infantiles, a menudo el héroe o la heroína está buscando un tesoro escondido y lo encuentra.

¿Existen estos tesoros escondidos? ¡Claro que sí! Y uno de los lugares donde hay muchos tesoros escondidos está entre Cuba, la Florida y la mayor de las islas Bahamas. Esta área contiene restos° de naufragios° de muchos barcos españoles que eran parte de una famosa «flota° de plata».° Por más de dos siglos,° estos barcos, llamados «galeones», llevaban no solamente plata sino también oro y esmeraldas° de México y del Perú a España. A causa de° los huracanes, el viaje era muy peligroso y muchos barcos naufragaban° en los arrecifes° lejos de los cayos° de Florida. La valiosa° carga° de oro, plata y esmeraldas ha permanecido° allí para los buscadores de tesoros.°

Algunos de estos buscadores de tesoros han tenido mucho éxito. Recientemente, Mel Fisher, un buzo° norteamericano profesional, pudo localizar los restos del naufragio del galeón «Atocha», que era el barco principal de una flota de plata . . . y su preciosa carga con un valor° de varios millones de dólares.

restos *remains* **naufragios** *shipwrecks* **flota** *fleet*
plata *silver* **siglos** *centuries* **esmeraldas** *emeralds*
A causa de *Because of* **naufragaban** *were wrecked*
arrecifes *reefs* **cayos** *keys* **valiosa** *valuable*
carga *cargo* **permanecido** *remained* **buscadores de
tesoros** *treasure hunters* **buzo** *diver* **valor** *value*

Vocabulario práctico

sustantivos	**un puente**	bridge	**una mitad**	half
	un tesoro	treasure		
adjetivo	**valiente**	courageous, brave		
verbos	**actuar**	to act		
	entrar (en, a)	to enter		
	reaccionar	to react		
expresión	**probar fortuna**	to try one's luck		

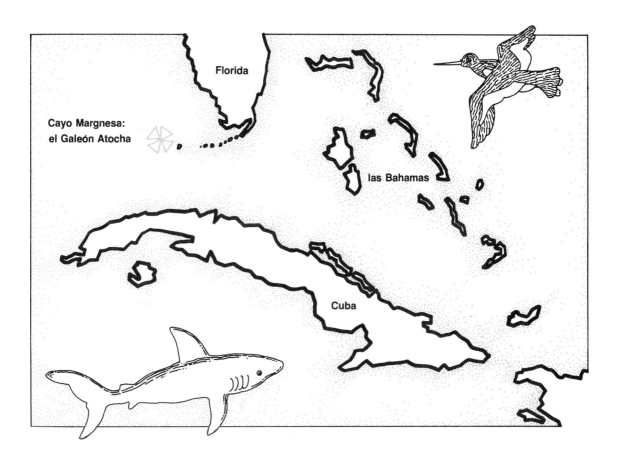

Florida

Cayo Margnesa:
el Galeón Atocha

las Bahamas

Cuba

CONVERSACIÓN

Imagina que puedes hacer solamente una de las siguientes cosas. ¿Cuál harías?

1. ¿**Comprarías** una bicicleta o una guitarra?
   Compraría una bicicleta (una guitarra).
2. ¿**Visitarías** México o España?
3. ¿**Vivirías** en una ciudad o en el campo?

OBSERVACIÓN

In the above questions, you are asked what you *would do* if you had certain choices.
The verbs used are in the *conditional*.

- Does the conditional consist of one or two words in Spanish?
- In which three letters does the **tú** form end?
- In which two letters does the **yo** form end?

Estructuras

A. El condicional

Note the use of the conditional in the sentences below:

Con cincuenta dólares, me **compraría** una guitarra.
*With fifty dollars, I **would buy** myself a guitar.*

Haríamos un viaje a México, si . . .
*We **would take** a trip to Mexico if . . .*

¿Te gustaría vivir en una isla desierta?
*Would you **like** to live on a deserted island?*

Forms

1. In Spanish the conditional is a *simple verb form:* it consists of *one* word. Note the conditional forms of **comprar,** paying special attention to the endings.

INFINITIVE CONDITIONAL	comprar	FUTURE STEM	CONDITIONAL ENDINGS
(yo)	**Compraría** un avión.		-ía
(tú)	**Comprarías** un coche.		-ías
(él, ella, Ud.)	**Compraría** un perro.		-ía
(nosotros)	**Compraríamos** una moto.	**comprar-**	-íamos
(vosotros)	**Compraríais** una grabadora.		-íais
(ellos, ellas, Uds.)	**Comprarían** una calculadora.		-ían

As with other simple verb forms, the forms of the conditional consist of a stem and endings. The conditional is formed as follows:

> stem of the future   +   conditional endings

Note that the conditional endings for all verbs are the same as the imperfect endings of **-er** and **-ir** verbs.

2. Verbs with an irregular future stem have the same stem in the conditional.

decir	**diría**	salir	**saldría**
hacer	**haría**	saber	**sabría**
poder	**podría**	tener	**tendría**
poner	**pondría**	venir	**vendría**
querer	**querría**	haber (hay)	**habría**

Uses

1. The conditional is used to express what would happen under certain conditions.
2. It is also used to soften requests.

Compare

(present)	Me gusta viajar.	*I like to travel.*
(conditional)	**Me gustaría** viajar contigo.	*I would like to travel with you.*
(present)	¿Puedes ayudarme, José?	*José, can you help me?*
(conditional)	**¿Podría Ud.** ayudarme, Sr. Chávez?	*Could you help me, Sr. Chávez?*

ACTIVIDAD 1   Con un coche

Estos estudiantes norteamericanos dicen adónde irían y lo que visitarían con un coche. Explica el plan de cada uno usando el condicional de **ir** y **visitar.**

Linda (Washington: la Casa Blanca)
> Linda iría a Washington. Visitaría la Casa Blanca.

1. Silvia (San Antonio: el Álamo)
2. Mis amigos (San Francisco: la misión Dolores)
3. Uds. (Boston: el barco «Constitución»)
4. yo (el Canadá: Quebec)
5. tú (México: Acapulco)
6. nosotros (California: Santa Bárbara)
7. Tom y Jack (Nueva York: el Museo del Barrio)
8. María (Florida: San Agustín)

ACTIVIDAD 2   El (la) presidente

¿Serás presidente algún día? ¿Por qué no? De las siguientes cosas, di cuáles harías y cuáles no.

vivir en la Casa Blanca   (No) viviría en la Casa Blanca.

1. pintar (*to paint*) la Casa Blanca de azul
2. comprar un Mercedes para todos los miembros de mi familia
3. viajar mucho
4. hablar en público a menudo
5. desarrollar los armamentos nucleares
6. invitar al presidente de la China a la Casa Blanca
7. ir a África
8. transformar la sociedad
9. darles dinero a los pobres
10. mantener la paz por todo el mundo
11. construir palacios y monumentos en mi honor
12. suprimir los impuestos (*taxes*)

ACTIVIDAD 3   Diálogo: Preferencias

Pregúntales a tus compañeros si les gustaría hacer las siguientes cosas.

> vivir en una isla desierta
> > Estudiante 1: ¿Te gustaría vivir en una isla desierta?
> > Estudiante 2: Sí, me gustaría mucho.
> > > (No, no me gustaría. Nunca viviría en una isla desierta.)

1. ser presidente de los Estados Unidos
2. vivir en otro planeta
3. comer ranas (*frogs*)
4. asistir a una corrida de toros
5. conducir un coche a 100 millas por hora
6. viajar en un cohete
7. estar en un submarino
8. nadar con tiburones (*sharks*)

ACTIVIDAD 4   Diálogo: Con 1.000 dólares

Supón que todos los alumnos van a recibir unos mil dólares cada uno(a). Pregúntales a tus compañeros qué harían y qué no harían.

> poner el dinero en el banco
> > Estudiante 1: ¿Pondrías el dinero en el banco?
> > Estudiante 2: Sí (No, no) lo pondría en el banco.

1. hacer un viaje
2. hacer una fiesta fabulosa
3. dejar la escuela
4. ir de vacaciones
5. salir para España
6. salir para Francia

ACTIVIDAD 5   ¡Emergencias!

Cada uno reacciona diferentemente en caso de emergencia. Lee la lista de
emergencias. En tu opinión, di qué cosas.(B) harían las personas (A) en
estas emergencias.

Lista de emergencias:

	A	**B**
1. Hay un incendio (*fire*).	yo	quedarse quieto(a)
2. Hay un huracán (*hurricane*).	mi papá	escaparse
3. Hay una explosión nuclear.	un loco	saltar por la ventana
4. Los extraterrestres llegan.	las personas valientes	sacar fotos
5. Un platillo volador (*flying saucer*) aterriza (*lands*).		llamar a la policía
		rezar (*to pray*) a Dios
		ponerse nervioso(a)
		gritar (*to scream*)
		buscar refugio (*shelter*)
		llevarse el dinero
		leer el horóscopo
		mirar lo que ocurre

⨳ Hay un temblor.   Yo (no) me pondría nervioso(a).
Mi papá. . .

B. Repaso: preposición + infinitivo

Note the use of the infinitives in the following sentences:

Ahorro mi dinero **para comprar** un coche.	*I save my money **in order to buy** a car.*
Carlos se divierte **en vez de estudiar**.	*Carlos is having fun **instead of studying**.*
¿Es posible ser feliz **sin tener** amigos?	*Is it possible to be happy **without having** friends?*

In Spanish, the infinitive may be used after prepositions such as **para** (*to,
in order to*), **sin** (*without*), and **en vez de** (*instead of*).

ACTIVIDAD 6   Expresión personal

Di para qué (*for what reason*) te gustaría hacer o tener las siguientes
cosas. Completa las frases con **para** + infinitivo. ¡Usa tu imaginación!

⨳ Me gustaría tener dinero . . .

   Me gustaría tener dinero para comprar una moto, para ayudar a
   los pobres, para dárselo a mis amigos o . . .

1. Me gustaría tener un coche . . .
2. Me gustaría asistir a la universidad . . .
3. Me gustaría hablar español muy bien . . .
4. Me gustaría ser presidente . . .
5. Me gustaría vivir cien años . . .
6. Me gustaría casarme . . .

ACTIVIDAD 7 Los distraídos *(The absent-minded ones)*

Las siguientes personas son un poco distraídas. Se olvidan de hacer cosas importantes. Expresa esto usando la construcción **sin** + infinitivo en las frases de uno a siete y la construcción **en vez de** + infinitivo en las frases de ocho a doce.

    Carlos se va del restaurante pero no paga.

        Carlos se va del restaurante sin pagar.

    Felipe pone agua en el coche pero no pone gasolina.

        Felipe pone agua en el coche en vez de poner gasolina.

1. Hablo pero no pienso.
2. Mi papá va a México pero no lleva pasaporte.
3. Mis amigos salen pero no dicen adiós.
4. Tú entras en la sala pero no saludas a tu familia.
5. Los alumnos quieren contestar pero no comprenden la pregunta.
6. El Sr. Vargas sale pero no se pone la corbata.
7. Me acuesto pero no me baño.
8. Pones sal en el té pero no pones azúcar.
9. Juego pero no estudio.
10. Mi hermano mira la televisión pero no aprende los verbos.
11. Mari-Carmen se divierte pero no ayuda a su hermanita.
12. Voy al cine pero no voy a la escuela.

El héroe más increíble de todos

COLUMBIA PICTURES PRESENTA UNA PRODUCCION MARTIN RITT · JACK ROLLINS · CHARLES H. JOFFE

WOODY ALLEN como **EL TESTAFERRO**

con **ZERO MOSTEL** **HERSCHEL BERNARDI**

MICHAEL MURPHY, ANDREA MARCOVICCI · GUION DE WALTER BERNSTEIN
PRODUCTOR EJECUTIVO CHARLES H. JOFFE · PRODUCIDA Y DIRIGIDA POR MARTIN RITT
A PERSKY-BRIGHT/DEVON FEATURE THE FRONT

ACTIVIDAD 8   Expresión personal

Expresa unas ideas personales completando las siguientes frases con infinitivos. ¡Usa tu imaginación!

▷◁   Es imposible ser feliz sin . . .

    Es imposible ser feliz sin tener amigos, tener dinero . . .

1. No es posible sacar buenas notas sin . . .
2. No es posible ganar dinero sin . . .
3. No es posible divertirse sin . . .
4. A veces me divierto en vez de . . .
5. A veces me quedo en casa en vez de . . .
6. A veces me gustaría . . . en vez de . . .

El gordo *(The top prize)*

Imagina que las personas siguientes se sacan el gordo (*biggest prize*) de la lotería. Describe qué haría cada uno (o qué no haría) en un párrafo de seis frases.

- yo
- mi mejor amigo(a)
- mis padres

▷◁   Yo haría un viaje a Puerto Rico. Tomaría el sol en la playa . . .

Para su cumpleaños, Manolito ha recibido un lindo perrito blanco. Es un perro inteligente, vivo, listo, que solamente tiene un defecto. Cuando Manolito no lo mira, el perro se escapa a la calle.
Hoy, otra vez, Manolito busca a su perro por todos lados y no puede encontrarlo.
¿Qué le habrá pasado a su perro?
Manolito está muy preocupado por él. Manolito está angustiado.

vivo: *lively*

por todos lados: *everywhere*

habrá pasado: *could have happened*
angustiado: *anguished*

¡Mi pobre perro! ¿Lo habrá atropellado un coche? o se habrá caído en un pozo . . .

atropellado: *run over*
pozo: *well*

o se habrá caído en el río y se habrá ahogado . . .

ahogado: *drowned*

o los gitanos lo habrán encontrado y se lo habrán llevado con ellos . . .

gitanos: *gypsies*

o un guardia civil lo habrá llevado a la estación de policía . . .

o habrá entrado en la carnicería y el carnicero lo habrá
encerrado en el sótano por haber robado las salchichas . . .

¡Ay qué lástima! ¡Qué será de mí, sin mi perro! ¡Mi primero y
único perro!

Manolita llora. Con tristeza va a su cuarto y se tira en la cama . . . y
despierta a su perro que dormía tranquilamente debajo de la cama.
¡Qué alivio!

carnicero: *butcher*
encerrado: *locked*
  sótano: *basement*
  robado: *stolen*
  salchichas: *sausages*
  ¡Qué será de mí!:
    What will become
    of me!

llora: *cries*
  tristeza: *sadness*
  se tira: *throws*
  himself
¡Qué alivio!: *What a*
  relief!

Notas culturales

La guardia civil

En España, la guardia civil es una clase especial
de la policía. Llevan un sombrero muy distinto, una
moda del siglo XVIII.

Los gitanos

Hay algunos gitanos° en España, especialmente
en el sur. El origen de los gitanos es muy
misterioso. Muchos historiadores° piensan que
vinieron de la India. Lo cierto es que los gitanos
han popularizado la famosa música flamenca.

gitanos *gypsies*   **historiadores** *historians*

Vocabulario práctico

sustantivo	**la tristeza**	sadness
verbos	**llorar**	to cry
	robar	to rob, to take away
expresiones	**por todos lados**	everywhere, on all sides
	¡qué alivio!	what a relief!
	¡qué será de mí!	what will become of me!

CONVERSACIÓN

Vamos a anticipar un poco . . . Vamos a hablar de las cosas interesantes que
habrás hecho al terminar tus estudios secundarios.

1. **¿Habrás aprendido** muchas cosas
interesantes?
Sí (No, no) **habré aprendido** . . .

2. **¿Habrás aprendido** cosas útiles?

3. **¿Habrás aprendido** a hablar español?

4. **¿Habrás recibido** muchas notas de «A»?

5. **¿Habrás conocido** a muchos chicos
simpáticos?

6. **¿Habrás conocido** a muchas chicas
simpáticas?

OBSERVACIÓN

In the above questions, you are asked about certain things that you *will have done*
by the time you finish high school. The verbs you are using are in the *future perfect*.

• How many words does the future perfect consist of in Spanish?

• What verb form is the second word of the future perfect?

• Is this the same verb form that is used in the present perfect and in the pluperfect?

vocabulario especializado **La casa del futuro**

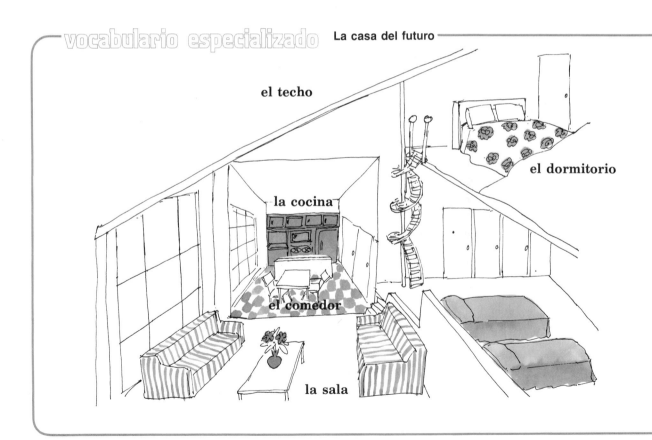

el techo

el dormitorio

la cocina

el comedor

la sala

ACTIVIDAD 1 Tu casa futura

1. ¿Tendrá tu casa una piscina? ¿un sistema de aire acondicionado? ¿un sistema de calefacción solar? ¿un garaje para tres coches? ¿un sótano muy grande?

2. ¿Cuántos pisos tendrá? ¿Cuántos cuartos?

3. ¿Será una casa de piedra? ¿de madera? ¿de vidrio?

4. ¿Será el techo de vidrio? ¿el suelo de madera? ¿las paredes de vidrio?

5. ¿Cómo será la sala? ¿el comedor? ¿la cocina? ¿tu dormitorio?

POR 685.000 ptas. ·Bungalows· EN LA COSTA BLANCA
1, 2 y 3 dormitorios • comedor • cocina • aseo • patio y jardín.

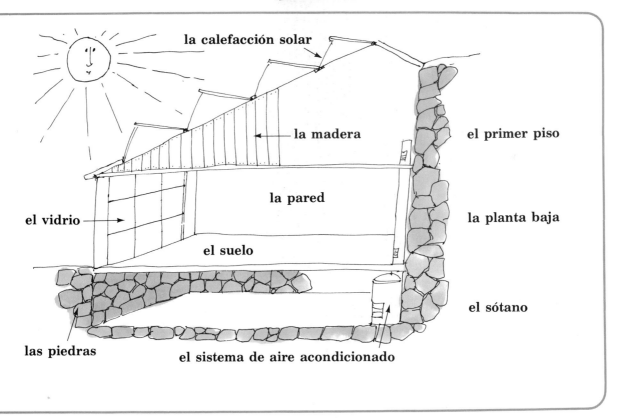

la calefacción solar

la madera

el primer piso

la pared

el vidrio

la planta baja

el suelo

las piedras

el sistema de aire acondicionado

el sótano

Estructuras

A. El futuro perfecto

Note the use of the future perfect in the following sentences.

Dentro de unos dos años, **me habré graduado.**	*Within about two years, I will have graduated.*
Dentro de unos cinco años, Elena **se habrá casado con** Carlos.	*Within about five years, Elena will have married Carlos.*
Antes del año dos mil, los científicos **habrán descubierto** una cura contra el cáncer.	*Before the year 2000, scientists will have discovered a cure for cancer.*

Forms

1. The future perfect, like the present perfect, is a compound tense. In Spanish, it consists of *two* words. Note the forms of the future perfect tense of **comprar.**

INFINITIVE	**comprar**		
FUTURE PERFECT			
(yo)	**habré comprado**	(nosotros)	**habremos comprado**
(tú)	**habrás comprado**	(vosotros)	**habréis comprado**
(él, ella, Ud.)	**habrá comprado**	(ellos, ellas, Uds.)	**habrán comprado**

The future perfect is formed as follows:

> future of **haber** + past participle

2. Reminder: Regular past participles are formed as follows:

replace the infinitive ending:	with the ending:		
-ar →	-ado	tomar	→ toma**do**
-er →	-ido	comer	→ comi**do**
-ir →	-ido	vivir	→ vivi**do**

Here are a few common irregular past participles:

decir	**dicho**	hacer	**hecho**
descubrir	**descubierto**	poner	**puesto**
escribir	**escrito**	ver	**visto**

Uses

1. As in English, the future perfect is used to express what *will have happened* by a certain point in time.
2. In Spanish, the future perfect, like the future, is used to make a guess or to express probability, but about a *past* event.

¿Con quién ha salido Carlos?   *With whom has Carlos gone out?*
No sé. **Habrá salido** con Carmen.   *I don't know. He **may have gone out** with Carmen.*
                                       *(He **has probably gone out** with Carmen.)*

ACTIVIDAD 2   Planes matrimoniales

Unos amigos están hablando de sus planes matrimoniales. Di quién se habrá casado dentro de cinco años, y quién no.

⟐ Felipe (no)   Felipe no se habrá casado.

1. Carmen (sí)
2. Raúl y Marisela (sí)
3. yo (no)
4. tú (sí)
5. nosotros (sí)
6. mis hermanos (sí)
7. el primo de Roberto (no)
8. Ud. y yo (no)

ACTIVIDAD 3   Los planes de Marisela

Marisela tiene muchos planes interesantes. Di qué espera realizar *(accomplish)* dentro de cinco años. Di también si tú habrás realizado planes similares.

⟐ graduarse de la universidad
         Dentro de cinco años, Marisela se habrá graduado de la universidad.
         Yo (no) me habré graduado de la universidad.

1. pilotar un avión
2. conducir un Ferrari
3. correr el maratón de Boston
4. correr una milla en menos de cinco minutos
5. hablar con el presidente de los Estados Unidos
6. lanzarse en paracaídas *(parachute jump)*
7. aprender cinco idiomas
8. visitar África
9. correr las olas en el Perú
10. esquiar en los Alpes
11. vivir en París
12. ir a Moscú
13. jugar con los canguros *(kangaroos)* en Australia
14. escribir una novela
15. hacer un viaje a la China
16. ver las pirámides de Egipto

ACTIVIDAD 4   El progreso

Di si, en tu opinión, los hombres habrán realizado las siguientes cosas
antes del año 2000.

𝕏   los científicos: descubrir una cura contra el cáncer
      Los científicos (no) habrán descubierto una cura contra el cáncer.

1. los astronautas: descubrir otros
   planetas
2. los astronautas: ir a Marte *(Mars)*
3. los ingenieros: inventar un coche
   eléctrico
4. los ecologistas: suprimir la
   contaminación del aire
5. los arquitectos: construir ciudades en
   la luna
6. los hombres: ponerse en contacto con
   otras civilizaciones
7. los médicos: descubrir el elixir de la
   vida eterna
8. los políticos: transformar la sociedad
9. las mujeres: obtener la igualdad
   (equality) con los hombres
10. los norteamericanos: hacer las paces
    con los rusos
11. los extraterrestres: establecer buenas
    relaciones con nosotros
12. yo: ganar el premio Nobel

B. *Por* + infinitivo

Note the use of the construction **por** + infinitive in the following sentences.

El profesor me castigó	*The teacher punished me*
por no saber la lección.	*for not knowing the lesson.*
Tengo un dolor de cabeza	*I have a headache from watching*
por mirar la televisión demasiado.	*television too much.*

The construction **por** + infinitive usually corresponds to the English
construction *for, because of, for reason of + . . . ing.*

ACTIVIDAD 5   Excusas

Los siguientes alumnos no vinieron al examen. Da la excusa de cada uno.

𝕏   Rafael está enfermo.   Rafael no vino por estar enfermo.

1. Yo tengo dolor de estómago
   (stomachache).
2. Nosotros estamos cansados.
3. Teresa ayuda en casa.

4. Mis amigos acompañan a su padre al
   aeropuerto.
5. Tú no te sientes bien.
6. Uds. están en México.

ACTIVIDAD 6   Excesos y consecuencias

Los excesos son peligrosos. Expresa esto en frases lógicas usando los
elementos de las columnas A, B y C. ¡Usa tu imaginación!

A	B	C	
yo	estar enfermo	hablar	mirar la televisión
tú	estar cansado	beber	jugar
Carlos	estar ronco *(hoarse)*	cantar	divertirse
Susana y Elena	tener dolor de cabeza	leer	comer
Uds.	tener dolor de estómago *(stomachache)*	gritar *(to scream)*	reírse

🖙 Carlos tiene dolor de estómago por reírse demasiado.

La reunión veinte y cinco de la clase

Imagina que la clase se reúne después de veinte y cinco años. Por
supuesto, tus compañeros y tú habrán hecho muchas cosas interesantes
durante ese tiempo. Describe lo que tú y otras dos personas de la clase
habrán realizado. Escribe un párrafo de seis frases para cada persona.
Puedes usar los siguientes verbos:

**ser / ir / tener / ganar / trabajar / casarse / ver / hacer / viajar /
comprar / construir / descubrir / visitar**

Un día, un joven explorador norteamericano llegó a una aldea° de la región amazónica.

En esta aldea vivía una tribu de indios pacíficos.° Muy pronto el jefe de la tribu, un viejo de unos ochenta años, había hecho amistad° con el explorador. Un día el viejo le dijo al explorador:

—Yo sé que has organizado una expedición a la selva° y que quieres salir mañana. Pero, escúchame . . . Tú no irás. Te quedarás en la aldea con nosotros. Esta noche, habrá una tempestad° fuertísima. Hará un tiempo horrible por veinte días. Tendrás que esperar pacientemente el fin de la tempestad. Si después hace buen tiempo, podrás hacer la expedición. Entonces, si quieres, yo iré contigo.

Esa noche, tal como° había dicho el viejo, empezó una desastrosa tempestad que duró veinte días y que arrasó° un gran número de árboles de esta selva tropical. El joven explorador agradeció° al jefe indio que le había salvado° la vida.

De allí en adelante,° antes de cada expedición, él consultaba con su amigo. Éste° le pronosticaba° el tiempo con una exactitud increíble:

—Sí, podrás partir° . . .

—Hará buen tiempo por quince días . . .

—Hará mucho sol esta semana . . .

—Hará mucho calor por tres días . . .

O algo como:

—No, no podrás viajar porque hará mal tiempo por cinco o seis días.

Y cada vez, las predicciones del jefe indio se realizaban.°

El joven explorador estaba tan intrigado por el talento de su amigo pero nunca le preguntó nada de su secreto.

—Será sin duda un viejo secreto indígena, transmitido de generación a generación. Si yo le pregunto, él se enojará y nunca más me dirá nada.

Finalmente después de seis meses, el explorador norteamericano tuvo que partir. El día de su salida° el jefe indio le llamó y le dijo:

—Eres un joven muy simpático y yo estuve muy contento de poder ayudarte. Ahora, me toca° a mí pedirte un favor. Dentro de poco estarás en Nueva York. Allá, ¿podrás comprarme pilas° nuevas para mi radio-transistor? Las mías están bastante gastadas° y muy pronto no podré escuchar más las informaciones meteorológicas° que vienen de la estación cercana.° Pero con las pilas nuevas yo podré ayudar a los otros exploradores norteamericanos que vendrán después de ti . . .

---

aldea: *village*

pacíficos: *peaceful*
había hecho amistad: *had become friends*
selva: *forest*

tempestad: *storm*

tal como: *just as*
arrasó: *tore down*
agradeció: *was grateful to*
salvado: *saved*
De allí en adelante: *From then on*
Éste = el jefe
pronosticaba: *would predict*
partir: *leave*

se realizaban: *would come true*

salida: *departure*

me toca: *it's my turn*
pilas: *batteries*
gastadas: *used*
meteorológicas: *weather*
cercana: *nearby*

vista

número cuatro

4

La América del Sur

Un poco de historia

¿Sabes cuándo comienza la historia del hombre en la América del Sur? Comienza cuando llegan tribus de indios cazadores,° 10.000 años antes de Cristo. Y desde entonces, ¡bueno! ¡Han pasado muchas cosas! Hoy vamos a recordar los grandes hechos.°

1438-1493

Los emperadores incas Pachacútec y Túpac dirigen la expansión imperial que crea en las montañas de los Andes un imperio extraordinario. Ocho millones de indios llegan a ser parte de este imperio.

1532

Francisco Pizarro, un español inquieto y ambicioso, llega al Perú y conquista a los incas.

1535

El imperio de los incas derrotado,° comienzan tres siglos° de dominación española. Francisco Pizarro funda° la «Ciudad de los Reyes»,° ciudad que llega a ser el centro del poder° español en la América del Sur. La «Ciudad de los Reyes» es hoy Lima, la capital del Perú.

cazadores *hunters*   **hechos** *deeds*   **derrotado** *defeated*   **siglos** *centuries*   **funda** *founds*
Reyes *Monarchs*   **poder** *power*

1735

Con la autorización de la Corona° española, una expedición francesa° visita el territorio que hoy es el Ecuador. Es una expedición científica que llega a la región para tomar algunas medidas° de la tierra y marcar la posición exacta del ecuador.° Su jefe es el famoso científico Charles Marie de La Condamine.

Bolívar y San Martín

1810

En Caracas y en Buenos Aires, la gente declara su oposición a las autoridades españolas. Así comienza la lucha° por la independencia de la América del Sur. Surgen° dos grandes héroes: Simón Bolívar y José de San Martín.

1824

Bajo el mando de otro gran patriota, Antonio José de Sucre, 6.000 tropas libertadoras derrotan° a 9.000 tropas españolas en Ayacucho, Perú. Es el golpe° decisivo. Es la última gran batalla en las altas cumbres° de los Andes. Después de tres siglos, el poder español por fin° se retira de la América del Sur.

1879-1883

Durante la llamada «Guerra° del Pacífico», Chile, por un lado,° y el Perú y Bolivia, por el otro, pelean por el control de ciertos recursos° naturales. Como resultado de esta guerra, Bolivia pierde su salida° al mar (hoy es un país sin costas) y Chile gana el control del desierto de Atacama donde hay grandes depósitos de cobre° y de nitrato natural, un fertilizante.

1912

En Maracaibo, Venezuela, se descubre petróleo. Este gran recurso natural transforma el país.

1948

En una reunión interamericana celebrada en Bogotá, Colombia, se crea oficialmente la Organización de Estados Americanos (OEA). Esta organización tiene su sede° central en Washington, D.C. 26 naciones americanas, incluyendo los Estados Unidos, forman parte de la OEA.

Corona *Crown*   **francesa** *French*   **medidas** *measurements*   **ecuador** *Equator*   **lucha** *struggle*
Surgen *Arise*   **derrotan** *defeat*   **golpe** *blow*   **cumbres** *peaks*   **por fin** *finally*   **Guerra** *War*
por un lado *on one hand*   **recursos** *resources*   **salida** *exit*   **cobre** *copper*   **sede** *headquarters*

LOS PAÍSES HISPANOS
DE LA AMÉRICA DEL SUR

Colombia

Población: 27.168.000
Ciudad capital: Bogotá
Unidad monetaria: el peso
Productos principales:
  café, esmeraldas,° petróleo
Otros datos° de interés:
  Establecida en 1525, Santa Marta, en
  Colombia, es la población permanente
  más antigua de la América del Sur.

Venezuela

Población: 13.143.000
Ciudad capital: Caracas
Unidad monetaria:
  el bolívar, en honor al héroe de la
  independencia Simón Bolívar
Productos principales: petróleo, hierro°
Otros datos de interés:
  Venezuela es el quinto productor de
  petróleo en el mundo. La mayor parte
  del petróleo venezolano sale del Lago de
  Maracaibo.

esmeraldas *emeralds*   **datos** *facts*   **hierro** *iron*

Ecuador

Población: 7.946.000
Ciudad capital: Quito
Unidad monetaria:
  el sucre, en honor al héroe de la
  independencia, Antonio José de Sucre
Productos principales:
  bananas, cacao, petróleo
Otros datos de interés:
  El Ecuador toma su nombre de la línea
  imaginaria que divide al mundo en los
  hemisferios, norte y sur. Pero aunque°
  el ecuador pasa por el Ecuador, los
  espectaculares volcanes de este país
  siempre están cubiertos° de nieve.

Perú

Población: 17.449.000
Ciudad capital: Lima
Unidad monetaria:
  el sol (Los incas adoraban el sol.)
Productos principales:
  cobre, harina de pescado°
Otros datos de interés:
  El Perú es el país con la industria
  pesquera° comercial más grande del
  mundo hispano.

Bolivia

Población: 6.061.000
Ciudad capital: La Paz
Unidad monetaria: el peso
Productos principales: el estaño°
Otros datos de interés:
  La Paz es la ciudad capital más alta del
  mundo. Está a 3.900 metros sobre el
  nivel del mar° (más de 12.000 pies).

aunque *although*   **cubiertos** *covered*   **harina de pescado** *fishmeal*   **pesquera** *fishing*
estaño *tin*   **nivel del mar** *sea level*

319

Chile

Población: 11.131.000
Ciudad capital: Santiago
Unidad monetaria: el peso
Productos principales:
   cobre,° mineral de hierro°
Otros datos de interés:
   En Chile están los picos más altos de la impresionante Cordillera de los Andes. Ésta se extiende desde Colombia y Venezuela, hasta Chile. Aquí en este país muchas expediciones han intentado° conquistar la cumbre del Aconcagua. A una elevación de casi 7.000 metros (más de 22.000 pies) es el pico más alto de América.

Argentina

Población: 26.378.000
Ciudad capital: Buenos Aires
Unidad monetaria: el peso
Productos principales:
   trigo,° carne, cuero°
Otros datos de interés:
   La Argentina es un país formado casi completamente por emigrantes europeos. Muchas familias italianas, inglesas, irlandesas, alemanas° y, por supuesto, españolas llegaron a la Argentina hace 100 años.

Paraguay

Población: 2.714.000
Ciudad capital: Asunción
Unidad monetaria:
   el guaraní, nombre de la cultura precolombina
Productos principales: madera,° carne
Otros datos de interés:
   Paraguay es un país bilingüe. El español y el guaraní, la lengua precolombina, se hablan en todas partes. También hay libros y periódicos en guaraní.

cobre *copper*   **hierro** *iron*   **intentado** *tried*   **trigo** *wheat*   **cuero** *leather*   **alemanas** *German*
madera *wood*

Uruguay

Población: 3.176.000
Ciudad capital: Montevideo
Unidad monetaria: el peso
Productos principales: carne, lana°
Otros datos de interés:
    Uruguay es la república más pequeña
de la América del Sur. Tiene un área
comparable a la del estado de
Washington.

¡SE SALVA LA VIDA
CON UNOS POLVOS MILAGROSOS!

En la década de 1630, Luis Fernández, con-
de° de Chinchón, era el virrey° del Perú. Él era
el hombre que gobernaba el Perú en representación del Rey° de España. El conde vivía con
su esposa, Ana Ossorio, condesa de Chinchón,
en Lima.

Luis quería mucho a Ana; desafortunadamente, un día ella se enfermó.° Tenía una fie-
bre° muy alta. Los médicos no podían
controlársela.

—Imposible,— dijeron los médicos. —Es
imposible curar a la condesa.

Pero cuando más triste estaba el conde,
ocurrió algo maravilloso: llegó un indio con
unos polvos° para la condesa. El indio anunció
que traía un secreto inca, una sustancia
mágica para la condesa.

Efectivamente, así fue. La condesa se curó
milagrosamente.°

Los polvos traídos por el indio fueron de la
corteza° de un árbol de las laderas° de los
Andes. La corteza de este árbol contiene una
sustancia química° que hoy se llama quinina
(del quechua, que hablaban los incas). La
expresión quechua *quina-quina* quiere decir
corteza de cortezas.

¿Sabes para qué usan la quinina los médicos
hoy día?

---

lana *wool*   **conde** *count*   **virrey** *viceroy*   **Rey** *King*   **se enfermó** *fell ill*   **fiebre** *fever*
polvos *powders*   **milagrosamente** *miraculously*   **corteza** *bark*   **laderas** *slopes*   **química** *chemical*   **321**

Una ciudad perdida y encontrada

Cuzco. Estación San Pedro. Son las siete de la mañana y el tren va a partir para Machu Picchu, la ciudad perdida de los incas. Son cuatro horas de viaje. Cuatro horas subiendo y bajando montañas . . . Por fin,° ¡allí está!

Machu Picchu: nubes° y montañas, misterio y silencio, escaleras° y murallas° de piedra . . . ¿Fue Machu Picchu el último refugio de los incas? ¿Fue una fortaleza° militar? ¿Fue un centro ceremonial? ¿Fue una ciudad sagrada?°

Nadie lo sabe exactamente. Los arqueólogos creen que la ciudad de Machu Picchu fue construida por los incas hace 600 años. Pero los españoles nunca llegaron a Machu Picchu. La ciudad desapareció con la derrota° del imperio inca sin ser vista por ningún europeo.

Pasaron 400 años. Entonces, un norteamericano, Hiram Bingham, condujo una expedición arqueológica de «Yale University» en busca de la ciudad perdida. Y, en 1911, ¡la encontró! Una ciudad completamente de piedra, construida en la cima° de una montaña. Una ciudad abandonada, desierta, misteriosa. Escondida bajo una sábana° de vegetación. Una ciudad llamada Machu Picchu, hoy visitada por gente de todo el mundo.

322   **Por fin** *Finally*   **nubes** *clouds*   **escaleras** *stairs*   **murallas** *walls*   **fortaleza** *fortress*
         sagrada *sacred*   **derrota** *defeat*   **cima** *top*   **sábana** *sheet*

EL MISTERIOSO MUNDO DEL PASADO

¿Cómo eran los pueblos del pasado? ¿Cómo vivían los incas, por ejemplo? ¿Existían comunicaciones entre pueblos distantes? ¿Cómo comprendían la vida? En la América del Sur los misterios abundan.

El Dorado

Este misterio se refiere a un rey° de origen desconocido. No ha sido posible determinar dónde estaba su reino.° Este rey indio celebraba todos los años una ceremonia religiosa muy misteriosa. Primero se cubría° todo el cuerpo con polvos° de oro y después se bañaba en un lago. Hoy hay gente que todavía busca el lago de El Dorado. ¿Crees tú en la existencia de este lago?

Los egipcios en el Nuevo Mundo

En el lago Titicaca, entre el Perú y Bolivia, los indios que descienden de los incas navegan en balsas de junco° que son muy interesantes. Por su construcción y diseño° estas balsas son similares a las balsas que usaban los antiguos egipcios para navegar en el río Nilo. Este parecido° hace pensar en contactos antiguos entre el norte de África y el sur de América. Claro que hoy es imposible demostrar que los antiguos egipcios les enseñaron a los indios a fabricar balsas. Pero hay personas (como el antropólogo noruego, Thor Heyerdahl) que creen que los antiguos egipcios fueron capaces° de cruzar el Océano Atlántico en sus balsas.

Los gigantes de la Isla de Pascua

Al llegar a la Isla de Pascua,° un remoto territorio chileno en el Pacífico, los visitantes son recibidos por figuras gigantescas, tan altas como un edificio de cuatro o cinco pisos. Estos enormes gigantes de piedra sonríen irónicamente porque el hombre moderno no ha podido descubrir su secreto. Es fácil imaginar que esta isla fue una prisión precolombina, y que las estatuas fueron creadas por criminales. Pero ¿cómo puedes demostrar esta posibilidad?

rey *king*   **reino** *kingdom*   **se cubría** *was covered*   **polvos** *dust (particles)*   **balsas de junco** *boats (rafts) made of bulrushes*   **diseño** *design*   **parecido** *similarity*   **capaces** *capable*   **Isla de Pascua** *Easter Island*

El zoológico natural

Aquí hay cinco animales.
Todos son de origen sudamericano.

1. La llama es el amigo indispensable de los indios que viven en los Andes. Pero es un animal temperamental. Además las llamas no pueden llevar a una persona. Solamente pueden llevar cosas que no pesan° mucho.

2. Éste es un oso hormiguero. Las hormigas° son su plato favorito. Usa su gran hocico° y su lengua° de 30 centímetros (1 pie) para tomar las hormigas de la tierra.

4. ¿Conoces este animal? ¡Es una chinchilla! Este animalito es feliz entre la nieve y el frío de los Andes. Su piel° se usa para hacer finísimos abrigos.

3. Ésta es la anaconda. Vive cerca de los ríos. Come animales pequeños que estruja° entre los anillos° de su cuerpo.

5. El cóndor es un ave° similar al águila.° Los dos son enormes y vuelan° muy alto. Los dos son símbolos nacionales. El cóndor vive en las altas montañas de los Andes y en el escudo° de cuatro repúblicas. Es el ave nacional de Colombia, Ecuador, Bolivia y Chile.

324

pesan *weigh*   **hormigas** *ants*   **hocico** *snout*   **lengua** *tongue*   **estruja** *it squeezes*
anillos *rings*   **piel** *fur*   **ave** *bird*   **águila** *eagle*   **vuelan** *fly*   **escudo** *shield*

Los campeones de la libertad

Francisco Miranda, 1750-1816

Este hombre venezolano tomó parte en la Guerra de Independencia de los
Estados Unidos. Fue amigo de Jorge Washington y de Tomás Jefferson.
Después, viajó por Europa buscando dinero, armas y hombres para luchar
contra° los españoles en la América hispana.

Simón Bolívar, 1783-1830

Rico, aristocrático y muy guapo. Así fue Bolívar, un joven distinguido,
nacido° en Caracas. Cuando era estudiante juró° solemnemente dedicar su
vida a la libertad del Nuevo Mundo. Como todo gran romántico, fue
idealista en sus ideas y dramático en sus acciones. Hizo gloriosamente lo
que prometió porque liberó Colombia, Venezuela, Ecuador, el Perú y
Bolivia.

Antonio José de Sucre, 1795-1830

Fue el más joven de los héroes. Cuando tenía 15 años se unió° al
movimiento libertador. Fue el mejor amigo de Bolívar, y con él comparte la
gloria de haber dirigido las grandes batallas. Después, creó la república de
Bolivia, y la llamó así en honor a su amigo.

José de San Martín, 1778-1850

Con su ejército° que organizó y entrenó° en la Argentina, San Martín cruzó
los Andes, liberó Chile y llegó al Perú. Luchó contra España y la
naturaleza:° el frío, la nieve y la falta° de oxígeno en las altas cumbres° de
los Andes.

Bernardo O'Higgins, 1778(?)-1842

Héroe nacional de Chile que se unió a las fuerzas de San Martín. Con él
cruzó los Andes en 1817. Después, fue autor de la primera constitución de
Chile. Su padre, nacido en Irlanda, fue representante de la Corona°
española en Chile y en el Perú.

luchar contra *to fight against*　**nacido** *born*　**juró** *swore*　**se unió** *joined*　**ejército** *army*
entrenó *trained*　**naturaleza** *nature*　**falta** *lack*　**cumbres** *peaks*　**Corona** *Crown*

El poeta y el mar

Pablo Neruda. Poeta chileno. Ganó el Premio Nobel de literatura en 1971. Es tal vez el poeta más querido y popular del mundo hispano. Se hizo famoso cuando tenía 20 años. Entonces publicó un libro de poemas de amor. Después publicó otros libros. Neruda escribió poesía toda su vida.

Vivió en Isla° Negra, en las costas de Chile.
Allí, frente al mar, encontró esta imagen:

Aquí en la isla
el mar
y cuánto mar
se sale de sí mismo
a cada rato,°
dice que sí, que no,
que no, que no, que no,
dice que sí, en azul,
en espuma,° en galope,
dice que no, que no.
No puede estarse quieto,
me llamo mar, repite
pegando° en una piedra
sin lograr° convencerla
. . .

From: "Oda al mar" in *Odas elementales,*
Editorial Losada, 1958.

La cocina sudamericana

¿Te gustan los postres? Aquí está la receta° del dulce de leche. Es el dulce más fácil de preparar. Aprende a prepararlo y si te piden la receta, di que es un secreto de tus amigos argentinos y brasileños. Necesitas tres cosas:

una olla° pequeña

una lata° de leche condensada con azúcar

un poco de agua

Ahora, vamos a preparar la lata. NOTA: Antes de abrir la lata, tienes que cocinarla. Así es que, ¡NO LA ABRAS!

Preparación
1. Quítale el papel a la lata.
2. Pon la lata en la olla.
3. Ponle agua a la olla. La lata tiene que estar cubierta° de agua.
4. Hierve° la lata. Tiene que hervir por dos o tres horas.
5. Cuando la lata esté° fría, ábrela y . . . ¡buen provecho!°

326

Isla *Island* **rato** *short time* **espuma** *foam* **pegando** *sticking* **lograr** *managing to* **receta** *recipe*
olla *pot* **lata** *tin can* **cubierta** *covered* **Hierve** *Boil* **esté** *is* **¡buen provecho!** *enjoy it!*

Actividades

LOS ERRORES DE STEVE LEWIS El verano pasado, una familia norteamericana visitó la América del Sur. Estos son fragmentos del diario que Steve, el hijo mayor, escribió durante el viaje.

En el diario de Steve hay realidad y hay ficción. ¿Puedes descubrir la ficción? Todos los días Steve escribió algo que es pura fantasía.

> viernes, 16 de julio
>
> Esta mañana salimos de Miami. El avión salió a tiempo y en pocas horas llegamos a Lima, la capital de Colombia. Este es el país sudamericano más cerca de los Estados Unidos.

1. Según Steve, Lima es la capital de Colombia. En realidad es la capital... **319**

    a. de Venezuela.
    b. del Perú.
    c. de Bolivia.

> lunes, 19 de julio
>
> Ayer visitamos Machu Picchu. Hoy estamos en Cuzco. El guía que nos mostró la ciudad me quiere enseñar a montar en llama.

2. Steve Lewis dice que el guía le quiere enseñar a montar en llama, pero estos animales... **324**

    a. no pueden llevar nada.
    b. solamente pueden llevar recipientes de agua.
    c. no pueden llevar a una persona.

> jueves, 22 de julio
>
> Ahora estamos en La Paz, la capital de Bolivia. Hace buen tiempo y mañana creo que vamos a nadar en el Océano Pacífico.

3. Steve no va a nadar en el Océano Pacífico porque... **319**

    a. La Paz está en el Océano Atlántico.
    b. La Paz está en las montañas.
    c. en La Paz se prohibe nadar.

> domingo, 25 de julio
>
> La Argentina es el último país que vamos a visitar. En el avión mi hermana y yo conocimos a unos brasileños que nos invitaron a almorzar. Después visitamos la casa donde nació Simón Bolívar.

4. Simón Bolívar no nació en Buenos Aires. Nació en... **325**

    a. La Paz.
    b. Bogotá.
    c. Caracas.

> martes, 27 de julio
>
> Estoy muy enojado porque perdí mi billetera. Creo que la dejé en una galería de arte, donde vimos unos cuadros de Pablo Neruda.

5. Pablo Neruda no era un pintor famoso. Neruda era... **326**

    a. un conquistador español.
    b. un poeta que ganó el Premio Nobel.
    c. un científico chileno.

pocas *a few* **conocimos** *met* **nació** *was born* **cuadros** *paintings*

Unidad 8

Perspectivas de hoy

8.1   Una lección de conducir

8.2 El arte de la persuasión   **8.3   El vendedor de la suerte**   **8.4   Sí, pero . . .**

VARIEDADES — El ojo de Dios

Una lección de conducir

Beatriz está muy contenta.
Acaba de obtener el permiso de conducir.
Un día, ella le pide a su hermano su coche. Le dice que es para ir de compras . . . En realidad, Beatriz tiene otra intención. Ella va a darle una lección de conducir a su amiga Gabriela. Las dos chicas están en el coche . . .

Es obvio que Beatriz todavía no es una experta en el manejo . . . Por eso, todos los consejos que ella le da a Gabriela no siempre son los mejores . . . En efecto, algunos son bastante malos.

manejo: *driving*

¿Puedes determinar cuáles son los buenos consejos y cuáles no lo son?

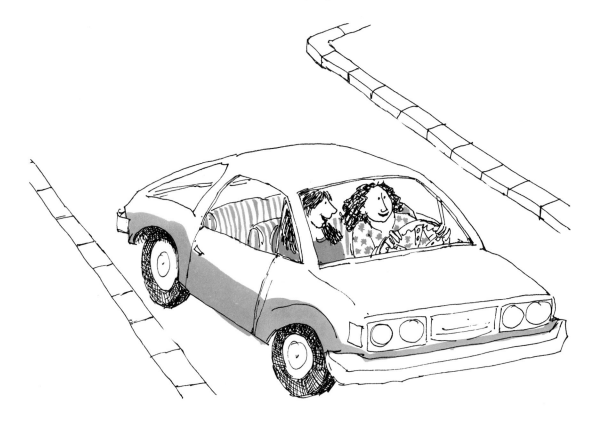

	buen consejo	mal consejo	
1. Ponte el cinturón de seguridad.	☐	☐	cinturón de seguridad: *seat belt*
2. Antes de arrancar, toca la bocina.	☐	☐	toca la bocina: *honk the horn*
3. Al arrancar, mira a la derecha y a la izquierda.	☐	☐	
4. Después de arrancar, acelera de repente.	☐	☐	de repente: *suddenly*
5. Al ver la luz roja, para.	☐	☐	
6. Al ver la luz amarilla, acelera.	☐	☐	
7. Ten mucho cuidado al pasar por un pueblo.	☐	☐	
8. Pon las luces direccionales antes de doblar la esquina.	☐	☐	doblar la esquina: *turning the corner*
9. Pon las luces direccionales después de parar.	☐	☐	
10. Ve más despacio cuando llueve.	☐	☐	más despacio: *slower*
11. Al doblar la esquina, acelera.	☐	☐	
12. Al ver a un policía, ve más de prisa.	☐	☐	más de prisa: *faster*

Nota cultural

El permiso de conducir

¿Cuándo recibirás tu permiso de conducir? ¿Dentro de un año o dos? ¿O tal vez, ya lo tienes?

Para los jóvenes hispanos, el sacar° el permiso de conducir es un hecho emocionante.° Primero porque el examen es muy difícil y muchos salen mal en° el examen. También, el sacar el permiso de conducir es como un símbolo, una señal de que eres cuidadoso y responsable, que eres de confianza,° en otras palabras, que ahora eres un adulto.

el sacar *getting*   **emocionante** *thrilling*   **salen mal en** *fail*
de confianza *worthy of confidence*

sustantivo	**un pueblo**	town
verbo	**obtener**	to obtain, to get
expresiones	**de repente**	suddenly
	tocar la bocina	to honk

NOTA: **Obtener** is conjugated like **tener**.

¿Cuándo **obtendrás** tu permiso de conducir?

CONVERSACIÓN

Vamos a hablar de lo que haces todos los días.

1. ¿Te lavas las manos **antes de** comer?
2. ¿Te lavas los dientes **antes de** acostarte?
3. ¿Miras **antes de** cruzar la calle?

4. ¿Estudias mucho **antes de** hacer un examen?
5. ¿Piensas **antes de** hablar?

OBSERVACIÓN

In the above questions, you are asked whether you do certain things before doing others.

• What is the expression that corresponds to *before?*
• Which form of the verb is used after this expression?

Estructuras

A. Repaso: mandatos afirmativos: la forma familiar (*tú*)

Commands are used to make a suggestion, to give a warning, or to give an order. In the following sentences, orders are given to people addressed as **tú**.

¡María, **escucha**!	*María, **listen**!*
¡Paquito, **come** el pan!	*Paquito, **eat** the bread!*
¡**Escribe** la carta, Manuel!	*Write the letter, Manuel!*

For most verbs, the affirmative **tú** form of the command is the same as the **él** form of the present tense.

> endings for the familiar or **tú** form of commands
> for **-ar** verbs: **-a**
> for **-er** verbs: **-e**
> for **-ir** verbs: **-e**

ACTIVIDAD 1 Unos consejos

Imagina que eres profesor(a). Unos alumnos necesitan cambiar sus actitudes. Aconséjalos.

▷ Paco no lee libros interesantes.
     Por favor, Paco, ¡lee libros interesantes!

1. Carmen no estudia para el examen.
2. Rubén no estudia el vocabulario.
3. Felipe no saluda a sus profesores.
4. Isabel no aprende los verbos.
5. Federico no llega a clase a tiempo.
6. Inés no termina las tareas.
7. Alberto no escribe en su cuaderno.
8. Teresa no habla inglés en clase.

ACTIVIDAD 2 En la fiesta

Carlos ha invitado a algunos amigos a una fiesta en su casa. Le pide ayuda a cada uno. Haz el papel de Carlos. (Cuidado: Los verbos que Carlos usa tienen un cambio en el radical.)

▷ cerrar las ventanas ¡Cierra las ventanas, por favor!

1. cerrar la puerta
2. encender las luces
3. encender el tocadiscos
4. mostrar tus fotos
5. jugar con Alberto

6. contar un chiste
7. servir las gaseosas
8. devolver los discos
9. contar algo divertido
10. servir los sándwiches

B. Repaso: mandatos afirmativos: la forma familiar (tú) irregular

A few verbs are irregular in the affirmative **tú** form of the command.

decir	**di**	**¡Di** la verdad!
hacer	**haz**	**¡Haz** la tarea!
ir	**ve**	**¡Ve** a la escuela!
poner	**pon**	**¡Pon** la mesa!
salir	**sal**	**¡Sal** conmigo!
ser	**sé**	**¡Sé** generoso!
tener	**ten**	**¡Ten** paciencia!
venir	**ven**	**¡Ven** aquí!

▷ With the exception of **decir, hacer, ser,** and **ir,** the affirmative **tú** form of the above verbs is the stem of the verb, that is, the infinitive minus -**er** or -**ir.**

⚡ Note the idiomatic expressions with **tener.**

tener cuidado (con)	to watch out (for)	**¡Ten cuidado con** el perro!
	to be careful (about)	**¡Ten cuidado con** el coche!
tener paciencia	to be patient	**¡Ten paciencia,** por favor!
tener la bondad (de)	to be good enough (to)	**¡Ten la bondad de** ayudarme!
	(would you please)	

ACTIVIDAD 3   ¡Cuidado!

Un papá les da a sus hijos ciertas órdenes y les recomienda cuidado con
ciertas cosas. Haz el papel del papá.

⚡   Roberto: ir a la playa / el sol   ¡Ve a la playa, Roberto, pero ten cuidado con el sol!

1. Marta: ir al centro / los coches
2. Enrique: poner la mesa / los vasos
3. Silvia: hacer la tarea / los errores

4. Marta: salir con Gloria / su perro
5. Silvia: salir de casa / el tránsito (*traffic*)
6. Enrique: venir aquí / el perro

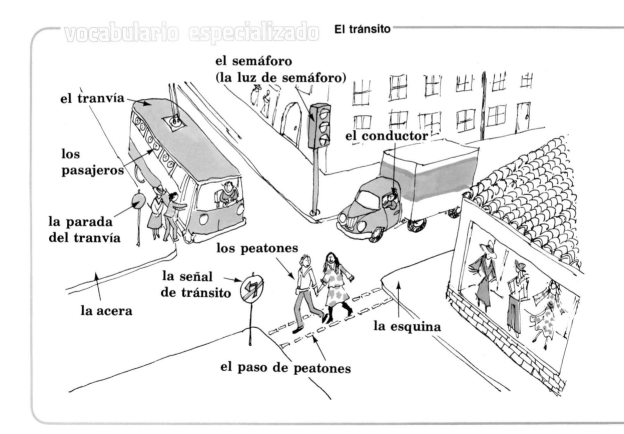

vocabulario especializado   **El tránsito**

- **el semáforo (la luz de semáforo)**
- **el conductor**
- **el tranvía**
- **los pasajeros**
- **la parada del tranvía**
- **los peatones**
- **la señal de tránsito**
- **la acera**
- **la esquina**
- **el paso de peatones**

ACTIVIDAD 4   Una lección de conducir

Supón *(Suppose)* que estás enseñándole a una amiga española el arte de
conducir. ¿Qué consejo vas a darle en las circunstancias descritas abajo?
Escoge entre **tener cuidado (con)**, **ir más despacio** y **parar**.

Un gato cruza la calle.   ¡Ten cuidado con el gato!
(¡Ve más despacio!)
(¡Para!)

1. Los peatones cruzan la calle.
2. La luz de semáforo está verde.
3. La luz de semáforo está amarilla.
4. La luz de semáforo está roja.
5. Hay un accidente.
6. El conductor del otro coche no tiene cuidado.
7. El coche de enfrente *(ahead)* anda muy despacio.
8. Hay un tremendo lío de tránsito.
9. El coche de atrás *(behind)* está tocando la bocina.
10. Estamos en una carretera.
11. Llegamos a un pueblo.
12. Llegamos a un peaje *(tollbooth)*.
13. El tranvía que está delante del coche para de repente.
14. Los pasajeros están subiendo al tranvía.

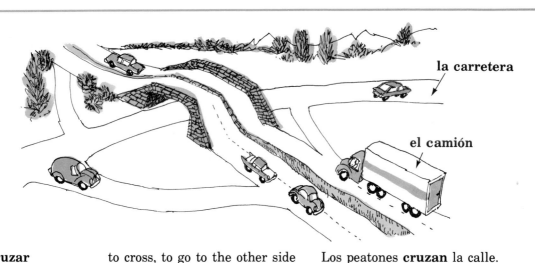

la carretera

el camión

cruzar	to cross, to go to the other side	Los peatones **cruzan** la calle.
doblar	to turn (a corner)	**Dobla** a la izquierda y después **dobla** a la derecha.
parar	to stop	Los coches **paran** cuando la luz de semáforo está roja.
seguir (e → i)	to follow, to continue	¡**Sigue** el taxi! ¡**Sigue** derecho *(straight ahead)*!
ir de prisa	to go quickly	**Ve** más **de prisa** en la carretera.
ir despacio	to go slowly	**Ve despacio** en el pueblo.

C. Repaso: preposición de tiempo + infinitivo

Note the use of the infinitives in the following sentences.

Cierra la puerta **al salir** de casa.	*Close the door **on leaving** the house.*
Ten cuidado **al cruzar** la calle.	*Be careful **when crossing** the street.*
Enciende las luces direccionales **antes de doblar.**	*Put on your turn signal **before turning.***
Apaga las luces direccionales **después de doblar.**	*Turn off the turn signal **after turning.***

ஐ The infinitive is used after prepositions of time such as **al** (*while, on, when*), **después de** (*after*), and **antes de** (*before*).

ஐ Reminder: The construction **al** + infinitive is used to express the fact that two actions are going on at the same time.

Al entrar, saludo a mis amigos.	*When I come in, I say hello to my friends.*
Al volver a casa, te llamaré.	*When I get back home, I will call you.*

ACTIVIDAD 5   Preguntas personales

1. ¿Qué haces al llegar a la escuela?
2. ¿Qué haces al volver a casa?
3. ¿Qué haces al encontrar a tus amigos?
4. ¿Qué harías al ver un accidente?
5. ¿Qué harías al ver un tigre?
6. ¿Qué harías al encontrar al presidente? ¿a Frankenstein? ¿a Paul Newman?
7. ¿Qué harías al ganar mil dólares en la lotería?

ACTIVIDAD 6   Primero uno, luego otro

Hay un orden cronológico en lo que hacemos. Describe este orden lógico con la construcción **antes de** o **después de** + infinitivo.

ஐ   Carmen (estudiar / hacer el examen)   Carmen estudia antes de hacer el examen.

1. tú (lavarte las manos / comer)
2. yo (lavarme los dientes / comer)
3. nosotros (vestirnos / levantarnos)
4. Felipe (quitarse la ropa / acostarse)
5. los alumnos (pensar / hablar)
6. las personas limpias (bañarse / vestirse)

ACTIVIDAD 7   Expresión personal

Completa las siguientes frases con una idea personal. ¡Usa tu imaginación!

1. Al llegar a casa esta tarde . . .
2. Al salir de clase . . .
3. Después de cenar esta noche . . .
4. Al recibir mi diploma . . .
5. Después de graduarme . . .
6. Antes de buscar trabajo . . .
7. Al recibir mi primer cheque . . .
8. Al decidir que voy a casarme . . .
9. Después de casarme . . .

¡A ti te toca!

Direcciones

Supón que un alumno hispano te pide direcciones para ir a los siguientes lugares. Dale las direcciones, usando verbos como **ir, cruzar, doblar en la esquina** y **seguir.**

⋙ para ir de la escuela a la biblioteca
> Ve hasta el semáforo. Cruza la calle ... En la esquina, dobla a la izquierda en la calle de Colón. Sigue derecho hasta la biblioteca municipal.

1. para ir de la biblioteca al cine
2. para ir del cine a la parada del autobús
3. para ir de la parada del autobús a la Plaza Mayor
4. para ir de la Plaza Mayor a la farmacia

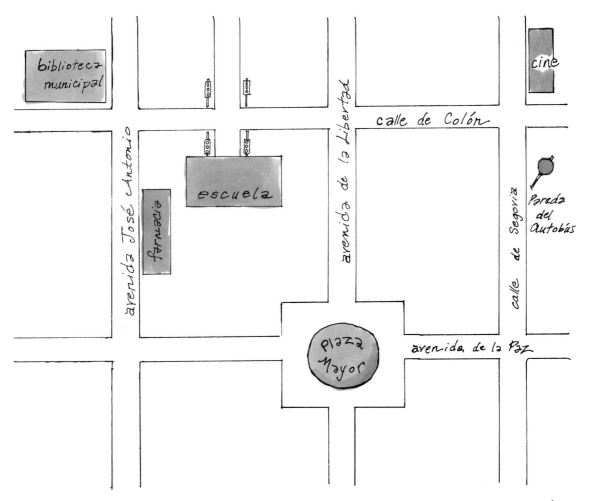

La gente del siglo veinte ha inventado un arte nuevo: el arte de la persuasión. Hoy día, con la publicidad, vemos este arte constantemente.

Por ejemplo:

¡Beba Ud. QUICK, el agua mineral de los campeones!

campeones:
champions

¡Sean Uds. modernos!
¡Beban TROPICAL, la bebida de los jóvenes!

bebida: *drink*

¡Piense Ud. en el verano!
¡Piense Ud. en el sol!
¡Piense en su bronceado!
¡Compre hoy la loción bronceadora SOMBRA!

bronceado: *tan*
loción bronceadora:
suntan lotion

¡Damas!
Para el pelo seco, para el pelo grasoso,
para el pelo fino, para el pelo grueso . . .
      un solo champú
Usen el champú BRILLOR, el champú
      de las estrellas de cine.

seco: *dry*
  grasoso: *greasy*
grueso: *thick*
champú: *shampoo*

estrellas: *stars*

¡Jóvenes!
¡Lleven los blue-jeans YANKIS!
Los blue-jeans de la juventud internacional.

juventud: *youth*

Aprenda Ud. inglés electrónicamente
en menos de dos meses
con el método SINPENA.

¡No sean ridículos en sociedad!
Aprendan Uds. a bailar en 5 lecciones
en el ESTUDIO ESTRELLA.

Desarrolle Ud. su talento artístico.
Aprenda a dibujar con
la Escuela de Correspondencia
de Estudios Gráficos.

¿Sueñan Uds. con pasar unas vacaciones inolvidables?
¡No sueñen más!
Pasen sus vacaciones en las Islas Baleares
con el Club Internacional de Turismo.

¡Piensen Uds. en la salud!
Dejen de fumar inmediatamente:
Para eso, tomen las pastillas FUMASTOP.

La publicidad está por todas partes: en la televisión, en los
periódicos, en la radio, en las paredes, en las carreteras, en el cine.
¿Cómo podemos resistirla?

La enseñanza° del inglés

¿Cuál es la lengua extranjera más popular entre los estudiantes norteamericanos? Naturalmente, es el español. El español viene primero, antes del francés, del alemán y del italiano.

¿Y cuál es la lengua extranjera más popular en los países hispanos? Es el inglés ... hasta en España, que es el vecino de Francia.

¿Por qué es el inglés tan popular?

... Tal vez porque el inglés es la lengua de los negocios y de las ciencias.

... Tal vez porque más gente está viajando al extranjero° y si sabe inglés puede comunicarse.

... Tal vez porque es la lengua de un país muy importante en el mundo: los Estados Unidos.

... Tal vez porque existe cierto grado° de americanización en la vida de los hispanos.

... Tal vez porque la mayoría° de los hispanos se considera amigos de los Estados Unidos.

Al visitar un país hispano, te darás cuenta de que muchas personas pueden hablar inglés — pero que también a ellos les gusta mucho y lo aprecian cuando haces el esfuerzo° de hablar español.

enseñanza *teaching* **al extranjero** *abroad* **grado** *level*
mayoría *majority* **esfuerzo** *effort*

sustantivos	**un bronceado**	tan	**una bebida**	drink, beverage
	un campeón	champion	**una estrella**	star
	un método	method	**la juventud**	youth
	un siglo	century	**la mayoría**	majority
			una pastilla	tablet, pill
			la salud	health

adjetivos	**grasoso**	greasy
	grueso	thick
	inolvidable	unforgettable
	seco	dry

expresiones	**en menos de dos meses**	in less than two months
	hoy día	today, nowadays

NOTA: Note the following constructions:

más de	+	number	*more than*	+	number
menos de	+	number	*less than*	+	number

Tengo **más de** dos meses de vacaciones.
¿Hay **menos de** treinta alumnos en la clase?

CONVERSACIÓN

Vamos a conversar sobre lo que aprendes.

1. ¿Aprendes **a tocar** el piano?
2. ¿Aprendes **a tocar** la guitarra?
3. ¿Aprendes **a conducir**?
4. ¿Aprendes **a escribir** a máquina?
5. ¿Aprendes **a hablar** francés?

OBSERVACIÓN

In the above questions, you are asked about things you are learning to do.
• What is the form of the verb that follows **aprendes?**
• Does that verb come immediately after **aprendes?** What word comes between **aprendes** and the verb?

Estructuras

A. Mandatos: las formas negativas regulares de *tú* y de *Ud., Uds.*

Compare the stems of the verbs in the following questions and commands. Note that in the questions, the verbs are in the **yo** form of the present.

questions	commands
¿**Hablo** inglés?	¡No, no **hables** inglés!
¿**Salgo** con Manuel?	¡No, no **salgas** con él!
¿Cuántas aspirinas **tomo?**	¡**Tome** Ud. una, Sra. de Móntez!
¿**Salgo** con Felipe?	¡Sí, **salga** Ud. con él!
¿Dónde **estudio** con Marisela?	¡**Estudien** Uds. en la biblioteca!
¿**Hago** la tarea con Roberto?	¡Sí, **hagan** Uds. la tarea juntos!

The forms of the commands (except for the affirmative **tú** form) are derived from the **yo** form of the present. The **-o** of the present is replaced by the following endings:

COMMANDS	-ar verbs	-er and -ir verbs			
(negative tú)	-es	-as	¡No mires!	¡No comas!	¡No escribas!
(Ud.)	-e	-a	¡Mire Ud.!	¡Coma Ud.!	¡Escriba Ud.!
(Uds.)	-en	-an	¡Miren Uds.!	¡Coman Uds.!	¡Escriban Uds.!

≫ Note that the vowel of the endings is:
-**e** for **-ar** verbs
-**a** for **-er** and **-ir** verbs

≫ This pattern for forming commands also applies to stem-changing verbs and to many verbs that are irregular in the **yo** form of the present.

infinitive	present	commands (tú negativo, Ud., Uds.)
cerrar	**cierro**	¡No **cierres** la ventana!
		¡Por favor, Sr. Móntez, **cierre** Ud. la puerta!
decir	**digo**	¡No **digas** mentiras, Carlos!
		¡No **digan** Uds. mentiras, José y Antonio!
		¡**Digan** Uds. la verdad!

≫ In order to preserve the sound of the stem, some verbs have a spelling change in the stem:

ending	change	commands (tú negativo, Ud., Uds.)
-car	c → qu	¡Por favor, no **toques** el piano!
-gar	g → gu	¡Carlos y Felipe, **jueguen** Uds. con sus compañeros!
-zar	z → c	¡**Almuerce** Ud. conmigo, Sr. Chávez!

ACTIVIDAD 1   En el consultorio del médico *(In the doctor's office)*

La doctora Sánchez tiene un paciente, el Sr. Montero, que trabaja en una oficina y no hace ejercicios. Haz los papeles de la médica y del paciente. (Por supuesto, la médica usa Ud. con su paciente.)

⊳ fumar

    el Sr. Montero: ¿Puedo fumar?

    la Dra. Sánchez: ¡No! ¡No fume Ud.!

⊳ comer fruta

    el Sr. Montero: ¿Puedo comer fruta?

    la Dra. Sánchez: ¡Por supuesto! ¡Coma Ud. fruta!

1. nadar
2. esquiar
3. fumar cigarros
4. comer legumbres
5. comer dulces
6. beber wiski
7. comer helado
8. beber gaseosas
9. beber agua mineral
10. vivir en el campo
11. tomar pastillas para dormir *(sleeping pills)*
12. correr unas millas por día
13. ir en bicicleta al trabajo
14. trabajar 12 horas al día
15. trabajar los sábados y los domingos
16. saltar a la cuerda *(to jump rope)*
17. usar el ascensor *(elevator)*
18. subir la escalera a pie

ACTIVIDAD 2   ¡Nuevo, sí! ¡Viejo, no!

Un compañero te dice qué va a hacer. Ayúdale y dile que debe escoger las cosas nuevas, no las viejas.

⊳ Voy a comprar libros.   Compra los libros nuevos.

    No compres los libros viejos.

1. Voy a escuchar cintas.
2. Voy a leer revistas.
3. Voy a comprar un diccionario.
4. Voy a estudiar verbos.
5. Voy a aprender canciones.

ACTIVIDAD 3   ¡No!

Imagina que tienes hijos. Eres un papá (una mamá) muy estricto(a) y les dices que no cuando te dicen lo que van a hacer. Contéstales a tus hijos.

⊳ Salgo con Inés.   ¡No, no salgas con ella!

1. Salgo con Pablo.
2. Vuelvo a las doce.
3. Pongo unos discos de música popular.
4. Conduzco el coche.
5. Cuento un chiste.
6. Enciendo el radio.
7. Duermo en el saco de dormir *(sleeping bag)*.
8. Juego con Isabel.

ACTIVIDAD 4   ¡Son las doce!

Has invitado a algunos amigos a tu casa. Ahora son las doce de la noche y tus padres están en su cuarto. Tus amigos te preguntan si pueden hacer varias cosas. Contéstales sí o no.

☞ ¿Podemos tocar el piano?   No, no toquen el piano.

☞ ¿Podemos jugar a los naipes *(cards)?*   Por supuesto, jueguen a los naipes.

1. ¿Podemos tocar la guitarra?
2. ¿Podemos sacar el coche del garaje?
3. ¿Podemos jugar con el perro?
4. ¿Podemos jugar al «Monopolio»?
5. ¿Podemos sacar fotos?
6. ¿Podemos cantar?
7. ¿Podemos bailar?
8. ¿Podemos poner discos de jazz?
9. ¿Podemos hacer ruido?
10. ¿Podemos usar el teléfono?
11. ¿Podemos apagar el radio?
12. ¿Podemos encender el tocadiscos?
13. ¿Podemos abrir las ventanas?
14. ¿Podemos cerrar la puerta?
15. ¿Podemos mostrar nuestras fotos?
16. ¿Podemos contar chistes?

B. Mandatos: las formas negativas irregulares de *tú* y de *Ud., Uds.*

A few verbs have irregular commands in the **Ud., Uds.** and negative **tú** forms.

INFINITIVES	IRREGULAR COMMANDS: STEMS AND FORMS		
dar	**d-**	**(no des, dé, den)**	No **des** un paseo por el parque.
estar	**est-**	**(no estés, esté, estén)**	¡**Estén** Uds. aquí a las dos!
ser	**se-**	**(no seas, sea, sean)**	¡**Sean** Uds. buenos!
ir	**vay-**	**(no vayas, vaya, vayan)**	¡**Vayan** Uds. a la playa con ellos!
saber	**sep-**	**(no sepas, sepa, sepan)**	¡**Sepan** Uds. los verbos para el examen!

☞ Note that the verbs with irregular command stems are those that do not end in **-o** in the **yo** form of the present (**doy, estoy, soy, voy,** and **sé).**

☞ The imperative endings of these verbs are regular. Exception: there are accent marks on the following forms: **dé, esté, estés, estén.**

ACTIVIDAD 5   La clase

Imagina que eres el (la) profesor(a). Diles a los alumnos que deben hacer
las siguientes cosas.

⟩⟩ estar atentos   ¡Estén Uds. atentos!

1. estar a tiempo
2. estar tranquilos
3. ser bien educados
4. ser buenos alumnos
5. saber los verbos
6. saber el vocabulario
7. ir al laboratorio
8. ir a España
9. darle regalos a su profesor(a)
10. darles buenos consejos a sus amigos

ACTIVIDAD 6   Algunas recomendaciones

Las siguientes personas quieren hacer muchas cosas. Diles que deben tener
cuidado con ciertas cosas.

⟩⟩ Paco y Elena quieren ir a la playa: el sol
     ¡Vayan a la playa! ¡Pero tengan cuidado con el sol!

1. Marisa y Roberto quieren ir a mi casa: el perro
2. El Sr. Gutiérrez quiere ir al centro: el tránsito *(traffic)*
3. Isabel y Marisol quieren dar un paseo por el campo: la hiedra venenosa
   (poison ivy)
4. Caperucita Roja *(Little Red Riding Hood)* quiere dar un paseo por el
   bosque: el lobo *(wolf)*
5. La Srta. de Clemente quiere ir al lago: los mosquitos
6. Mis hermanos quieren ir de compras: los coches

C. Repaso: verbo + preposición + infinitivo

Note the use of the infinitive after the verb in heavy print.

Quiero hablar francés.	*I want to speak French.*
Paco **aprende a** bailar.	*Paco is learning how to dance.*
¡Dejen de fumar!	*Stop smoking!*
Pienso ir a México.	*I am planning to go to Mexico.*

Some verbs are followed directly by the infinitive. Others follow the
pattern:

> verb   +   preposition (**a, de, con, en**)   +   infinitive

a	acostumbrarse a	to get used to	**Me acostumbro a** no tener mucho dinero.
	aprender a	to learn	**Aprendemos a** tocar la guitarra.
	comenzar a (e → ie)	to begin	¿**Comienzas a** tocar bien?
	empezar a (e → ie)	to begin	Paco **empieza a** conducir.
	enseñar a	to teach	Voy a **enseñarte a** hablar inglés.
de	alegrarse de	to be happy about	**Me alegro de** aprender cosas interesantes
	cansarse de	to get tired of	. . . pero **me canso de** ir al colegio todos los días.
	dejar de	to quit, to stop	¡**Dejen de** decir cosas estúpidas!
	tratar de	to try	¡**Trata de** estar tranquilo!

ACTIVIDAD 7 Buenos consejos

Imagina que escribes una columna en un periódico español. En esa columna, tratas de ayudar a las personas que te escriben. Dale un consejo a cada una de las siguientes personas. Empieza cada consejo con uno de los siguientes verbos: **dejar / aprender / comenzar / tratar**. También usa el infinitivo del verbo que las personas usan.

Ω   Fumo.   Deje de fumar.
Ω   No tengo paciencia.   Trate de tener paciencia.

1. Compro cosas inútiles.
2. Como muchos dulces.
3. Tomo muchas gaseosas.
4. Como mucho helado.
5. Duermo diez horas cada noche.

6. No hago ejercicios.
7. No juego al tenis.
8. No bailo bien.
9. No soy tolerante.
10. No nado.

ACTIVIDAD 8 Otros consejos

Ahora, da consejos similares a las siguientes personas. ¡Usa tu imaginación!

Ω   a una persona gorda   Aprenda Ud. a comer menos.
      (Deje de comer demasiado.)

1. a una persona muy flaca
2. a un chico tímido
3. a un estudiante que saca malas notas
4. a un alumno que se duerme en la clase
5. a una persona que no tiene amigos
6. a una persona que no sale nunca
7. a un chico que no practica ningún deporte

en	complacerse en	to take pleasure in	¿**Te complaces** mucho **en** decir tonterías?
	consistir en	to consist of, in	El trabajo **consiste en** vender discos.
	convenir en (e → ie)	to agree on	Hemos **convenido en** ir a las dos.
	insistir en	to insist on	**Insisto en** hablar con Ud.
	tardar en	to be late in	Paco **tarda en** venir.
	vacilar en	to hesitate	No **vacilo** nunca **en** decir la verdad.
con	soñar con (o → ue)	to dream about	Los alumnos **sueñan con** ir a Europa.

NOTAS: 1. Convenir is conjugated like **venir: convengo, convienes** . . .
        2. The present tense forms of **complacerse** are like those of **conocer:**
           Me **complazco** en escuchar música clásica.

ACTIVIDAD 9   **Expresión personal**

Expresa algo sobre las siguientes situaciones. Empieza cada frase con la forma **yo** de uno de los verbos del vocabulario.

   Hablo español en clase.
      Empiezo a (aprendo a, me complazco en, vacilo en, sueño con . . .) hablar español en clase.

1. Tengo muchas amigas.
2. Soy norteamericano(a).
3. Tengo mucho dinero.
4. Voy a España.

5. Salgo con amigos simpáticos.
6. Conduzco.
7. Veo programas idiotas en la televisión.
8. Escucho discos de música popular.

Un poco de publicidad

Imagina que trabajas por una estación de televisión.
Tienes que anunciar los siguientes productos:

la crema dental *(toothpaste)* LUX
la crema RUBY
el champú *(shampoo)* BELCOLOR
los discos MATADOR
el banco PACÍFICO
las aspirinas BADER

el hotel MIRAMAR
la gaseosa DÍNAMO
la revista MAÑANA
el método PERFECT de aprender inglés
el bolígrafo MARCA
BLANCO para lavar la ropa

Escoge tres productos y escribe un anuncio de tres o cuatro frases para cada producto. ¡Usa tu imaginación y tu sentido de publicidad! Como modelo puedes usar los anuncios de «El arte de la persuasión».

Lección 3

El vendedor de la suerte

La suerte por unos pesos ... o por unas pesetas ... o por unos quetzales ... En los países hispánicos hay una persona que puede traer a todo el mundo la felicidad eterna ... Es el vendedor de lotería.

Desde la esquina de la calle, les ofrece la suerte a los transeúntes.
— ... Lotería ... Billetes de lotería ... ¿Quién quiere transformar unos pesos en unos millones de pesos?
¿Quién quiere comprarse unos billetes de lotería?

transeúntes: *passers-by*
Billetes: *Tickets*

Un chico se acerca.
—Tú, chico. Cómprate este billete ...
—No tengo dinero.

Una señorita pasa.
—Cómpreselo, señorita ... ¡Es el último!
—¿El último? ¡Bueno! ¡Démelo, por favor!
—Gracias, señorita. Cuesta solamente diez pesos ... Diez pesos que pueden transformar su vida ...

La señorita se va. Y mientras se va, el vendedor les ofrece de nuevo sus «últimos» billetes a los transeúntes.
—La suerte por diez pesos ... ¿Quién quiere comprarse billetes de lotería ...? ¡Me quedan sólo dos! ¡Ud., señor, cómpreselos! ... ¡Mire! Mañana podrá ser millonario. ¡Ud., señora, cómpreselos! ... ¿Ud. quiere uno? Bueno, diez pesos, ¡por favor!

¡Me quedan sólo dos!: *I have only two left!*

La señora se aleja . . . y el vendedor sigue:
—Lotería . . . Lotería . . . ¡Me queda sólo uno! ¡Lléveselo hoy! ¿Quién quiere comprárselo? ¡Tú, chica, cómpratelo! ¿Sí? ¡Gracias! ¡Y que Dios te ayude!

se aleja: moves on

que Dios te ayude: may God help you

Nota cultural

Los millonarios instantáneos

¿Cómo puedes ganar un millón de dólares de la noche a la mañana sin trabajar? Pues, puedes encontrar un tesoro, o heredar° una fortuna de un tío rico o descubrir que hay un pozo° de petróleo en tu propio patio. En los países hispanos hay otra manera de hacerse millonario: sacarse el gordo° de la lotería.

¿Quieres probar tu suerte? Es muy fácil: compra un billete de lotería. ¿Dónde? ¿De quién? Del vendedor ambulante,° el lotero, la persona que se gana la vida vendiendo billetes de lotería.

En algunos sitios,° la lotería se juega cada semana y los números que salen determinan la cantidad de tu premio. Para los días de fiesta como Semana Santa, la Navidad o el Año Nuevo, el premio es mayor.° Si todos los números que tienes salen, quiere decir que te sacaste el gordo. Sí, hijo mío, ¡eres millonario . . . y de la noche a la mañana!

heredar *inherit* **pozo** *well* **gordo** *top prize*
ambulante *walking* **sitios** *places* **mayor** *greater*

Vocabulario práctico

sustantivos	**un billete**	ticket	**la felicidad**	happiness
	un premio	prize	**la lotería**	lottery
	un transeúnte	passer-by	**una transeúnte**	passer-by
	un vendedor	salesman, vendor	**una vendedora**	saleswoman, vendor
verbo	**alejarse**	to move away		
expresiones	**me queda(n)**	I have . . . left	**Que Dios le ayude.**	May God help you.

CONVERSACIÓN

Vamos a hablar de lo que te dicen tus padres. Di si ellos te dicen las siguientes cosas a menudo, de vez en cuando o nunca.

1. ¿Te dicen «¡**Acuéstate** temprano!»?
   Sí (No, no) me dicen eso . . .
2. ¿Te dicen «¡**Preocúpate** por el futuro!»?
3. ¿Te dicen «¡**Córtate** el pelo!»?

4. ¿Te dicen «¡**No te acuestes** tarde!»?
5. ¿Te dicen «¡**No te enojes**!»?
6. ¿Te dicen «¡**No te burles** de tus profesores!»?

OBSERVACIÓN

In the above questions, you are asked if your parents give you certain advice. Note the position of the pronouns used in their statements.

- Does the reflexive pronoun come before or after the verb in affirmative commands? In negative commands?

Estructuras

A. Mandatos: la primera persona del plural (nosotros)

Note the forms and use of commands in the following sentences.

¡**Compremos** un billete de lotería!	*Let's buy a lottery ticket.*
¡**No vendamos** el coche!	*Let's not sell the car.*
¡**No decidamos** nada ahora!	*Let's not decide anything now.*
¡**Salgamos** con nuestros amigos!	*Let's go out with our friends.*
¡**Pongamos** música de baile!	*Let's put on dance music.*
¡**Demos** una fiesta!	*Let's give a party.*

To express *let's* or *let's not,* Spanish speakers use the **nosotros** command form. For most verbs this form is derived from the **yo** form of the present as follows:

STEM	ENDINGS
yo form of the present minus **-o**	**-emos** for **-ar** verbs
	-amos for **-er** and **-ir** verbs

For stem-changing verbs in **-ar** and **-er**:

STEM		ENDINGS	
infinitive minus	**-ar** **-er**	**-emos** **-amos**	¡Cerremos la puerta! ¡No volvamos tarde!

〰 The **nosotros** form of the command for **ir** is **vamos.**

Vamos a la playa.   ***Let's go** to the beach.*

〰 The *let's* construction may also be rendered by **vamos a** + infinitive.

Vamos a bailar.   ***Let's dance.***
Vamos a salir.   ***Let's go out.***

This construction, however, cannot be used in the negative.

ACTIVIDAD 1   La revolución

Imagina que los alumnos se niegan *(refuse)* a estudiar. En vez de estudiar, deciden hacer cosas más divertidas. Eres el (la) líder de esta revolución estudiantil. ¿Qué vas a proponerles a tus compañeros?

〰 estudiar (no)   ¡No estudiemos más!
〰 jugar a la pelota (sí)   ¡Juguemos a la pelota!

1. aprender los verbos (no)
2. escuchar la radio (sí)
3. escuchar las cintas (no)
4. regresar a casa (sí)
5. leer historietas *(comics)* (sí)
6. perder el tiempo (sí)
7. dibujar en los cuadernos (sí)
8. pintar el autobús de negro (sí)
9. hacer ruido (sí)
10. hacer la tarea (no)
11. saludar a los profesores (no)
12. hablar español (sí)

ACTIVIDAD 2   Diálogo: Planes para el fin de semana

Hablemos del fin de semana. Estás pensando en las siguientes actividades para ti y tus compañeros. Usa la forma **nosotros** en el presente. Tus compañeros aceptan tus ideas o no las aceptan, usando la forma **nosotros** en el imperativo.

〰 estudiar   Estudiante 1: ¿Estudiamos?
              Estudiante 2: ¡Sí (no, no) estudiemos!
                     ¡Qué buena idea! (¡Qué idea más tonta!)

1. organizar una fiesta
2. invitar a unos chicos (unas chicas) al cine
3. visitar un museo
4. tener un picnic
5. discutir la política
6. jugar al béisbol
7. correr el maratón
8. correr las olas
9. hacer un viaje al campo
10. salir con unos chicos (unas chicas)
11. ir al centro
12. ir a nadar

B. La posición de los pronombres con los mandatos

Note the position of the object pronouns in the following commands.

PRESENT	COMMAND (AFFIRMATIVE)	COMMAND (NEGATIVE)
¿Te invito?	¡Sí, invítame!	¡No, no me invites!
¿Me levanto?	¡Sí, levántate!	¡No, no te levantes!
¿Invitamos a Carlos?	¡Sí, invitémoslo!	¡No, no lo invitemos!
¿Nos lavamos?	¡Sí, lávense!	¡No, no se laven!

Object pronouns come before the verb in negative commands. In affirmative commands, they come after the verb and are attached to it.

⟐ When one pronoun is attached to the command verb, there is an accent mark on the next-to-last syllable of the verb. If the verb has only one syllable, it does not have an accent: **Ponlo.**

⟐ When the pronoun **nos** is attached to a **nosotros** command form, the final **s** of the verb is dropped.

¿Nos levantamos?   ¡Sí, **levantémonos**!

¿Nos vamos?   ¡Sí, **vámonos**!

ACTIVIDAD 3   La mudanza *(Moving)*

Marisela va a pasar un año en Buenos Aires. Ha alquilado un apartamento pequeño que tiene tres cuartos: una cocina, un dormitorio y una sala. El agente de mudanzas *(mover)* quiere saber en qué cuarto tiene que poner los varios objetos. Haz los papeles del agente y de Marisela según el modelo.

⟐ la refrigeradora / el dormitorio

El agente: ¿Pongo la refrigeradora en el dormitorio?

Marisela: No, no la ponga allá. Póngala en la cocina.

1. la cama / la cocina
2. el televisor / la cocina
3. los discos / la cocina
4. los libros / la cocina
5. los cuchillos / el dormitorio
6. los vasos / el dormitorio
7. el sofá / el dormitorio
8. la máquina de escribir / la cocina

ACTIVIDAD 4 Para mantenerse en buena salud (*To stay healthy*)

Un médico les dice a sus clientes lo que tienen que hacer para mantenerse
sanos. Haz el papel del (de la) médico(a) usando mandatos afirmativos o
negativos.

> divertirse   ¡Diviértanse!
>   (¡No se diviertan!)

1. levantarse temprano
2. levantarse tarde
3. acostarse temprano
4. acostarse tarde
5. lavarse a menudo
6. enfadarse

7. irritarse
8. quedarse siempre en frente del televisor
9. ponerse furiosos
10. preocuparse inútilmente
11. calmarse siempre
12. pelearse con otros

vocabulario especializado   **Para el camping**

ir de camping   to go camping

unos gemelos

una mochila

una tienda de campaña

un saco de dormir

una linterna eléctrica

un cacharro

una sartén

una manta

ACTIVIDAD 5 Regalos de cumpleaños

Isabel es una chica muy generosa pero no sabe nunca qué regalarles a sus amigos para su cumpleaños. Dile cuál de los siguientes regalos puede comprarles a estas personas.

unos discos	un saco de dormir	unos cacharros
una raqueta	una sartén eléctrica	una manta
unos libros	una mochila	una tienda de campaña
un perro	unos gemelos	una linterna eléctrica

A Jaime le gusta observar los pájaros.   Cómprale unos gemelos.

1. A Paco y Roberto les gusta la música.
2. A mí me gusta el tenis.
3. A mis primos les gusta leer.
4. A Isabel le gusta ir de camping.
5. A nosotros nos gusta cocinar.
6. A Manuel le gustan los animales.
7. A Gloria y Adela no les gusta viajar con muchas maletas.
8. A Andrés no le gusta tener frío cuando duerme.

C. Los mandatos con dos pronombres

Note the pronouns in the sentences on the right.

¿Te muestro mis fotos?	No **me las muestres** hoy.
	Muéstramelas mañana.
¿Me pongo la corbata?	No **te la pongas** para ir a clase.
	Póntela para ir a la fiesta.

When two object pronouns are used, the order is:

> indirect object pronoun   +   direct object pronoun

When the two pronouns are attached to the verb, there is an accent mark on the next to the last syllable of the verb. If the verb has only one syllable, the accent is on that syllable.

Compare:	**Compre** la mochila.	*Buy the backpack.*
	Cómpreme la mochila.	*Buy me the backpack.*
	Cómpremela.	*Buy it for me.*

ACTIVIDAD 6   El amigo norteamericano

Supón que un amigo norteamericano va a pasar el mes de agosto contigo en México. Te pregunta si tiene que comprarse *(buy himself)* las siguientes cosas. Dile si tiene que comprárselas o no. Usa el mandato de **comprarse** en frases negativas o afirmativas.

> ¿Debo comprarme anteojos de sol?   ¡Sí, cómpratelos!
> (¡No, no te los compres!)

1. ¿Debo comprarme un traje de baño?
2. ¿Debo comprarme un saco de dormir?
3. ¿Debo comprarme una tienda de campaña?
4. ¿Debo comprarme una manta?

5. ¿Debo comprarme esquís?
6. ¿Debo comprarme unos suéteres?
7. ¿Debo comprarme una mochila?
8. ¿Debo comprarme discos de música latina?

ACTIVIDAD 7   Mañana

Hay muchas cosas que Carlos quiere hacer para Marina. Desafortunadamente, Marina está muy ocupada hoy. Carlos tiene que hacer estas cosas mañana. Haz el papel de Carlos y de Marina.

> mostrar mis fotos   Carlos: ¿Te muestro mis fotos?
> Marina: No me las muestres hoy.
> Muéstramelas mañana.

1. comprar el periódico
2. prestar la sartén
3. llevar los libros
4. mandar las cartas

5. devolver el saco de dormir
6. devolver la tienda de campaña
7. contar chistes
8. contar cuentos

¿Tienes talento para vender?

Imagina que quieres vender las siguientes cosas:
- unas entradas para la comedia musical organizada por tu escuela
- unas entradas para un partido de béisbol en que el equipo de tu escuela va a jugar (es un equipo muy bueno)
- unas entradas para un partido de fútbol en que el equipo de tu escuela va a jugar (es un equipo terrible)
- unas entradas para la fiesta del club de español

Haz unas frases en que tratas de vender estas cosas a una persona que no conoces bien. Si quieres, puedes inspirarte en el texto «El vendedor de la suerte».

> ¡No pierda la oportunidad! ¡Cómprese una entrada para la comedia musical!

Lección 4 · *Sí, pero ...*

Avisos, sugerencias, consejos, mandatos o prohibiciones ... son parte de nuestra existencia.

Por eso, todos los días tenemos que escuchar mil recomendaciones diferentes, en el colegio y en casa también.

Por ejemplo ...

> Avisos: *Warnings*
> sugerencias: *suggestions*

Yo: Mamá, ¿puedo usar el teléfono?
Mamá: Claro, úsalo ...

pero no permito que lo uses
más de cinco minutos.

Yo: Hay un programa de deportes
esta noche ... ¿Puedo verlo?
Papá: Sí, por supuesto ...

pero ... antes de verlo, insisto
en que termines la tarea ... y
que limpies tu cuarto ... y que
ayudes a tu mamá ...
y que ...

Yo: ¿Puedo ir al cine?
Papá: Sí ... pero quiero que vuelvas
a casa a las diez en punto ...
e insisto en que no vayas allá
con la moto de tu amigo
Fernando ... y que la película
sea sin violencia ...

> en punto: *on the dot*

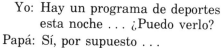

Yo: ¿Qué profesión me aconsejan
Uds.?
Papá: Por supuesto, la decisión es
tuya ... pero espero que sea
una profesión respetable ...
como la de médico ... o la de
arquitecto.
Mamá: ¡Yo prefiero que seas abogado!
Tío Andrés: Y yo, espero que seas oficial
... ¡como yo!
La abuela: ¡Y yo prefiero que seas
sacerdote!

> aconsejan: *advise*

> sea: *it is*
> oficial: *officer*

> sacerdote: *priest*

A veces me pregunto: ¿Es posible sobrevivir cuando hay tantas limitaciones en la vida?

sobrevivir: *to survive*

Nota cultural

La familia y la selección de una carrera

¿Sabes qué profesión escogerás o en qué campo° profesional entrarás? ¿Lo consultarás con tus amigos? ¿Con tu consejero escolar?° ¿O con tus padres? ¿O vas a tomar la decisión tú mismo?

En los países hispanos, la familia desempeña° un papel muy importante en la selección de las profesiones. En efecto, muchísimas veces los hijos escogen la profesión de sus padres. Ésta es la costumbre especialmente en los pueblos donde el comercio y la artesanía° son transmitidos de generación a generación.

Por eso, si el padre es carpintero, joyero,° albañil° o hacendado,° a menudo los hijos seguirán la misma profesión que el padre. En las ciudades grandes, las profesiones serán diferentes. Pero si el padre es médico, dentista, abogado, hombre de negocios o político, es probable que alguno de los hijos seguirán la misma profesión.

campo *field* **consejero escolar** *guidance counselor*
desempeña *plays* **artesanía** *crafts* **joyero** *jeweler*
albañil *mason* **hacendado** *rancher*

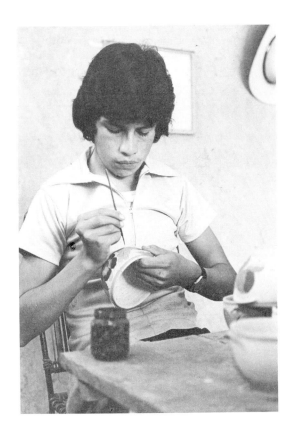

sustantivos	**un aviso**	warning, information	**una carrera**	career; race
	un mandato	command	**una prohibición**	ban, prohibition
	un sacerdote	priest	**una sugerencia**	suggestion
verbo	**aconsejar**	to advise		
expresión	**en punto**	on the dot, exactly		

CONVERSACIÓN

Vamos a hablar de tus relaciones con tus amigos.

1. ¿Quieres que tus amigos te **admiren**?
   Sí (No, no) quiero que mis amigos me **admiren**.

2. ¿Quieres que tus amigos te **imiten**?

3. ¿Quieres que tus amigos te **comprendan**?

4. ¿Quieres que tus amigos te **digan** siempre la verdad?

5. ¿Quieres que tus amigos **tengan** paciencia contigo?

OBSERVACIÓN

In the above questions, you were asked if you want your friends to do certain things. To express your request, you used the expression **quiero que** *(I want)*. Your command was *indirect* rather than direct. The verb form that follows **quiero que** and expresses the indirect command is called the *subjunctive*.

• Are the subjunctive forms the same as the **Uds.** command form?

Estructuras

A. El subjuntivo: la formación regular

A command, order, recommendation or suggestion may be given either:

—directly   **Study!**
—or indirectly   **I want you to study!**

Compare the verb forms used in the following direct and indirect commands.

direct commands		*indirect commands*
¡No **hables** inglés, María!		no **hables** inglés.
¡**Aprenda** inglés, Sr. Chávez!	Quiero que	**aprenda** inglés.
¡**Salgamos** esta noche!		**salgamos** esta noche.
¡**Pongan** los discos aquí, Ana y Luis!		**pongan** los discos aquí.

Except for the **tú** commands in the affirmative, Spanish speakers use the same verb forms for both direct and indirect commands. These are called *subjunctive* verb forms.

Note the subjunctive forms of the verbs in the chart below:

INFINITIVE	cantar	leer	escribir	salir
yo form of present	canto	leo	escribo	salgo
SUBJUNCTIVE				
(yo)	cante	lea	escriba	salga
(tú)	cantes	leas	escribas	salgas
(él, ella, Ud.)	cante	lea	escriba	salga
(nosotros)	cantemos	leamos	escribamos	salgamos
(vosotros)	cantéis	leáis	escribáis	salgáis
(ellos, ellas, Uds.)	canten	lean	escriban	salgan

As we have seen, the subjunctive is derived from the **yo** form of the present, as follows:

STEM	ENDINGS	
yo form of the present minus **-o**	**-e, -es, -e, -emos, -éis, -en**	(for **-ar** verbs)
	-a, -as, -a, -amos, -áis, -an	(for **-er** and **-ir** verbs)

As in the imperative, certain spelling changes are necessary to preserve the sound of the stem.

-car (c → qu) Quiero que no **toques** la guitarra.
-gar (g → gu) Quiero que **paguen.**
-zar (z → c) Quiero que **empiecen** el trabajo.

ACTIVIDAD 1 En el campamento de veraneo *(At summer camp)*

Imagina que trabajas como asistente del director de un campamento de veraneo. Insistes en que todos los chicos se laven antes de acostarse. Expresa esto, usando **quiero que** + el subjuntivo de **lavarse.**

Raúl   Quiero que Raúl se lave.

1. tú
2. Isabel
3. Carlos
4. Uds.
5. tus amigos
6. Rafael y Esteban
7. Mari-Carmen
8. nosotros

ACTIVIDAD 2   En la clase

El (la) profesor(a) es muy exigente. Para él (ella), hay tres cosas muy
importantes: hablar español, aprender los verbos y no hacer ruido. Expresa
que el (la) profesor(a) espera esto de cada uno de los alumnos.

🕱 María   El profesor quiere que María hable español.
                Quiere también que aprenda los verbos.
                Finalmente quiere que no haga ruido.

1. Felipe   6. toda la clase
2. Manuel y Roberto   7. yo
3. Ud.   8. tú
4. Uds.   9. nosotros
5. Teresa y yo   10. todos los alumnos

ACTIVIDAD 3   ¿Sí o no?

Carlos le pregunta a su papá si tiene que hacer las siguientes cosas. Su
papá le dice que sí o que no. Haz los dos papeles.

🕱 poner la mesa (sí)   Carlos: ¿Pongo la mesa, papá?
                            Papá: ¡Por supuesto! . . . ¡Quiero que pongas la mesa!

🕱 decir un chiste (no)   Carlos: ¿Te digo un chiste, papá?
                            Papá: Claro que no. No quiero que me digas ningún chiste.

1. hacer la tarea (sí)
2. hacer un viaje con mis amigos (no)
3. poner el coche en el garaje (sí)
4. salir con Pedro (sí)
5. salir con Manuel (no)
6. conducir tu coche (no)
7. conducir el coche de mi abuelo (sí)
8. poner aceite en la ensalada (sí)
9. poner vinagre en el yogur (no)
10. poner una rana *(frog)* en la cama de
    la tía Isabel (no)
11. tener cuidado con el perro (no)
12. tener cuidado con el tránsito (sí)
13. decir la verdad (sí)
14. decir mentiras (no)

ACTIVIDAD 4   ¡Un poco de lógica!

En cinco minutos haz tantas frases lógicas como puedas, usando los elementos de las columnas A, B, C y D. Las frases pueden ser afirmativas o negativas.

A	B	C	D
tú		yo	organizar una fiesta
Carlos		nosotros	ayudar en casa
mi mejor amigo(a)	querer que	Manuela	estudiar
el profesor		los alumnos	hablar inglés
mis padres		tú y yo	usar el teléfono
			comprar cosas inútiles
			tocar la guitarra
			llevar el tocadiscos
			conducir el coche
			hacer ruido
			tener cuidado
			venir a la fiesta

ꕤ   Mis padres no quieren que (yo) use el teléfono.

B. El uso del subjuntivo: mandatos indirectos

In each of the sentences below, the subject expresses a wish (or an indirect command) that concerns someone else. Note the use of the subjunctive.

El profesor **quiere que los alumnos estudien**.

*The teacher **wants the students to study**.*

Mi papá **me pide que le ayude**.

*My father **is asking me to help him**.*

Inés **no quiere que su novio vea a Elena**.

*Inés **does not want her boyfriend to see Elena**.*

Spanish speakers use the subjunctive after verbs and expressions in which a wish (weak or strong) is made. Note that the wish must concern someone (or something) other than the subject. When the wish concerns the subject, the infinitive is used.

Contrast:

the wish concerns the subject (infinitive)	the wish concerns someone else (subjunctive)
Espero visitar México.	(Yo) **espero que Paco visite** México.
Mi padre **quiere aprender** español.	Mi padre **quiere que yo aprenda** español.

ꕤ   Some of the verbs and expressions that are used to express a wish or indirect command appear in the **Vocabulario especializado**.

ACTIVIDAD 5   ¡Rebelión!

El papá de Felipe quiere que su hijo haga ciertas cosas . . . pero Felipe no
quiere hacerlas. Haz los dos papeles según el modelo.

✍ estudiar   el papá: Quiero que estudies.
                        Felipe: Y yo, no quiero estudiar.

1. aprender francés
2. estudiar para hacerse médico
3. aprender a tocar el violín
4. escuchar música clásica
5. leer poesía
6. conocer personas importantes

7. salir con compañeros serios
8. levantarte temprano
9. cortarte el pelo
10. limpiar tu cuarto
11. hacer tu cama
12. cuidar a tus hermanitos

---

vocabulario especializado   **Mandatos indirectos**

preference

| **(me) gusta que** | (I) like | No **me gusta que** salgas con mi novia. |
| **preferir (e → ie) que** | to prefer | **Prefiero que** no vengas a la fiesta. |

suggestion, advice

tolerar que	to tolerate	¿**Toleras que** tus amigos se burlen de ti?
sugerir (e → ie) que	to suggest	¿Qué **sugieres que** hagamos?
recomendar (e → ie) que	to advise	¿Qué **recomiendas que** yo le diga al profesor?

ACTIVIDAD 6   Sí, pero . . .

Carlos quiere hacer ciertas cosas para Mari-Carmen, pero Mari-Carmen
tiene ideas diferentes. Haz los dos papeles según el modelo.

    invitarte al teatro / al cine   Carlos: ¿Quieres que te invite al teatro?
                        Mari-Carmen: Sí, pero . . . prefiero que me invites al cine.

1. comprarte un helado / dulces
2. prestarte mis libros / discos
3. llamarte hoy / mañana
4. invitar a tus hermanos al teatro / primas
5. salir con Elena / conmigo
6. prestarte 5 dólares / 10 dólares

---

hope, wish

desear que	to wish	¿**Deseas que** hable español contigo?
esperar que	to hope	¿**Esperas que** tus amigos te inviten al cine?
ojalá (que)	let's hope that	**Ojalá (que)** haga buen tiempo mañana.

prohibition

oponerse a que	to be against	**Me opongo a que** leas mi diario.
prohibir que	to forbid	Mi papá **prohibe que** conduzca el coche.

request, command

pedir (e → i) que	to ask	Mis padres me **piden que** estudie más.
insistir en que	to insist	Mis amigos **insisten en que** me divierta con ellos.
mandar que	to order	La policía **manda que** los conductores sean prudentes.
rogar (o → ue) que	to beg	Los abogados **ruegan que** sus clientes digan la verdad.
exigir que	to demand	Los profesores **exigen que** los alumnos los respeten.

NOTA: The expression **ojalá** (or **ojalá que**), which must be followed by the subjunctive, is
derived from an Arabic expression meaning "May Allah grant that." It has several
English equivalents:

    Let's hope that . . .   ¡**Ojalá** haga buen tiempo el próximo sábado!
    I wish (hope) that . . .   ¡**Ojalá que** Carmen acepte mi invitación!

ACTIVIDAD 7   Expresión personal

¿Cómo reaccionas en las siguientes circunstancias? Para expresar tu actitud, usa una de las siguientes expresiones: **(no) acepto que / (no) tolero que / insisto en que / me opongo a que / prohibo que / ruego que.**

✏️   Mi hermano toma mi guitarra.   (No) Tolero que mi hermano tome mi guitarra.

1. Mis profesores respetan mis ideas.
2. Mis padres me comprenden.
3. Mis amigos me ayudan.
4. Mis amigos olvidan mi cumpleaños.
5. Mi mejor amigo(a) sale con mi novio(a).
6. Mi mejor amigo(a) no me dice la verdad.
7. Mis hermanos me molestan.
8. Mis profesores reconocen mi talento.

ACTIVIDAD 8   Recomendaciones

Hazle una sugerencia a cada una de las siguientes personas. Empieza tus sugerencias con **Sugiero o recomiendo que** . . . . Puedes usar uno de los siguientes verbos. ¡Usa tu imaginación!

   comprar / llevarse / aprender / tener / tener cuidado con

✏️   Paco va a pasar un año en los Estados Unidos.

          Sugiero (Recomiendo) que Paco aprenda inglés (que se lleve sus discos . . .).

1. Mari-Carmen va a pasar un año en Francia.
2. Gil y Roberto van a pasar unos dos meses en Italia.
3. Isabel va a la playa.
4. Manuel y Clara van a la montaña.
5. Vamos a las Islas Galápagos.
6. Vamos a pescar.

ACTIVIDAD 9   Expresión personal: ¡Ojalá!

Haz tres frases para cada una de las siguientes personas. Empieza cada frase con **Ojalá que.** Si quieres, usa los siguientes verbos: **comprar / recibir / sacar / tener / vender / salir / conocer / hacer / invitar / descubrir.** Usa también tu imaginación.

✏️   Mi mejor amigo   Ojalá que compre una moto.
                          Ojalá que conozca chicas simpáticas.
                          Ojalá que haga algo interesante el próximo fin de semana.

1. mi mejor amiga	4. los vecinos	7. Ud.
2. el (la) profesor(a)	5. mis compañeros	8. Uds.
3. mis padres	6. yo	9. tú

C. El concepto del subjuntivo

Tenses and moods

In a sentence, the verbs tell what the action is. Each verb form is characterized by its tense and its mood.

- The *tense* indicates the time of the action.
  The present, the future, the imperfect and the preterite are different tenses.
- The *mood* reflects the attitude of the speaker toward the action.
  The indicative and the subjunctive are different moods.

Indicative vs. subjunctive

In English, the subjunctive, although rare, is still occasionally used.
Compare the verbs in the following sentences.

indicative	*subjunctive*
He *is* not a good student.	I wish he *were* an excellent student.
Carlos *is* in Mexico.	It is important that he *be* home for Christmas.
Elena *studies* English.	Her parents insist that she *study* French also.

Spanish speakers, on the other hand, use the subjunctive mood frequently.
Therefore, it is very important to know when to use it and why.
Compare the uses of the indicative and the subjunctive in the following sentences.

PRESENT INDICATIVE (what is)	PRESENT SUBJUNCTIVE (what may be)
Sé Veo } que Uds. **estudian** poco. Observo	Quiero Prefiero } que Uds. **estudien** más. Insisto en

Indicative

When you say **Uds. estudian poco** or **Sé que Uds. estudian poco,** you express a fact or your knowledge of this fact. In Spanish the indicative is used to *state facts*. It is the mood of *what is*.

Subjunctive

When you say **Quiero que Uds. estudien más** or **Insisto en que Uds. estudien más,** you express a wish. In Spanish, the subjunctive is used to express *wishes* and other *feelings* and *attitudes* about an idea or fact. It is the mood of *what may be*.

In this lesson, you have learned that the subjunctive is used to express indirect commands. In Units 9 and 10, you will learn more about other uses of the subjunctive.

ACTIVIDAD 10　La perfección

Imagina que eres una persona muy exigente *(demanding)*. Sabes que las
siguientes personas hacen ciertas cosas bien pero quieres que las hagan
mejor. Expresa esto según el modelo.

⊗　Carlos toca la guitarra.

　　　　Sé que Carlos toca la guitarra bien . . . pero quiero que toque mejor.

1. Inés canta.
2. Tú tocas el piano.
3. Pedro nada.
4. Mis primos bailan.
5. Tú hablas francés.
6. Hablan italiano.
7. Corren las olas.

8. Juegas al béisbol.
9. Marina monta a caballo.
10. Felipe esquía.
11. Carmen escala montañas.
12. Mis amigos se lanzan en paracaídas
　　(parachutes).

ACTIVIDAD 11　Lo que sabemos y lo que esperamos

¿Son reales las siguientes cosas o son solamente cosas deseables *(desirable)*?
Expresa tu punto de vista personal usando **ojalá que** + subjuntivo o
sé que + indicativo.

⊗　los norteamericanos: hablar inglés　　Sé que los norteamericanos hablan inglés.

⊗　los norteamericanos: hablar español　　Ojalá que los norteamericanos hablen español.

1. yo: tener un coche / ganar dinero / tener amigos simpáticos
2. los vecinos: tener un bote / ganar la lotería / invitar a mis padres a su casa
3. el (la) profesor(a): tener paciencia / ayudar a los alumnos / hablar
   español / hablar inglés
4. mis amigos: tener un coche deportivo / salir conmigo / invitarme a la fiesta
5. los norteamericanos: ayudar a los otros países / hacer las paces con todos

Expresión personal

Tú también quieres que los otros hagan ciertas cosas. Di lo que esperas
(expect) de las siguientes personas. ¡Usa tu imaginación!

⊗　mi papá　　Quiero que mi papá me compre una moto.
　　　　　　　　(Quiero que mi papá no me hable de mis estudios.)

1. mi mamá
2. mi mejor amigo
3. mi mejor amiga
4. mis profesores

5. mis hermanos
6. el presidente
7. el (la) alcalde *(mayor)*
8. todo el mundo

El ojo de Dios

Para los indios en el oeste de México, el ojo de Dios° es algo mágico. Estos objetos sirven para asegurar° el bienestar:° comida para todos, larga vida y salud para los niños. El ojo de Dios es un talismán° que protege° la casa y a las personas que viven en ella.

¿Y tú? ¿No quieres proteger tu casa? Pues,° mira. Hacer un ojo de Dios es muy fácil.

Materiales:

- 2 varillas° delgadas (más o menos del grueso° de un lápiz) de 25 centímetros de largo cada una
- 2 madejas° de lana,° una de cada color: rojo y negro, amarillo y verde, azul y rosa, o cualquier° otra combinación
- pegamento° blanco
- tijeras

Instrucciones:

1. Haz una cruz° con las varillas, cruzándolas en el centro.

2. Escoge el color que deseas para el centro del ojo y usa una punta° de lana para atar° las varillas con un nudo.°

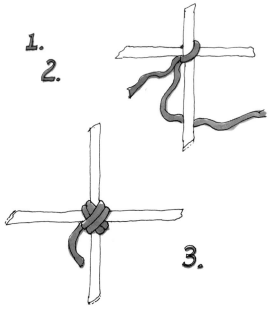

3. Enrolla° la lana alrededor de las varillas, haciendo una ✕. Haz esto dos o tres veces.

Dios: *God*
asegurar: *to insure*
  bienestar: *well-being*
talismán: *good-luck piece*
protege: *protects*
Pues: *Then*

varillas: *sticks*
  grueso: *thickness*

madejas: *skeins*
  lana: *yarn*

cualquier: *any*
pegamento: *glue*

cruz: *cross*

punta: *end*
atar: *to tie*
nudo: *knot*

Enrolla: *Wrap*

4. Ahora, toma la lana
   y comienza a
   enrollarla en cada
   varilla. Primero,
   pásala por el frente,
   luego por detrás y
   luego por el frente
   otra vez.

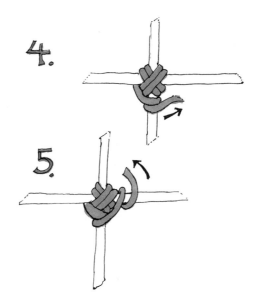

5. Trae la lana a la
   varilla más cerca a
   tu derecha, tirándola°
   para que quede
   tensa° y junto al
   centro.

tirándola: *pulling it*

tensa: *tight*

6. Haz la misma
   operación que hiciste
   en la primera varilla
   (Punto 4).

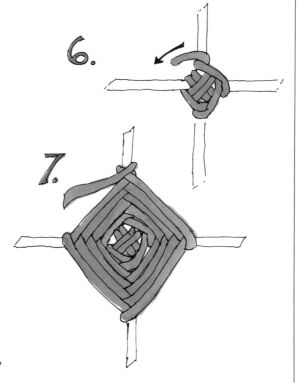

7. Sigue haciendo esta
   operación pasando la
   lana siempre a la
   próxima varilla.
   Cuando tienes una
   banda de color de
   unos tres o cuatro
   centímetros de ancho,
   cambia de color.

8. Corta la lana y pega°
la punta a la parte
de atrás° de la
varilla. Toma la
punta del nuevo color
y pégala a la parte
de atrás de esta
varilla. Luego
enrolla, como hiciste
con la primera banda
de color.

pega: *glue*

de atrás: *in back*

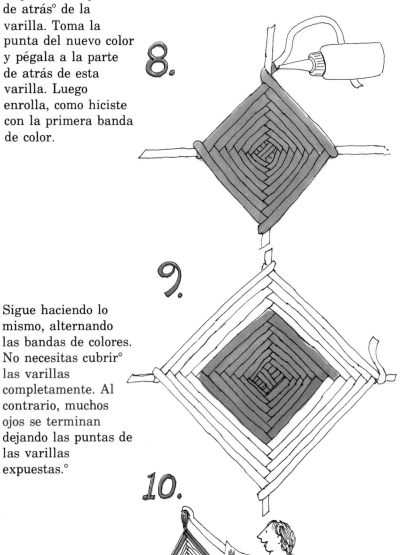

9. Sigue haciendo lo
mismo, alternando
las bandas de colores.
No necesitas cubrir°
las varillas
completamente. Al
contrario, muchos
ojos se terminan
dejando las puntas de
las varillas
expuestas.°

cubrir: *to cover*

expuestas: *uncovered*

10. Para colgar° el ojo,
amarra° una argolla°
de lana a la punta de
una de las varillas.

colgar: *to hang*
amarra: *fasten*
argolla: *loop*

Unidad 9

¡Así es la vida!

9.1 Un distraído

9.2 Una cuestión de interpretación **9.3** El mundo misterioso **9.4** Nunca satisfechos

VARIEDADES—Fantasmas

Un distraído

El profesor Ramos es un señor muy amable . . . pero un poco distraído. Y de vez en cuando, él mete la pata.

distraído: *absent-minded*
mete la pata: *blunders*

¡Me alegro de que su hija sepa esquiar!

¡Siento que haya un apagón!

apagón: *blackout*

¿Le molesta que abra la ventana un poco?

¡Estoy contento de que lleguemos muy temprano para la película!

¡Me alegro de que Uds. se vayan de vacaciones!

Nota cultural

El profesor en la sociedad hispana

¿Qué te parece° el profesor Ramos? ¿Lo encuentras un poco distraído o demasiado distraído? ¿ . . . Y casi un poco tonto?

Pues, en realidad, en los países de habla hispana, los profesores y maestros son muy estimados° y respetados dentro y fuera de la clase. De hecho la gente hispánica considera la profesión de maestro o profesor una de las carreras° que tienen más prestigio.

Si pensamos que los profesores de los colegios urbanos son apreciados y queridos, los maestros rurales son aun° más estimados. Son como parte de la familia. Los padres y los maestros, juntos, cooperan° para darle la mejor educación e instrucción al estudiante.

¡Qué cooperación más fantástica!

Qué te parece What do you think of **estimados** held in esteem **carreras** careers **aun** even **cooperan** work together

Vocabulario práctico

sustantivo	**un apagón**	blackout
adjetivo	**distraído**	absent-minded
verbo	**meter**	to put (in)
expresión	**meter la pata**	to make a blunder

Estructuras

A. Los subjuntivos irregulares

We have seen that the stem of the subjunctive is the same as the stem of the command form. This is also true of irregular verbs. Verbs that have an irregular stem in the command form have an irregular subjunctive stem.

INFINITIVE STEM OF THE COMMAND SUBJUNCTIVE	ser se-	ir vay-	saber sep-
Mis profesores quieren que . . .			
(yo)	sea	vaya	sepa
(tú)	seas	vayas	sepas
(él, ella, Ud.)	sea	vaya	sepa
(nosotros)	seamos	vayamos	sepamos
(vosotros)	seáis	vayáis	sepáis
(ellos, ellas, Uds.)	sean	vayan	sepan

☞ The subjunctive of **hay** is **haya**.

¡Me alegro de que no **haya** examen!

☞ Note also the accent marks on some of the subjunctive forms of **dar** and **estar**.

dar	dé	des	dé	demos	(deis)	den
estar	esté	estés	esté	estemos	(estéis)	estén

ACTIVIDAD 1   Buenos consejos

Las siguientes personas aprenden idiomas. ¿A cuál de estos países quieres que vaya cada uno?

Francia / Italia / el Japón / Portugal / Alemania / España / Inglaterra

 Carlos aprende inglés.   Quiero que vaya a Inglaterra.

1. Paco y Ramón aprenden francés.
2. Maribel aprende italiano.
3. Uds. aprenden japonés.
4. Aprendemos portugués.
5. Aprendes español.
6. Ud. aprende alemán.

ACTIVIDAD 2   ¡Un poco de lógica!

En cinco minutos, ¿cuántas frases lógicas puedes crear? Usa los elementos de las columnas A, B, C, D y E, según el modelo. Las frases pueden ser afirmativas o negativas.

A	B	C	D	E
yo	querer	tú	ser	al (en el) laboratorio
Carlos	preferir	el profesor	estar	aquí a las dos
el profesor	desear	Mari-Carmen	dar	de buen humor
los alumnos	esperar	los alumnos	saber	los verbos
mis padres		nosotros	ir	buenas notas
		mis / sus amigos		dinero
		yo		hablar español
				bailar
				a tiempo
				a (en) la fiesta
				más generoso

 Los alumnos esperan que el profesor dé buenas notas.

B. El uso del subjuntivo después de las expresiones que muestran emociones

The subjunctive is used to describe feelings and emotions, which are subjective. Note the use of the subjunctive in the sentences below.

Me alegro de que mi hermana **tenga** amigas simpáticas.

I am happy (that) my sister *has nice friends.*

Siento que mis amigos no **tengan** mucho dinero.

I am sorry (that) my friends *do not have much money.*

¿Te molesta que yo **me lleve** tu guitarra?

Do you mind if I take your guitar?

To express the subject's feelings about the actions of someone else, Spanish speakers use the construction:

> expression of emotion + **que** + subjunctive

𝕏 While the word *that* may be omitted in English, **que** must be used in Spanish.

𝕏 When the feelings concern the actions of the subject, the infinitive is used instead of the subjunctive.
Contrast:

Me alegro de hacer un viaje.
I am happy to go on a trip.

Me alegro de que hagas un viaje.
I am happy that you are going on a trip.

Siento marcharme.
I am sorry to leave.

Siento que te marches.
I am sorry that you are leaving.

Me encanta aprender español.
I am delighted to learn Spanish.

Me encanta que mis hermanos aprendan español.
I am delighted that my brothers are learning Spanish.

ACTIVIDAD 3   La fiesta

Las fiestas son buenas ocasiones para ver a los amigos. Di que las siguientes personas se alegran de que sus amigos vengan a la fiesta.

𝕏 Felipe (Carmen)   Felipe se alegra de que Carmen venga a la fiesta.

1. Susana (Rafael)
2. Roberto y Luis (Ana y Elena)
3. mis amigos (sus novias)
4. yo (tú)
5. Teresa y yo (Uds.)
6. tú (mi hermana)
7. nosotros (los chicos mexicanos)
8. mi prima (Jaime)

ACTIVIDAD 4 Decepciones *(Disappointments)*

Luis se alegra de que Elena haga las siguientes cosas, pero siente que ella
no las haga con él. Haz los dos papeles según los modelos.

 invitar a Paco al cine   Elena: Invito a Paco al cine.
                                  Luis: Me alegro de que invites a Paco al cine, pero siento
                                          que no me invites.

      salir con Felipe   Elena: Salgo con Felipe.
                                    Luis: Me alegro de que salgas con Felipe, pero siento que no
                                          salgas conmigo.

1. invitar a Rafael al café
2. escribirle a Jaime
3. llamar a Roberto
4. salir con Tomás

5. trabajar con Manuel
6. hacer un viaje con Juan Carlos
7. bailar con Antonio
8. ir al teatro con Pablo

ACTIVIDAD 5 Expresión personal

Describe tus reacciones en las siguientes circunstancias. Empieza cada
frase con **Me alegro de que** . . . o **Siento que** . . .

      Tu mejor amigo va a España.
          Me alegro de que (Siento que) mi mejor amigo vaya a España.

1. El profesor está enfermo.
2. El profesor no viene a clase.
3. El profesor va de vacaciones.
4. El profesor da malas notas.
5. Tus padres compran un coche nuevo.
6. Tus padres no te comprenden siempre.
7. Tus amigos organizan una fiesta.
8. Tus amigos no te invitan a salir.
9. Tu mejor amigo está enojado contigo.
10. Tu mejor amigo va a vivir en otra ciudad.
11. Tu mejor amigo se burla de ti.
12. Tu mejor amigo(a) sale con tu novio(a).

ACTIVIDAD 6 Un egoísta

Raúl es muy egoísta. Se alegra de hacer las siguientes cosas, pero no se
alegra de que sus amigos las hagan también. Expresa esto, según el
modelo.

      ir de vacaciones   Raúl se alegra de ir de vacaciones.
                           No se alegra de que sus amigos vayan de vacaciones.

1. salir
2. sacar buenas notas
3. hacer un viaje

4. tener trabajo interesante
5. saber tocar la guitarra
6. ir a España

estar
{
alegre
contento
desilusionado *(disappointed)*
enojado
furioso
orgulloso
sorprendido *(surprised)*
triste
}
de que . . .

alegrarse de que . . .	to be happy that	**Me alegro de que** mis amigos me comprendan.
sentir (e → ie) que . . .	to be sorry that	**Siento que** mis hermanos no me comprendan.
temer que . . .	to fear that	**Temo que** mi primo esté enojado conmigo.
tener miedo de que . . .	to be afraid that	**Tengo miedo de que** mi novio no venga.
(me) molesta que . . .	it bothers (me) that, (I) mind	**Me molesta que** Uds. fumen.

NOTAS: 1. Note the use of **de** in the constructions with **estar** + adjective.

Estoy sorprendido de que mis amigos no me llamen.
El profesor **está orgulloso de que** los alumnos hablen bien el español.

2. The **me molesta** construction is similar to the **me gusta** construction.

¿**Te molesta** que yo fume? *Do you mind (does it bother you) that I smoke?*
Amigos, ¿**les molesta** *Friends, do you mind (does it bother you) that*
que yo abra la ventana? *I open the window?*

ACTIVIDAD 7   Un chico bien educado

Ramón es un chico bien educado (pero un poco indiscreto). Siempre les pregunta a sus amigos si les molesta que haga ciertas cosas. Unos dicen que sí, otros que no. Haz los papeles de Ramón y de sus amigos.

abrir la puerta (no)   Ramón: ¿Te molesta que abra la puerta?
El amigo: No, no me molesta que abras la puerta.

1. abrir la ventana (sí)
2. apagar el radio (no)
3. apagar el tocadiscos (sí)
4. invitar a tus amigos al cine (no)
5. invitar a tu novia al cine (sí)
6. leer tus revistas (no)

7. leer tu diario (sí)
8. llevarme tus discos (no)
9. llevarme tu dinero (sí)
10. ir a la playa (no)
11. ir a tu cuarto (sí)
12. usar tu bicicleta (no)

ACTIVIDAD 8   Expresión personal: temores *(fears)*

Di si temes que las siguientes cosas ocurran. Empieza cada frase con **(no) temo que** o **(no) tengo miedo de que**.

⟐   El profesor me da una mala nota.   (No) temo que el profesor me dé una mala nota.

1. El examen es difícil.
2. Mis amigos se burlan de mí.
3. Mi mejor amigo me olvida.
4. Mis amigos no me escriben.
5. No hay vacaciones este año.
6. Hay un terremoto *(earthquake)*.
7. Los extraterrestres invaden la tierra.
8. La tierra deja de girar *(turn)*.
9. El fin del mundo ocurre mañana.
10. Drácula existe.

ACTIVIDAD 9   ¡Un poco de lógica!

En cinco minutos, ¿cuántas frases lógicas puedes crear? Usa los elementos de las columnas A, B, C y D. Tus frases pueden ser afirmativas o negativas.

A	B	C	D
yo	contento	novio(a)	ser egoísta
tú	alegre	amigos	estar enfermo
Carlos	orgulloso	profesor(a)	ir de vacaciones
Marina	sorprendido	padres	salir con otros chicos (otras chicas)
mis amigos	furioso	vecinos	tener dinero
mis padres	enojado		tener buen trabajo
Ud. y yo	triste		saber hablar francés
	desilusionado		organizar una fiesta
			comprar un coche nuevo

⟐   Carlos está sorprendido de que su novia esté enferma.

Expresión personal

¿Qué piensas del mundo que te rodea *(surrounds)*? Expresa tus sentimientos con ides personales.

Estoy enojado(a) de que . . .
Estoy alegre de que . . .
Estoy triste de que . . .
Estoy furioso(a) de que . . .
Estoy desilusionado(a) de que . . .
Temo que . . .
No tengo miedo de que . . .
Me molesta que . . .
No me molesta que . . .

⟐   Estoy triste de que haya mucha discriminación en el mundo.

Una cuestión de interpretación

Hay cien maneras de poner en práctica los consejos que recibimos.
Escucha lo que la maestra les dice a sus alumnos . . .
Luego, ve cómo los alumnos interpretan los consejos.

¡Chicos! . . .
¡Es importante que Uds. demuestren su talento!
¡Es bueno que Uds. encuentren soluciones a sus problemas personales!
¡Es normal que Uds. muestren cariño a los compañeros menos afortunados que Uds.!
¡Es bueno que Uds. puedan expresarse!
¡Es útil que piensen en el futuro!
¡Es esencial que Uds. se sientan cómodos en presencia de los mayores!
¡Es importante que Uds. sigan el ejemplo de los mayores!
¡Es justo que Uds. les devuelvan a sus amigos lo que reciben de ellos!

demuestren: *demonstrate*

cariño: *affection*

cómodos: *comfortable*

¡Es importante que demostremos nuestro talento!

¡Es bueno que encontremos soluciones a nuestros problemas personales!

¡Es normal que mostremos cariño a los
compañeros menos afortunados que nosotros!

¡Es bueno que podamos expresarnos!

Papá, necesito 300 pesetas
para ir al cine mañana.

¡Es útil que pensemos en el futuro!

¡Es esencial que nos sintamos cómodos
en presencia de los mayores!

¡Es importante que sigamos
el ejemplo de los mayores!

¡Es justo que les devolvamos a nuestros
amigos lo que recibimos de ellos!

Nota cultural

El papel de las escuelas y los colegios en el mundo hispano

¿Piensas que el colegio tiene un papel muy importante en la formación moral de los alumnos norteamericanos? Las escuelas y los colegios hispanos les enseñan responsabilidad y patriotismo a sus estudiantes. Todos tienen que tomar el curso de Instrucción Cívica. Allí aprenden a sentir orgullo por su patria° y a ser ciudadanos° responsables.

Las escuelas y colegios urbanos ponen menos énfasis° en esto porque muchos de sus estudiantes asistirán a la universidad. Pero las escuelas y los colegios rurales ponen más énfasis en la educación cívica porque saben que para muchos de sus alumnos esto es el fin de la vida estudiantil.°

¿Sabes mucho de la historia de tu país? ¿Crees que serás un(a) ciudadano(a) responsable?

patria *country*   **ciudadanos** *citizens*   **énfasis** *emphasis*
estudiantil *student*

Vocabulario práctico

sustantivos	**una cuestión (de)**	a matter (of)
	una manera	manner
adjetivos	**cómodo**	comfortable, at ease
	justo	fair
verbos	**demostrar (o → ue)**	to demonstrate, show
	expresarse	to express oneself

CONVERSACIÓN

Vamos a hablar de lo que piensas del papel que tus profesores tienen en tu vida.

1. Según tú, ¿es necesario que tus profesores te **den** consejos?
2. ¿Es necesario que **hablen** de tu progreso escolar con tus padres?
3. ¿Es necesario que **se preocupen** por tu vida personal?
4. ¿Es necesario que **se preocupen** por tu futuro?
5. ¿Es necesario que **discutan** tu futuro con tus padres?

OBSERVACIÓN

Each of the above questions begins with the impersonal expression ¿**Es necesario que ...?**

- What is the form of the verb that follows that expression? Is it in the indicative or the subjunctive?

Estructuras

A. El uso del subjuntivo después de expresiones impersonales

Each of the following sentences begins with the impersonal construction **es** + adjective + **que.** Such constructions are used to express a particular opinion. Note the use of the subjunctive in the following examples.

Es necesario que los alumnos **estudien.**	*It is necessary that the students **study.***
Es importante que digas la verdad.	*It is important that you tell the truth.*
Es bueno que Marisela **aprenda** inglés.	*It is good that Marisela is learning English.*
Es justo que ayudemos a los otros.	*It is fair that we **help** others.*

Spanish speakers use the subjunctive after many impersonal expressions.

⟐ The above impersonal expressions are used to express an indirect command (**es necesario que ...**) or an opinion (**es bueno que ...**).

⟐ Note that these impersonal expressions may be followed by:

—**que** + subjunctive when the expressions concern someone in particular
—the infinitive when the expression does not specifically refer to anyone.

Es importante **que trabajes.**	*It is important **that you work.***
Es importante **trabajar.**	*It is important **to work.***

ACTIVIDAD 1   Expresión personal: lo más importante

De las dos cualidades, di cuál es la más importante para las siguientes personas, según el modelo.

∞ mis profesores: justos o interesantes
   Es más importante que sean justos (interesantes).

1. mi papá: generoso o enérgico
2. mi mamá: cariñosa (loving) o paciente
3. mi mejor amigo: sincero o divertido
4. mi mejor amiga: entusiasta o inteligente
5. mi futuro(a) esposo(a): rico(a) o responsable
6. mi futuro(a) jefe(a): brillante o tolerante
7. mis amigos: simpáticos o inteligentes

ACTIVIDAD 2   Unos alumnos perezosos

Imagina que eres el (la) profesor(a) de unos alumnos perezosos. Di que es necesario que cambien sus actitudes.

∞ Felipe no estudia.   Es necesario que Felipe estudie.

1. Silvia y Carlos no estudian.
2. Ramón no escucha las cintas.
3. Mari-Carmen no lee.
4. Ana María y Luisa no me escuchan.
5. Roberto no llega a tiempo.
6. Raúl y Elena no hablan inglés.
7. Los alumnos no preparan la tarea.
8. Juan Manuel no usa el diccionario.
9. Inés y Jaime no aprenden los verbos.
10. Consuelo no asiste a la clase.

ACTIVIDAD 3   Una lección de conducir (A driving lesson)

Imagina que le enseñas a una amiga española a conducir. Dile si las siguientes cosas son necesarias o no. Empieza cada frase con (No) es **importante** o (No) es necesario o (No) es útil.

∞ tener cuidado   (No) es necesario que tengas cuidado.

1. usar las luces direccionales
2. mirar en el espejo
3. llenar el tanque a menudo
4. parar frente a las señales de tránsito
5. quedarte tranquila en toda ocasión
6. ir de prisa
7. ser amable con los otros conductores
8. ser paciente
9. estar de buen humor
10. tener un coche rápido
11. tener un coche nuevo
12. conocer bien el código de tránsito (traffic rules)
13. conocer bien las señales de tránsito
14. ponerte un casco (helmet)

ACTIVIDAD 4   Requisitos profesionales

Para ciertos empleos se necesitan habilidades *(skills)* especiales. Di cuáles de las siguientes habilidades son importantes o útiles para las siguientes personas y cuáles no.

las habilidades: hablar inglés   ser cortés
                  hablar español   asistir a la universidad
                  escribir a máquina   tener paciencia
                  saber conducir

 Felipe quiere ser abogado en Panamá.

        Es útil que hable inglés y que asista a la universidad.

        No es importante que escriba a máquina.

1. Carlos quiere ser taxista.
2. Susana quiere ser intérprete.
3. Paco y Silvia quieren ser secretarios bilingües.

4. Rafael quiere ser policía.
5. Isabel y Raúl quieren trabajar en una agencia de viajes.

---

vocabulario especializado   Expresiones impersonales

es sorprendente *(surprising)* **(que)**

es bueno (que)
es malo (que)
es mejor (que)
es peligroso (que)

es agradable (que)
es natural (que)
es justo (que)
es lógico (que)

es importante (que)
es necesario (que)
es útil (que)
es indispensable (que)
es esencial (que)

es absurdo (que)
es ridículo (que)
es raro *(strange)* **(que)**
es triste (que)

importa (que)	it matters	**Importa que** todos los hombres sean iguales.
es lástima (que)	it's a pity	**Es lástima que** no lo sean.
vale la pena (que)	it is worthwhile	**¿Vale la pena que** estudiemos **tanto** *(so much)*?

ACTIVIDAD 5 Lo que importa

Éstas son ciertas cualidades: **generoso / justo / inteligente / divertido / paciente / tranquilo / cortés / honrado** (*honest*) **/ hábil** (*skillful*) **/ prudente.**
En tu opinión, ¿qué cualidad importa que las siguientes personas tengan y qué no importa?

⟫ un(a) profesor(a)   Importa que sea justo. No importa que sea generoso.

1. un taxista
2. un(a) arquitecto(a)
3. un(a) abogado(a)
4. un político
5. un(a) fotógrafo(a)

6. un(a) médico(a)
7. el presidente
8. yo
9. tus amigos
10. tus hermanos

ACTIVIDAD 6 Expresión personal

Expresa tu opinión personal sobre las siguientes cosas, usando las expresiones del vocabulario.

⟫ No tengo mucho dinero.

(No) es importante (justo, necesario . . .) que no tenga mucho dinero.

1. Tenemos mucho trabajo.
2. Hay exámenes.
3. Los profesores son estrictos.
4. Mis amigos me prestan sus discos.
5. La vida es complicada.
6. Ayudamos a los pobres.
7. Hay mucha contaminación.
8. Hay discriminación.
9. Los Estados Unidos ayudan a otros países.
10. Los Estados Unidos hacen las paces con Rusia.

11. Los jóvenes ayudan a los viejos.
12. Los padres castigan (*punish*) a sus hijos.
13. Los niños respetan a los mayores.
14. Los hombres exploran el espacio.
15. Los científicos inventan productos nuevos.
16. Los científicos desarrollan armas atómicas.
17. Los hombres son civilizados.
18. Las mujeres son iguales a los hombres.

ACTIVIDAD 7 Expresión personal: yo

¿Qué es importante en tu vida y qué no es importante? Completa las siguientes frases con una idea personal.

🦋 Es importante que yo . . .

>Es importante que yo sea feliz (tenga mucho dinero, tenga muchas amigas, asista a la universidad . . .).

1. Es necesario que yo . . .
2. Es natural que yo . . .
3. Es absurdo que yo . . .

4. Es lástima que yo . . .
5. Importa que yo . . .
6. Vale la pena que yo . . .

B. El subjuntivo de los verbos en -ar y en -er con cambios en el radical

The **-ar** and **-er** verbs with a stem change in the present indicative have the same stem change in the subjunctive.

INFINITIVE STEM CHANGE SUBJUNCTIVE: Es importante que . . .	**pensar** e → ie	**volver** o → ue	**jugar** u → ue
(yo)	piense	vuelva	juegue
(tú)	pienses	vuelvas	juegues
(él, ella, Ud.)	piense	vuelva	juegue
(nosotros)	pensemos	volvamos	juguemos
(vosotros)	penséis	volváis	juguéis
(ellos, ellas, Uds.)	piensen	vuelvan	jueguen

🦋 Stem-changing verbs in **-ar** and **-er** have regular subjunctive endings.

🦋 Note that there is no stem change in the **nosotros** and **vosotros** forms.

ACTIVIDAD 8 ¿Es bueno?

Los alumnos le preguntan a la maestra si es bueno que hagan (o no hagan) ciertas cosas. La maestra les contesta afirmativamente o negativamente. Haz los papeles de los alumnos y de la maestra según el modelo.

🦋 pensar en el futuro (sí) Alumnos: ¿Es bueno que pensemos en el futuro?
>Maestra: Sí, es necesario que Uds. piensen en el futuro.

1. pensar en otros (sí)
2. cerrar la puerta de la clase (sí)
3. cerrar los libros (sí)
4. despertarse temprano (sí)

5. despertarse temprano los domingos (no)
6. acostarse temprano (no)
7. volver a casa a tiempo (sí)
8. querer a otros (sí)

C. El subjuntivo de los verbos en -ir con cambios en el radical

The **-ir** stem-changing verbs have the same stem changes in the present subjunctive as in the present indicative. In addition, in the **nosotros** and **vosotros** forms, these verbs have the following stem changes: **e → i** and **o → u**.

INFINITIVE STEM CHANGES SUBJUNCTIVE: Es importante que . . .	**sentir** e → ie, i	**pedir** e → i, i	**dormir** o → ue, u
(yo)	sienta	pida	duerma
(tú)	sientas	pidas	duermas
(él, ella, Ud.)	sienta	pida	duerma
(nosotros)	sintamos	pidamos	durmamos
(vosotros)	sintáis	pidáis	durmáis
(ellos, ellas, Uds.)	sientan	pidan	duerman

ACTIVIDAD 9   ¿Es importante?

Ahora los alumnos de la Actividad 8 le preguntan a la maestra si es importante o no que hagan ciertas cosas. Haz los dos papeles según el modelo.

⟡ sentirse contento (sí)   Alumnos: ¿Es importante que nos sintamos contentos?
                             Maestra: Sí, es importante que Uds. se sientan contentos.

1. pedir consejos a sus padres (sí)
2. pedir dinero a sus abuelos (no)
3. seguir los buenos ejemplos (sí)
4. seguir los malos ejemplos (no)
5. dormir bien (sí)
6. dormir diez horas (no)
7. vestirse bien (no)
8. divertirse en casa (sí)
9. divertirse durante los exámenes (no)

ACTIVIDAD 10   ¡Un poco de humor!

En diez minutos, ¿cuántas frases divertidas puedes crear? Usa los
elementos de A, B, C y tu imaginación para completar la columna D.

A	B	C	D
Es agradable	yo	poder	
Es raro	nosotros	querer	
Es absurdo	mis amigos	pensar	
Es ridículo	el (la) profesor(a)	volver	
Es bueno	los alumnos	despertarse	
Es malo	mi amigo y yo	sentirse	
Es normal		dormirse	
Es lástima		dormir	
Es triste		cerrar	
		pedir	
		preferir	

➸   Es normal que los alumnos se duerman cuando el profesor habla.

Para un mundo mejor

En tu opinión, ¿cómo es posible crear un mundo mejor? Expresa tus ideas
personales. Si quieres, puedes usar una de las siguientes palabras con cada
expresión impersonal.

el presidente / los hombres / los jóvenes / los mayores / los
norteamericanos / los rusos / los ricos / los pobres / los científicos / los
médicos / los políticos

> Es esencial . . .
> Es indispensable . . .
> Es necesario . . .
> Es útil . . .
> Es importante . . .
> Vale la pena . . .
> No vale la pena . . .

➸   Es importante . . .   Es importante que los políticos transformen la sociedad.

El mundo misterioso

Todos tenemos una mente racional. Y con esta mente, podemos
explicar muchas cosas . . . pero no todas. Hay todavía muchas cosas
que no pueden ser explicadas lógicamente. Éstas constituyen los
misterios del universo . . .

mente: *mind*

¿Qué piensas de los siguientes misterios? Y ¿crees que estos misterios
existan?

	Sí, es posible.	No, no es posible.
1. Muchas personas creen que los fantasmas existen. ¿Y tú? ¿Crees que haya fantasmas?	☐	☐
2. De vez en cuando, unas personas declaran que han observado objetos misteriosos en el cielo. ¿Y tú? ¿Crees que los OVNIS (objetos volantes no identificados) existan?	☐	☐
3. Ciertas personas dicen que tienen poderes extraordinarios como lo de trasladar o romper objetos sin tocarlos. En tu opinión, ¿es posible que ellas tengan tales poderes?	☐	☐

fantasmas: *ghosts*

cielo: *sky*
  OVNIS: *UFOs*
volantes: *flying*
poderes: *powers*
trasladar: *moving*
tocarlos: *touching them*
tales: *such*

4. De vez en cuando, un vidente predice una catástrofe como un accidente de aviación o un terremoto. ¿Crees que sea posible predecir el futuro? ☐ ☐

vidente: *fortune teller*
predice: *predicts*
terremoto: *earthquake*

5. Ciertas personas parecen tener el talento de adivinar lo que pensamos. ¿Crees que esas personas tengan poderes extrasensoriales? ☐ ☐

adivinar: *guessing*

6. De vez en cuando, alguien dice que ha visto el famoso monstruo del Loch Ness. ¿Crees que tal monstruo exista? ☐ ☐

7. En África y Asia, hay curanderos que mantienen hacer operaciones quirúrgicas sin usar ningún instrumento. ¿Crees que esas operaciones sean reales? ☐ ☐

curanderos: *healers*
mantienen: *claim*
quirúrgicas: *surgical*

8. Muchas personas creen en la vida eterna. ¿Crees que haya vida después de la muerte? ☐ ☐

muerte: *death*

9. Muchas personas consultan el horóscopo antes de tomar decisiones importantes. ¿Crees que las estrellas determinen nuestro destino? ☐ ☐

estrellas: *stars*

10. Para los científicos es muy difícil explicar el origen de ciertas líneas misteriosas de la región de Nazca en el Perú. ¿Crees que astronautas extraterrestres hayan dibujado esas líneas hace muchos años? ☐ ☐

extraterrestres: *from outer space*

INTERPRETACIÓN

- Si has contestado sí a ocho preguntas o más:
  la gente pensará que eres crédulo(a).

crédulo: *gullible*

- Si has contestado sí de cinco a siete preguntas:
  crees en el poder de la razón . . . aunque
  para ti las razones no lo expliquen todo.

razón: *reason*

- Si has contestado sí de dos a cuatro preguntas:
  eres muy racional. Crees lo que ves.
  Para ti no hay nada como la experiencia.

- Si has contestado afirmativamente menos de dos preguntas:
  piensas que puedes explicarlo todo racionalmente.
  ¿No crees que haya un lugar en tu vida para un
  poquito de imaginación y misterio?

poquito: *little bit*

Nota cultural

Las líneas misteriosas de Nazca

Estas líneas fueron descubiertas en los años de 1920 (mil novecientos veinte) por un piloto que estaba volando° sobre Nazca, una región desértica° del Perú. Él observó un diseño° muy curioso que solamente se podía distinguir desde arriba.° Estas líneas representaban figuras geométricas de triángulos y cuadrados.° También había° flores y animales gigantescos como pájaros, culebras,° un mono y una araña.°

Los científicos han tratado de descubrir el origen de estas líneas y su propósito.° Naturalmente hay muchas teorías. Por ejemplo:

¿Representan estas líneas un calendario solar gigantesco?

¿Eran caminos° usados por civilizaciones antiguas?

¿Son estas líneas vestigios° de canales de irrigación antiguos?

¿Es un mapa que apunta° a un tesoro escondido?°

¿Fueron usadas por los antiguos astronautas como aeropuerto?

¿Tienen significado religioso? ¿Son vestigios de un culto antiguo?

¿Cuál es la verdadera explicación? ¡Nadie lo

sabe! Hoy día, las líneas de Nazca son todavía uno de los numerosos misterios de la América del Sur.

volando *flying* **desértica** *deserted* **diseño** *pattern*
arriba *above* **cuadrados** *squares* **había** *there were*
culebras *snakes* **araña** *spider* **propósito** *meaning*
caminos *roads* **vestigios** *remains* **apunta** *points*
tesoro escondido *hidden treasure*

Vocabulario práctico

sustantivos	**un científico**	scientist	**una estrella**	star
	un fantasma	ghost	**una línea**	line
	un poder	power	**la mente**	mind
			la muerte	death
			la razón	reason
adjetivos	**crédulo**	gullible, credulous, one who believes everything		
	eterno	eternal		
verbos	**predecir**	to predict		
	tocar	to touch		
	trasladar	to move, to transfer		
	volar (o → ue)	to fly		

NOTA: **Predecir** is conjugated like **decir.**

CONVERSACIÓN

Vamos a ver si eres una persona supersticiosa.

1. ¿Crees realmente que el viernes trece **sea** un día de mala suerte?
   Sí (No, no) lo creo.
2. ¿Crees realmente que los gatos negros **traigan** mala suerte?
3. ¿Crees realmente que **sea** peligroso pasar debajo de una escalera?
4. ¿Crees realmente que los fantasmas **existan**?

OBSERVACIÓN

When you ask someone whether they really believe something, you are questioning that belief or putting it in doubt. **¿Crees realmente que ...?** is an expression of doubt.

• Is the verb that follows that expression in the indicative or the subjunctive?

Estructuras

A. El uso del subjuntivo después de expresiones de duda

In the sentences below, Carmen considers some things as certain, whereas Manuel considers them doubtful, untrue, or at best only possible. Compare the verbs in each pair of sentences.

(certainty)	*(doubt or uncertainty)*
Carmen:	Manuel:
Sé que Raúl **es** generoso.	**Dudo** *(I doubt)* **que** Raúl **sea** generoso.
Creo que Felipe **habla** inglés.	**No creo que** Felipe **hable** inglés.
Es cierto que mis amigos **van** a la fiesta.	**Es posible que** mis amigos **vayan** a la fiesta.

The *indicative* is used after expressions of *certainty*.
The *subjunctive* is used after expressions of *doubt* or *uncertainty*.

➢ Some expressions of certainty may become expressions of doubt when used in the negative or interrogative form. In such cases, the subjunctive can be used.

  certainty: **Creo que** Paco **es** simpático.
  doubt: **No creo que** Paco **sea** simpático.
  ¿Crees que Paco **sea** buen compañero?

➢ While the word *that* may be omitted in English after an expression of certainty or doubt, the word **que** must always be used in Spanish.

ACTIVIDAD 1 Opiniones

María y Alberto están hablando de sus amigos. Es obvio que no tienen las mismas opiniones. Haz los papeles de María y Alberto según el modelo.

> Enrique es simpático.   María: Creo que Enrique es simpático.
> Alberto: ¡Bah! No creo que Enrique sea simpático.

1. Inés es bonita.
2. Tomás y Felipe son interesantes.
3. Gloria y Susana son aburridas.
4. Paco habla francés muy bien.
5. Isabel estudia mucho.
6. Elena y Manuel juegan bien al tenis.
7. Ana dice la verdad.
8. Esteban sale siempre con Consuelo.

ACTIVIDAD 2 Expresión personal: sí o no

Expresa tu opinión de lo siguiente. Empieza cada frase con **Creo que** + indicativo o **No creo que** + subjuntivo.

> El español es difícil.   Creo que el español es difícil.
> (No creo que el español sea difícil.)

1. El español es útil.
2. El (la) profesor(a) es estricto(a).
3. Los alumnos de la clase hablan español bien.
4. Los chicos son más inteligentes que las chicas.
5. Los hombres son mejores conductores que las mujeres.
6. Los jóvenes son más idealistas que los mayores.
7. Los alumnos tienen más paciencia que los profesores.
8. La China es más pequeña que los Estados Unidos.

---

vocabulario especializado   Expresiones de duda

Es posible que	**No es verdad que**
Es imposible que	**No es cierto que**
Es probable que	**No es seguro que**
Es improbable que	**Es dudoso** (*doubtful*) **que**

dudar que	to doubt that	**Dudo que** los marcianos existan.
no creer que	not to believe that	**No creo que** haya hombres en la luna.
no estar seguro(a) de que	not to be sure that	**No estoy seguro de que** digas la verdad.
negar (e → ie) que	to deny that	**Niego que** haya vida después de la muerte.

ACTIVIDAD 3   Expresión personal

Di lo que piensas de lo siguiente. Empieza cada frase con **creo que** + el indicativo o una expresión de duda + el subjuntivo.

∞ Los fantasmas existen.   Creo que los fantasmas existen.
(Es posible [dudoso . . .] que los fantasmas existan.)

1. La percepción extrasensorial existe.
2. Dios existe.
3. Los OVNIS existen.
4. Las brujas *(witches)* existen.
5. El número 13 trae mala suerte.
6. El número 7 trae buena suerte.
7. Los gatos negros traen mala suerte.
8. Hay vida después de la muerte.
9. Los muertos *(dead)* pueden comunicarse con los vivos *(living)*.
10. Es necesario consultar el horóscopo antes de tomar una decisión importante.
11. Ciertas personas pueden predecir el futuro.
12. El universo es un misterio.
13. Hay vida en la luna.
14. Hay vida extraterrestre.
15. Las estrellas determinan nuestro destino.
16. El fin del mundo es mañana.

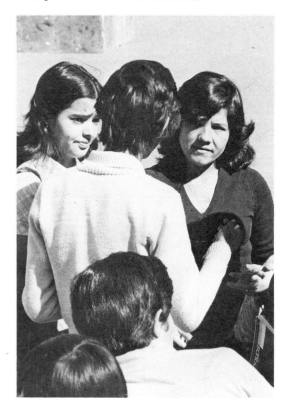

ACTIVIDAD 4   Una disputa

Juan Carlos contradice todo lo que le dice Elena. Haz los dos papeles.

∞ El profesor habla inglés bien (es cierto).
Elena: Es cierto que el profesor habla inglés bien.
Juan Carlos: No es cierto que el profesor hable inglés bien.

1. Los chicos norteamericanos son simpáticos (es cierto).
2. Las chicas norteamericanas son deportistas (es verdad).
3. Mi novio es muy inteligente (estoy segura).
4. Mís amigas son generosas (creo).
5. Los chicos son impacientes (es cierto).
6. Tú eres tonto (es verdad).

B. El pretérito perfecto del subjuntivo

Note the use and the forms of the present perfect of the subjunctive in the sentences below.

Me alegro de que Carlos **haya llamado.**   *I am happy that Carlos (has) called.*
Es bueno que haya hablado contigo.   *It's good that he (has) talked with you.*
No creo que Felipe **haya asistido**   *I do not believe that Felipe has been to*
   a una corrida.   *a bullfight.*
¿Es posible que haya ido a España?   *Is it possible that he went (has gone)*
       to Spain?

The present perfect subjunctive is used instead of the present subjunctive in sentences referring to past actions and events.

The present perfect subjunctive is a compound tense. It is formed as follows:

> present subjunctive of **haber** + past participle

PRESENT PERFECT SUBJUNCTIVE	Es importante que . . .		
(yo)	**haya estudiado**	(nosotros)	**hayamos estudiado**
(tú)	**hayas estudiado**	(vosotros)	**hayáis estudiado**
(él, ella, Ud.)	**haya estudiado**	(ellos, ellas, Uds.)	**hayan estudiado**

ACTIVIDAD 5 El profesor se alegra

El profesor se alegra de que los alumnos hayan visitado países interesantes durante las vacaciones, pero siente que no hayan asistido a ciertos espectáculos. Haz el papel del profesor.

⊃⊃   Carmen: España / un concierto de música flamenca
       Me alegro de que Carmen haya visitado España,
         pero siento que no haya asistido a un concierto de música flamenca.

1. Antonio: Colombia / una corrida
2. Roberto y Marta: la Argentina / un partido de fútbol
3. tú: los Estados Unidos / un partido de béisbol
4. Uds.: el Canadá / un partido de hockey
5. María y Consuelo: Inglaterra / un concierto de rock
6. Ud.: México / el Ballet Folklórico

ACTIVIDAD 6   Expresión personal: los misterios del universo

¿Qué piensas de lo siguiente? Expresa tu opinión personal, empezando tus
frases con: **Es posible que** . . . o **No es cierto que** . . . o **Dudo que** . . . +
el pretérito perfecto del subjuntivo.

⟩⟩ los egipcios (¿descubrir la electricidad?)

Es posible (Dudo) que los egipcios hayan descubierto la electricidad.

1. los vikingos (¿descubrir América?)
2. los marcianos (¿explorar la tierra?)
3. Cristóbal Colón (¿vivir más de cien años?)
4. Drácula (¿existir?)
5. los indios (¿venir de Asia?)
6. los rusos (¿inventar el avión?)

ACTIVIDAD 7   Un jactancioso (A boaster)

Raúl dice que ha hecho muchas cosas extraordinarias. Carmen no lo cree.
Haz los dos papeles según el modelo.

⟩⟩ visitar la China   Raúl: He visitado la China.

Carmen: ¡Bah! No creo que hayas visitado la China.

1. visitar el Japón
2. hablar con el presidente
3. vivir en Tahití
4. actuar en una película del oeste
5. salir con una actriz famosa
6. correr el maratón de Boston

7. conducir en las quinientas millas de
   Indianapolis
8. viajar en cohete
9. ganar una medalla de oro en los juegos
   olímpicos

Tus creencias (Your beliefs)

Expresa lo que crees y lo que no crees sobre tres de las siguientes cosas:

los fantasmas
los OVNIS
la vida después de la muerte
Nessie (el monstruo del Loch Ness)
el triángulo de las Bermudas
los poderes extrasensoriales

⟩⟩ Muchísimas personas dudan que Nessie sea un verdadero monstruo.

⟩⟩ Mi amigo Juan sabe mucho de lo que piensan otros. Creo que tiene poderes
extrasensoriales.

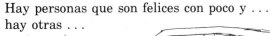

Lección 4   *Nunca satisfechos*

Hay personas que son felices con poco y . . .
hay otras . . .

La Srta. García tiene un coche
que es muy cómodo, pero que no anda rápido.

anda: *goes*

Quiere cambiarlo por otro coche
que sea pequeño y que ande a doscientos
kilómetros por hora.

El Sr. Meléndez tiene una casa muy grande y muy moderna
que está situada en un barrio muy elegante
y que tiene muchas habitaciones, un garaje para tres coches
y una piscina.

barrio: *district*
habitaciones: *rooms*

Pero quiere vivir en una casita
que esté situada en el campo
y que tenga pocas habitaciones, con
un jardín grande con árboles y flores.

Ramón conoce a una chica muy inteligente y muy seria
que habla francés, inglés e italiano, que va a la universidad
y que tiene padres muy ricos.

Pero prefiere salir con chicas
que no hablen idiomas extranjeros, ni
que vayan a la universidad,
pero que tengan buen sentido del humor.

Carmen conoce a un chico muy simpático
que es alto, rubio y buen mozo,
que tiene trabajo interesante,
que sabe jugar al tenis muy bien
y a quien le gustan todos los deportes.

buen mozo:
good-looking

¿Y con quién sueña Carmen?
Ella sueña con tener otro novio
que sea moreno y romántico,
que tenga poco,
pero que sepa tocar la guitarra,
a quien le guste la poesía
y que no le hable nunca de deportes.

La vida de la ciudad y la del campo

¿Dónde te gustaría vivir? ¿En la ciudad o en el campo? En la caricatura,° el Sr. Meléndez vive en una casa muy cómoda en la ciudad, pero él sueña con vivir en el campo. ¿Crees que este sueño es típico?

En muchos países hispanos, lo opuesto° es lo verdadero.° Mucha gente que vive en el campo sueña con mudarse° a las ciudades grandes. ¿Por qué? En el campo, las condiciones de la vida son muy difíciles. Muchas veces la gente no puede encontrar trabajo, y cuando lo encuentra, es trabajo duro° y no recibe mucho dinero. La vida

en la ciudad significa mejores condiciones de trabajo, mejor paga,° mejor educación y las posibilidades de divertirse.

Pero esto es un sueño . . .

Para muchísima gente, la vida en la ciudad es dura y a veces más dura que la del campo. Sin embargo, las ciudades hispanas crecen° cada día más por la afluencia° de las personas del campo que llegan en busca° de una vida mejor.

caricatura *cartoon*　**opuesto** *opposite*　**verdadero** *truth*
mudarse *moving*　**duro** *hard*　**paga** *pay*　**crecen** *grow*
afluencia *influx*　**busca** *search*

Vocabulario práctico

sustantivos	**un barrio**	district, neighborhood	**una habitación**	room
adjetivo	**satisfecho**	satisfied, happy		
expresiones	**andar a doscientos kilómetros por hora**		to go 200 km. per hour (≅ 120 mph)	
	buen mozo	good-looking		

CONVERSACIÓN

Vamos a hablar de tu mejor amigo(a). Después vamos a hablar de ciertas personas que te gustaría conocer.

1. ¿Es tu mejor amigo(a) un(a) chico(a) que **habla** español?
2. ¿Es un(a) chico(a) que **vive** en la misma ciudad que tú?
3. ¿Es un(a) chico(a) que **tiene** buen sentido del humor?
4. ¿Es un(a) chico(a) que te **comprende** bien?

5. ¿Quieres encontrar un chico que **hable** español?
6. ¿Quieres tener correspondencia con una chica que **viva** en otro país?
7. ¿Quieres conocer un chico que **tenga** buen sentido del humor?
8. ¿Quieres casarte con una persona que te **comprenda**?

OBSERVACIÓN

In the first four sentences, you are asked questions about a specific person, namely your best friend.
- Is the verb that follows **que** *(who)* in the indicative or the subjunctive?

In the last four sentences, you are asked questions about people who may exist but who have not yet been identified.
- Is the verb that follows **que** in the indicative or the subjunctive?

Estructuras

A. Los pronombres relativos

The words in heavy print are used to connect two sentences. They are called *relative pronouns*. Note the forms and uses of these pronouns in the sentences below:

Tengo un amigo **que** vive en México.
*I have a friend **who** lives in Mexico.*

Los amigos **que** tengo son generosos.
*The friends (**whom**) I have are generous.*

Tengo una guitarra **que** es de España.
*I have a guitar **that** comes from Spain.*

Los libros, **que** están aquí,
   son interesantes.
*The books, **which** are here,
   are interesting.*

The relative pronoun **que** may refer to people or things. It corresponds to the English pronouns *who, whom, that, which*.

> While *whom, that,* and *which* may be omitted in English, **que** must always be used in Spanish.

> After a preposition (**a, de, con, para . . .**), quien (**quienes**) is used instead of **que** to refer to people.

Compare:

¿Dónde están los instrumentos
   con que trabajas?
*Where are the instruments **with which** you work?*

¿Dónde están los chicos
   con quienes trabajas?
*Where are the boys **with whom** you work?*

Ésa es la revista **de que** te hablé.
*That is the magazine **about which** I spoke to you.*

Ése es el chico **de quien** te hablé.
*That is the boy **about whom** I spoke to you.*

ACTIVIDAD 1   ¿Cómo se llaman?

María quiere saber cómo se llaman ciertas personas y objetos. Haz el papel
de María según los modelos. Empieza cada pregunta con **¿Cómo se
llama(n)...?**

Un chico entra.   ¿Cómo se llama el chico que entra?
Carlos lee unas revistas.   ¿Cómo se llaman las revistas que Carlos lee?

1. Una chica toca la guitarra.
2. Unos chicos hablan.
3. Enrique invita a una chica al baile.
4. Silvia llama a unos chicos.
5. Juan Miguel compra una revista.
6. Elena compra unos libros.
7. Alberto escucha unas cintas.
8. Clara escucha a unos amigos.

ACTIVIDAD 2   ¿Quién es?

Roberto quiere saber los nombres de las personas de quienes habla Susana.
Haz el papel de Roberto, empezando cada pregunta con **¿Quién es...?** o
¿Quiénes son...?

Le escribo a un chico.   ¿Quién es el chico a quien le escribes?

1. Les escribo a unas chicas.
2. Hablo con una profesora.
3. Hablo de unos vecinos.
4. Trabajo para una persona.
5. Salgo con unas chicas.
6. Estoy enamorada de un chico.
7. Estoy enojada con unos chicos.

ACTIVIDAD 3   Expresión personal: las personas que figuran en tu vida

Describe las siguientes personas, usando el pronombre relativo apropiado.
¡Usa tu imaginación!

Tengo un amigo...
    Tengo un amigo que se llama Roberto (tiene un coche, es mi compañero de
    tenis, corre las olas...).
Tengo una amiga con...
    Tengo una amiga con quien voy al cine (salgo mucho, juego al volibol...).

1. Tengo una amiga...
2. Tengo un amigo con...
3. Tengo vecinos...
4. Tengo vecinos con...
5. Tengo un(a) profesor(a) de español...
6. Tengo compañeros con...
7. Tengo padres...
8. Tengo hermanos con...
9. Tengo amigos...
10. Tengo amigos a...

B. El uso del subjuntivo después de los pronombres relativos

In the sentences on the left, Carlos is speaking about friends or possessions *he has*. In the sentences on the right, he is speaking about friends or possessions *he would like to have*. Compare the verbs in each pair of sentences.

<table>
<tr><td>(what is)</td><td>(what may be)</td></tr>
<tr><td>Conozco a un amigo que habla inglés.</td><td>Busco un amigo que hable francés.</td></tr>
<tr><td>Tengo amigas que juegan al volibol.</td><td>Prefiero tener amigas que jueguen al tenis.</td></tr>
<tr><td>Tengo un coche que es muy viejo y que gasta mucha gasolina.</td><td>Quiero comprar un coche que sea nuevo y que no gaste mucha gasolina.</td></tr>
<tr><td>Vivo en un apartamento que es pequeño y que cuesta mucho.</td><td>Quiero vivir en un apartamento que sea grande y que no cueste mucho.</td></tr>
</table>

In Spanish, the indicative and the subjunctive may be used after a relative pronoun. The choice between the two depends on what the speaker wants to describe:

The *indicative* is used to describe *what is*.

Carlos conoce a un amigo **que habla** inglés.   Carlos knows a friend **who speaks** English (that is, **who does** indeed **speak** English).

In the above sentence, Carlos has a very specific person in mind. The indicative describes *facts* and *realities*.

The *subjunctive* is used to describe *what may* or *could be*.

Carlos busca un amigo **que hable** francés.   Carlos is looking for a friend **who speaks** French (that is, **who could speak** French).

In the above sentence, Carlos does not have a particular person in mind. The subjunctive describes *possibilities*.

ACTIVIDAD 4   Es difícil ser feliz

Describe qué tienen las siguientes personas y qué quieren tener, según el modelo.

Carlos: un coche (pequeño / grande)
> Carlos tiene un coche pequeño. Quiere tener un coche que sea grande.

1. Juanita: un coche (grande / pequeño)
2. Paco: profesores (estrictos / tolerantes)
3. el Sr. Martínez: alumnos (inteligentes / bien educados)
4. Felipe: una novia (bonita / inteligente)
5. Carmen: un novio (intelectual / divertido)
6. la Sra. de Montoya: vecinos (amables / bien educados)

ACTIVIDAD 5   La envidia *(Envy)*

Rafael tiene una amiga que tiene mucha suerte. Es un poco envidioso *(envious)* de ella. Haz los dos papeles según el modelo.

✎   Tengo amigos que me ayudan.　　Alicia: Tengo amigos que me ayudan.
　　　　　　　　　　　　　　　　　　　　　Rafael: Quiero tener amigos que me ayuden.

1. Tengo amigas que me invitan a salir.
2. Tengo una amiga que me presta su coche.
3. Tengo profesores que me dan buenas notas.
4. Tengo padres que me comprenden.
5. Tengo hermanos que no se enfadan conmigo.
6. Tengo abuelos que son generosos.

ACTIVIDAD 6   Anuncios de empleo *(Want ads)*

Imagina que trabajas para una agencia de empleo. Estás encargado(a) de *(in charge of)* escribir anuncios de empleo. Prepara los anuncios según el modelo.

✎   Buscamos una secretaria: debe hablar español y escribir a máquina.
　　　　Buscamos una secretaria que hable español y que escriba a máquina.

1. Buscamos un dependiente: debe tener una buena presentación y hablar inglés.
2. Necesitamos dos agentes de viajes: deben tener coche y ser ambiciosos.
3. Se busca un ingeniero: debe tener título *(degree)* de ingeniero y estar especializado en electrónica.
4. Se necesitan dos dibujantes: deben tener experiencia y ser de nacionalidad española.
5. Buscamos una intérprete: debe hablar francés e italiano y tener título universitario.

ACTIVIDAD 7   ¡Sueños imposibles!

Todo el mundo tiene sueños. Describe los sueños imposibles de las siguientes personas.

✎   Roberto quiere comprar un coche: ser cómodo / andar a 200 kilómetros por hora / no gastar mucha gasolina.
　　　　Roberto quiere comprar un coche que sea cómodo, que ande a 200 kilómetros por hora y que no gaste mucha gasolina.

1. Teresa quiere vivir en un apartamento: ser grande / estar situado en el centro / costar poco.
2. El Sr. Navarro busca una casa: tener una piscina / ser muy espaciosa / ser barata.
3. Carmen quiere encontrar un chico: hablar tres idiomas / tocar la guitarra muy bien / ser un campeón de tenis / no ser presumido *(stuck-up)*.
4. Los alumnos quieren tener un profesor: ser muy divertido / enseñar cosas interesantes / no dar exámenes.

ACTIVIDAD 8   Un chico bien informado

Es muy útil conocer a Paco porque es un chico que conoce a todos y que lo sabe todo. Haz los papeles de Paco y sus amigos según el modelo.

 Quiero encontrar un chico: hablar inglés

    Un amigo: Quiero encontrar un chico que hable inglés.

    Paco: Pues, yo conozco a un chico que habla inglés.

1. Quiero conocer una chica: vivir en México
2. Quiero hablar con una persona: poder ayudarme
3. Quiero conocer chicos: tener un coche deportivo
4. Quiero ir a un restaurante: servir comida francesa
5. Quiero ir a una tienda: vender anteojos de sol
6. Quiero ir a una agencia: alquilar apartamentos baratos

ACTIVIDAD 9   Los novios ideales

Cada persona tiene una idea diferente de la persona con quien espera casarse. Di si quieres casarte con un hombre o con una mujer que tenga las siguientes características.

 ser más inteligente que yo

    (No) quiero casarme con un hombre (una mujer) que sea más inteligente que yo.

1. ser mucho mayor que yo
2. ser más rico(a) que yo
3. ser menos instruido(a) *(educated)* que yo
4. tener buenas cualidades morales
5. tener un futuro estable pero limitado
6. tener un trabajo que requiere viajes frecuentes
7. ser muy conservador(a)
8. respetarme
9. tratar de dominarme
10. desear tener una familia grande
11. no desear tener hijos
12. tener una religión diferente de la mía

ACTIVIDAD 10   La agencia matrimonial

Imagina que trabajas en una agencia matrimonial. Di con qué clase de
esposo(a) deben casarse las siguientes personas.

⊳ Paco es muy tímido.

> Debe casarse con una chica que sea cariñosa (con quien se sienta cómodo . . .).

1. Teresa es muy inteligente.
2. Esteban es muy rico.
3. A Elena le gustan los deportes.
4. A Enrique le gusta la música.
5. Federico quiere tener una familia grande.
6. Mari-Carmen quiere continuar con su profesión.

Tus preferencias

¿Qué esperas? Describe tus preferencias, completando las siguientes frases.
Usa tu imaginación (¡y tu sentido del humor!).

Deseo conocer personas que . . .
Quiero hacer un viaje con una persona con quien . . .
Espero tener un(a) jefe(a) que . . .
No me gusta trabajar para una persona que . . .
Quiero comprar un coche que . . .
Prefiero vivir en una casa que . . .
Quiero vivir en una ciudad en que . . .
Deseo vivir en un mundo en que . . .
Quiero casarme con una persona con quien . . .
No quiero casarme con una persona que . . .

⊳ No quiero casarme con una persona que lo sepa todo (que no sepa reír . . .).

Fantasmas
Personas olvidadas —
Caminando, volando, llamando.
¿Es posible que existan?
¡Misterio!

¿Quieres ser poeta?
¿Por qué no escribes un poema? Aquí tienes algunas
instrucciones.

1. Escoge un tema° en forma de un sustantivo:° por ejemplo,°
   fantasmas.

2. Describe ese sujeto con dos palabras — dos adjetivos o un
   sustantivo y un adjetivo: por ejemplo, *personas olvidadas*.

3. Busca tres verbos para describir las acciones del sujeto: por
   ejemplo, *caminando, volando, llamando*.

4. Con cuatro palabras, indica tus emociones o sentimientos:° por
   ejemplo, *¿Es posible que existan?*

5. Por fin,° escoge una palabra como conclusión: por ejemplo,
   misterio.

Ahora, ¡a ti te toca!

tema: *theme*
sustantivo: *noun*
por ejemplo: *for example*

sentimientos: *feelings*

Por fin: *Finally*

vista

número cinco

5

España

¿Qué es España? . . . Bueno, podemos hablar de muchas Españas. Por ejemplo, hay una España romana, una España árabe, una España cristiana . . . Hay una España increíblemente poderosa,° y una España profundamente dividida. En todas las Españas hay cosas memorables. Éstas son algunas.

133 a.C.°

Cae Numancia, ciudad que ha resistido la invasión romana durante mucho tiempo. Pero sus habitantes no se rinden.° Antes de ser prisioneros, prefieren quitarse la vida. Cuando el general romano Escipión Emiliano y sus 60.000 hombres entran a la ciudad, ni siquiera° los caballos están vivos.

711

Bajo el mando del general Tarik, los árabes cruzan el Estrecho de Gibraltar.° En poco tiempo ocupan la región. Los cristianos que huyen° del poder° árabe se refugian en las montañas de Asturias. Allí comienza la reconquista cristiana de España. Dura° más de ocho siglos.

CONTENIDO

1096

El Cid conquista Valencia durante una de sus más famosas campañas militares contra los árabes. El Cid es uno de los grandes héroes de España.

1492

Cae el último reino° árabe cuando las fuerzas de los Reyes° Católicos, Fernando e Isabel, vencen° a Boabdil, rey° árabe de Granada. Boabdil, su familia y su corte° son obligados a abandonar el maravilloso palacio de La Alhambra.

---

poderosa *powerful*   **a.C.** *antes de Cristo*   **se rinden** *surrender*   **ni siquiera** *not even*
Estrecho de Gibraltar *Straits of Gibraltar*   **huyen** *flee*   **poder** *power*   **Dura** *It lasts*
reino *kingdom*   **Reyes** *Sovereigns*   **vencen** *conquer*   **rey** *king*   **corte** *court*

1493

Los Reyes Católicos reciben a Colón en Barcelona. Es su gran triunfo. A los reyes les presenta los indios, los papagayos° y las otras cosas que ha traído. Y dice Colón: —A los pies de Vuestras° Majestades, pongo las Indias españolas.

1588

España sufre una gran derrota.° El poder del viento y el poder de los ingleses destruyen la Armada Invencible, un ejército° naval creado por el rey Felipe II de España para derrotar a la reina Isabel I de Inglaterra.

1808

El emperador francés Napoleón se apodera de° España. En Madrid el pueblo se subleva.° Así comienza la llamada Guerra° de Independencia contra la ocupación francesa. Inspirado por la brutalidad y la crueldad de esta guerra, el pintor Francisco de Goya crea algunas de sus obras maestras.°

1936

Estalla° otra guerra. Esta vez es una guerra civil. Durante tres años España se destruye a sí misma.° La guerra deja un millón de muertos. Termina cuando Madrid se rinde.° Las fuerzas victoriosas son las del general Francisco Franco. Franco pasa a ser jefe del nuevo gobierno° y gobierna a España durante casi 40 años, hasta su muerte en 1975.

1975

Juan Carlos llega a ser rey de España.

papagayos *parrots*   **Vuestras** *Your*   **derrota** *defeat*   **ejército** *army*   **se apodera de** *seizes*
se subleva *rebels*   **Guerra** *War*   **obras maestras** *masterpieces*   **Estalla** *Breaks out*
sí misma *herself*   **se rinde** *surrenders*   **gobierno** *government*

España

Población: 36.818.000
Ciudad capital: Madrid
Unidad monetaria: la peseta
Productos principales:
   hierro,° coches, barcos, aceitunas,°
   naranjas, sardinas
Otros datos° de interés:
   España está formada de varias regiones.
   Hay mucha variedad. Hay contrastes a
   veces muy marcados.

hierro *iron*   **aceitunas** *olives*   **datos** *facts*

Algunas regiones de España

Galicia

Población: 2.584.000
Ciudades principales: La Coruña,
Santiago de Compostela
Lengua:° el gallego, una lengua que se
parece° al portugués

Vascongadas

Población: 1.879.000
Ciudades principales: Bilbao, San
Sebastián
Lengua: el vasco, una lengua de origen
desconocido

Cataluña

Población: 5.123.000
Ciudad principal: Barcelona
Lengua: el catalán

Castilla la Vieja

Población: 2.154.000
Ciudades principales: Ávila, Burgos,
Segovia
Lengua: el castellano (el español)

Andalucía

Población: 5.971.000
Ciudades principales: Sevilla, Córdoba,
Granada
Lengua: el andaluz, una variedad del
español

Castilla la Nueva

Población: 5.164.000
Ciudad principal: Madrid
Lengua: el castellano

Lengua *Language*   **se parece** *is similar*   **413**

¿Sabes quién es quién?

Hombres y mujeres de todos los tiempos.
Gente que hay que° conocer porque es extraordinaria.
¿No has oído hablar de . . .

Teodosio I, el Grande?

Fue uno de los emperadores romanos nacidos° en España. Durante su gobierno el paganismo desapareció para siempre. Cristo reemplazó° a Júpiter, Venus, Neptuno y todos los demás dioses.° Al morir,° Teodosio dividió el imperio entre sus hijos Arcadio y Honorio.

Isabel la Católica?

Fue reina de Castilla y gobernó junto° con su esposo, Fernando el Católico, rey de Aragón. Fue protectora de Colón y promotora de sus planes. Durante su gobierno terminó la dominación árabe de España. Las acciones de Isabel y su esposo cambiaron profundamente el destino de España.

Miguel Servet?

Famoso médico del siglo XVI que descubrió la circulación de la sangre.° (Sobre esto hay una controversia. Los ingleses dicen que fue William Harvey.) Servet también fue un teólogo y esto le costó la vida. Juan Calvino lo condenó a morir en la hoguera.°

Fernando de Magallanes?

Este navegante, nacido en Portugal, sirvió a la Corona° española como comandante de una expedición fantástica. Su increíble viaje de 1519 a 1522 alrededor del mundo demostró que el mundo era redondo.° De los 240 hombres que comenzaron el viaje en cinco barcos, sólo regresaron 18. Magallanes no fue uno de ellos. Y de los cinco barcos, solamente regresó el *Victoria.* ¡Qué apropiado para los 18 hombres que sobrevivieron!

Don Quijote?

No fue un ser° humano de verdad, pero tiene más vida que todos nosotros. Este héroe idealista, creado por Miguel de Cervantes hace cuatrocientos años, no ha perdido su popularidad. ¿Has oído hablar de la obra teatral *Man of la Mancha?*

Felipe de Borbón y Grecia?

Es el hijo mayor de los Reyes de España. Este chico es hoy el Príncipe° de Asturias. Será el futuro rey de España. Es rubio, de ojos azules. Nacido el 30 de enero de 1968, posiblemente es más joven que tú. Le gusta nadar y jugar al fútbol.

---

hay que *one ought to*   **nacidos** *born*   **reemplazó** *replaced*   **dioses** *gods*   **Al morir** *When he was dying*   **junto** *together*   **sangre** *blood*   **hoguera** *stake*   **Corona** *Crown*   **redondo** *round*   **ser** *being*   **Príncipe** *Prince*

La voz poética de Andalucía

Federico García Lorca. Nació° en Granada, y allí murió° en 1936, asesinado durante la Guerra Civil española. Fue el creador de una literatura popular que refleja el alma° de Andalucía. También juntó canciones populares de Andalucía. Lee esta canción, por ejemplo:

LOS CUATRO MULEROS

Arranged by ELENA PAZ TRAVESÍ

1. De los cua - tro mu - le - ros,° _____ de los cua - tro mu - le - ros, _____ de los cua - tro mu - le - ros, ma - mi - ta mí - a, que van al rí - o, que van al rí - o.

2. El de la mu - la tor - da,° _____ el de la mu - la tor - da, _____ el de la mu - la tor - da, ma - mi - ta mí - a, es mi ma - rí - o,° es mi ma - rí - o. _____

3. Hay que me he equivocao,°
   hay que me he equivocao,
   el de la mula torda, mamita mía,
   es mi cuñao,°
   es mi cuñao.

Nació *He was born* **murió** *he died* **alma** *soul* **muleros** *mule-boys* **torda** *dapple-gray*
marío = **marido** *husband* **equivocao** = **equivocado** **cuñao** = **cuñado** *brother-in-law*

415

PEQUEÑO RETRATO
DE UN GRAN PINTOR

Fue un niño precoz. Después, un muchacho rebelde. A los 25 años hizo una revolución. Y desde entonces el arte de pintar cambió para siempre.

¿Quién no conoce por lo menos un cuadro° de Picasso? . . . Picasso, el gran rebelde, es posiblemente el pintor más popular de nuestro siglo. Cuando la gente ve uno de sus cuadros siempre reacciona. A veces, bien. A veces, mal. Pero reacciona. Los seres humanos fueron el tema favorito del pintor, especialmente la mujer.

A veces, la pintó así:

PICASSO, Pablo. *Seated Woman*. 1927. Oil on wood, 51⅛″ × 38¾″. Collection, The Museum of Modern Art, New York. Fractional gift of James Thrall Soby.

Otras veces, así:

Picasso nació° para pintar. Y afortunadamente, la familia reconoció inmediatamente el gran talento de un niño prodigio. Su padre también era pintor. Así es que padre e hijo comenzaron a pintar juntos. Claro que la familia esperaba un pintor tradicional. Pero no fue así.

A los 16 años Picasso aprobó° el examen de admisión para entrar a estudiar en la Real Academia de San Fernando en Madrid. Trabajó con intensidad. En un solo día creó todos los trabajos que tenía que presentar para ser admitido. Después, las clases comenzaron, y Picasso nunca asistió a ellas. Prefería pasar las horas en el Museo del Prado. Pablo Ruiz Picasso pintaba según sus propias ideas. Más tarde fue a Francia donde pintó sus obras más famosas.

LA FIESTA BRAVA

Hay varias clases de fiesta. Hay una fiesta que es para bailar, y hay una fiesta que es para morir.° Ésta es la fiesta brava. Siempre (o casi siempre) muere el toro. A veces, también muere el torero. Los aficionados° nunca olvidarán que Bailaor mató° a Joselito . . . que Islero mató a Manolete. Bailaor e Islero eran toros. Joselito y Manolete eran toreros con un talento muy especial. Eran dos personalidades magnéticas.

La fiesta brava es un espectáculo que se puede interpretar de muchas maneras. Veamos lo que dicen estos jóvenes:

José María Arrazola es vasco. Vive en Pamplona y dice: —La fiesta brava es una danza de vida o muerte. Es una obra de arte en movimiento. El torero juega con la muerte que es el toro.

María de los Ángeles Ibarra es de Galicia. Vive en Vigo y dice: —Es el drama del hombre que pone su vida en peligro° y sabe dominar su miedo.° Los toros de lidia° no son como otros toros. Son animales creados para atacar, y son más rápidos y más poderosos° que el hombre.

Antonio Vargas es valenciano. Vive en Valencia y dice: —La fiesta brava es un espectáculo que hay que° prohibir. Hay maneras menos sangrientas° y menos bárbaras de hacer arte. No lo digo por el toro, sino por el torero que puede perder la vida para satisfacer al público.

Luz Marina Mendizábal es andaluza. Vive en Córdoba y dice: —En España, para ser millonario, hay que ser torero. Además, las corridas de toros son una atracción turística muy popular. Así es que es imposible prohibir un espectáculo que es una mina de oro.°

morir *dying*   aficionados *fans*   mató *killed*   peligro *danger*   miedo *fear*   toros de lidia *fighting bulls*
poderosos *powerful*   hay que *they ought to*   sangrientas *bloody*   oro *gold*

EL CAFÉ: ¡QUÉ GRAN LUGAR PARA TODO!

Hay tres lugares que los españoles llenan° fácilmente: los estadios,° las plazas de toros y los cafés. Después de las seis de la tarde los cafés están llenos de vida. Y aunque hay bebidas y comida en abundancia, lo principal no es ir al café simplemente para quitarse la sed° o el hambre.° Los españoles se visitan en el café.

Por eso, el café . . .

es el club donde los amigos se reúnen para celebrar, conversar, hacer planes, compartir° el aperitivo . . .

es la oficina donde los hombres de negocios° se reúnen para negociar contratos, discutir oportunidades . . .

es el cine donde los invitados se sientan a mirar la vida real que pasa por la calle . . .

es la biblioteca donde los estudiantes se preparan para los exámenes; donde se lee, se escribe, se estudia . . .

llenan *fill* **estadios** *stadiums* **sed** *thirst* **hambre** *hunger* **compartir** *to share* **hombres de negocios** *businessmen*

Sorprende a tus amigos con una sopa fría

El gazpacho es una sopa° española muy popular. Es una sopa fría, deliciosa y muy fácil de preparar.

¿Deseas preparar el gazpacho español?

Los ingredientes:

3 tomates medianos°

1 cebolla° pequeña

1 pimiento° rojo o verde, no muy grande

1 pepino° mediano

1 diente de ajo°

1 taza de jugo de tomate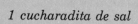

2 cucharadas° de vinagre

2 cucharadas de aceite (de oliva, si es posible)

1 cucharadita de sal

La preparación:

1. Pela° los tomates.
2. Corta en cubitos los tomates, la cebolla, el pimiento, el pepino y el ajo.
3. Pon los ingredientes, excepto el pepino, en una licuadora.°
4. Mézclalos° rápidamente durante uno o dos minutos.
5. Pon la sopa a enfriar° en la refrigeradora durante dos horas o más, si es necesario. ¡Tiene que estar bastante fría!
6. Revuelve° el gazpacho frío con una cuchara.
7. Sírvelo con los pepinos. ¡Buen provecho!

sopa *soup* **medianos** *medium-sized* **cebolla** *onion* **pimiento** *pepper* **pepino** *cucumber* **diente de ajo** *garlic clove* **cucharadas** *spoonfuls* **Pela** *Peel* **licuadora** *mixer* **Mézclalos** *Mix them* **enfriar** *to cool* **Revuelve** *Stir*

Actividades

¿CÓMO SE LLAMA EL REY?

Éste es el rey de España. Contesta estas preguntas y su nombre aparecerá.° Pon una letra en cada espacio.

1. ¿Cómo se llama el héroe idealista creado por Cervantes? **414**

    _ _ _ _ _ _ _ _
                  1

2. ¿En qué región se habla catalán? **413**

    _ _ _ _ _ _
            2

3. ¿Cómo se llama el torero que fue matado° por el toro Islero? **418**

    _ _ _ _ _ _ _
      3

4. ¿Cómo se llama la ciudad que resistió la invasión romana durante mucho tiempo? **410**

    _ _ _ _ _ _ _
   4

5. ¿Cómo se llama el lugar donde se reúnen los amigos con frecuencia? **419**

    _ _ _ _
   5

6. ¿En qué región está Sevilla? **413**

    _ _ _ _ _ _ _ _
   6

7. ¿Cómo se sirve el gazpacho, frío o caliente?° **420**

    _ _ _ _
       7

8. ¿Cómo se llama el gran poeta español asesinado durante la Guerra Civil española? **415**

    _ _ _ _ _ _ _ _ _
                  8

9. ¿Quién presentó indios y papagayos a los Reyes Católicos? **411**

    _ _ _ _
     9

10. ¿Cómo se llama el médico español que descubrió la circulación de la sangre? **414**

    _ _ _ _ _
  10

Ahora, escribe aquí las letras marcadas con números.

   1   2   3   4   5   6   7   8   9   10

aparecerá *will appear*   **matado** *killed*   **caliente** *hot*

421

Unidad 10

Sorpresas

10.1   La generosidad tiene límites

10.2 La próxima vez

VARIEDADES — Tres temas

La generosidad tiene límites

Hay personas muy generosas.
Otros ponen condiciones a su generosidad.
Por ejemplo:

Aquí tienes diez pesos . . .

. . . para que vayas a la
heladería y me compres un
helado.

Aquí tienes: *Here are*
para que: *in order
that*

Voy a invitarte a mi casa . . .

. . . para que me ayudes a pintar
mi cuarto.

Te invito a mi fiesta . . .

. . . con la condición de que me
prestes tu tocadiscos y que
lleves tus discos de Elio Roca.

Voy a presentarte a mi mejor amigo . . .

. . . con la condición de que me presentes a tus hermanas y primas.

presentarte: *to introduce you*

Por supuesto, puedes usar mi bicicleta . . .

. . . con tal que repares los frenos, infles las llantas y arregles el asiento.

con tal que: *provided that*

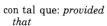

Claro, voy a prestarte mi diccionario de inglés . . .

. . . con tal que me prestes tu guitarra y tu moto y que me invites al picnic.

Los jóvenes hispanos y la música

¿Te gusta la música? Para los jóvenes hispano-hablantes, la música es sin duda el pasatiempo favorito. Muchos tocan la guitarra o el piano. Otros escuchan los últimos «hits» del momento. Hay muchos cantantes populares: Julio Iglesias de España, José José de México, Elio Roca de la Argentina. Y a casi todos los jóvenes les encanta bailar.

¿Qué clase de música es popular? Naturalmente la música hispana: el merengue, la cumbia, el bolero, la salsa y también la música norteamericana: el jazz, el rock and roll y la música disco. El hecho es que los «Bee Gees», «Chicago», «Santana» y muchos conjuntos° famosos son tan populares en el mundo hispanohablante como en los Estados Unidos. Para la juventud hispánica, la música y el baile son más que diversiones. Son parte de la cultura y de la vida.

conjuntos *groups*

___Vocabulario práctico___

sustantivo	**un hecho**	fact, deed
verbo	**presentar**	to introduce
expresión	**aquí tiene(s)**	here is, here are

Estructuras

A. El subjuntivo después de *para que*

Note the use of the subjunctive after **para que** in the following sentences.

Voy a invitar a Carlos **para que** me **preste** sus discos.

*I am going to invite Carlos **so that** he **will lend** me his records.*

Te llamo **para que vengas** a mi fiesta.

*I am calling you **so that** you **will come** to my party.*

Aquí tienes un dólar **para que** te **compres** la revista.

*Here is a dollar **so that** you **can buy** yourself the magazine.*

The subjunctive is always used after the conjunction **para que** to express objectives or conditions not yet realized.

Note the constructions in the following chart.

When the objective concerns	the construction to use is
the subject	**para** + infinitive
another person	**para que** + subjunctive

Compare the following sentences.

Compro el periódico **para leer** el horóscopo.

*I buy the newspaper **(in order) to read** the horoscope.*

Compro el periódico **para que tú leas** la página de deportes.

*I buy the newspaper **so that you may read** the sports page.*

ACTIVIDAD 1   Un tío generoso

El tío Alberto es muy generoso. Manda dinero para que sus sobrinos *(nephews)* se compren algo. Haz el papel del tío Alberto.

⟫⟩   Ricardo (5 dólares: anteojos de sol)
    Manda 5 dólares para que Ricardo se compre anteojos de sol.

1. Luisa (15 dólares: un traje de baño)
2. tú (1 dólar: dulces)
3. Felipe (50 dólares: una bicicleta)
4. Uds. (20 dólares: un radio)
5. Elena y Carmen (40 dólares: un tocadiscos)
6. tú y Pepe (2 dólares: helado)

ACTIVIDAD 2   La compañía internacional

Una compañía internacional manda a sus empleados a países extranjeros. Explica los objetivos de la compañía.

⟫⟩   Silvia (México / hablar español)
    La compañía manda a Silvia a México para que hable español.

1. Rafael (Francia / hablar francés)
2. Elena (Roma / aprender italiano)
3. Carlos y Pedro (Tokio / aprender japonés)
4. Felipe (Nueva York / estudiar electrónica)
5. Luisa (Londres / establecer relaciones comerciales)
6. Raúl y Guillermo (Los Ángeles / hacer investigaciones [*research*] técnicas)

ACTIVIDAD 3   ¡Un poco de lógica!

Explica los objetivos de las personas de la columna A. ¿Cuántas frases lógicas puedes crear usando los elementos de A, B y C?

A	B	C
yo	darle dinero a Enrique	venir a la fiesta
tú	escribirles a (mis) padres	comprender la situación
Elena	invitar a Carlos a la fiesta	traer sus discos
nosotros	llamar a Raúl y Felipe	prestar su coche
Luis y Ana	explicarle el problema a Antonio	saber la verdad
	decirle la verdad al profesor	comprar billetes de lotería
	mandarle un regalo a Felicia	comprar un coche
	mandarle un telegrama a Teresa	estar de buen humor
	mandarle un cheque de mil dólares a Carmen	quedarse en casa
		(no) enojarse
		(no) irritarse
		(no) ponerse furioso

⟫⟩   Elena le da dinero a Enrique para que compre billetes de lotería.

B. El subjuntivo después de ciertas conjunciones

The following sentences describe certain actions that are subject to certain conditions that have not yet been fulfilled.
Note the use of the subjunctive after the conjunctions in heavy print that introduce these conditions.

Voy a terminar la tarea **antes de que** Carlos venga.	*I am going to finish the assignment **before** Carlos comes.*
Te presto mis discos **con la condición de que** me prestes tu guitarra.	*I am lending you my records **with the condition that** you lend me your guitar.*
Te presto mi bicicleta **con tal que** no la rompas.	*I am lending you my bicycle **provided that** you do not break it.*
Vamos a hacer un picnic **a menos que** llueva.	*We will have a picnic **unless** it rains.*
En caso de que llueva, vamos a ir al cine.	***In case** it rains, we will go to the movies.*

The subjunctive is always used after the following conjunctions that introduce conditions not yet fulfilled.

a menos que	unless
antes de que	before
con la condición de que	on the condition that
con tal que	provided that
en caso de que	in case (that)

The construction **antes de que** + subjunctive is replaced by **antes de** + infinitive when the conditions concern the subject.
Compare:

Pablo me llama **antes de venir.**	*Pablo calls me **before coming (he comes).***
Pablo me llama **antes de que yo venga.**	*Pablo calls me **before I come.***

ACTIVIDAD 4 Invitaciones recíprocas

Las siguientes personas invitan a sus amigos a bailar con la condición de
que sus amigos las inviten también. Expresa esto según el modelo.

∞ yo: tú   Te invito a bailar con la condición de que tú me invites.

1. yo: Paco
2. Paco: Elena
3. nosotros: tus primos

4. tú: Jaime
5. Héctor: Rafaela
6. Ana y Susana: Felipe y Carlos

ACTIVIDAD 5 El picnic de Teresa

Teresa ha organizado un picnic. Sus amigos van al picnic a menos que algo
ocurra. Expresa eso según el modelo.

∞ Elena: sentirse cansada   Elena va al picnic a menos que se sienta cansada.

1. Raúl: sentirse enfermo
2. Felipe: tener mucho trabajo
3. Bárbara: no tener tiempo
4. mis primos: no tener su moto
5. tú: tener que estudiar
6. yo: salir con mi novia
7. nosotros: estar de viaje
8. Roberto y Consuelo: estar cansados

ACTIVIDAD 6   ¡Una cuestión de tiempo!

Hay cosas que tenemos que hacer antes de que otras cosas ocurran.
Expresa esto según el modelo.

⚑   yo: limpiar mi cuarto / mis amigos llegan
        Tengo que limpiar mi cuarto antes de que mis amigos lleguen.

1. tú: estudiar más / el profesor da el examen
2. Carlos: invitar a Elena al cine / Raúl la invita
3. el cocinero (cook): preparar la comida / los clientes llegan
4. los bandidos: salir del banco / la policía llega
5. la policía: llegar / los bandidos se escapan
6. el Sr. Montero: llegar a la estación / el tren sale

Planes

Completa las siguientes frases con una idea personal.
    Voy a salir el fin de semana con tal que . . .
    Voy a sacar una nota de «A» en español con la condición de que . . .
    Voy a pasar vacaciones muy buenas a menos que . . .
    Voy a asistir a la universidad con la condición de que . . .
    Voy a casarme a menos que . . .
    Siempre estoy de buen humor con la condición de que . . .
    No me pongo furioso a menos que . . .

⚑   Voy a salir el fin de semana con tal que mis amigos me inviten
       (mis padres me den dinero).

La próxima vez

¿Eres una persona cuidadosa?
A veces somos un poco negligentes. Como resultado algo estúpido o vergonzoso nos pasa. La experiencia nos enseña a ser más cuidadosos . . . la próxima vez.

Como resultado: *As a result*
vergonzoso: *embarrassing*

La Sra. de Ramos no lleva nunca paraguas cuando sale.

La próxima vez, llevará su paraguas cuando salga.

paraguas: *umbrella*

El Sr. Cárdenas no se pone el cinturón de seguridad cuando conduce.

La próxima vez, el Sr. Cárdenas se pondrá el cinturón cuando conduzca.

cinturón: *belt*

La Sra. de Martínez no cierra la puerta cuando va al mercado.

La próxima vez, cerrará la puerta cuando vaya al mercado.

Micifus no mira cuando cruza la calle.

La próximo vez, él mirará cuando cruce la calle.

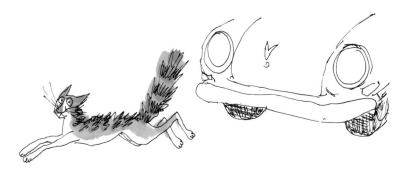

Felipe no tiene cuidado cuando pasa debajo de una escalera.

La próxima vez, él tendrá cuidado cuando pase debajo de una escalera.

Cuando pasean, Jaime y Carmen no llevan su cámara.

La próxima vez, Jaime y Carmen llevarán su cámara cuando paseen.

pasean: *they take a walk*

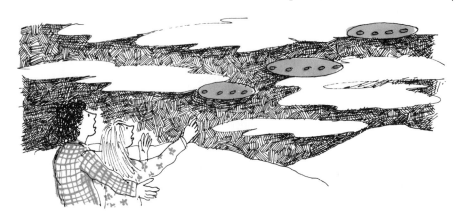

El mercado

En los Estados Unidos, hay un lugar muy práctico donde se puede comprar todo. Éste es el supermercado. Los supermercados existen también en el mundo hispano, pero se encuentran principalmente en las ciudades grandes. No hay supermercados en los pueblecitos, pero hay otra institución muy pintoresca:° el mercado.

El día del mercado, los comerciantes° de la región se reúnen en la plaza mayor e instalan sus tiendas°... Venden frutas y legumbres, ropa y utensilios de cocina, productos de belleza° y medicinas... Viene también el fotógrafo con su cámara, el barbero° con sus tijeras, el dentista con sus instrumentos... el curandero ambulante° con sus drogas milagrosas° y la adivinadora°...

El día del mercado es el día en que la gente del campo va de compras, vende sus productos y se reúne con sus amigos... En verdad, ¡es un día de gran actividad!

pintoresca *picturesque* **comerciantes** *merchants* **instalan sus tiendas** *set up their booths* **belleza** *beauty* **barbero** *barber* **curandero ambulante** *traveling healer* **milagrosas** *miraculous* **adivinadora** *fortune teller*

Vocabulario práctico

sustantivos	**un cinturón**	belt
	un mercado	market, open-air market
	un paraguas	umbrella
verbo	**pasear**	to take a walk
expresión	**como resultado**	as a result

CONVERSACIÓN

1. ¿Estás contento(a) **cuando sacas** una buena nota?
2. ¿Estás contento(a) **cuando sacas** una mala nota?
3. ¿Estás contento(a) **cuando sales** con amigos simpáticos?
4. ¿Estás contento(a) **cuando** tus padres te **dan** dinero?

5. ¿Estarás contento(a) **cuando recibas** tu diploma?
6. ¿Estarás contento(a) **cuando te ganes** la vida?
7. ¿Estarás contento(a) **cuando compres** tu primer coche?
8. ¿Estarás contento(a) **cuando te cases?**

OBSERVACIÓN

Reread questions 1 to 4. These questions concern events that are happening to you now.
- Is the first verb in the present or in the future?
- Is the verb after **cuando** in the indicative or the subjunctive?

Now reread questions 5 to 8.
- Do these questions concern events that are happening now or events that may happen to you in the future?
- Is the first verb in the present or in the future?
- Is the verb after **cuando** in the indicative or the subjunctive?

Estructuras

A. Repaso: el futuro

Review the forms of the future in the chart below:

yo	hablaré	nosotros	hablaremos
tú	hablarás	vosotros	hablaréis
él, ella, Ud.	hablará	ellos, ellas, Uds.	hablarán

ACTIVIDAD 1   Diálogo: Un día

Pregúntales a tus compañeros si algún día harán las siguientes cosas.

⟩⟩ visitar España   Estudiante 1: ¿Visitarás España?
                         Estudiante 2: Sí, un día visitaré España.
                         (No, no visitaré nunca España.)

1. hablar español perfectamente
2. asistir a la universidad
3. comprar un coche
4. ganarse la vida
5. casarse
6. comprar una casa
7. vivir en un país extranjero

8. ir a México
9. ser profesor(a)
10. ser médico(a)
11. ser famoso(a)
12. ir a la luna
13. conocer al presidente de los Estados Unidos
14. viajar en cohete

ACTIVIDAD 2   Varias profesiones

Describe lo que harán las siguientes personas en sus profesiones. Usa por lo menos 3 de los siguientes verbos en frases afirmativas o negativas: **trabajar / vivir / cuidar / atender / ser / estar / viajar / ganar / recibir / comprar / ver.**

⟩⟩ Teresa será ingeniera.
        Trabajará para una compañía de petróleo. Vivirá en Texas.
        De vez en cuando viajará a Alaska. Se ganará la vida muy bien.
        Con su dinero comprará un Jaguar.

1. Carlos será político.
2. Nosotros seremos trabajadores sociales.
3. Tú serás médico.
4. Felipe y Manuel serán fotógrafos.
5. Ana María será periodista.
6. Adela será jugadora profesional de tenis.
7. Uds. serán instructores de esquí acuático.
8. Yo seré el rey *(king)* / la reina *(queen)* de los holgazanes.

B. El subjuntivo o el indicativo después de algunas conjunciones de tiempo

In the sentences below, Carlos (age nineteen) describes what he does.
He speaks about events that actually do happen to him.
His little sister Luisa (age eight) speaks about what she will do.
She speaks about events that may happen, but that have not yet
happened. Compare the verbs used after **cuando** in each set of sentences.

Carlos:	**Cuando tengo** tiempo, llamo a mis amigos.	*When I have time, I call my friends.* (actual event)
Luisa:	Y yo, **cuando tenga** tiempo, llamaré a mi novio.	*When I have time, I will call my boyfriend.* (future event)
Carlos:	**Cuando estoy** con mi novia, vamos al cine.	*When I am with my girlfriend, we go to the movies.* (actual event)
Luisa:	Y yo, **cuando esté** con mi novio, iremos a bailar.	*When I am with my boyfriend, we will go dancing.* (future event)

After **cuando,** the verb may be in the indicative or the subjunctive.

It is in the *indicative* if the action or event is actually taking
place, takes place regularly, or has taken place.

It is in the *subjunctive* if the action or event is yet to take place.

ACTIVIDAD 3 Enrique

Enrique habla de lo que hace regularmente y de lo que va a hacer en el
futuro. Completa las frases de Enrique con **estoy** o **esté,** según el caso.

1. Cuando ___ en la clase de francés, me duermo.
2. Cuando ___ en la universidad, no estudiaré francés.
3. Cuando ___ con mi novia, vamos al cine.
4. Cuando ___ en la biblioteca, leo los periódicos.
5. Cuando ___ en Nueva York, hablaré inglés.
6. Cuando ___ con mis amigos, hablamos de la política.
7. Cuando ___ casado, me compraré un coche deportivo.
8. Cuando ___ enfermo, tomo aspirina.
9. Cuando ___ en mi palacio, invitaré a todos mis amigos.
10. Cuando ___ en mi yate *(yacht)*, organizaré fiestas.

ACTIVIDAD 4 Planes universitarios

Unos alumnos están hablando de lo que van a estudiar en la universidad.
Expresa lo que dicen según el modelo, usando el subjuntivo de **estar.**

⟫ Juan Carlos (biología)

Cuando esté en la universidad, Juan Carlos estudiará biología.

1. Felipe (arquitectura)
2. Alberta (medicina)
3. yo (electrónica)
4. tú (física)
5. nosotros (matemáticas)
6. Ignacio y Roberto (astronomía)

ACTIVIDAD 5 ¡La felicidad!

Nadie es completamente feliz. Por ejemplo, las siguientes personas están
bastante contentas ahora . . . pero estarán más contentas en el futuro
cuando . . . Expresa esto según el modelo.

⟫ Carmen sale con Ricardo (con Felipe).

Carmen está contenta cuando sale con Ricardo.

Estará más contenta cuando salga con Felipe.

1. Susana sale con Eduardo (con Roberto).
2. Alberto tiene una cita con Inés (con Ana María).
3. Rafaela nada bien (como una campeona).
4. Nosotros cantamos en el coro *(choir)* de la escuela (en la Ópera
   Metropolitana de Nueva York).
5. Emilio y Esteban juegan para el equipo de la escuela (para los Yankis).
6. Yo saco una nota de «B» (una nota de «A»).

ACTIVIDAD 6   Esperanzas *(Hopes)*

La felicidad es diferente para cada uno de nosotros. Di qué significa la felicidad para las siguientes personas, según el modelo.

⌇   María espera tener trabajo.   María estará feliz cuando tenga trabajo.

1. Felipe espera vivir en México.
2. Isabel espera trabajar como abogada.
3. Raúl espera casarse con Isabel.
4. Ramón espera graduarse.
5. Manuela espera descubrir el novio ideal.
6. Luisa espera ser arquitecta.
7. Raquel espera recibir una carta de Roberto.
8. Carlos espera encontrar la novia ideal.
9. Elena espera asistir a la universidad.
10. José espera tocar bien la guitarra.

ACTIVIDAD 7   Paco y Carlitos

Carlitos (8 años) no quiere hacer lo que hace su hermano Paco (20 años). Haz el papel de Paco y de Carlitos.

⌇   estar en la universidad / estudiar mucho
        Paco: Cuando estoy en la universidad, estudio mucho.
        Carlitos: Y yo, cuando esté en la universidad, no estudiaré mucho.

1. estar con amigos / discutir la política
2. estar en casa / mirar la televisión
3. estar de buen humor / invitar a mis amigos a un café
4. salir con una chica / pagar por ella
5. tener dinero / prestarles mi dinero a mis amigos
6. tener tiempo / leer poemas

ACTIVIDAD 8   ¡Un poco de lógica!

En cinco minutos, ¿cuántas frases lógicas (afirmativas o negativas) puedes crear, usando los elementos de las columnas A, B y C y tu imaginación? Para la columna D, usa tu imaginación.

A	B	C	D
yo	estar en España	hablar	
tú	ir a Francia	visitar	
Roberto	encontrar a los chicos (las chicas)	estar	
nosotros	tener un coche	comprar	
Manuela y Ana	tener dinero	invitar	
		ir	

⌇   Cuando esté en España, compraré una guitarra (visitaré Madrid, etc.).

C. Resumen: el uso del subjuntivo

The main uses of the subjunctive are summarized in the following chart.

LESSON	The subjunctive is used after . . .	
8.4	1. verbs and expressions of indirect command	**Quiero que toques** la guitarra.
9.1	2. verbs and expressions of emotion	**Me alegro de que toques** la guitarra.
9.3	3. verbs and expressions of doubt	**No creo que toques** el piano.
9.2	4. many impersonal expressions (indirect command, emotion, or doubt)	**¡Es estupendo que toques** bien!
9.4	5. **que** + possible facts or events that have not yet happened	Quiero encontrar a **alguien que toque** el clarinete.
10.1	6. conjunctions + objectives or conditions that have not yet been fulfilled	Voy a invitarte **con la condición de que toques** la guitarra.
10.2	7. **cuando** + events that have not yet happened	Te escucharé **cuando toques** la guitarra.

ACTIVIDAD 9   Reacciones personales

Expresa tus reacciones a lo siguiente. Para eso empieza cada frase con una expresión que requiere el subjuntivo.

☄ Mis padres me compran un Ferrari.

Quiero que (No creo que, Dudo que, Ojalá que, Es imposible que) mis padres me compren un Ferrari.

1. Mis amigos me respetan.
2. Mis padres me comprenden.
3. Mis profesores son tolerantes.
4. Todos los hombres son iguales *(equal)*.
5. Los políticos son sinceros.
6. Los Estados Unidos son el país más fuerte del mundo.
7. Somos inmortales.
8. La vida extraterrestre existe.

¡A ti te toca!

Expresión personal

Completa las siguientes frases usando tu imaginación y un verbo en el subjuntivo.

Me casaré cuando . . .

Espero conocer personas que . . .

Quiero tener trabajo que . . .

Quiero casarme con una persona que . . .

Seré independiente cuando . . .

Estaré muy contento(a) con la condición de que . . .

Compraré un coche deportivo cuando . . .

Iré a España cuando . . .

Iré a la luna cuando . . .

⟩⟩ Me casaré cuando tenga trabajo (esté en la universidad, etc.).

Tres temas

Hay cosas que conocemos y que no podemos explicar. Estos tres poetas nos hablan de tres temas:° la vida, la juventud° y la poesía.

temas: *themes*
juventud: *youth*

la vida

¿Qué es la vida? un frenesí;°
¿Qué es la vida? una ilusión,
una sombra,° una ficción,
y el mayor° bien es pequeño;
que toda la vida es sueño,°
y los sueños, sueños son.

frenesí: *frenzy,
madness*

sombra: *shadow*
mayor: *greatest*
sueño: *a dream*

> De *La vida es sueño* por Calderón de la Barca (1600-1681), de España, autor de muchos dramas simbólicos y religiosos.

la juventud

Juventud, divino tesoro,
¡ya te vas para no volver!
Cuando quiero llorar, no lloró,
¡y a veces lloro sin querer!

> De «Canción de otoño en primavera»,* por Rubén Darío (1867-1916), poeta de Nicaragua.

la poesía

¿Qué es poesía? dices mientras clavas°
  En mi pupila° tu pupila azul:
¿Qué es poesía? ¿Y tú me lo preguntas?
  Poesía . . . eres tú.

clavas: *you fix*
pupila: *pupil (eye)*

> Rima XXI de una colección de poesía, *Rimas*, por el poeta español Gustavo Adolfo Bécquer (1836-1870).

*In Rubén Darío, *Cantos de vida y esperanza*, Colección Austral No. 118, 12th edition, 1971, Madrid (Espasa-Calpe), p. 90.

Los números

A. Cardinal numbers

0	cero	16	diez y seis (dieciséis)	90	noventa
1	uno (un)	17	diez y siete (diecisiete)	100	ciento (cien)
2	dos	18	diez y ocho (dieciocho)	101	ciento uno(a)
3	tres	19	diez y nueve (diecinueve)	102	ciento dos
4	cuatro	20	veinte	200	doscientos
5	cinco	21	veinte y uno (veintiuno)	201	doscientos uno
6	seis	22	veinte y dos (veintidós)	300	trescientos
7	siete	23	veinte y tres (veintitrés)	400	cuatrocientos
8	ocho	30	treinta	500	quinientos
9	nueve	31	treinta y uno	600	seiscientos
10	diez	40	cuarenta	700	setecientos
11	once	41	cuarenta y uno	800	ochocientos
12	doce	50	cincuenta	900	novecientos
13	trece	60	sesenta	1.000	mil
14	catorce	70	setenta	2.000	dos mil
15	quince	80	ochenta	1.000.000	un millón (de)

NOTAS:
1. **Uno** becomes **un** before a masculine noun: **treinta y un** chicos
   una before a feminine noun: **treinta y una** chicas
2. **Ciento** becomes **cien** before a noun: **cien** pesetas
3. **Cientos** becomes **cientas** before a feminine noun: **doscientas** pesetas

B. Ordinal numbers

1°	primero(a)	6°	sexto(a)
2°	segundo(a)	7°	séptimo(a)
3°	tercero(a)	8°	octavo(a)
4°	cuarto(a)	9°	noveno(a)
5°	quinto(a)	10°	décimo(a)

NOTAS:
1. **Primero** becomes **primer** before a masculine singular noun: **el primer** libro
2. **Tercero** becomes **tercer** before a masculine singular noun: **el tercer** papel

APPENDIX 2   Vocabulario especializado

This Appendix reviews selected vocabulary by topics from Book One of *Spanish for Mastery.*

La hora *(Time)*

¿Qué hora es?	*What time is it?*
Es la una.	*It is 1:00.*
Son las dos.	*It is 2:00.*
Son las dos y cinco.	*It is 2:05.*
Son las dos y diez.	*It is 2:10.*

Son las dos y cuarto.	*It is 2:15.*
Son las dos y veinte.	*It is 2:20.*
Son las dos y veinte y cinco.	*It is 2:25.*
Son las dos y media.	*It is 2:30.*
Son las tres menos veinte y cinco.	*It is 2:35. (It is 25 of 3.)*
Son las tres menos veinte.	*It is 2:40. (It is 20 of 3.)*
Son las tres menos cuarto.	*It is 2:45. (It is quarter of 3.)*
Son las tres menos diez.	*It is 2:50. (It is 10 of 3.)*
Son las tres menos cinco.	*It is 2:55. (It is 5 of 3.)*
Son las tres.	*It is 3:00.*

NOTAS:
y cuarto	*quarter past*
y media	*half past*
menos cuarto	*quarter of*

To express the English concept of *past* or *after*, Spanish uses the word **y**.
To express the English concept of *of* or *to*, Spanish uses the word **menos**.

¿A qué hora?	*At what time?*
A la una y cinco **de la mañana**.	*At 1:05 in the morning (A.M.)*
A las tres y cuarto **de la tarde**.	*At 3:15 in the afternoon (P.M.)*
A las ocho y media **de la noche**.	*At 8:30 at night (P.M.)*

Los días de la semana *(The days of the week)*

(el) lunes	*Monday*	hoy	*today*
(el) martes	*Tuesday*	mañana	*tomorrow*
(el) miércoles	*Wednesday*	ayer	*yesterday*
(el) jueves	*Thursday*	el jueves pasado	*last Thursday*
(el) viernes	*Friday*	el sábado próximo	*next Saturday*
(el) sábado	*Saturday*		
(el) domingo	*Sunday*		

NOTA: In Spanish, the definite article is used before days of the week except after *ser*:

el lunes (martes, etc.)	*(on) Monday (Tuesday, etc.)*
los lunes (martes, etc.)	*(on) Mondays (Tuesdays, etc.)*

but:
¿Qué día es hoy (mañana)?	*What day is it today (tomorrow)?*
Hoy (Mañana) es lunes (martes).	*Today (Tomorrow) is Monday (Tuesday).*

Los meses del año *(The months of the year)*

enero	*January*	julio	*July*
febrero	*February*	agosto	*August*
marzo	*March*	septiembre	*September*
abril	*April*	octubre	*October*
mayo	*May*	noviembre	*November*
junio	*June*	diciembre	*December*

Las estaciones *(The seasons)*

la primavera	*spring*	el otoño	*fall*
el verano	*summer*	el invierno	*winter*

La fecha *(The date)*

To express the date, Spanish uses the construction **el** + number + **de** + month. However, the first day of the month is always expressed as **el primero**.

¿Cuál es la fecha de hoy (mañana)?	*What is today's (tomorrow's) date?*
Hoy (Mañana) es el trece de enero.	*Today (Tomorrow) is January 13th.*
Es el primero de mayo.	*It is May first.*

El tiempo *(The weather)*

¿Qué tiempo hace (hoy, en mayo, en el otoño)?	*How's the weather (today, in May, in the fall)?*
Hace buen tiempo.	*It's nice.*
Hace mal tiempo.	*It's bad.*
Hace (mucho) calor.	*It's (very) hot.*
Hace frío.	*It's cold.*
Hace viento.	*It's windy.*
Hace sol.	*It's sunny.*
Está nublado.	*It's cloudy.*
Llueve.	*It's raining.*
Nieva.	*It's snowing.*
¿Cuál es la temperatura?	*What's the temperature?*
−doce grados	*−twelve degrees*
−tres grados bajo cero	*−three degrees below zero*

Los países y los adjetivos de nacionalidad

las Américas

la América del Norte

el Canadá	canadiense
los Estados Unidos	norteamericano

la América Central

México	mexicano
Panamá	panameño

la América del Sur

la Argentina	argentino
el Brasil	brasileño
Chile	chileno

Asia

China	chino
el Japón	japonés (japonesa)
Rusia	ruso

el Caribe

Cuba	cubano
Puerto Rico	puertorriqueño

Europa

Alemania	alemán (alemana)
España	español
Francia	francés (francesa)
Inglaterra	inglés (inglesa)
Italia	italiano
Portugal	portugués (portuguesa)

El cuerpo *(The body)*

la boca	mouth	la cara	face	el pelo	hair
el brazo	arm	la frente	forehead	el pie	foot
la cabeza	head	la mano	hand	la pierna	leg
los dedos	fingers	la nariz	nose	la rodilla	knee
los dientes	teeth	el ojo	eye		
la espalda	back	la oreja	ear		

La ropa *(Clothing)*

un abrigo	(over)coat	un impermeable	raincoat
unos anteojos	eyeglasses	unos pantalones	pants
unos anteojos de sol	sunglasses	unos pantalones cortos	shorts
una blusa	blouse	unas sandalias	sandals
unos calcetines	socks	un suéter	sweater
una camisa	shirt	un sombrero	hat
una camiseta	tee shirt	un traje	suit
una corbata	necktie	un traje de baño	bathing suit
una chaqueta	jacket	un vestido	dress
una falda	skirt	unos zapatos	shoes

Ocupaciones

un abogado, una abogada	lawyer
un aeromozo, una aeromoza	flight attendant
un agente de viajes, una agente de viajes	travel agent
un carpintero	carpenter
un científico, una científica	scientist
un dentista, una dentista	dentist
un dibujante, una dibujante	designer
un electricista, una electricista	electrician
un empleado, una empleada	employee
un enfermero, una enfermera	nurse
un fotógrafo, una fotógrafa	photographer
un gerente, una gerente	manager
un guía, una guía	guide
un ingeniero, una ingeniera	engineer
un locutor, una locutora	announcer
un mecánico	mechanic
un médico, una médica	doctor
una modista	dressmaker
un periodista, una periodista	journalist
un pescador, una pescadora	fisherman
un policía	police officer
un programador, una programadora	programmer
un secretario, una secretaria	secretary
un trabajador social, una trabajadora social	social worker
un vendedor (viajero), una vendedora (viajera)	(traveling) salesperson
un veterinario, una veterinaria	veterinarian

Los colores

¿De qué color . . . ?	*What color . . . ?*	gris	*gray*
		negro	*black*
amarillo	*yellow*	rojo	*red*
blanco	*white*	verde	*green*
castaño	*brown*		

NOTA: Colors are adjectives and agree with the nouns they describe. Tengo **un abrigo negro** y **una blusa roja. Las corbatas** son **azules** y **los pantalones** son **verdes.**

La comida *(Food)*
Los alimentos *(Foods)*

la carne	*meat*	un pastel	*pastry*
el bistec	*steak*	una torta	*cake*
el jamón	*ham*		
el pollo	*chicken*	otros alimentos	*other foods*
		el aceite	*oil*
las frutas y los vegetales	*fruits and vegetables*	el azúcar	*sugar*
el arroz	*rice*	una ensalada	*salad*
una banana	*banana*	una hamburguesa	*hamburger*
los frijoles	*beans*	un huevo	*egg*
el maíz	*corn*	la mantequilla	*butter*
una manzana	*apple*	el pan	*bread*
una naranja	*orange*	la pimienta	*pepper*
una papa	*potato*	el queso	*cheese*
una pera	*pear*	la sal	*salt*
un plátano	*banana, plantain*	un sándwich	*sandwich*
un tomate	*tomato*	el vinagre	*vinegar*
los postres	*desserts*		
un helado	*ice cream*		

Las bebidas *(Drinks)*

el agua	*water*	un jugo de frutas	*fruit juice*
el café	*coffee*	la leche	*milk*
la cerveza	*beer*	el té	*tea*
una gaseosa	*soda, carbonated drink*	el vino	*wine*

Las comidas *(Meals)*

el desayuno	*breakfast*	la merienda	*late afternoon snack*
desayunarse	*to have breakfast*	merendar (e → ie)	*to have a late afternoon snack*
el almuerzo	*lunch*		
almorzar (o → ue)	*to have lunch*	cena	*dinner*
		la cenar	*to have dinner*

Los muebles *(Furniture)*

una cama	*bed*	un radio	*radio*
un estante	*bookcase*	una silla	*chair*
una lámpara	*lamp*	un televisor	*television set*
una mesa	*table*	un tocadiscos	*record player*

APPENDIX 3 Verbos

A. REGULAR VERBS

Simple Tenses

INFINITIVE:	**hablar** *(to speak)*		**comer** *(to eat)*		**vivir** *(to live)*	
			INDICATIVE			
PRESENT	hablo	hablamos	como	comemos	vivo	vivimos
	hablas	habláis	comes	coméis	vives	vivís
	habla	hablan	come	comen	vive	viven
IMPERFECT	hablaba	hablábamos	comía	comíamos	vivía	vivíamos
	hablabas	hablabais	comías	comíais	vivías	vivíais
	hablaba	hablaban	comía	comían	vivía	vivían
PRETERITE	hablé	hablamos	comí	comimos	viví	vivimos
	hablaste	hablasteis	comiste	comisteis	viviste	vivisteis
	habló	hablaron	comió	comieron	vivió	vivieron
FUTURE	hablaré	hablaremos	comeré	comeremos	viviré	viviremos
	hablarás	hablaréis	comerás	comeréis	vivirás	viviréis
	hablará	hablarán	comerá	comerán	vivirá	vivirán
CONDITIONAL	hablaría	hablaríamos	comería	comeríamos	viviría	viviríamos
	hablarías	hablarías	comerías	comeríais	vivirías	viviríais
	hablaría	hablarían	comería	comerían	viviría	vivirían

COMMANDS

tú	habla	come	vive
negative tú	no hables	no comas	no vivas
Ud.	hable	coma	viva
Uds.	hablen	coman	vivan

SUBJUNCTIVE

PRESENT	hable	hablemos	coma	comamos	viva	vivamos
	hables	habléis	comas	comáis	vivas	viváis
	hable	hablen	coma	coman	viva	vivan
IMPERFECT	hablara	habláramos	comiera	comiéramos	viviera	viviéramos
	hablaras	hablarais	comieras	comierais	vivieras	vivierais
	hablara	hablaran	comiera	comieran	viviera	vivieran

PARTICIPLE

PRESENT	hablando	comiendo	viviendo
PAST	hablado	comido	vivido

Compound Tenses

PRESENT PERFECT

he	hemos			
has	habéis	hablado	comido	vivido
ha	han			

PLUPERFECT

había	habíamos			
habías	habíais	hablado	comido	vivido
había	habían			

FUTURE PERFECT

habré	habremos			
habrás	habréis	hablado	comido	vivido
habrá	habrán			

SUBJUNCTIVE

PRESENT PERFECT

haya	hayamos			
hayas	hayáis	hablado	comido	vivido
haya	hayan			

IRREGULAR PAST PARTICIPLES OF REGULAR VERBS

abrir	**abierto**	descubrir	**descubierto**
cubrir	**cubierto**	escribir	**escrito**
describir	**descrito**	romper	**roto**

B. STEM-CHANGING VERBS

INFINITIVE IN -ar:	cerrar (e → ie) *(to close)*	probar (o → ue) *(to try)*	jugar (u → ue) *(to play)*

INDICATIVE

PRESENT	**cierro**	cerramos	**pruebo**	probamos	**juego**	jugamos
	cierras	cerráis	**pruebas**	probáis	**juegas**	jugáis
	cierra	**cierran**	**prueba**	**prueban**	**juega**	**juegan**

SUBJUNCTIVE

PRESENT	**cierre**	cerremos	**pruebe**	probemos	**juegue**	juguemos
	cierres	cerréis	**pruebes**	probéis	**juegues**	juguéis
	cierre	**cierren**	**pruebe**	**prueben**	**juegue**	**jueguen**

like **cerrar:** comenzar, despertarse, empezar, encerrar, gobernar, negar(se), pensar, recomendar, regar, sentarse, tropezar

like **probar:** acostarse, almorzar, aprobar, contar, costar, demostrar, encontrar(se), mostrar, recordar, revolver, sonar, soñar, tostar, volar

	perder (e → ie) *(to lose)*			**volver** (o → ue) *(to return)*	
		INDICATIVE			
PRESENT	**pierdo**	perdemos		**vuelvo**	volvemos
	pierdes	perdéis		**vuelves**	volvéis
	pierde	**pierden**		**vuelve**	**vuelven**
		SUBJUNCTIVE			
PRESENT	**pierda**	perdamos		**vuelva**	volvamos
	pierdas	perdáis		**vuelvas**	volváis
	pierda	**pierdan**		**vuelva**	**vuelvan**

like **perder:** defender, descender, encender, entender, extenderse
like **volver:** devolver, doler, llover *(used only in third-person singular)*, revolver

INFINITIVE IN **-ir:**

	pedir (e → i, i) *(to ask)*		**dormir** (o → ue, u) *(to sleep)*		**sentir** (e → ie, i) *(to feel)*	
			INDICATIVE			
PRESENT	**pido**	pedimos	**duermo**	dormimos	**siento**	sentimos
	pides	pedís	**duermes**	dormís	**sientes**	sentís
	pide	**piden**	**duerme**	**duermen**	**siente**	**sienten**
PRETERITE	pedí	pedimos	dormí	dormimos	sentí	sentimos
	pediste	pedisteis	dormiste	dormisteis	sentiste	sentisteis
	pidió	**pidieron**	**durmió**	**durmieron**	**sintió**	**sintieron**
			SUBJUNCTIVE			
PRESENT	**pida**	**pidamos**	**duerma**	**durmamos**	**sienta**	**sintamos**
	pidas	**pidáis**	**duermas**	**durmáis**	**sientas**	**sintáis**
	pida	**pidan**	**duerma**	**duerman**	**sienta**	**sientan**
IMPERFECT	**pidiera**	**pidiéramos**	**durmiera**	**durmiéramos**	**sintiera**	**sintiéramos**
	pidieras	**pidierais**	**durmieras**	**durmierais**	**sintieras**	**sintierais**
	pidiera	**pidieran**	**durmiera**	**durmieran**	**sintiera**	**sintieran**
PARTICIPLE						
PRESENT	**pidiendo**		**durmiendo**		**sintiendo**	

like **pedir:** conseguir, despedirse, perseguir, reír, rendirse, repetir, seguir, servir, sonreír, vestirse
like **dormir:** morir (past participle: **muerto)**
like **sentir:** divertir(se), hervir, mentir, preferir, referir, requerir, sugerir

C. SPELLING-CHANGING VERBS

actuar *(to act)*

present indicative: **actúo, actúas, actúa,** actuamos, actuáis, **actúan**
present subjunctive: **actúe, actúes, actúe,** actuemos, actuéis, **actúen**
like **actuar:** continuar, graduarse

buscar *(to look for)*

    preterite: **busqué,** buscaste, buscó, buscamos, buscasteis, buscaron

    present subjunctive: **busque, busques, busque, busquemos, busquéis, busquen**

        like **buscar:** acercarse, arrancar, atacar, comunicar, criticar, chocar, dedicar(se), desembarcar, equivocarse, explicar, fabricar, identificar, indicar, marcar, mascar, pescar, pronosticar, publicar, sacar, salpicar, secarse, significar, tocar

coger *(to seize, grasp, gather)*

    present indicative: **cojo,** coges, coge, cogemos, cogéis, cogen

    present subjunctive: **coja, cojas, coja, cojamos, cojáis, cojan**

        like **coger:** dirigir(se), elegir, erigir, escoger, exigir, proteger, recoger, surgir

conducir *(to drive)*

    present indicative: **conduzco,** conduces, conduce, conducimos, conducís, conducen

    preterite: **conduje, condujiste, condujo, condujimos, condujisteis, condujeron**

    present subjunctive: **conduzca, conduzcas, conduzca, conduzcamos, conduzcáis, conduzcan**

    imperfect subjunctive: **condujera, condujeras, condujera, condujéramos, condujerais, condujeran**

        like **conducir:** producir, traducir

conocer *(to know, be acquainted with)*

    present indicative: **conozco,** conoces, conoce, conocemos, conocéis, conocen

    present subjunctive: **conozca, conozcas, conozca, conozcamos, conozcáis, conozcan**

        like **conocer:** aparecer, crecer, complacer(se), desaparecer, establecer, florecer, merecer, nacer, obedecer, ofrecer, parecer(se), permanecer, pertenecer, reconocer

construir *(to construct, build)*

    present indicative: **construyo, construyes, construye,** construimos, construís, **construyen**

    preterite: construí, construiste, **construyó,** construimos, construisteis, **construyeron**

    present subjunctive: **construya, construyas, construya, construyamos, construyáis, construyan**

    imperfect subjunctive: **construyera, construyeras, construyera, construyéramos, construyerais, construyeran**

    present participle: **construyendo**

        like **construir:** constituir, destruir, huir, influir, reconstruir

creer *(to believe)*

    preterite: creí, **creíste, creyó, creímos, creísteis, creyeron**

    present participle: **creyendo**

    imperfect subjunctive: **creyera, creyeras, creyera, creyéramos, creyerais, creyeran**

    past participle: **creído**   like **creer:** leer

cruzar *(to cross)*

    preterite: **crucé,** cruzaste, cruzó, cruzamos, cruzasteis, cruzaron

    present subjunctive: **cruce, cruces, cruce, crucemos, crucéis, crucen**

        like **cruzar:** abrazar, adelgazar, almorzar (o → ue), analizar, aterrizar, cazar, colonizar, comenzar (e → ie), cristianizar, empezar (e → ie), especializarse, gozar, lanzarse, organizar, popularizar, realizar(se), reemplazar, rezar, tropezar (e → ie)

distinguir *(to distinguish)*

    present indicative: **distingo,** distingues, distingue, distinguimos, distinguís, distinguen

    present subjunctive: **distinga, distingas, distinga, distingamos, distingáis, distingan**

        like **distinguir:** conseguir (e → i, i), perseguir (e → i, i), seguir (e → i, i)

esquiar *(to ski)*

present indicative: **esquío, esquías, esquía,** esquiamos, esquiáis, **esquían**
present subjunctive: **esquíe, esquíes, esquíe,** esquiemos, esquiéis, **esquíen**
like **esquiar:** enfriar

llegar *(to arrive)*

preterite: **llegué,** llegaste, llegó, llegamos, llegasteis, llegaron
present subjunctive: **llegue, llegues, llegue, lleguemos, lleguéis, lleguen**
like **llegar:** ahogarse, apagar, castigar, colgar (o → ue), entregar, jugar (u → ue), navegar, negar(se) (e → ie), pagar, pegar, regar (e → ie), rogar (o → ue)

vencer *(to conquer)*

present indicative: **venzo,** vences, vence, vencemos, vencéis, vencen
present subjunctive: **venza, venzas, venza, venzamos, venzáis, venzan**   like **vencer:** convencer

D. IRREGULAR VERBS

andar *(to walk, go)*

preterite: **anduve, anduviste, anduvo, anduvimos, anduvisteis, anduvieron**
imperfect subjunctive: **anduviera, anduvieras, anduviera, anduviéramos, anduvierais, anduvieran**

caer *(to fall)*

present indicative: **caigo,** caes, cae, caemos, caéis, caen
preterite: caí, **caíste, cayó, caímos, caísteis, cayeron**
present subjunctive: **caiga, caigas, caiga, caigamos, caigáis, caigan**
imperfect subjunctive: **cayera, cayeras, cayera, cayéramos, cayerais, cayeran**
present participle: **cayendo**
past participle: **caído**

dar *(to give)*

present indicative: **doy,** das, da, damos, dais, dan
preterite: **di, diste, dio, dimos, disteis, dieron**
present subjunctive: **dé,** des, **dé,** demos, deis, den
imperfect subjunctive: **diera, dieras, diera, diéramos, dierais, dieran**

decir *(to say, tell)*

present indicative: **digo, dices, dice,** decimos, decís, **dicen**
preterite: **dije, dijiste, dijo, dijimos, dijisteis, dijeron**
future: **diré, dirás,** etc.   conditional: **diría, dirías,** etc.
command: **di** (tú), no **digas** (neg. tú), **diga** (Ud.), **digan** (Uds.)
present subjunctive: **diga, digas, diga, digamos, digáis, digan**
imperfect subjunctive: **dijera, dijeras, dijera, dijéramos, dijerais, dijeran**
present participle: **diciendo**
past participle: **dicho**   like **decir:** contradecir, predecir

estar *(to be)*

present indicative: **estoy, estás, está,** estamos, estáis, **están**
preterite: **estuve, estuviste, estuvo, estuvimos, estuvisteis, estuvieron**
present subjunctive: **esté, estés, esté,** estemos, estéis, **estén**
imperfect subjunctive: **estuviera, estuvieras, estuviera, estuviéramos, estuverais, estuvieran**

haber *(to have–auxiliary)*

present indicative: **he, has, ha, hemos,** habéis, **han**
preterite: **hube, hubiste, hubo, hubimos, hubisteis, hubieron**
future: **habré, habrás,** etc.   conditional: **habría, habrías,** etc.
present subjunctive: **haya, hayas, haya, hayamos, hayáis, hayan**
imperfect subjunctive: **hubiera, hubieras, hubiera, hubiéramos, hubierais, hubieran**

hacer *(to make, do)*

present indicative: **hago,** haces, hace, hacemos, hacéis, hacen
preterite: **hice, hiciste, hizo, hicimos, hicisteis, hicieron**
future: **haré, harás,** etc.   conditional: **haría, harías,** etc.
command: **haz** (tú), no **hagas** (neg. tú), **haga** (Ud.), **hagan** (Uds.)
present subjunctive: **haga, hagas, haga, hagamos, hagáis, hagan**
imperfect subjunctive: **hiciera, hicieras, hiciera, hiciéramos, hicierais, hicieran**
past participle: **hecho**   like **hacer:** satisfacer

ir *(to go)*

present indicative: **voy, vas, va, vamos, vais, van**
imperfect indicative: **iba, ibas, iba, íbamos, ibais, iban**
preterite: **fui, fuiste, fue, fuimos, fuisteis, fueron**
command: **ve** (tú), no **vayas** (neg. tú), **vaya** (Ud.), **vayan** (Uds.)
present subjunctive: **vaya, vayas, vaya, vayamos, vayáis, vayan**
imperfect subjunctive: **fuera, fueras, fuera, fuéramos, fuerais, fueran**
present participle: **yendo**   past participle: **ido**

oír *(to hear)*

present indicative: **oigo, oyes, oye,** oímos, oís, **oyen**
preterite: **oí,** oíste, **oyó,** oímos, oísteis, **oyeron**
present subjunctive: **oiga, oigas, oiga, oigamos, oigáis, oigan**
imperfect subjunctive: **oyera, oyeras, oyera, oyéramos, oyerais, oyeran**   present participle: **oyendo**

poder *(to be able, can)*

present indicative: **puedo, puedes, puede,** podemos, podéis, **pueden**
preterite: **pude, pudiste, pudo, pudimos, pudisteis, pudieron**
future: **podré, podrás,** etc.   conditional: **podría, podrías,** etc.
present subjunctive: **pueda, puedas, pueda,** podamos, podáis, **puedan**
imperfect subjunctive: **pudiera, pudieras, pudiera, pudiéramos, pudierais, pudieran**
present participle: **pudiendo**

poner *(to put, place)*

present indicative: **pongo,** pones, pone, ponemos, ponéis, ponen
preterite: **puse, pusiste, puso, pusimos, pusisteis, pusieron**
future: **pondré, pondrás,** etc.   conditional: **pondría, pondrías,** etc.
command: **pon** (tú), no **pongas** (neg. tú), **ponga** (Ud.), **pongan** (Uds.)
present subjunctive: **ponga, pongas, ponga, pongamos, pongáis, pongan**
imperfect subjunctive: **pusiera, pusieras, pusiera, pusiéramos, pusierais, pusieran**
past participle: **puesto**   like **poner:** componer, oponerse, proponer, suponer

querer *(to want)*

present indicative: **quiero, quieres, quiere,** queremos, queréis, **quieren**
preterite: **quise, quisiste, quiso, quisimos, quisisteis, quisieron**
future: **querré, querrás,** etc.   conditional: **querría, querrías,** etc.
present subjunctive: **quiera, quieras, quiera,** queramos, queráis, **quieran**
imperfect subjunctive: **quisiera, quisieras, quisiera, quisiéramos, quisierais, quisieran**

saber *(to know)*

   present indicative: **sé,** sabes, sabe, sabemos, sabéis, saben
   preterite: **supe, supiste, supo, supimos, supisteis, supieron**
   future: **sabré, sabrás,** etc.   conditional: **sabría, sabrías,** etc.
   present subjunctive: **sepa, sepas, sepa, sepamos, sepáis, sepan**
   imperfect subjunctive: **supiera, supieras, supiera, supiéramos, supierais, supieran**

salir *(to go out, leave)*

   present indicative: **salgo,** sales, sale, salimos, salís, salen
   future: **saldré, saldrás,** etc.   conditional: **saldría, saldrías,** etc.
   command: **sal** (tú), no **salgas** (neg. tú), **salga** (Ud.), **salgan** (Uds.)
   present subjunctive: **salga, salgas, salga, salgamos, salgáis, salgan**

ser *(to be)*

   present indicative: **soy, eres, es, somos, sois, son**
   imperfect indicative: **era, eras, era, éramos, erais, eran**
   preterite: **fui, fuiste, fue, fuimos, fuisteis, fueron**
   command: **sé** (tú), no **seas** (neg. tú), **sea** (Ud.), **sean** (Uds.)
   present subjunctive: **sea, seas, sea, seamos, seáis, sean**
   imperfect subjunctive: **fuera, fueras, fuera, fuéramos, fuerais, fueran**

tener *(to have)*

   present indicative: **tengo, tienes, tiene,** tenemos, tenéis, **tienen**
   preterite: **tuve, tuviste, tuvo, tuvimos, tuvisteis, tuvieron**
   future: **tendré, tendrás,** etc.   conditional: **tendría, tendrías,** etc.
   command: **ten** (tú), no **tengas** (neg. tú), **tenga** (Ud.), **tengan** (Uds.)
   present subjunctive: **tenga, tengas, tenga, tengamos, tengáis, tengan**
   imperfect subjunctive: **tuviera, tuvieras, tuviera, tuviéramos, tuvierais, tuvieran**

                    like **tener:** contener, detener, mantener(se), obtener, sostenerse

traer *(to bring)*

   present indicative: **traigo,** traes, trae, traemos, traéis, traen
   preterite: **traje, trajiste, trajo, trajimos, trajisteis, trajeron**
   present subjunctive: **traiga, traigas, traiga, traigamos, traigáis, traigan**
   imperfect subjunctive: **trajera, trajeras, trajera, trajéramos, trajerais, trajeran**
   present participle: **trayendo**   past participle: **traído**

venir *(to come)*

   present indicative: **vengo, vienes, viene,** venimos, venís, **vienen**
   preterite: **vine, viniste, vino, vinimos, vinisteis, vinieron**
   future: **vendré, vendrás,** etc.   conditional: **vendría, vendrías,** etc.
   command: **ven** (tú), no **vengas** (neg. tú), **venga** (Ud.), **vengan** (Uds.)
   present subjunctive: **venga, vengas, venga, vengamos, vengáis, vengan**
   imperfect subjunctive: **viniera, vinieras, viniera, viniéramos, vinierais, vinieran**
   present participle: **viniendo**   like **venir:** convenir, intervenir

ver *(to see)*

   present indicative: **veo,** ves, ve, vemos, veis, ven
   imperfect indicative: **veía, veías, veía, veíamos, veíais, veían**
   preterite: **vi,** viste, **vio,** vimos, visteis, vieron
   present subjunctive: **vea, veas, vea, veamos, veáis, vean**
   past participle: **visto**

a

a to, at
  a la casa de _ at _'s house
  a la derecha to the right
  a la izquierda to the left
  a lo largo de along
  a menudo often
  a tiempo on time
  a veces at times, sometimes
  a ver let's see
abajo down (with) . . .
abandonado abandoned
abandonar to abandon
abierto open: see **abrir**
un **abogado, una abogada** lawyer
la **abolición** abolition
  *****abrazar** to embrace
un **abrigo** overcoat
abrir to open
absoluto absolute
absurdo absurd
una **abuela** grandmother
un **abuelo** grandfather
  los **abuelos** grandparents
una **abundancia** abundance
aburrido bored
aburrir to bore
aburrirse to get bored
acabar de + *inf.* to have just + *p.p.*
una **academia** academy
un **accesorio, una accesoria** accessory
accidentalmente accidentally
un **accidente** accident
una **acción** (*pl.* **acciones**) action
el **aceite** oil
una **aceituna** olive
un **acelerador** accelerator
acelerar to accelerate
aceptar to accept
una **acera** sidewalk
acerca de on, about
  *****acercarse a** to approach
el **acero** steel
acomodado wealthy
  la **clase acomodada** upper middle class

acompañar to accompany
acondicionado conditioned
  el **sistema de aire acondicionado** air conditioning system
aconsejar to advise, counsel
acostarse (o → ue) to go to bed
acostumbrarse a to get used to
una **actitud** attitude
una **actividad** activity
activo active
un **acto** act
un **actor** actor
una **actriz** (*pl.* **actrices**) actress
la **actuación** acting out, performance
actual present, current
actuar (u → ú) to act
un **acuario** aquarium, fish bowl
acuático aquatic
  unos **esquís acuáticos** water skis
un **acuerdo** agreement
  estar de **acuerdo** to agree, be in agreement
una **acusación** (*pl.* **acusaciones**) accusation
la **acústica** acoustics
una **adaptación** (*pl.* **adaptaciones**) adaptation
adaptar to adapt
adelante ahead, forward
  de **allí en adelante** from then on
  *****adelgazar** to get thin, lose weight
además besides
un **adivinador, una adivinadora** fortune teller
adivinar to guess
un **adjetivo** adjective
la **admiración** admiration
un **admirador, una admiradora** admirer
admirar to admire
la **admisión** admission
admitido admitted
admitir to admit
¿adónde? (to) where?

adorar to adore
un **adulto** adult
un **adverbio** adverb
aérea concerning air
  una **línea aérea** airline
un **aeromozo, una aeromoza** flight attendant
afectar to affect
una **afeitadora** razor
afeitarse to shave (*oneself*)
un **aficionado, una aficionada** fan
afirmativamente affirmatively
afirmativo affirmative
la **afluencia** influx
afortunadamente fortunately
afortunado fortunate
africano African
afrocubano Afro-Cuban
afuera outside
una **agencia** agency
  una **agencia de coches** car dealer
  una **agencia de empleo** employment agency
  una **agencia de viajes** travel agency
  una **agencia matrimonial** marriage counselor
un **agente, una agente** agent
  un **agente de mudanzas** mover
  un **agente de viajes** travel agent
la **agilidad** agility
agitado agitated, irritated, excited
agitar to agitate, irritate, excite
agosto August
agradable pleasant
agradar to be pleasing
  me **agrada(n)** I like
agradecido grateful
agresivo aggressive
el **agua** (*f.*) water
  el **agua dulce** fresh water
  esquiar en el **agua** to waterski
un **aguacate** avocado
un **águila** (*f.*) eagle

*An asterisk in front of a verb means that this verb is irregular or that it has a spelling change. Please refer to Appendix 3.

455

*ahogarse to drown
ahora now
ahorrar to save
el aire air
  al aire libre outdoor
  el sistema de aire
    acondicionado air
    conditioning system
  la contaminación del
    aire pollution
aislado isolated
el ajedrez chess
  jugar al ajedrez to play
    chess
el ajo garlic
  un diente de ajo clove of
    garlic
al (a + el) to the, at the
  al + *inf.* when, on,
    while, upon, at the
    moment of + *verb*
  al contrario on the
    contrary
  al día per day
una alameda mall, public walk
un albañil mason
un alcalde mayor
una aldea village
alegrarse (de) to be happy
  (because of)
alegre happy
alejarse (de) to move away
  (from)
alemán (*f.*
  alemana) German
el alemán German (*language*)
un alemán, una alemana
  German (*person*)
Alemania Germany
una alfombra rug
algo something
el algodón cotton
alguien someone, anyone
algún, alguno some, any
  alguna vez ever
  algunos some, several
el aliento breath
  sin aliento out of breath
alimentarse to eat
el alimento nourishment, food
el alivio relief
  ¡qué alivio! what a relief!
el alma (*f.*) soul
un almacén (*pl.* almacenes)
  department store
*almorzar (o →ue) to eat lunch

el alpinismo mountain
  climbing
alquilado rented
alquilar to rent
alrededor de around
alternar to alternate
alto tall, high
  en voz alta aloud
un alumno, una
  alumna student
allá over there
allí there
  de allí en adelante from
    then on
  desde allí from there
amable friendly
amado beloved
amarillo yellow
amarrar to fasten
amazónico Amazon
una ambición (*pl.*
  ambiciones) ambition
ambicioso ambitious
el ambiente atmosphere
ambos both
ambulante walking,
  traveling
la América America
  la América del Sur
    South America
la americanización American-
  ization
un amigo, una amiga friend
la amistad friendship
un amo master
el amor love
una anaconda anaconda
un análisis analysis
*analizar to analyze
la anarquía anarchy
ancho wide
el andaluz *language of
  Andalusia*
un andaluz, una
  andaluza *person from
    Andalusia*
*andar to walk,
  work (*function*), go
los Andes Andes
  mountains
un ángel angel
la angustia anguish
un anglohablante, una anglohablante English-speaking
  person
angustiado anguished

un anillo ring
un animal animal
un animalito little animal
el ánimo spirit, mind
  la presencia de ánimo
    mental alertness
anoche last night
anotar to note
anteanoche the night before
  last
anteayer the day before
  yesterday
una antena antenna
unos anteojos eyeglasses
  unos anteojos de sol
    sunglasses
antepasado _ before last
los antepasados ancestors
anterior before
anteriormente previously
antes (de) before
anticipar to anticipate
antiguo old, ancient
antillano Caribbean
una antillano, una
  antillana *person from
    the West Indies
    (Caribbean)*
las Antillas West Indies
  (Caribbean)
antipático unpleasant
un antropólogo anthropologist
anunciar to announce
un anuncio announcement,
  advertisement
  un anuncio de empleo
    want ad
un año year
  el Año Nuevo New Year
apagado extinguished, shut
  off
*apagar to turn off
un apagón (*pl.*
  apagones) blackout
*aparecer to appear, seem
un apartamento apartment
  un edificio de
    apartamentos apart-
    ment building
un apellido last name
apenas hardly, scarcely
un aperitivo aperitif
aplicable applicable
apoderarse de to seize
apreciado appreciated
apreciar to appreciate

aprender to learn
aprobar (o → ue) to approve, pass
apropiado appropriate
apuntar to point
el **apuro** difficulty
aquel (*f.* **aquella**) that (*over there*)
aquél (*f.* **aquélla**) that one (*over there*)
aquellos those (*over there*)
aquéllos those (*over there*)
aquí here
 aquí tiene(s) here are
árabe Arabic
un **aragonés, una aragonesa** *person from Aragon*
una **araña** spider
arawako Arawak
un **árbol** tree
ardiendo burning
un **área** (*f.*) area
la **arena** sand
la **Argentina** Argentina
argentino Argentinean
una **argolla** loop
aristocrático aristocratic
un **arma** (*f.*) weapon, arm
una **armada** armada, navy, fleet
un **armamento** armament
 los **armamentos nucleares** nuclear armaments
aromático aromatic
la **arqueología** archeology
arqueológico archeological
un **arqueólogo** archeologist
un **arquitecto** architect
la **arquitectura** architecture
*****arrancar** to pull out, start (*a car*)
arrasar to tear down
un **arrecife** reef
arreglar to fix
el **arreglo** care
arrestado arrested
arrestar to arrest
arriba above
arrogante arrogant
un **arroyo** stream
el **arte** art
la **artesanía** crafts
un **artesano, una artesana** artisan, craftsman

un **artículo** article
artificial artificial
un **artista, una artista** artist
artístico artistic
un **ascensor** elevator
asegurar to insure
asesinado assassinated
así so, like that
 así es que therefore, so it is that
Asia Asia
asiático Asian
un **asiento** seat
un **asistente, una asistenta** assistant
asistir a to attend
asociado associated
asomar to appear
asomarse to look out
asombroso amazing
un **aspecto** aspect
la **aspiración** aspiration, ambition
una **aspirina** aspirin
un **astronauta, una astronauta** astronaut
la **astronomía** astronomy
asumir to assume
un **asunto** matter, topic
*****atacar** to attack
atar to tie
la **atención** attention
 prestar atención to pay attention
atentamente attentively
atento attentive, polite
un **aterrizaje** landing
*****aterrizar** to land
atestado crowded
atestar to crowd, cram
Atlántico Atlantic
un **atleta, una atleta** athlete
atlético athletic
el **atletismo** athletics
atómico atomic
atormentar to torment, torture
una **atracción** (*pl.* **atracciones**) attraction
atractivo attractive
atrás behind
 de atrás in back
atropellar to run over
aumentar to augment, increase
aun even

aunque although
el **auspicio** auspice, protection
Australia Australia
auténtico authentic
una **autobiografía** autobiography
autobiográfico autobiographical
un **autobús** (*pl.* **autobuses**) bus
un **automóvil** automobile
un **automovilista, una automovilista** motorist, driver
la **autoridad** authority
la **autorización** authorization
avanzado advanced
avaro miserly
un **ave** (*f.*) bird
una **avenida** avenue
una **aventura** adventure
 una **película de aventuras** adventure film
un **avión** (*pl.* **aviones**) airplane
un **aviso** warning
¡ay! oh!
ayer yesterday
la **ayuda** aid, help
ayudar to aid, help
un **azteca, una azteca** Aztec
azteco Aztec
el **azúcar** sugar
 la **caña de azúcar** sugarcane
azul blue

¡bah! bah!
bailar to dance
un **bailarín, una bailarina** dancer
un **baile** dance
bajar (de) to descend, get off
bajo short, low
 la **planta baja** ground floor
 los **Países Bajos** The Low Countries (Netherlands, Belgium, Luxembourg)
bajo below, under
el **balboa** *money of Panama*
un **balcón** (*pl.* **balcones**) balcony

una **balsa de junco** bulrush raft
el **ballet** ballet
una **banana** banana
un **banco** bank, bench
una **banda** band
una **bandera** flag
un **bandido, una**
    bandida bandit
    bañarse to bathe, take a bath
un **baño** bathroom, bath
    un traje de baño
      bathing suit
    barato cheap, inexpensive
una **barba** beard
una **barbacoa** barbeque
la **barbaridad** outrage
    ¡qué barbaridad! what
      nonsense!
    bárbaro barbaric
un **barbero** barber
un **barco** boat
un **barrio** district, neighborhood
el **barro** mud
    básico basic
el **básquetbol** basketball
    bastante rather, enough
una **batalla** battle
    batallar to fight a battle
la **bauxita** bauxite
    beber to drink
una **bebida** drink
el **béisbol** baseball
    Belén Bethlehem
la **belleza** beauty
    bello beautiful
las **Bermudas** Bermuda
un **beso** kiss
la **Biblia** Bible
una **biblioteca** library
una **bicicleta** bicycle
    bien well
    bien educado polite
    portarse bien to behave
el **bienestar** well-being
un **bigote** mustache
    bilingüe bilingual
un **billete** bill, paper money,
    ticket
una **billetera** wallet
una **biografía** biography
la **biología** biology
el **bistec** steak
    blanco white
los **blancos** white people
unos **blue-jeans** blue jeans
una **blusa** blouse

una **boa** boa
un **bobo, una boba** dummy
una **boca** mouth
una **bocina** horn
    tocar la bocina to honk
      the horn
una **boda** marriage
una **bola de cristal** crystal ball
el **bolero** bolero *(dance)*
un **bolígrafo** pen
el **bolívar** *money of Venezuela*
    Bolivia Bolivia
una **bolsa** bag
    una bolsa al hombro
      backpack
un **bolsillo** pocket
un **bolso** purse
un **bombero** fireman
una **bombilla** light bulb
la **bonanza** prosperity, success
    bonito pretty
un **borlote** dance, party
un **bosque** forest
un **bote** boat
    un bote de vela sailboat
una **botella** bottle
    Brasil Brazil
    brasileño Brazilian
    bravo brave, valiant
un **brazo** arm
    brillante brilliant
una **broma** joke
    bronceado tanned
un **bronceado** tan
    la loción bronceadora
      suntan lotion
una **bruja** witch
la **brutalidad** brutality
    bucear to go scuba diving
    buen, bueno good
    buen mozo good-looking
    ¡buen provecho! enjoy it!
    de buen humor in a
      good mood
    los buenos modales
      good manners
    ¡qué bueno! how good!
una **bufanda** scarf
    burlarse de to make fun of
un **burro** donkey
un **bus** bus
la **busca** search
    en busca de looking for,
      in search of
un **buscador de tesoro**
    treasure-hunter

    *****buscar** to look for
un **buzo** diver

C

un **caballero** gentleman, knight
un **caballo** horse
    a caballo on horseback
    montar a caballo to ride
      a horse
    caber to fit
una **cabeza** head
    me duele la cabeza my
      head hurts
    un dolor de cabeza
      headache
el **cacao** cocoa
un **cacharro** pot, saucepan
    cada each
    cada uno each one
una **cadena** chain
   *****caer** to fall
   *****caerse** to fall down
el **café** coffee, café
una **cafetería** cafeteria
una **caja** box
un **cajón** *(pl.* **cajones)** drawer
un **calcetín** *(pl.*
    calcetines) sock
una **calculadora** calculator
la **calefacción** heat
    la calefacción solar
      solar heating
un **calendario** calendar
    calentar to heat
la **calma** calmness, tranquillity
    calor hot
    hace calor it's hot
      (weather)
    caluroso hot
    callarse to keep quiet, silent
una **calle** street
    estar en la calle to be
      out
una **cama** bed
    hacer la cama to make
      the bed
una **cámara** camera
una **camarera** waitress
un **camarero** waiter
    cambiar to change, trade
    cambiar de idea to
      change one's mind
el **cambio** change *(money)*
un **cambio** change

caminar to walk
un camino road, way
    El Camino Real The Royal Way
un camión (*pl.* camiones) truck
una camisa shirt
    una camisa de cuadros checked shirt
un campamento de veraneo summer camp
una campana bell
la campaña country(side)
    una tienda de campaña tent
una campaña campaign
un campeón, una campeona champion
el camping camping
    ir de camping to go camping
un campo field
    un trabajador del campo field worker
canadiense Canadian
un canal de irrigación irrigation canal
el cáncer cancer
una canción (*pl.* canciones) song
un candado padlock
un candelero candlestick
un candidato, una candidata candidate
un canguro kangaroo
una canica marble
una canoa canoe
cansado tired
cansarse (de) to get tired (of)
un cantante, una cantante singer
cantar to sing
una cantidad quantity
una caña cane, pole
    la caña de azúcar sugarcane
    una caña de pescar fishing pole
capaz (*pl.* capaces) capable
la Caperucita Roja Little Red Riding Hood
una capital capital
capturado captured
una cara face
el carácter character

una característica characteristic
¡caramba! wow!
una carga cargo, load, burden
el Caribe Caribbean
una caricatura cartoon
el cariño affection
    cariñoso loving, affectionate
la carne flesh, meat
    el chile con carne chile with meat
    la carne de res beef
una carnicería butcher shop
un carnicero, una carnicera butcher
un carpintero, una carpintera carpenter
una carrera career, race
una carretera highway
una carta card, letter
un cartel poster
un cartero, una cartera mail carrier
una casa house
    a la casa de _ at _'s house
    en casa at home
    una casa de fantasmas haunted house
el casamiento marriage
casarse to get married
    casarse con to marry
una cáscara peel
un casco helmet
casero domestic
casi almost
una casita little house
un caso case
    en caso de que in case
el castellano *Spanish language*
un castellano, una castellana *person from Castile*
*castigar to punish
un castillo castle
el catalán *language of Catalonia*
un catalán, una catalana *person from Catalonia*
una catástrofe catastrophe
una catedral cathedral
una categoría category
católico Catholic
catorce fourteen
una causa cause

un cayo key (*island*)
la caza hunting
un cazador, una cazadora hunter
*cazar to hunt
una cebolla onion
ceder to cede, yield
celebrado celebrated
celebrar to celebrate
una celebridad celebrity
los celos jealousy
    tener celos to be jealous
la cena dinner
un centavo cent
un centímetro centimeter
central central
el centro center, downtown
Centroamérica Central America
cepillarse to brush one's hair
un cepillo brush
la cerámica pottery
cerca de near
cercano nearby
una ceremonia ceremony
ceremonial ceremonial
una cereza cherry
cero zero
cerrado closed
cerrar (e → ie) to close
    cerrar con llave to lock
un cerro hill
un ciclomotor moped
ciego blind
el cielo sky, heaven
cien one hundred
la ciencia science
    la ciencia ficción science fiction
    una película de ciencia ficción science-fiction movie
científico scientific
un científico, una científica scientist
ciento one hundred
    por ciento percent
cierto certain, sure
un cigarrillo cigarette
un cigarro cigar
la cima top
cinco five
cincuenta fifty
un cine movie theater
la cinemanía movie madness

459

una **cinta** tape
un **cinturón de seguridad** seat
    belt
un **circo** circus
la **circulación** circulation
un **círculo** circle
una **circunstancia** circumstance
una **cita** date, meeting,
    appointment
una **ciudad** city
un **ciudadano, una**
    ciudadana citizen
    cívico civic
    civil civil
una **civilización** (*pl.*
    civilizaciones) civilization
    civilizado civilized
    claramente clearly
un **clarinete** clarinet
    claro light (*colored*)
    ¡claro! of course!
    ¡claro que no! of course
    not!
una **clase** class, kind, type
    la clase acomodada
      upper middle class
    una sala de clase
      classroom
    clásico classical
    clavar to fix
un **clavel** key (*in music*),
    carnation
un **cliente, una**
    cliente customer, client
el **clima** climate
un **club** club
el **cobre** copper
una **Coca-Cola** Coca-Cola
la **cocina** cooking
una **cocina** kitchen
    cocinar to cook
un **cocinero, una**
    cocinera cook
un **coche** car
    una agencia de coches
      car dealer
un **código** set of rules, code
    coeducacional coeducational
    *****coger** to pick
un **cohete** rocket
la **cola** glue, tail, line
    hacer cola to stand in
      line
una **colección** (*pl.*
    colecciones) collection
    coleccionar to collect

un **colegio** high school
    colgar (**o → ue**) to hang
Colombia Colombia
el **colón** *money of Costa Rica*
    and El Salvador
una **colonia** colony
    colonial colonial
la **colonización** colonization
    *****colonizar** to colonize
un **color** color
    color de rosa
      rose-colored, "fun"
una **columna** column
un **collar** necklace
un **comandante, una**
    comandante commander
una **combinación** (*pl.*
    combinaciones) combin-
    ation
una **comedia** comedy
    una comedia musical
      musical comedy
un **comedor** dining room
    *****comenzar** (**e → ie**) to begin,
    start
    comer to eat
    comercial commercial
un **comerciante, una**
    comerciante merchant
el **comercio** commerce, trade
    cometer to commit
    cómico comical, funny
la **comida** food, meal
el **comino** cumin
    como like, as, since, because
    tal como just as
    tan _ como as _ as
    tanto _ como as much _
      as
    ¿cómo? how?, what?
    ¿cómo es _? what is _
      like?
    ¿Cómo te llamas? What's
      your name?
    cómodo comfortable
un **compañero, una**
    compañera companion
una **compañía** company
    una compañía aérea
      airline company
    una compañía de seguros
      insurance company
    comparable comparable
    comparar to compare
    comparativo comparative
    compartir to share

una **competencia** competition
    *****complacer** to please
    *****complacerse en** to take
      pleasure in
    complemento complement
    completamente completely
    completar to complete
    complicado complicated
un **cómplice, una**
    cómplice accomplice
    *****componer** to compose
un **comprador, una**
    compradora buyer
    comprar to buy
las **compras** shopping
    ir de compras to go
      shopping
    comprender to understand
    comprometerse to get
      engaged
un **compromiso** engagement
una **computadora** computer
    común common
la **comunicación** communication
    *****comunicar** to communicate
el **comunismo** communism
    comunista communist
    con with
    con tal que provided
      that
un **concepto** concept
un **concierto** concert
    un concierto de rock
      rock concert
una **conclusión** (*pl.*
    conclusiones) conclusion
un **conde** count
    condenar to condemn
    condensado condensed
una **condesa** countess
una **condición** (*pl.*
    condiciones) condition
el **condicional** conditional
un **condimento** condiment,
    spice
un **cóndor** condor
    *****conducir** to drive
    un permiso de conducir
      driver's license
un **conductor, una**
    conductora driver
    conectar to connect
una **conexión** (*pl.*
    conexiones) connection
un **conejo** rabbit
una **conferencia** conference

confiable worthy of
confidence
la confianza confidence
un conflicto conflict
confundido confused
el Congreso Congress
una conjunción (*pl.*
conjunciones) conjunction
un conjunto group
conmemorar to
commemorate
conmigo with me
***conocer** to know, be
acquainted with
***conocerse** to meet
conocido famous
un conocido, una
conocida acquaintance
una conquista conquest
conquistado conquered
un conquistador, una
conquistadora conqueror
conquistar to conquer
una consecuencia consequence
***conseguir** (e → i, i) to
obtain
un consejero, una
consejera adviser,
counselor
un consejero escolar
guidance counselor
un consejo (piece of) advice
los consejos advice
conservador conservative
conservar to conserve, save
un conservatorio conservatory
considerado considered
considerar to consider
consistir en to consist of
constantemente constantly
constipado congested with
a cold
una constitución (*pl.*
constituciones) constitution
***constituir** to constitute
la construcción construction
construido constructed
***construir** to construct
consultar to consult
un consultorio office
un consultorio del
médico doctor's office
un contacto contact
la contaminación pollution
la contaminación del
aire air pollution

contar (o → ue) to count,
tell
contar con to count on
contemplar to contemplate
***contener** (e → ie) to
contain
contento content, happy
una contestación (*pl.*
contestaciones) answer
contestar to answer
contigo with you (*fam.*)
la continuación continuation
continuar (u → ú) to
continue
continuo continuous
contra against
en contra against
***contradecir** to contradict
el contrario contrary, opposite
al contrario on the
contrary
de lo contrario on the
other hand, on the
contrary
lo contrario the opposite
un contraste contrast
un contrato contract
una contribución (*pl.*
contribuciones) contri-
bution
un control control
controlar to control
una controversia controversy
***convencer** to convince
convencido convinced
***convenir** (e → ie, i) to
agree on
una conversación (*pl.*
conversaciones) conversation
conversar to converse
cooperar to cooperate
una copa cup
coqueta flirtatious
coquetear to flirt
un coquí coqui (*small frog from
Puerto Rico*)
un corazón (*pl.*
corazones) heart
una corbata tie
una cordillera mountain chain
el córdoba money of
Nicaragua
un coro choir
una corona crown
un corral corral

un corredor corridor
el correo mail
un correo post office
correr to run
correr las olas to surf
la correspondencia
correspondence
corresponder to correspond
una corrida run, bullfight
una corrida de toros
bullfight
cortar to cut
cortarse to cut (*oneself*)
la corte king's court
cortés polite
la cortesía courtesy
la corteza bark of a tree
corto short
unos pantalones cortos
shorts
una cosa thing
¿qué cosa? what thing?,
what is it?
cosmopolita cosmopolitan
una costa coastline
Costa Rica Costa Rica
costar (o → ue) to cost
el costo cost
una costumbre custom, habit
de costumbre habitually
un cowboy cowboy
la creación creation
creado created
creador creator
crear to create
***crecer** to grow
crédulo gullible, credulous
una creencia belief
***creer** to believe
una crema cream
la crema dental
toothpaste
criar (i → í) to bring up
una criatura creature
un crimen (*pl.* **crímenes**) crime
un criminal, una
criminal criminal
cristal crystal
una bola de cristal
crystal ball
***cristianizar** to Christianize
cristiano Christian
un cristiano, una
cristiana Christian
Cristo Christ
la crítica criticism

*criticar to criticize
el crol crawl (swimming)
un cruce crossing
crudo raw
la crueldad cruelty
una cruz (pl. cruces) cross
*cruzar to cross
un cuadrado square
cuadrangular square
un cuadro painting, square
una camisa de
cuadros checked shirt
¿cuál(es)? which?
una cualidad quality
cualquier any
cuando when
de vez en cuando once
in a while, from time to
time
¿cuándo? when?
¿cuánto? how much?
¿cuántas veces? how
often?, how many
times?
¿cuánto tiempo? how
long?
¿cuántos? how many?
cuarenta forty
cuarto fourth
un cuarto room
cuatro four
cuatrocientos four hundred
cubano Cuban
cubierto covered
un cubito small pail
cubrir to cover
una cuchara spoon
una cucharada spoonful
un cuchillo knife
cuenta: darse cuenta (de)
to realize
un cuento story
un cuento de hadas
fairytale
una cuerda cord, rope
saltar a la cuerda to
jump rope
el cuero leather
un cuerpo body, corps
cuesta it costs; see costar
una cuestión (pl.
cuestiones) matter
el cuidado care
tener cuidado to be
careful
cuidadoso careful

cuidar to take care of, care
for
una culebra snake
la culpa guilt, blame
tener la culpa to be to
blame, be at fault
culpable guilty
un culpable, una
culpable guilty person
cultivar to cultivate
el cultivo cultivation
un culto cult
una cultura culture
cultural cultural
la cumbia dance from Colombia
la cumbre top
un cumpleaños birthday
un cumplido compliment
cumplir to fulfill
la cuna birthplace, cradle
una cuñada sister-in-law
un cuñado brother-in-law
una cura cure
un curandero, una
curandera healer
un curandero ambulante
traveling healer
curarse to be cured
la curiosidad curiosity
curioso curious
un curso course

el champú shampoo
el chantaje blackmail
una chaqueta jacket
el chaquete backgammon
jugar al chaquete to
play backgammon
charlar to chat
un cheque check
chicano Chicano
el chicle gum
una chica girl
un chico boy
Chile Chile
el chile con carne chile with
meat
chileno Chilean
China China
una chinchila chinchilla
un chinchoso, una
chinchosa a "pain"
chino Chinese

chismoso gossipy, tattling
un chismoso, una chismosa
gossip, tattle-tale
un chiste joke
chocado wrecked
*chocar to run into, bump
into
el chocolate chocolate
una chuleta cutlet

una dama lady
las damas checkers
jugar a las damas to
play checkers
una danza dance
el daño damage
*dar to give
dar un paseo to go for a
walk, ride
dar una ojeada to
glance
dar una vuelta to take a
walk, ride
darse cuenta (de) to
realize
darse prisa to hurry
un dato fact
de of, from
de buen humor in a
good mood
de costumbre habitually
de hecho in fact
de lo contrario
otherwise
de mal humor in a bad
mood
de nuevo again
de prisa quickly
¿de quién(es)? whose?
de repente suddenly
de vez en cuando once
in a while, from time to
time
de visita on a visit
debajo de below,
underneath
deber to owe, should, ought
to, have to
una década decade
una decepción (pl.
decepciones) disappoint-
ment
decidir to decide

décimo tenth

*__decir__ to say, tell

es decir this means, that is to say

una **decisión** (*pl.* **decisiones**) decision

tomar una decisión to make a decision

decisivo decisive

declarado declared

declarar to declare

la **decoración** decoration

decorar to decorate

*__dedicar__ to dedicate

*__dedicarse__ to devote (*oneself*)

un **dedo** finger

un **defecto** fault

defender (e → ie) to defend

definido definite

dejar to leave, let

dejar de + *inf.* to quit, stop + *verb*

del (**de** + **el**) of the, from the, about the

delante de before, in front of

una **delegación** (*pl.* **delegaciones**) delegation

un **delfín** (*pl.* **delfines**) dolphin

delgado thin

delicado delicate

delicioso delicious

demandar to demand

los **demás** the rest, the others

demasiado too, too much

la **democracia** democracy

un **demonio** demon, devil

demostrar (o → ue) to demonstrate

demostrativo demonstrative

dental dental

la crema dental toothpaste

un **dentista**, una **dentista** dentist

dentro de within

depender to depend

un **dependiente**, una **dependiente** clerk

deportado deported

un **deporte** sport

deportista athletic, sports-loving

deportivo concerning sports

depositar to deposit

un **depósito** deposit

la **derecha** right (side)

a la derecha to the right

derecho straight ahead

un **derecho** right

derivado derived

derivar to derive

derrotado defeated

derrotar to defeat

desafortunadamente unfortunately

desafortunado unfortunate

desagradable unpleasant

*__desaparecer__ to disappear

desarreglar to mess up

desarrollar to develop

el **desarrollo** development

desastroso disastrous

desayunarse to have breakfast

el **desayuno** breakfast

descansado relaxed, rested

descansar to rest

descender (e → ie) to descend

un **descendiente**, una **descendiente** descendant

descifrar to decipher

desconocido unknown

descontento discontent, unhappy

descortés impolite

describir to describe

una **descripción** (*pl.* **descripciones**) description

descrito described

descubierto discovered

un **descubridor**, una **descubridora** discoverer

un **descubrimiento** discovery

descuidado careless

desde from, since

desde allí from there

desde entonces from then on

deseable desirable

desear to desire

*__desembarcar__ to disembark

desempeñar to play a role (*in an organization*)

desértico deserted

desgraciadamente unfortunately

desierto deserted

desigualdad inequality

desilusionado disappointed

desintegrar to disintegrate

despacio slowly

despachar to ship, dispatch

un **despacho** shipment

despedirse (e → i, i) to say goodbye, take leave

me despido I say goodbye

despertarse (e → ie) to wake (*oneself*) up

despierto awake

soñar despierto to daydream

después (de) after

el **destino** destiny

destructivo destructive

*__destruir__ to destroy

detalladamente in detail

un **detalle** detail

un **detective**, una **detective** detective

*__detener__ (e → ie) to stop

determinar to determine

detrás de behind

un **devastador**, una **devastadora** devastator, harasser

devolver (o → ue) to return (*an object*), give back

di say: *see* **decir**

un **día** day

al día per day

de día in the daytime

el día de acción de gracias Thanksgiving

hoy día nowadays

por el día during the day

todos los días every day

un día some day, one day

un **diablo** devil

diagonalmente diagonally

un **diálogo** dialog

diario daily

un **diario** diary

dibujar to design, draw

un **dibujo** design, drawing

un **diccionario** dictionary

un **dictador** dictator

dicho said: *see* **decir**

diecinueve nineteen

un **diente** tooth

un diente de ajo clove of garlic

diez ten

diez y nueve nineteen

una **diferencia** difference

diferente different

diferentemente differently
difícil difficult
dificilísimo very difficult
una **dificultad** difficulty
dificultar to make difficult
digital digital
digo I say: *see* **decir**
dijo he (she) (you) *(formal)*
said: *see* **decir**
dime tell me: *see* **decir**
dinámico dynamic
el **dinero** money
dio he (she) (you) *(formal)*
gave: *see* **dar**
un **dios** god
Dios God
¡Dios mío! my goodness!
el **dios-sol** sun-god
que Dios te ayude may
God help you
¡Válgame Dios! God help
me!
una **diosa** goddess
un **diploma** diploma
dirás you will say: *see* **decir**
una **dirección** (*pl.* **direcciones**)
address, direction
las luces direccionales
directional lights
directo direct
un **director, una**
directora director
diría I would say: *see* **decir**
*__dirigir__ to direct
*__dirigirse (a)__ to head, go
toward
la **disciplina** discipline
disciplinado disciplined
disco disco
un **disco** record
descompuesto not working
una **discoteca** discotheque
la **discriminación** discrimination
discutir to discuss
un **diseño** design
disgustar to disgust, not to
like
disparar to shoot
un **disparo** shot
una **disputa** dispute
distante distant
*__distinguir__ to distinguish
distintivo distinctive
distinto distinct
distraído scatterbrained,
absent-minded

un **distraído, una distraída**
scatterbrained person
la **distribución** distribution
un **distrito** district
una **diversión** (*pl.*
diversiones) entertainment
divertido entertaining,
amusing
divertir (e → ie, i) to amuse
divertirse (e → ie, i) to
enjoy oneself
dividido divided
dividir to divide
divino divine
el **divorcio** divorce
doblar to turn
doblar la esquina to
turn the corner
un **doctor, una doctora** doctor
un **dólar** dollar
doler (o → ue) to be in
pain, to feel pain
me duele la cabeza my
head hurts
un **dolor** pain, ache
un dolor de cabeza
headache
un dolor de estómago
stomachache
doméstico domestic
la **dominación** domination
dominar to dominate
domingo Sunday
el domingo (on) Sunday
los domingos (on) Sundays
dominicano Dominican
la República Dominicana
Dominican Republic
un **dominicano, una**
dominicana *person from
the Dominican Republic*
el **dominio** domain, mastery
el dominio de ti mismo
self-control
¿dónde? where?
dorado browned
dorar to brown
dormido asleep
dormir (o → ue, u) to sleep
un saco de dormir
sleeping bag
una pastilla para dormir
sleeping pill
dormirse (o → ue, u) to fall
asleep
un **dormitorio** bedroom

dos two
dos veces seguidas
twice in a row
doscientos two hundred
doy I give: *see* **dar**
un **drama** drama
dramático dramatic
una **droga** drug
una **duda** doubt
sin duda without a
doubt, doubtless
dudar to doubt
dudoso doubtful
un **dueño, una dueña** owner
duermo I sleep: *see* **dormir**
dulce sweet, fresh
el agua dulce fresh
water
los **dulces** candy
la **duración** duration
durante during
durar to last
durmió he (she) (you,
formal) slept: *see* **dormir**
duro hard

e and *(before words beginning
with **i** or **hi**)*
un **ecologista, una**
ecologista ecologist
económico economical
el **ecuador** equator
el **Ecuador** Ecuador
echar to throw, cast, pour
out, add
la **edad** age
una persona de edad
older person
un **edificio** building
un edificio de
apartamentos apart-
ment building
una **editorial** publishing house
la **educación** education
educado educated
bien educado polite
mal educado impolite
efectivamente effectively
efecto: en efecto in effect
un **egipcio, una**
egipcia Egyptian

Egipto Egypt
el **egoísmo** selfishness
egoísta selfish
un **ejemplo** example
por ejemplo for example
un **ejercicio** exercise
un **ejército** army
el (*pl.* **los**) the
El Salvador El Salvador
él he; him, it (*m.*) (*after prep.*)
la **electricidad** electricity
un **electricista, una electricista** electrician
eléctrico electric, electrical
una **linterna eléctrica** flashlight
la **electrónica** electronics
electrónicamente electronically
un **elefante** elephant
la **elegancia** elegance
elegante elegant
elegido elected
*elegir to elect, choose
elemental elementary
un **elemento** element
la **elevación** elevation
elevado elevated
eliminar to eliminate
un **elixir** elixir
ella she; her (*after prep.*)
ellas they (*f.*); them (*f.*) (*after prep.*)
ello it (*neuter*)
ellos they (*m.*); them (*m.*) (*after prep.*)
un **embajador, una embajadora** ambassador
la **emigración** emigration
un **emigrante, una emigrante** emigrant
emigrar to emigrate
una **emoción** (*pl.* **emociones**) emotion
emocionante exciting, thrilling
un **emperador** emperor
*empezar (e → ie) to start, begin
un **empleado, una empleada** employee
un **empleo** job, employment
una **agencia de empleo** employment agency
un **anuncio de empleo** want ad

empujar to step on, push
en in, on, at
en busca de in search of, looking for
en casa at home
en contra against
en efecto in fact
en frente de in front of, facing
en particular in particular
en pro for
en punto on the dot
en seguida immediately
en vano in vain
enamorado in love
estar enamorado de to be in love with
un **enamorado, una enamorada** loved one
enamorarse (de) to fall in love (with)
encadenado in chains
encantado enchanted, haunted
encantador delightful
encantar to enchant, delight
me encanta I very much like
encender (e → ie) to light, turn on
encendido turned on
encerar to wax
encerrar (e → ie) to lock
encima de on top of
encontrado found
encontrar (o → ue) to find
encontrarse (o → ue) con to meet
enérgico energetic
enero January
enfadarse (con) to get angry (with, at)
un **énfasis** emphasis
enfermarse to fall ill
un **enfermero, una enfermera** nurse
enfermo sick
un **enfermo, una enferma** sick person
enfrentarse to face, meet face to face
enfriar (i → í) to cool
engordar to get fat
un **enigma** enigma
enojado angry

enojarse (con) to get angry (with, at)
enorme enormous
enrollar to wrap
una **ensalada** salad
la **enseñanza** teaching
enseñar to teach, show
entender (e → ie) to understand, hear
enterrado buried
entonces then
desde entonces from then on
una **entrada** ticket
entrar (en) to enter
entre among, between
*entregar to deliver
el **entrenamiento** training
entrenar to train
una **entrevista** interview
entusiasta enthusiastic
envidioso envious, jealous
una **enzima** enzyme
un **episodio** episode
una **época** time, period
equinoccial: la línea equinoccial line of the equator
equipado equipped
un **equipo** team
la **equitación** horseback riding
*equivocarse to make a mistake, be mistaken
era was: *see* **ser**
una **era** era
eres you (*fam.*) are: *see* **ser**
*erigir to erect
un **error** error
es he (she) is, you (*formal*) are: *see* **ser**
es decir that is to say
esa that (*f.*)
ésa that one (*f.*)
esas those (*f.*)
ésas those (*f.*)
escalar to climb, scale
escalar la montaña to climb the mountain
una **escalera** stairway, ladder
escaparse to escape
la **esclavitud** slavery
un **esclavo, una esclava** slave
*escoger to choose, select
escolar scholastic
un **consejero escolar** guidance counselor

esconder to hide
escondido hidden
escribir to write
    escribir a máquina to
      typewrite
    una máquina de
      escribir typewriter
escrito written
un escritor, una
    escritora writer
un escritorio desk
escuchar to listen to
un escudo coat of arms, shield
una escuela school
un escultor, una
    escultora sculptor
una escultura sculpture
ese that (m.)
ése that one (m.)
esencial essential
un esfuerzo effort
una esmeralda emerald
un esnob, una esnob snob
eso that (neuter)
    por eso for that reason
esos those (m.)
ésos those (m.)
espacial spacial, in space
el espacio space
espacioso spacious
una espalda back
    nadar de espalda to
      swim on one's back
España Spain
español (f. española) Spanish
especial special
especializado specialized
*especializarse to specialize
especialmente especially
espectacular spectacular
un espectáculo spectacle, show
un espectador, una
    espectadora spectator
un espejo mirror
la esperanza hope
esperar to expect, hope,
    wait for
un espíritu spirit
una esposa wife
un esposo husband
    los esposos spouses,
      husband and wife
la espuma foam
un esquí ski
    unos esquís acuáticos
      water skis

esquiar (i → í) to ski
    esquiar en el agua to
      waterski
una esquina corner
    doblar la esquina to
      turn the corner
esta this (f.)
    esta noche tonight
ésta this one (f.)
la estabilidad stability
estable stable, solid
*establecer to establish
establecido established
una estación (pl. estaciones)
    season, station
    una estación de servicio
      service station
estacionar to park
un estadio stadium
un estado state
los Estados Unidos United
    States
estallar to break out
el estaño tin
*estar to be
    estar de acuerdo to
      agree, be in agreement
    estar de vacaciones to
      be on vacation
    estar de viaje to be on a
      trip
    estar en la calle to be
      out
estas these (f.)
éstas these (f.)
una estatua statue
la estatura stature, height
    la estatura mediana
      medium height
este this (m.)
éste this one (m.)
un estereotipo stereotype
un estilo style
    el estilo de vida lifestyle
estimado held in esteem
esto this (neuter)
un estómago stomach
    un dolor de estómago
      stomachache
estornudar to sneeze
estos these (m.)
éstos these (m.)
una estrategia strategy
estrecho narrow
un estrecho strait
una estrella star

un estreno premiere
estricto strict
una estructura structure
estrujar to squeeze
un estudiante, una
    estudiante student
estudiantil student
estudiar to study
estupendo stupendous
estúpido stupid
estuve I was: see estar
eterno eternal
étnico ethnic
Europa Europe
europeo European
un europeo, una europea
    person from Europe
un evento event
exactamente exactly
exacto exact
una exageración (pl.
    exageraciones) exagger-
    ation
un examen (pl.
    exámenes) exam
excelente excellent
una excepción (pl.
    excepciones) exception
excepcional exceptional
excepto except
un exceso excess
excitante exciting
exclamar to exclaim
una excusa excuse
    excusarse to excuse oneself
*exigir to demand
la existencia existence
existir to exist
el éxito success
    tener éxito to be
      successful
exótico exotic
la expansión expansion
una expectación (pl.
    expectaciones) expectation
una expedición (pl.
    expediciones) expedition
una experiencia experience
un experto, una
    experta expert
una explicación (pl.
    explicaciones) explanation
explicado explained
*explicar to explain
una exploración (pl.
    exploraciones) exploration

un explorador, una
explorador**a** explorer
explorar to explore
una explosión (*pl.*
explosiones) explosion
expresar to express
expresarse to express
oneself
una expresión (*pl.*
expresiones) expression
expuesto uncovered
expulsado expelled, driven
out
exquisito exquisite
extenderse (e → ie) to
extend
la extensión extension
extranjero foreign
un extranjero, una extranjera
foreigner, stranger
al extranjero abroad
en el extranjero abroad
extraordinario extraordinary
extrasensorial extrasensory
la percepción
extrasensorial extra-
sensory perception
extraterrestre from outer
space
un extraterrestre being from
outer space
extravagante extravagant
el extremo end, extreme
al extremo to the
extreme

f

una fábrica factory
*fabricar to manufacture, create
fabuloso fabulous
fácil easy
fácilmente easily
una falda skirt
falso false
una falta lack
faltar to lack, be lacking
la fama fame
el Salón de Fama Hall
of Fame
una familia family
familiar familiar, (of the)
family

los familiares family members
famoso famous
un fantasma ghost
una casa de fantasmas
haunted house
fantástico fantastic
un farmacéutico, una
farmacéutica pharmacist,
druggist
una farmacia pharmacy,
drugstore
un faro headlight
un farol streetlight
fascinante fascinating
fascinar to fascinate
fatal fatal
fatuo vain
favor: por favor please
favorito favorite
la fe faith
febrero February
la fecha date
federal federal
la felicidad happiness
las felicitaciones congratulations
felicitar to congratulate
feliz (*pl.* felices) happy
un fenómeno phenomenon
feo ugly
una feria fair
feroz (*pl.* feroces) ferocious
fértil fertile
el fertilizante fertilizer
la ficción fiction
la ciencia ficción
science fiction
una fiebre fever
fiel faithful
una fiesta party
una figura figure
figurar (en) to be part (of),
figure (in)
fijar to fix
fijo fixed, firm, secure
una fila row
la filosofía philosophy
el fin end
el fin de semana
weekend
por fin finally
final final
finalmente finally
una finca farm
finísimo very fine
fino thin, fine
la física physics

físico physical
flaco skinny
flamenco flamenco
flexible flexible
una flor flower
*florecer to flourish
una florería flower shop
un florero, una florera florist
una flota fleet
folklórico folk
el fondo bottom
una forma form
una formación (*pl.*
formaciones) formation
formar to form
una fortaleza fortress
fortificado fortified
la fortuna fortune
probar (o → ue) fortuna
to try one's luck
una foto photo
la fotografía photograph,
photography
un fotógrafo, una
fotógrafa photographer
un fragmento fragment
francés (*f.* francesa) French
Francia France
franciscano Franciscan
una frase phrase, sentence
frecuente frequent
frecuentemente frequently
freír (e → i) to fry
el frenesí frenzy, madness
los frenos brakes
frente a across from, facing
en frente de in front of,
facing
el frente front
fresco cool, fresh
hace fresco it's cool
(*weather*)
un frijol bean
frío cold
hace frío it's cold
(*weather*)
tengo frío I'm cold
frito fried
fronterizo border, bordering
la fruta fruit
una frutería fruit market
fue he (she) was, you
(*formal*) were: *see* ser
un fuego fire
una fuente fountain
fuera (de) outside (of)

fuerte   strong
la fuerza   force, strength
fuiste   you (fam.) were: see
     ser
fumar   to smoke
una función (pl.
     funciones)   function
funcionar   to function
fundado   founded
un fundador, una
     fundadora   founder
fundar   to found
furioso   furious
el fútbol   soccer
     jugar al fútbol   to play
       soccer
el futurismo   futurism
futurista   futuristic
el futuro   future

g

un gachupín, una
     gachupina   Spanish
       settler in Latin America
un galeón (pl. galeones)   galleon
una galería   gallery
el galope   gallop
el gallego   language of Galicia
un gallego, una gallega   person
       from Galicia
el ganado   cattle
     ganar   to earn, win
     ganarse la vida   to earn
       a living
un garaje   garage
una gaseosa   soda, carbonated
       drink
la gasolina   gasoline
gastado   used
gastar   to spend
un gasto   expense
un gato, una gata   cat
el gazpacho   gazpacho (soup
       with tomato, oil, spices;
       served cold)
unos gemelos   binoculars
una generación (pl.
     generaciones)   generation
general   general
un general   general
una generalización (pl.
     generalizaciones)
     generalization

generalmente   generally
el género   gender
la generosidad   generosity
generoso   generous
un genio   genius
la gente   people
la geografía   geography
geométrico   geometric
un gerente, una
     gerente   manager
gigante   giant
un gigante   giant
gigantesco   gigantic
girar   to turn
un gitano, una gitana   gypsy
una glándula   gland
un globo   (hot air) balloon
la gloria   glory
gloriosamente   gloriously
glorioso   glorious
la glucosa   glucose
gobernar (e → ie)   to govern
un gobierno   government
un golpe   blow
golpear   to hit
gordo   fat
el gordo   top prize
la gordura   thickness
*gozar de   to enjoy
una grabadora   tape recorder
grabar   to record
gracias   thank you
     el día de acción de
       gracias   Thanksgiving
gracioso   gracious, funny
un grado   level
graduarse (u → ú)   to
       graduate
gráfico   graphic
gran   great
grande   big, large, great
un grano   grain
grasoso   greasy
Grecia   Greece
la gripe   flu
gris   gray
gritar   to scream
un grito   cry
grueso   thick
el grueso   thickness
un grupo   group
un guante   glove
guapísimo   very handsome
guapo   handsome
el guaraní   money of Paraguay,
       pre-Columbian language

guardar   to keep, put away
la guardia   guard
un guardián nocturno   night
       guard
Guatemala   Guatemala
una guerra   war
     una película de guerra
       war movie
guerrero   warlike
un guía, una guía   guide
una guía   guidebook
una guitarra   guitar
gustar   to please, be pleasing
     me gusta(n)   I like
     me gusta(n) más   I prefer
el gusto   taste
     a cada uno su gusto
       each to his or her
       own taste
     al gusto   to your taste

h

*haber   to have (auxiliary)
había   there was, there were:
     see haber
hábil   skillful
una habilidad   skill
una habitación (pl.
     habitaciones)   room
un habitante, una
     habitante   inhabitant
el habla (f.)   speech
     de habla hispana
       Spanish-speaking
hablado   spoken
hablar   to talk, speak
habrá   there will be: see
     haber
un hacendado, una
     hacendada   rancher
*hacer   to do, make
     hace + time   (time) ago
     hace + time + que +
       verb   to have been
       ___ing for + time
     hace calor (frío, fresco,
       sol, viento)   it's hot
       (cold, cool, sunny,
       windy)
     hacer cerámica   to make
       pottery
     hacer cola   to stand in line

hacer el papel to play the role
hacer el payaso to clown around
hacer la cama to make the bed
hacer la maleta to pack a suitcase
hacer un viaje to take a trip
¿qué tiempo hace? what's the weather?
se hace is made
*hacerse to become
se hizo became
hacia toward, in the direction of
una hacienda farm
un hada (f.) fairy
un cuento de hadas fairytale
una hamaca hammock
el hambre (f.) hunger
tener hambre to be hungry
una hamburguesa hamburger
la harina flour
la harina de pescado fishmeal
hasta even, until, down to
hawaiano Hawaiian
una tabla hawaiana surfboard
hay there is, there are
hay que one has to, one ought to
¿qué hay? what's up?, what is it?
haya (subjunctive of haber) there is, there are
haz do: see hacer
he I have (auxiliary): see haber
hecho done: see hacer
un hecho fact, deed
de hecho in fact
una heladería ice cream parlor
el helado ice cream
un helicóptero helicopter
un hemisferio hemisphere
hemos we have (auxiliary): see haber
heredar to inherit
herido wounded
una hermana sister
una hermanita little sister

un hermano brother
los hermanos brothers and sisters
hermosísimo very beautiful
hermoso beautiful
un héroe hero
una heroína heroine
hervir (e → ie, i) to boil
hice I did: see hacer
la hiedra venenosa poison ivy
el hierro iron
hierve it boils: see hervir
una hija daughter
un hijo son
los hijos children
un himno hymn
hispano, hispánico Hispanic
un hispano, una hispana Hispanic person
un hispanohablante, una hispanohablante Spanish-speaking person
la historia history
una historia story
un historiador, una historiadora historian
histórico historical
unas historietas comics
un hocico snout
el hockey hockey
una hoguera bonfire, stake
una hoja leaf
hola hi, hello
holandés (f. holandesa) Dutch
un holgazán, una holgazana loafer
un hombre man
un hombre de negocios businessman
un hombrecito little man
un hombro shoulder
una bolsa al hombro backpack
homogéneo homogeneous
Honduras Honduras
las honduras depths
la honestidad honesty
el honor honor
honrado honest
una hora hour
un horario schedule
una hormiga ant
un oso hormiguero anteater

el horóscopo horoscope
el horror horror
¡qué horror! how terrible!, how horrible!
una película de horror horror movie
un hospital hospital
la hospitalidad hospitality
un hotel hotel
hoy today
hoy día today, nowadays
hubo there was: see haber
huele it smells
una huella track
un hueso bone
*huir to flee
la humanidad humanity
humano human
un ser humano human being
húmedo humid
el humor mood, humor
de buen humor in a good mood
de mal humor in a bad mood
hundirse to sink
un huracán (pl. huracanes) hurricane
huyen they flee

iba I was going: see ir
una idea idea
cambiar de idea to change one's mind
ideal ideal
el idealismo idealism
idealista idealistic
un idealista, una idealista idealist
la identidad identity
la identificación identification
*identificar to identify
un idioma language
idiota idiotic
un idiota, una idiota idiot
ido gone: see ir
una iglesia church
igual equal, same
la igualdad equality

469

una **ilusión** (*pl.*
    ilusiones) illusion
una **ilustración** (*pl.*
    ilustraciones) illustration
una **imagen** image
la **imaginación** imagination
imaginar(se) to imagine
imaginario imaginary
imaginativo imaginative
un **imitador, una**
    imitadora mimic
imitar to imitate
la **impaciencia** impatience
impacientarse (con) to get
    impatient (because of)
impaciente impatient
imperativo imperative
imperfecto imperfect
imperial imperial
un **imperio** empire
un **impermeable** raincoat
impersonal impersonal
impertinente impertinent
la **importancia** importance
importante important
importantísimo very
    important
importar to matter
    no me importa it doesn't
      matter to me
imposible impossible
impresionante impressive
impresionar to impress
improbable improbable
imprudente imprudent,
    indiscreet
un **impuesto** tax
impulsivo impulsive
inaugurar to inaugurate
un **inca, una inca** Inca
incendiar to burn
un **incendio** fire
incluyendo including
increíble incredible
increíblemente incredibly
indeciso indecisive
indefinido indefinite
la **independencia** independence
independentista Independent
    (*political party*)
independiente independent
independizarse to become
    independent
India India
las **Indias** the Indies
  ***indicar** to indicate

indicativo indicative
indiferente indifferent
indígena native
indio Indian
un **indio, una india** Indian
indirecto indirect
indisciplinado undisciplined
indiscreto indiscreet
indispensable indispensable
el **individualismo** individualism
individualista individualist
una **industria** industry
industrial industrial
infantil for children, children's
un **infinitivo** infinitive
inflar to inflate
una **influencia** influence
influenciar to influence
  ***influir** to influence
las **informaciones**
    meteorológicas weather
      report
informado informed
informarse to inform
    oneself, find out
un **ingeniero, una**
    ingeniera engineer
Inglaterra England
inglés (*f.* **inglesa**) English
el **inglés** English (*language*)
un **inglés, una inglesa** *person
    from England*
la **ingratitud** ingratitude
un **ingrediente** ingredient
la **injusticia** injustice
inmediatamente immediately
un **inmigrante, una**
    inmigrante immigrant
inmortal immortal
inolvidable unforgettable
inquietar to worry
inquieto worried
inquisitivo inquisitive
una **inscripción** (*pl.*
    inscripciones) inscription
insistente insistent
insistir to insist
el **insomnio** insomnia
una **inspiración** (*pl.*
    inspiraciones) inspiration
inspirado inspired
inspirarse to be inspired
instalar to install, set up
instantáneo instantaneous
una **institución** (*pl.* **instituciones**)
    institution

una **instrucción** (*pl.*
    instrucciones) instruction
un **instructor, una**
    instructora instructor
instruido educated
un **instrumento** instrument
    un instrumento musical
      musical instrument
insultar to insult
un **insulto** insult
intelectual intellectual
inteligente intelligent
inteligentemente intelligently
una **intención** (*pl.*
    intenciones) intention
la **intensidad** intensity
intentar to try
un **intento** attempt
interamericano inter-
    American
un **intercambio** exchange
intercontinental inter-
    continental
el **interés** interest
interesado interested
interesante interesting
interesantísimo very
    interesting
interesar to interest
interesarse to be interested
interior interior
un **intermedio** intermission
internacional international
interoceánico interoceanic
interplanetario interplanetary
una **interpretación** (*pl.*
    interpretaciones) interpre-
    tation
interpretar to interpret
un **intérprete, una**
    intérprete interpretor
interrogativo interrogative
interrumpir to interrupt
***intervenir** (e → ie, i) to
    intervene
íntimo intimate
intrigado intrigued
inútil useless
inútilmente uselessly
invadir to invade
una **invasión** (*pl.*
    invasiones) invasion
invencible invincible,
    unconquerable
inventado invented
inventar to invent

la **investigación** investigation, research

un **investigador, una investigadora** investigator

el **invierno** winter

una **invitación** (*pl.* **invitaciones**) invitation

un **invitado, una invitada** guest

invitar to invite

***ir** to go

    ir de camping to go camping

    ir de compras to go shopping

    ir de vacaciones to go on a vacation

irlandés (*f.* **irlandesa**) Irish

irónicamente ironically

irregular irregular

la **irrigación** irrigation

irritable irritable

irritarse (con) to be irritated (at, with)

***irse (a)** to go (away), to leave (for)

una **isla** island

Italia Italy

italiano Italian

el **italiano** Italian (*language*)

un **italiano, una italiana** Italian (*person*)

un **itinerario** path

la **izquierda** left (side)

    a la izquierda to the left

el **jabón** soap

jactancioso boastful

el **jai alai** jai alai

jamás never

el **jamón** ham

el **Japón** Japan

japonés (*f.* **japonesa**) Japanese

el **japonés** Japanese (*language*)

un **japonés, una japonesa** Japanese (*person*)

un **jardín** (*pl.* **jardines**) garden

una **jaula** cage

el **jazz** jazz

un **jefe, una jefa** chief, boss

la **jota** *national dance of Aragon*

joven (*pl.* **jóvenes**) young

    más joven younger

un **joven, una joven** young person

    jóvenes young people

un **joyero, una joyera** jeweler

el **judo** judo

un **juego** game

jueves Thursday

un **jugador, una jugadora** player

***jugar (u → ue)** to play

el **jugo** juice

un **juguete** toy

julio July

junco bulrush

    una balsa de junco bulrush raft

una **junta** junta

junto joined, together

junto a next to

jurar to swear

la **justicia** justice

justo fair

la **juventud** youth

k

un **kilómetro** kilometer

l

la the (*f.*); her, you (*f. formal*)

un **labio** lip

    un lápiz de labios lipstick

un **laboratorio** laboratory

una **ladera** slope

un **lado** side

    al lado de beside

    por todos lados everywhere

    por un lado on one hand

un **ladrón, una ladrona** thief

un **lago** lake

la **lana** wool

el **lanzamiento** launching, launch

***lanzar** to launch, throw

    lanzarse en paracaídas to parachute jump

un **lápiz** (*pl.* **lápices**) pencil

    un lápiz de labios lipstick

largo long

    a lo largo de along

las the (*f. pl.*); them (*f.*), you (*f. pl.*)

la **lástima** pity

    ¡qué lástima! what a pity!, too bad!

la **lata** boredom

    ¡qué lata! what a bore!

una **lata** tin can

latín Latin

Latinoamérica Latin America

latinoamericano Latin American

una **lavandería** laundry

lavar to wash

lavarse to get washed

un **lazo** lasso

le to him, to her, to you (*formal*)

una **lección** (*pl.* **lecciones**) lesson

la **lectura** reading

la **leche** milk

una **lechería** dairy

***leer** to read

una **legumbre** vegetable

lejano far

lejos far away

el **lempira** *money of Honduras*

una **lengua** language, tongue

lento slow

les to them, to you (*pl.*)

una **letra** letter

un **letrero** poster

levantarse to get up

una **leyenda** legend

leyó he (she) (you) (*formal*) read: *see* **leer**

liberar to liberate

la **libertad** liberty

un **libertador, una libertadora** liberator

Libra Libra (*zodiac sign*)

una **libra** pound

libre free

    al aire libre outdoors

una **librería** bookstore

una **libreta** memo book

un **libro** book

una **licuadora** blender

un **líder, una líder** leader

una **lidia** fight, bullfight
  unos toros de lidia
    fighting bulls
una **liebre** hare
una **limitación** (*pl.*
  limitaciones) limitation
  limitado limited
  limitar to limit
un **límite** limit
  limpiar to clean
la **limpieza** cleanliness
  limpio clean
  lindo pretty
una **línea** line
  la línea equinoccial line
    of the equator
  una línea aérea airline
una **linterna** lantern
  una linterna eléctrica
    flashlight
un **lío** entanglement, mess
  ¡qué lío! what a mess!,
    what a mix-up!
  un lío de tránsito traffic
    jam
una **lista** list
  listo clever (*with* **ser**);
    ready, prepared (*with*
    estar)
la **literatura** literature
un **litro** liter
  lo it, that; him, you (*m.*
    formal)
  lo que that which, what
  lo siguiente the
    following, what follows
  por lo tanto therefore
un **lobo, una loba** wolf
  local local
  localizar to localize
una **loción** (*pl.* **lociones**) lotion
  la loción bronceadora
    suntan lotion
  loco crazy
  lógicamente logically
  lógico logical
  lograr to manage to
  los the (*m. pl.*); them (*m.*),
    you (*m. pl.*)
una **lotería** lottery
un **lotero, una lotera** lottery
    ticket seller
las **luces direccionales**
    directional lights
la **lucha** fighting
  luchar to fight

  luego then
un **lugar** place
  en lugar de instead of
  tener lugar to take
    place
un **lujo** luxury
la **luna** moon
  lunes Monday
una **luz** (*pl.* **luces**) light
  una luz de semáforo
    traffic light

ll

una **llama** llama
una **llamada** call
  llamar to call
  llamar por teléfono to
    call on the telephone
  llamarse to be called
una **llanta** tire
una **llave** key
la **llegada** arrival
  *****llegar** to arrive, get to
  llegar a oídos to reach
    the ears
  llenar to fill
  lleno full, crowded
  llevar to bring, take
  llevarse to take away, carry
    away
  llevarse (con) to get
    along (with)
  llorar to cry
  llover (o → ue) to rain
la **lluvia** rain

m

una **madeja** skein
la **madera** wood
un **madero** beam
una **madre** mother
  maduro ripe
  maestro master
  una obra maestra work
    of art, masterpiece
  mágico magic, magical
  magnético magnetic
  magnífico magnificent

el **maíz** corn, maize
la **majestad** majesty
  vuestras majestades
    your majesties
  mal bad, badly
  de mal humor in a bad
    mood
  mal educado impolite
  portarse mal to
    misbehave
una **maleta** suitcase
  hacer la maleta to pack
    a suitcase
  malo bad
  malos modales bad
    manners
  ¡qué malo! how bad!
  maltratar to mistreat
  mamá mom, mother
  mandar to send
un **mandato** order
el **mando** command
el **manejo** driving,
    management
una **manera** manner, way
  de una manera in a way
una **mano** hand
una **manta** blanket
  *****mantener (e → ie)** to
    claim, maintain, keep
  *****mantenerse (e → ie)** to
    remain, keep (*oneself*)
la **mantequilla** butter
una **manzana** apple
  mañana tomorrow
una **mañana** morning
  por la mañana in the
    morning
un **mapa** map
una **máquina** machine
  escribir a máquina to
    typewrite
  **una máquina de
    escribir** typewriter
el **mar** sea
  el nivel del mar sea
    level
un **maratón** (*pl.*
  maratones) marathon
una **maravilla** wonder
  maravilloso wonderful
una **marca** brand
  marcado marked, branded
  *****marcar** to mark
un **marciano** Martian
  marcharse to leave

una **margarita** daisy
un **marido** husband
Marte Mars
martes Tuesday
marzo March
más more
   más de more than
   más joven younger
   más o menos more or less
   me gusta(n) más I prefer
*__mascar__ to chew
una **máscara** mask
matar to kill
el **mate** herb tea
las **matemáticas** mathematics
el **material** material
una **matrícula** license
   un número de matrícula license plate
matrimonial matrimonial
   una agencia matrimonial marriage counselor
el **matrimonio** marriage
un **maya, una maya** Maya
mayor greater, greatest, older, main
   la plaza mayor main square
los **mayores** adults
la **mayoría** majority
una **mazorca** ear (of corn)
me me, to me
un **mecánico, una mecánica** mechanic
un **mecanógrafo, una mecanógrafa** typist
una **medalla** medal
la **media** mean, half
   (las dos) y media half past (two)
mediano medium
   la estatura mediana medium height
la **medicina** medicine
un **médico, una médica** doctor
una **medida** measurement
medio half
el **medio** middle
   en medio de in the middle of
Mediterráneo Mediterranean
mejor better, best
un **melocotón** (*pl.* **melocotones**) peach
memorable memorable

una **memoria** memory
menor younger, youngest
menos less, minus
   a menos que unless
   más o menos more or less
   por lo menos at least
un **mensaje** message
una **mensualidad** monthly allowance
la **mente** mind
mentir (e → ie, i) to lie
una **mentira** lie
una **menudencia** small thing
menudo: a menudo often
un **mercado** market
*__merecer__ to merit, deserve
el **merengue** merengue (*dance*)
un **mes** month
un **mestizo, una mestiza** person of Indian and European ancestry
una **meta** goal
   meter to put (in)
   meter la pata to blunder
meteorológico weather
un **método** method
un **metro** meter
mexicano Mexican
México Mexico
una **mezcla** mix
mezclar to blend, mix
mi, mis my
mí me (*after prep.*)
el **miedo** fear
   tener miedo to be afraid
un **miembro** member
mientras while
miércoles Wednesday
mil thousand, a thousand
milagrosamente miraculously
milagroso miraculous
un **militar** military man
una **milla** mile
un **millón** (*pl.* **millones**) million
un **millonario, una millonaria** millionaire
una **mina** mine
mineral mineral
una **minicomedia** mini-comedy
un **mini-drama** mini-drama
mínimo minimum
un **minuto** minute
mío my, of mine
   ¡Dios mío! my goodness!
el **mío** mine

mirar to watch, look at
una **misa** Mass
una **misión** (*pl.* **misiones**) mission
mismo same
   sí mismo oneself
un **misterio** mystery
   una película de misterio mystery movie
misterioso mysterious
una **mitad** half
mitológico mythological
una **mochila** knapsack, backpack
la **moda** fashion
los **modales** manners
   buenos modales good manners
   malos modales bad manners
modelo model
un **modelo** model
moderno modern
molestar to bother, annoy
molido ground
un **molino de viento** windmill
un **momento** moment
   ¡un momento! wait a minute!
una **monarquía** monarchy
un **monasterio** monastery
una **moneda** coin
monetario monetary
un **mono, una mona** monkey
un **monstruo** monster
una **montaña** mountain
montar to get on
   montar a caballo to ride a horse
un **monumento** monument
un **moped** moped
moral moral
moreno brown
morir (o → ue, u) to die
mortal mortal
un **mosquito** mosquito
mostrar (o → ue) to show
un **motivo** motive, reason
una **moto** motorcycle
una **motocicleta** motorcycle
un **motor** motor
móvil mobile
un **movimiento** movement
mozo: buen mozo good-looking
una **muchacha** girl
un **muchacho** boy
   los muchachos boys and girls

muchísimo very much, a great deal

mucho much

muchos many

la mudanza moving
    un agente de mudanzas moving agency

mudarse to move

una mueblería furniture store

un muelle wharf

la muerte death

muere he (she) dies, you (formal) die: see morir

muerto dead: see morir

un muerto, una muerta dead person

una mujer woman

una mula mule

un mulero mule-boy

una multitud multitude

mundial world, worldly

el mundo world
    el Nuevo Mundo New World
    todo el mundo everyone

municipal municipal

un mural mural

una muralla wall

un museo museum

la música music

musical musical
    un instrumento musical musical instrument
    una comedia musical musical comedy

un músico, una música musician

muy very

N

*nacer to be born

nacido born

una nación (pl. naciones) nation

nacional national

la nacionalidad nationality

nada nothing, not anything

nadar to swim
    nadar de espalda to swim on one's back

nadie nobody, no one, not anyone

el náhuatl language of the Aztecs

los naipes playing cards
    jugar a los naipes to play cards

una naranja orange (fruit)

una nariz (pl. narices) nose

la natación swimming

nativo native

natural natural

la naturaleza nature

naturalmente naturally

un naufragio shipwreck

una navaja folding knife, penknife

naval naval

una nave ship

la navegación navigation

un navegante, una navegante navigator

*navegar to navigate

la Navidad Christmas

necesariamente necessarily

necesario necessary

necesitar to need

la negación negation

*negar (e → ie) to deny

*negarse (e → ie) to refuse

negativamente negatively

negativo negative

la negligencia negligence

negligente negligent

negociar to negotiate

los negocios business
    un hombre de negocios businessman

negro black

nervioso nervous

ni nor
    ni . . . ni neither . . . nor
    ni siquiera not even

Nicaragua Nicaragua

nicaragüense Nicaraguan

la nieve snow

ninguno none, no

la niñez childhood

un niño, una niña child

el níquel nickel

el nitrato nitrate

un nivel level
    el nivel del mar sea level

no no, not
    ¡claro que no! of course not!
    no . . . todavía not yet
    no me importa it doesn't matter to me
    ya no no longer

nocturno nighttime

un guardián nocturno night guard

una noche night
    de noche at night
    esta noche tonight
    por la noche at night

Noel Christmas
    el Papá Noel Father Christmas, Santa Claus

nombrar to name

un nombre name

normal normal

el norte north

norteamericano North American

noruego Norwegian

nos us, to us, ourselves

nosotros(as) we; us (after prep.)

una nota note, mark, grade

las noticias news

novecientos nine hundred

una novela novel

noveno ninth

un novio, una novia sweetheart, fiancé(e)
    un ramo de novia bridal bouquet

una nube cloud

nublado cloudy

nuclear nuclear
    los armamentos nucleares nuclear arms

un nudo knot

nuestro our, of ours

nueve nine

nuevo another, different, new
    de nuevo again
    el Año Nuevo New Year
    el Nuevo Mundo New World

numeral numeral

numérico numerical

un número number
    un número de matrícula license plate
    un número de teléfono telephone number

numeroso numerous

nunca never

O

o or

*obedecer to obey

un **obelisco** obelisk
un **objetivo** objective
un **objeto** object
una **obligación** (*pl.* **obligaciones**) obligation
obligado obliged, obligated
una **obra** work
    una **obra de teatro** (*theatrical*) play
    una **obra maestra** work of art, masterpiece
    una **obra teatral** (*theatrical*) play
la **observación** observation
observar to observe
***obtener (e → ie)** to obtain
obvio obvious
una **ocasión** (*pl.* **ocasiones**) occasion
occidental western
un **océano** ocean
octavo eighth
una **ocupación** (*pl.* **ocupaciones**) occupation
ocupado occupied, busy
un **ocupante, una ocupante** occupant
ocupar to occupy
ocuparse (en) to occupy oneself (in), be busy (in)
ocurrir to occur
ochenta eighty
ocho eight
ochocientos eight hundred
una **oda** ode
odiar to hate
el **oeste** West
    una **película del oeste** western
una **oferta** offer
oficial official
oficialmente officially
una **oficina** office
***ofrecer** to offer
el **oído** hearing, ear
    llegar a oídos to reach the ears
***oír** to hear
ojalá (que) I wish, let's hope that, if only
una **ojeada** glance
    dar una ojeada to glance
un **ojo** eye
una **ola** wave
    correr las olas to surf
olímpico olympic
una **oliva** olive tree

olvidar to forget
una **olla** pot
una **ópera** opera
una **operación** (*pl.* **operaciones**) operation
una **opinión** (*pl.* **opiniones**) opinion
***oponerse** to be against
una **oportunidad** opportunity
la **oposición** opposition
el **optimismo** optimism
optimista optimistic
un **optimista, una optimista** optimist
el **opuesto** opposite
un **orden** order
ordenado ordered
ordinal ordinal
ordinario ordinary
una **organización** (*pl.* **organizaciones**) organization
    la **Organización de Estados Americanos** Organization of American States (OAS)
organizado organized
***organizar** to organize
el **orgullo** pride
orgulloso proud
la **orientación** orientation
oriental oriental, eastern
el **oriente** Orient
un **orígen** (*pl.* **orígenes**) origin
la **originalidad** originality
originarse to originate
una **orilla** bank (*of a river*), shore
el **oro** gold
un **Oscar** Oscar (*award*)
la **oscuridad** obscurity, darkness
un **oso hormiguero** anteater
otro other, another
un **OVNI** UFO
el **oxígeno** oxygen
¡oye! listen!
oyen they hear: *see* **oír**

℗

la **paciencia** patience
paciente patient
un **paciente, una paciente** patient
pacífico peaceful

el **Pacífico** Pacific
un **padre** father
    los **padres** parents
la **paella** paella (*rice dish with fish and chicken*)
la **paga** pay, payment
el **paganismo** paganism
***pagar** to pay
un **país** country
un **paisaje** landscape
los **Países Bajos** The Low Countries (Netherlands, Belgium, Luxembourg)
un **pájaro** bird
una **palabra** word
una **palabrota** dirty word
un **palacio** palace
pálido pale
una **palma** palm tree
el **pan** bread
una **panadería** bakery
Panamá Panama
un **panameño, una panameña** Panamanian
unos **pantalones** pants
    unos **pantalones cortos** shorts
un **pañuelo** handkerchief
papá Dad
    el **Papá Noel** Father Christmas, Santa Claus
un **papagayo** parrot
una **papaya** papaya
el **papel** paper, piece of paper
    una **toalla de papel** paper towel
un **papel** role, part
    hacer el papel to play the part
un **paquete** package
un **par** pair
para for, in order to
un **parabrisas** windshield
un **paracaídas** parachute
    lanzarse en paracaídas to parachute jump
una **parada** stop
un **paraguas** umbrella
el **Paraguay** Paraguay
parar(se) to stop
un **parasol** parasol
***parecer** to seem, look
***parecerse** to resemble
un **parecido** similarity
una **pared** wall
un **paréntesis** parenthesis

un **pariente** relative
un **parque** park
un **párrafo** paragraph
una **parte** part
un **participante, una participante** participant
un **participio** participle
particular particular
en particular in particular
particularmente particularly
un **partido** game
un partido de básquetbol basketball game
partir to leave
pasado past, passed by
el **pasado** past
un **pasajero, una pasajera** passenger
pasar to happen, pass by
un **pasatiempo** pastime
la **Pascua** Easter, Passover
la Isla de Pascua Easter Island
pasear to walk
un **paseo** walk, ride
dar un paseo to go for a walk, ride
la **pasión** passion
un **paso** crossing
un paso de peatones pedestrian crossing
un **pastel** pastry, pie
una **pastilla** pill, tablet
una pastilla para dormir sleeping pill
una **pata** paw
meter la pata to blunder
paternal paternal
paterno paternal
el **patinaje** skating
patinar to skate
los patines de ruedas roller skates
un **patio** patio
la **patria** mother country, homeland
un **patriota, una patriota** patriot
el **patriotismo** patriotism
un **payaso** clown
hacer el payaso to clown around
la **paz** peace
un **peaje** toll booth
un **peatón, una peatona** pedestrian

un **paso de peatones** pedestrian crossing
una **peculiaridad** peculiarity
un **pedazo** piece
un **pedigüeño** leech
pedir (e → i, i) to ask (for)
pedir prestado to borrow
el **pegamento** glue
*pegar** to stick, glue
peinarse to comb (one's hair)
un **peine** comb
pelar to peel
una **pelea** fight
pelear(se) to quarrel, fight
una **película** film, movie
una película de vaqueros cowboy movie
el **peligro** danger
peligroso dangerous
el **pelo** hair
una **pelota** ball
una pelota de tenis tennis ball
una **peluca** wig
una **peluquería** barber shop, hair dresser
la **pena** grief
un **pendiente** earring
pensar (e → ie) to think
pensar + inf. to intend
pensar de to think of, have an opinion about
pensar en to think about
una **peña** rock, large stone, cliff
peor worse, worst
un **pepino** cucumber
pequeño small
una **pera** pear
un **percance** mishap
la **percepción** perception
la percepción extrasensorial extrasensory perception
perder (e → ie) to lose, waste, miss
perder el tiempo to waste time
perdido lost
perdonar to pardon, excuse
perdóneme excuse me
perezoso lazy
la **perfección** perfection
perfectamente perfectly
perfecto perfect

un **perfume** perfume
una **perfumería** perfume shop
un **periódico** newspaper
un **periodista, una periodista** journalist
un **periquito** parakeet
una **perla** pearl
*permanecer** to stay
permanente permanent
el **permiso** permission, permit
un permiso de conducir driver's license
pero but
un **perrito** little dog
un **perro** dog
*perseguir (e → i, i)** to chase
una **persona** person
una persona de edad older person
un **personaje** character
personal personal
una **personalidad** personality
personalmente personally
una **perspectiva** perspective
la **persuasión** persuasion
*pertenecer** to belong to
el **Perú** Peru
pesar to weigh
a pesar de in spite of
un **pescado** fish (caught)
un **pescador** fisherman
la harina de pescado fishmeal
*pescar** to fish
una caña de pescar fishing pole
la **peseta** money of Spain
pesimista pessimistic
el **peso** Hispanic money
pesquero fishing
el **petróleo** oil
una **petición (pl. peticiones)** petition
un **pez (pl. peces)** fish (live)
un **piano** piano
picado minced
un **picnic** picnic
un **pico** peak
pide he (she) asks, you (formal) ask; see **pedir**
un **pie** foot
a pie by foot
una **piedra** stone
el **piel** fur
pienso I think; see **pensar**

476

pierdo I lose: *see* **perder**
una **pierna** leg
unos **pijamas** pajamas
una **pila** battery
pilotar to pilot
pilotear to pilot
un **piloto** pilot
el **pimiento** pepper
el **ping pong** ping-pong
jugar al ping pong to play ping-pong
pintado painted
pintar to paint
pintarse to put on makeup
un **pintor, una pintora** painter
pintoresco picturesque
la **pintura** painting
una **pipa** pipe
una **pirámide** pyramid
un **pirata** pirate
pisar to step on
una **piscina** pool
un **piso** floor *(of a building)*
una **pistola** pistol
una **pizza** pizza
un **plan** plan
planear to plan
un **planeta** planet
una **planta** plant
la **planta baja** street floor
una **plantación** *(pl.* **plantaciones)** plantation
plantar to plant
el **plástico** plastic
la **plata** silver
un **plátano** plantain, banana
un **platillo volador** flying saucer
un **plato** dish
una **playa** beach
una **plaza** plaza, square
la **plaza mayor** main square
una **plaza de toros** bullring
una **pluma** feather
el **pluscuamperfecto** pluperfect
la **población** population
poblar to populate
pobre poor
pobre de ti poor you
un **pobre, una pobre** poor person
pobrecito poor you, poor him
poco little

pocos few
un **poco** a little
****poder (o → ue)** to be able (to), can
el **poder** power
poderoso powerful
podremos we will be able to: *see* **poder**
un **poema** poem
la **poesía** poetry
un **poeta, una poeta** poet
el **póker** poker
jugar al póker to play poker
la **policía** police
un **policía** police officer
policíaco detective
una **película policíaca** detective movie
la **política** politics
un **político, una política** politician
un **polvo** powder
los **polvos** particles, dust
un **pollo** chicken
un **poncho** poncho
pondrá he (she) (you) *(formal)* will put: *see* **poner**
****poner** to put, put on
****ponerse** to become, to put on *(clothing)*
ponerse + *adj.* to get, become + *adj.*
ponerse rojo to blush
popular popular
la **popularidad** popularity
****popularizar** to popularize
poquito little bit
por for, during, in, by, along, through, in exchange for
ciento por ciento one hundred percent
por ciento percent
por ejemplo for example
por el día during the day
por eso because of that
por favor please
por fin finally
por la mañana in the morning
por la noche at night
por la tarde in the afternoon

por lo menos at least
por lo tanto even, therefore
¿por qué? why?
por supuesto of course
por todos lados everywhere
por un lado on one hand
¡va por . . .! it's a deal for. . .!
porque because
portarse to behave
portarse bien to behave
portarse mal to misbehave
porteño *from Buenos Aires*
un **portero, una portera** doorkeeper
portugués *(f.* **portuguesa)** Portuguese
un **portugués, una portuguesa** Portuguese
una **posada** inn
las **posadas** *pre-Christmas celebration*
una **posesión** *(pl.* **posesiones)** possession
una **posibilidad** possibility
posible possible
posiblemente possibly
una **posición** *(pl.* **posiciones)** position
positivamente positively
positivo positive
postal postal
un **postal** postcard
el **postre** dessert
un **pozo** well
una **práctica** practice, custom
práctico practical
un **precio** price
precioso precious
precolombino pre-Colombian
precoz precocious
****predecir** to predict
una **predicción** *(pl.* **predicciones)** prediction
una **preferencia** preference, right of way
preferir (e → ie, i) to prefer
una **pregunta** question
preguntar to ask, ask a question
prehistórico prehistoric
un **premio** prize
el **premio Nobel** Nobel prize

preocupado preoccupied, worried
preocupar to preoccupy, worry
preocuparse (con) to be worried (because of)
una **preparación** (*pl.* **preparaciones**) preparation
preparar to prepare
prepararse to get ready
una **preposición** (*pl.* **preposiciones**) preposition
la **presencia** presence
la **presencia de ánimo** presence of mind
presentar to introduce
presente present
el **presente** present
un **presidente, una presidente** president
prestado borrowed
pedir prestado to borrow
prestar to lend
prestar atención to pay attention
el **prestigio** prestige
presumido stuck up, snobbish
el **pretérito** preterite, past tense
primero first
un **primo, una prima** cousin
principal principal, main
lo principal the main thing
principalmente principally, mainly
un **príncipe** prince
un **principio** principle, beginning
una **prisa** hurry
darse prisa to hurry
de prisa quickly
tener prisa to be in a hurry
una **prisión** (*pl.* **prisiones**) prison
un **prisionero, una prisionera** prisoner
privado private
pro favor, advantage
en pro for, in favor of
la **probabilidad** probability
probable probable
probablemente probably

probar (o → ue) to try out, test, taste
probar fortuna to try one's luck
un **problema** problem
proclamar to proclaim
un **prodigio** prodigy, marvel
*producir** to produce
un **producto** product
un **productor, una productora** producer
profesional professional
un **profesor, una profesora** professor, teacher
profundamente profoundly
un **programa** program
un programa de variedades variety show
progresivo progressive
el **progreso** progress
la **prohibición** prohibition
prohibir to prohibit
se prohibe it is forbidden
una **promesa** promise
prometer to promise
prometido promised
un **promotor, una promotora** promoter
un **pronombre** pronoun
*pronosticar** to predict
pronto soon, quickly
una **pronunciación** (*pl.* **pronunciaciones**) pronunciation
una **propina** tip
propio own
*proponer** to propose
una **propiedad** property
el **propósito** aim, meaning
próspero prosperous
la **protección** protection
un **protector, una protectora** protector
*proteger** to protect
provecho: ¡buen provecho! enjoy it!, good appetite!
una **provincia** province
próximo next
prudente prudent, careful
prudentemente carefully
la **psicología** psychology
psicológico psychological
un **psicotest** psychotest
*publicar** to publish

la **publicidad** publicity
público public
el **público** public
pude I could: *see* **poder**
un **pueblecito** small town
un **pueblo** town
puedo I can: *see* **poder**
un **puente** bridge
una **puerta** door
un **puerto** port
Puerto Rico Puerto Rico
un **puertorriqueño, una puertorriqueña** Puerto Rican
pues then, therefore, well
puesto put: *see* **poner**
un **puesto** stand
pulcro neat
pulido polished
una **pulsera** bracelet
un reloj pulsera wrist watch
una **punta** end
un **punto** point
en punto on the dot
puntual punctual
la **puntualidad** punctuality
una **pupila** pupil *(eye)*
un **purista, una purista** purist
puro pure
puse I put: *see* **poner**

q

que who, whom, which, that, than
hay que one has to, one ought to, it is necessary
que Dios te ayude may God help you
¡qué! what!, how!
¡qué . . .! what a . . .!
¡qué barbaridad! what nonsense!
¡qué bueno! how great!
¡qué horror! how horrible!
¡qué lástima! what a pity!
¡qué lata! what a bore!
¡qué lío! what a mess!
¡qué malo! how awful!
¡qué será de mí! what will become of me!

¡qué va! nonsense!

¿qué? what?

¡por qué? why?

¿qué cosa? what thing?, what is it?

¿qué hay? what's up?, what is it?

¿qué más? what else?

quebrado broken

quebrar (e → ie) to break

el **quechua** *Inca language spoken in Peru*

quedarse to stay, remain

me queda(n) _ I have _ left

quejarse de to complain about

una **quemadura** burn

una quemadura de sol sunburn

quemar to scorch, burn

*__querer (e → ie)** to want, wish

querer a to like, love (*someone*)

querido dear, loved

querrá he (she) (you) (*formal*) will want: *see* **querer**

el **queso** cheese

el **quetzal** quetzal, *money of Guatemala*

¿quién(es)? who?, whom?

¿de quién(es)? whose?

quiero I want: *see* **querer**

quieto quiet, peaceful

la **química** chemistry

químico chemical

quince fifteen

quinientos five hundred

la **quinina** quinine

quinto fifth

quirúrgico surgical

quise I wanted, tried: *see* **querer**

quitarse to take (*something*) off

quizá perhaps, maybe

R

racial racial

racional rational

racionalmente rationally

un **radiador** radiator

el **radical** root, stem (*of a word*)

la **radio** radio (*emission*)

un **radio** radio (*set*)

una **raíz** (*pl.* **raíces**) root

un **ramo** bouquet

un ramo de novia bridal bouquet

una **rana** frog

un **rancho** ranch

rápidamente rapidly, quickly

rápido rapid, fast

una **raqueta** racket

raro rare, strange

raras veces rarely

un **rascacielos** skyscraper

un **rasgo** characteristic

un **rastro** flea market

un **ratito** little while

un **rato** short time

un **ratón** (*pl.* **ratones**) mouse

una **raya** line, line between two countries, frontier

una **raza** race, generation

la **razón** reason, right

no tener razón to be wrong

tener razón to be right

una **reacción** (*pl.* **reacciones**) reaction

reaccionar to react

real real, royal

la **realidad** reality

realista realistic

*__realizar** to accomplish

*__realizarse** to come true

realmente really

una **reata** lariat

una **rebelión** (*pl.* **rebeliones**) rebellion

una **receta** recipe

recibido received

recibir to receive

reciente recent

recientemente recently

la **reciprocidad** reciprocity

recíproco reciprocal

*__recoger** to pick

una **recomendación** (*pl.* **recomendaciones**) recommendation

recomendar (e → ie) to recommend

una **recompensa** reward

*__reconocer** to recognize

una **reconquista** reconquest

*__reconstruir** to reconstruct

recordar (o → ue) to remember

rectangular rectangular

un **recuerdo** memory

un **recurso** resource

redondo round

*__reemplazar** to replace

referir (e → ie, i) to refer

reflejar to reflect

un **reflejo** reflex, reflection

reflexivo reflexive

un **refrán** (*pl.* **refranes**) proverb, saying

un **refresco** refreshment

una **refrigeradora** refrigerator

un **refugiado, una refugiada** refugee

refugiarse to take refuge

un **refugio** shelter

regalar to give (*as a gift*)

un **regalo** gift

*__regar (e → ie)** to spill

un **régimen** (*pl.* **regímenes**) regimen, diet

una **región** (*pl.* **regiones**) region

una **regla** rule

regresar to return

regular regular

regularmente regularly

una **reina** queen

un **reino** kingdom

reír (e → i, i) to laugh

reírse (e → i, i) de to laugh, make fun of

una **relación** (*pl.* **relaciones**) relation

relativo relative

una **religión** (*pl.* **religiones**) religion

religioso religious

un **reloj** watch, clock

un reloj pulsera wrist watch

una **relojería** watch shop

un **remedio** remedy

remoto remote

rendirse (e → i, i) to surrender

reparar to repair

un **repaso** review

repente: de repente suddenly

repetido repetitive, repeated

repetir (e → i, i) to repeat

la **representación** representation
un **representante, una**
   representante represent-
   ative
representar to represent
una **república** republic
la **República Dominicana**
   Dominican Republic
requerir (e → ie, i) to
   require
un **requisito** requirement
una **res** head of cattle
   la **carne de res** beef
reservado reserved
una **residencia** residence
resistir to resist
respectivamente respectively
respecto a with respect to
respetable respectable
respetado respected
respetar to respect
el **respeto** respect
responder to respond
una **responsabilidad** responsibility
responsable responsible
una **respuesta** response
un **restaurante** restaurant
el **resto** rest, remainder
   los **restos** remains
un **resultado** result
   como resultado as a
   result
un **resumen** summary
retirarse to retire, retreat
un **retraso** delay
retratar to paint a portrait
un **retrato** portrait
reunido united
reunirse (u → ú) con to
   meet
revelar to reveal
revisar to check
una **revista** magazine
una **revolución** (*pl.* **revoluciones**)
   revolution
revolucionario revolutionary
revolver (o → ue) to stir
un **revólver** revolver
revuelto rough
revuelve he (she) stirs, you
   (*formal*) stir: *see* **revolver**
un **rey** king
***rezar** to pray
ricamente richly
rico rich
ridículo ridiculous

riego I spill: *see* **regar**
río I laugh: *see* **reír**
un **río** river
las **riquezas** riches
la **risa** laughter
robar to rob
un **robo** robbery, burglary
un **robot** robot
el **rock** rock music
   el **rock and roll** rock
   and roll
una **rodaja** slice
rodeado surrounded
rodear to surround
un **rodeo** rodeo
***rogar (o → ue)** to beg
rojo red
   la **Caperucita Roja**
   Little Red Riding Hood
   ponerse rojo to blush
romano Roman
romántico romantic
   una **película romántica**
   romantic movie
un **rompecabezas** puzzle
romper to break, tear
romperse to break (*part of
   oneself*)
ronco hoarse
la **ropa** clothing
una **rosa** rose
   color de rosa
   rose-colored, "fun"
rosado pink
el **rosbif** roast beef
las **rositas de maíz** popcorn
roto broken: *see* **romper**
rubio blond
una **rueda** wheel
un **ruedo** ring
un **ruido** noise
una **ruina** ruin
rural rural
ruso Russian
el **ruso** Russian (*language*)
un **ruso, una rusa** Russian
   (*person*)
una **ruta** route
una **rutina** routine

S

sábado Saturday
   el **sábado** (on) Saturday

los **sábados** (on)
   Saturdays
la **sabana** savanna
una **sábana** sheet
un **sabelotodo, una**
   sabelotodo know-it-all
***saber** to know
un **sablista, una**
   sablista sponger
sabrá he (she) (you) (*formal*)
   will know: *see* **saber**
***sacar** to take, take out, get
   sacar fotos to take
   pictures
el **sacar** getting
un **sacerdote** priest
un **saco** sack, bag
   un **saco de dormir**
   sleeping bag
un **sacrificio** sacrifice
sacudir to shake
sagrado sacred
la **sal** salt
una **sala** room
   una **sala de clase**
   classroom
un **salario** salary
una **salchicha** sausage
saldrá he (she) (you)
   (*formal*) will leave:
   see **salir**
una **salida** exit
***salir** to leave, go out, come
   out
el **Salón de Fama** Hall of
   Fame
***salpicar** to splatter
la **salsa** salsa (*dance*)
saltar to jump
   saltar a la cuerda to
   jump rope
la **salud** health
saludar to greet
salvar to save
una **sandalia** sandal
una **sandía** watermelon
un **sándwich** sandwich
la **sangre** blood
sangriento bloody
sano healthy
un **santo, una santa** saint
   la **Semana Santa** Holy
   Week
saqué I took: *see* **sacar**
una **sardina** sardine
una **sartén** (*pl.* **sartenes**) frying pan

un **satélite** satellite
***satisfacer** to satisfy
satisfecho satisfied
se (to) himself, herself, yourself (*formal*), themselves, yourselves, oneself, each other
sé I know: *see* **saber**
sé be: *see* **ser**
una **secadora** dryer
***secarse** to dry (*oneself*)
seco dry
un **secretario, una secretaria** secretary
un **secreto** secret
secundario secondary
la **sed** thirst
tener sed to be thirsty
la **sede** seat, headquarters
una **seguida** series
dos veces seguidas twice in a row
en seguida immediately
***seguir (e → i, i)** to follow, continue to be
seguir + *pres. part.* to keep on, still be
según according to
segundo second
seguramente surely
la **seguridad** safety
un cinturón de seguridad safety belt
seguro sure, safe
el **seguro** insurance
una compañía de seguros insurance company
seiscientos six hundred
una **selección** (*pl.* **selecciones**) selection
seleccionar to select
una **selva** forest, jungle
un **sello** stamp
un **semáforo** traffic light
una luz de semáforo traffic light
una **semana** week
el fin de semana weekend
la Semana Santa Holy Week
sencillo simple
sentado seated
sentarse (e → ie) to sit down
un **sentido** sense

un sentido del humor sense of humor
sentimental sentimental
un **sentimiento** sentiment, feeling
sentir (e → ie, i) to feel, regret, be sorry about
sentirse (e → ie, i) to feel
me siento I feel
una **señal** sign, signal
una señal de tránsito traffic sign
sepa he, she, you (*formal*) know (*subjunctive of* **saber**)
separado separated
separar to separate
un **separatista, una separatista** separatist
septiembre September
séptimo seventh
***ser** to be
volver a ser to become
un **ser** being
un ser humano human being
una **serenata** serenade
una **serie** series
serio serious
una **serpiente** serpent, snake
servicial helpful
un **servicio** service
una estación de servicio service station
servir (e → i, i) to serve
sesenta sixty
setenta seventy
sexto sixth
si whether, if
sí mismo oneself
sido been: *see* **ser**
siempre always
una **sierra** mountain range
un **siglo** century
un **significado** meaning, significance
***significar** to signify, mean
sigo I follow: *see* **seguir**
siguiente following
lo siguiente the following
el **silencio** silence
una **silla** chair
un **sillón** (*pl.* **sillones**) armchair
un **símbolo** symbol
similar similar

la **simpatía** liking, friendliness
simpático nice, pleasant
simplemente simply
sin without
sin aliento out of breath
sin duda doubtless
sin embargo however, nevertheless
sinceramente sincerely
sincero sincere
sino but
sinuoso winding
siquiera: ni siquiera not even
una **sirena** siren, mermaid
un **sistema** system
el sistema de aire acondicionado air conditioning system
un **sitio** place
una **situación** (*pl.* **situaciones**) situation
situado situated
sobre on, over, about
sobre todo above all
sobrenatural supernatural
sobrevivir to survive
una **sobrina** niece
un **sobrino** nephew
sociable sociable
social social
una **sociedad** society
un **sofá** sofa
sois you (*fam. pl.*) are: *see* **ser**
el **sol** sun, *money of Peru*
el dios-sol sun god
hace sol it's sunny
tomar el sol to sunbathe
una quemadura de sol sunburn
unos anteojos de sol sunglasses
solamente only
solar solar
la calefacción solar solar heating
soleado sunny
solicitar to need
se solicita we need, we're looking for
solito alone
solo alone
sólo only
soltero single
una **solución** (*pl.* **soluciones**) solution

una **sombra** shadow
un **sombrero** hat
    somos we are: *see* **ser**
    son they (you) (*pl.*) are: *see* **ser**
    sonar (o → ue) to ring, sing out
    sonreír (e → i, i) to smile
    soñar (o → ue) (con) to dream (about)
      soñar despierto to daydream
la **sopa** soup
    sorprendido surprised
    sorprendente surprising
una **sorpresa** surprise
    sospechar to suspect
    sospechoso suspicious
un **sospechoso, una sospechosa** suspect
    ***sostenerse (e → ie)** to support
un **sótano** basement
    soy I am: *see* **ser**
    su, sus his, her, your (*formal, fam. pl.*), their
    suave delicate
    subir (a) to go up, get (in, on), climb
el **subjuntivo** subjunctive
    sublevarse to rebel
un **submarino** submarine
una **sucesión** (*pl.* **sucesiones**) succession
un **suceso** event
un **sucesor, una sucesora** successor
    sucio dirty
el **sucre** *money of Ecuador*
    sudamericano South American
    Suecia Sweden
el **suelo** floor, ground
el **sueño** sleep
    tener sueño to be sleepy
un **sueño** dream
la **suerte** luck
un **suéter** sweater
una **sugerencia** suggestion
    sugerir (e → ie, i) to suggest
    Suiza Switzerland
un **sujeto** subject
    sumar to add
    supe I knew, I found out: *see* **saber**

    superficialmente superficially
    superior superior
un **supermercado** supermarket
un **super-optimista, una super-optimista** superoptimist
una **superstición** (*pl.* **supersticiones**) superstition
    supersticioso superstitious
la **supervisión** supervision
    ***suponer** to suppose
    suprimir to suppress, omit
    supuesto: por supuesto of course
el **sur** south
    la América del Sur South America
    suramericano South American
    ***surgir** to arise
el **suroeste** southwest
una **suscripción** (*pl.* **suscripciones**) subscription
una **sustancia** substance
un **sustantivo** noun
    suyo his, her, your (*formal*), your (*fam. pl.*), their

el **tabaco** tobacco
una **tabla hawaiana** surfboard
un **taco** *meat in folded tortilla*
    Tahití Tahiti
los **taínos** *Arawak tribe*
    tal such
    con tal que so that, provided that
    ¿qué tal? how are you?
    tal + *noun* such a + *noun*
    tal como just as
    tal vez perhaps
un **talento** talent
un **talismán** (*pl.* **talismanes**) good-luck piece
el **tamaño** size
    también also, too
    tampoco neither, not either
    tan so, that
    tan (*adj.*) **como** as (*adj.*) as

el **tango** tango (*dance*)
un **tanque** tank
    tanto so
    por lo tanto therefore
    tanto _ como as much _ as
una **taquilla** ticket office
    tardar to delay
    tarde late
una **tarde** afternoon
    por la tarde in the afternoon
una **tarea** task, work
    las tareas homework
una **tarjeta** card
un **taxi** taxi
un **taxista, una taxista** taxi driver
una **taza** cup
    te you, to you, yourself (*fam.*)
el **té** tea
    teatral theatrical
    una obra teatral (*theatrical*) play
un **teatro** theater
    una obra de teatro (*theatrical*) play
    técnico technical
la **tecnología** technology
un **techo** roof
    telefonear to telephone
un **teléfono** telephone
    llamar por teléfono to call on the telephone
    un número de teléfono telephone number
un **telegrama** telegram
un **telescopio** telescope
la **televisión** television (*transmission*)
un **televisor** television (*set*)
    un televisor de color color television
un **tema** theme
un **temblor** trembling
    temer to fear
el **temor** fear
    temperamental temperamental
una **tempestad** storm
una **temporada** season
    temprano early
    tendrá he (she) (you) (*formal*) will have: *see* **tener**
    ***tener (e → ie)** to have
    no tener razón to be wrong

tener _ años to be _
  years old
tener calor to be (feel)
  hot
tener celos to be jealous
tener cuidado to be
  careful
tener frío to be (feel)
  cold
tener ganas de to want
  to
tener hambre to be
  hungry
tener la culpa to be
  guilty
tener lugar to take place
tener miedo to be afraid
tener que + *inf.* to have
  to
tener razón to be right
tener sed to be thirsty
tener sueño to be sleepy
tener suerte to be lucky
tener vergüenza to be
  ashamed
tengo I have: *see* tener
el tenis tennis
  jugar al tenis to play
    tennis
  unos zapatos de tenis
    sneakers, tennis shoes
la tensión tension
tenso tight
la tentación temptation
un teólogo clergyman
una teoría theory
tercer, tercero third
terminar to end
un terremoto earthquake
terrible terrible
un territorio territory
un tesoro treasure
  un buscador de tesoro
    treasure-hunter
un testigo, una testigo witness
un testimonio testimony
un texano, una texana Texan
un texto text
  ti you *(fam.) (after prep.)*
  pobre de ti poor you
una tía aunt
un tiburón *(pl.* tiburones)
  shark
el tiempo time, weather
  a tiempo on time
  ¿cuánto tiempo? how long?

¿qué tiempo hace? what
  is the weather like?
una tienda store
  una tienda de campaña
    tent
la tierra earth, land
un tigre tiger
unas tijeras scissors
tímido timid, shy
un tío uncle
  los tíos uncles and aunts
típicamente typically
típico typical
un tipo type
  un «tipo» "character"
tirar to pull
tirarse to throw oneself
un título degree
una toalla towel
  una toalla de papel
    paper towel
un tocadiscos record player
*tocar to touch, play *(a
  musical instrument),* be
  one's turn
  me toca it's my turn
todavía still, yet
  no ... todavía not yet
todo every, all, the whole,
  everything
  después de todo after all
  por todos lados
    everywhere
  sobre todo above all
  todo el mundo everyone
  todo el tiempo all the
    time
  todos every, everyone
  todos los días every day
tolerante tolerant
tolerar to tolerate
tomar to take
  tomar el sol to sunbathe
  tomar una decisión to
    make a decision
  tomarse por to take
    oneself for, think one is
un tomate tomato
la tontería foolishness
tonto foolish
tordo dapple-gray
un torero, una
  torera bullfighter
una tormenta storm
  estalla una tormenta a
    storm breaks out

un tornado tornado
un torneo tournament
un toro bull
  una corrida de toros
    bullfight
  una plaza de toros
    bullring
  unos toros de lidia
    fighting bulls
una torre tower
una torta cake
una tortuga tortoise
toser to cough
la tostada toast
tostado tanned, toasted
tostar (o → ue) to toast, tan
total total
totalmente totally
un trabajador, una
  trabajadora worker
  un trabajador del campo
    field worker
  un trabajador social
    social worker
trabajar to work
un trabajo job
una tradición *(pl.*
  tradiciones) tradition
tradicional traditional
tradicionalmente traditionally
*traducir to translate
*traer to bring
una tragedia tragedy
traje I brought: *see* traer
un traje suit
  un traje de baño
    bathing suit
  un traje de luces "suit
    of lights"
tranquilamente tranquilly
tranquilo tranquil, calm
transcurrir to pass (away),
  elapse
un transeúnte, una
  transeúnte passer-by
transformar to transform
el tránsito traffic
  un lío de tránsito traffic
    jam
transmitido transmitted
el transporte transportation
un tranvía tramway, streetcar
tras after, behind
trasladar to move, transfer
tratar de to try
un trébol clover

483

trece thirteen
treinta thirty
tremendo tremendous
un tren train
trepar to climb
trescientos three hundred
un triángulo triangle
una tribu tribe
el trigo wheat
triste sad
la tristeza sadness
un triunfo triumph
un trofeo trophy
un trombón (*pl.*
    trombones*) trombone
una tropa troop
*tropezar (e → ie) to bump
    into
tropical tropical
tu, tus your *(fam.)*
tú you *(fam.)*
un turista, una turista tourist
turístico tourist
tutear to use "tú" *with
    someone*
tuve I had: *see* tener
tuyo yours *(fam.)*

U

u or *(before words beginning
    with* o *or* ho*)*
Ud. you *(formal sing.)*
Uds. you *(pl.)*
último last
un, una one, an, a
único unique, only
una unidad unit
unido united
    los Estados Unidos
        United States
unirse to join
universal universal
una universidad university
universitario university
el universo universe
uno one
    cada uno each one
    unos some
    unos + *number* about +
        number
una uña fingernail
urbano urban

la urgencia urgency,
    emergency
el Uruguay Uruguay
usar to use
el uso use
usted (Ud.) you *(formal
    sing.)*
ustedes (Uds.) you *(pl.)*
un utensilio utensil
útil useful

V

va he (she) goes, you
    (formal) go: *see* ir
¡qué va! nonsense!
¡va por . . .! it's a deal
    for . . .!
va y viene coming and
    going
una vaca cow
las vacaciones vacation
    estar de vacaciones to
        be on vacation
    ir de vacaciones to go
        on vacation
vaciar (i → i) to empty
vacilar to vacilate, waver
vacío empty
el valenciano *language of
    Valencia*
un valenciano, una
    valenciana *person from
    Valencia*
la valentía courage
valer to be worth, protect
    valer la pena to be
        worthwhile
    ¡válgame Dios! God help
        me!
valiente courageous, brave
valioso valuable
el valor value, courage
vamos let's go, we go: *see* ir
    vamos a ver let's see
vanidoso vain
vano vain
    en vano in vain
un vaquero cowboy
    una película de vaqueros
        cowboy movie

una variación (*pl.*
    variaciones*) variation
una variedad variety
    un programa de
        variedades variety
        show
una varilla stick
varios several
el vasco *language of the
    Basque region*
un vasco, una vasca Basque
un vaso (drinking) glass
vaya he, she, it goes, you
    (formal) go *(subjunctive of* ir*)*
ve go: *see* ir
un vecino, una
    vecina neighbor
la vegetación vegetation
veía I (he) (she) was seeing,
    you *(formal)* were seeing:
    see ver
veinte twenty
    veinte y uno twenty-one
una vela sail
    un bote de vela sailboat
una vena vein
un venado deer
*vencer to beat, conquer
un vendedor, una
    vendedora salesperson
    un vendedor viajero
        traveling salesperson
    vender to sell
    vendrá he (she) (you)
        (formal) will come: *see*
        venir
    venenoso poisonous
        la hiedra venenosa
            poison ivy
    venezolano Venezuelan
    Venezuela Venezuela
*venir (e → ie, i) to come
una ventana window
*ver to see
    a ver let's see
    veranear to spend the
        summer
    veraneo: un campamento
        de veraneo summer
        camp
el verano summer
un verbo verb
verdad true
la verdad truth
    es verdad that's right,
        true

no es verdad that's not right, true

verdaderamente truly, really

verdadero real

verde green

vergonzoso embarrassing

la **vergüenza** shame

tener vergüenza to be ashamed

un **verso** verse

vestido dressed

un **vestido** dress

un **vestigio** vestige

vestirse (e → i, i) to get dressed

me visto I get dressed

una **vez** (*pl.* **veces**) time

a veces at times

alguna vez ever, sometime

¿cuántas veces? how many times?

de vez en cuando from time to time, once in a while

dos veces seguidas twice in a row

en vez de instead of

raras veces rarely

tal vez perhaps

una vez once

vi I saw: *see* **ver**

viajar to travel

un **viaje** voyage, trip

estar de viajes to be on a trip

hacer un viaje to take a trip

una agencia de viajes travel agency

viajero traveling

un vendedor viajero traveling salesperson

una **víctima** victim

victorioso victorious

la **vida** life

el estilo de vida lifestyle

ganarse la vida to earn a living

un **vidente, una vidente** fortune teller

un **vidrio** glass

viejo old

viene he (she) (it) comes, you (*formal*) come: *see* **venir**

va y viene coming and going

el **viento** wind

hace viento it's windy

un molino de viento windmill

viernes Friday

el viernes (on) Friday

los viernes (on) Fridays

un **vikingo** Viking

el **vinagre** vinegar

vine I came: *see* **venir**

vinieron they (you) (*pl.*) came: *see* **venir**

el **vino** wine

la **violencia** violence

violento violent

un **violín** (*pl.* **violines**) violin

la **Virgen** Virgin Mother

un **virrey** viceroy

una **virtud** quality, virtue

una **visión** (*pl.* **visiones**) vision

una **visita** visit

de visita (en) on a visit (to, in)

un **visitante, una visitante** visitor

visitar to visit

visto seen: *see* **ver**

vistoso showy

¡viva __! long live __!

vivir to live

vivo lively, alive

un **vivo** living person

un **vocabulario** vocabulary

volador flying

un platillo volador flying saucer

volante flying

volar (o → ue) to fly

un **volcán** (*pl.* **volcanes**) volcano

el **volibol** volleyball

jugar al volibol to play volleyball

volver (o → ue) to return

volver a ser to become

volverse (o → ue) to become, turn

vosotros(as) you (*fam. pl.*)

voy I go: *see* **ir**

una **voz** (*pl.* **voces**) voice

en voz alta aloud

vuela he (she) flies, you (*formal*) fly: *see* **volar**

un **vuelo** flight

una **vuelta** turn, stroll

dar una vuelta to take a walk, ride

vuelto returned: *see* **volver**

vuelvo I return: *see* **volver**

vuestro yours, of yours (*fam. pl.*)

W

el **wiski** whisky

Y

y and

ya already, yet

ya no no longer

los **Yankis** Yankees

un **yate** yacht

yo I

el **yogur** yogurt

yoruba yoruba

Z

una **zapatería** shoe store

un **zapato** shoe

unos zapatos de tenis tennis shoes, sneakers

zoológico zoological

un jardín zoológico zoo

un **zoológico** zoo

ENGLISH-SPANISH VOCABULARY

a

a un, una
able: to be able *poder (o → ue)
about sobre
absent-minded distraído
absurd absurdo
accident un accidente
according to según
to act actuar (u → ú)
active activo
activity una actividad
adjective un adjetivo
to admire admirar
adults los mayores
adventure una aventura
   adventure film una película de aventuras
adverb un adverbio
advertisement un anuncio
advice unos consejos
   piece of advice un consejo
to advise aconsejar, recomendar (e → ie)
affection el cariño
affirmative afirmativo
afraid: to be afraid tener miedo
after después (de), tras
afternoon una tarde
   in the afternoon por la tarde
again de nuevo
against contra
   to be against *oponerse a
ago hace + *period of time*
to agree on estar de acuerdo, *convenir (e → ie, i) en
agreeable agradable
air conditioning system el sistema de aire acondicionado
air pollution la contaminación del aire
alertness: mental alertness la presencia de ánimo
all todo, todos
   all the time todo el tiempo
almost casi
alone solo
along: to get along (with) llevarse (con)
already ya
also también
although aunque

always siempre
American americano, *(from the U.S.)* norteamericano
to amuse divertir (e → ie, i)
amusing divertido
an un, una
and y (e *before words starting with i or* hi)
angel un ángel
angry enojado
   to get angry (with, at) enfadarse (con), enojarse (con)
to annoy molestar
another otro
answer una respuesta
to answer responder, contestar
antique antiguo
anything algo
apartment building un edificio de apartamentos
apple una manzana
to approach *acercarse (a)
arm un brazo
armchair un sillón (*pl.* sillones)
around alrededor (de)
arrival una llegada
to arrive *llegar
article un artículo
artistic artístico
as como
   as *(adj.)* **as** tan *(adj.)* como
   as a result como resultado
ashamed: to be ashamed tener vergüenza
to ask preguntar, pedir (e → i, i)
to ask for pedir (e → i, i)
asleep: to fall asleep dormirse (o → ue, u)
aspect un aspecto
at a
   at times a veces
athletic deportista
attentive atento
aunt una tía
automobile un automóvil

b

back: in back of detrás
backpack una mochila
bad malo

   in a bad mood de mal humor
   too bad! ¡qué lástima!
bad-mannered mal educado
badly mal
bakery una panadería
ball una pelota
ban una prohibición (*pl.* prohibiciones)
banana una banana
bank un banco
basketball el básquetbol
bath un baño
   to take a bath bañarse
bathing suit un traje de baño
to be *ser, *estar
   to be _ (years old) tener _ años
   to be a member (of) *pertenecer (a)
   to be able *poder (o → ue)
   to be afraid tener miedo
   to be against *oponerse a
   to be ashamed tener vergüenza
   to be at fault tener la culpa
   to be careful tener cuidado
   to be cold tener frío
   to be happy (about) alegrarse (de)
   to be hot tener calor
   to be hungry tener hambre
   to be in a hurry tener prisa
   to be jealous tener celos
   to be late in tardar en
   to be lucky tener suerte
   to be on vacation estar de vacaciones
   to be out estar en la calle
   to be right tener razón
   to be sleepy tener sueño
   to be successful tener éxito
   to be thirsty tener sed
   to be to blame tener la culpa
   to be warm tener calor
   to be wrong no tener razón
beach una playa
beard una barba
beautiful guapo, hermoso
because porque, como
   because of that por eso
to become volverse (o → ue), *hacerse (+ *noun),* *ponerse (+ *adj.)*
   what will become of me! ¡qué será de mí!

bed una cama
    to go to bed acostarse (o → ue)
bedroom un dormitorio
beef la carne de res
before antes (de), delante (de)
    (*position*)
    the _ before (last) el _
      antepasado
    the day before yesterday
      anteayer
    the night before last
      anteanoche
to beg *rogar (o → ue)
to begin *comenzar (e → ie),
    *empezar (e → ie)
to behave portarse bien
behind detrás (de), tras
to believe *creer
to belong *pertenecer
    to belong to *ser de
below debajo (de)
belt un cinturón (*pl.* cinturones)
beside al lado (de)
besides además
best mejor
    best one el mejor
better mejor
between entre
beverage una bebida
bicycle una bicicleta
big grande
bill un billete (*money*)
binoculars unos gemelos
birthday un cumpleaños
blackmail el chantaje
blackout un apagón (*pl.* apagones)
blame: to be to blame tener la
    culpa
blanket una manta
blond rubio
blunder: to make a
    blunder meter la pata
boat un bote
book un libro
bookstore una librería
bore: what a bore! ¡qué lata!
bored aburrido
    to be bored estar aburrido
    to get bored aburrirse
boring aburrido
    to be boring ser aburrido
to borrow pedir prestado
boss un jefe, una jefa
to bother molestar
boy un chico, un muchacho, un
    niño

boyfriend un novio
bracelet una pulsera
brakes los frenos
brave valiente
bread el pan
to break quebrar, romperse
    to break (one's leg) romperse
    (la pierna)
bridge un puente
to bring llevar, *traer
broken quebrado, roto
brother un hermano
    brothers and sisters los
    hermanos
brush un cepillo
to brush cepillar(se)
to build *construir
building un edificio
    apartment building un edificio
    de apartamentos
to bump into *chocar con
to burn quemar
burned quemado
bus un autobús (*pl.* autobuses)
    bus stop la parada (del autobús)
businessman un hombre de
    negocios
but pero, sino
butcher shop una carnicería
butter la mantequilla
to buy comprar

C

café un café
cafeteria una cafetería
cake una torta
calculator una calculadora
call: phone call una llamada
to call (up) llamar (por teléfono)
calm tranquilo
camera una cámara
camping el camping
    to go camping ir de camping
can: to be able *poder (o → ue)
Canadian canadiense
candy los dulces
car un coche, un automóvil
card una tarjeta
care el arreglo, el cuidado
to care for, take care of cuidar
career una carrera
careful cuidadoso, prudente

    to be careful tener cuidado
careless descuidado, imprudente
carnation un clavel
case: in case (that) en caso de
cassette una cinta
cautious prudente
century un siglo
certain cierto
chair una silla
champion un campeón, una
    campeona
to change cambiar
to check revisar
cheese el queso
cherry una cereza
chicken un pollo
child un niño, una niña
childhood la niñez
children los niños
to choose *escoger
city una ciudad
class una clase
classical clásico
classmate un compañero, una
    compañera
clean limpio
to clean limpiar
clerk un (una) dependiente
clever listo
to climb escalar, subir (a), (*a tree*)
    trepar
    mountain climbing el alpinismo
clock un reloj
close (to) cerca (de)
to close cerrar (e → ie)
closed cerrado
cloudy nublado
    it's cloudy está nublado
clown un payaso
coffee el café
coin una moneda
cold frío
    it's cold (*weather*) hace frío
    to be (feel) cold tener frío
to collect coleccionar
collection una colección (*pl.*
    colecciones)
    coin collection una colección de
    monedas
    stamp collection una colección
    de sellos
comb un peine
to comb (one's hair) peinarse
to come back regresar, volver
    (o → ue)
comedy una comedia

comfortable cómodo
command un mandato
common común
comparative el comparativo
to complain (about) quejarse (de)
complement un complemento
complicated complicado
computer una computadora
concert un concierto
condition una condición (*pl.* condiciones)
    on the condition con la condición de
conductor un conductor
to congratulate felicitar
conjunction una conjunción (*pl.* conjunciones)
to consist (of, in) consistir (en)
to construct *construir
construction la construcción
content contento
to continue *seguir (e → i, i)
continuous continuo
contrary: on the contrary al contrario
conversation una conversación (*pl.* conversaciones)
to cook cocinar
cooking la cocina
cool fresco
    it's cool (*weather*) hace fresco
corner una esquina
to cost costar (o → ue)
to count contar (o → ue)
country un país
country(side) el campo
courageous valiente
cousin un primo, una prima
    cousins los primos
to cram atestar
crazy loco
cream una crema
to create crear
credulous crédulo
to criticize *criticar
to cross *cruzar
crosswalk un paso de peatones
to crowd atestar
crowded atestado
to cry llorar
to cultivate cultivar
curious inquisitivo
customer un (una) cliente
to cut cortar(se)
cutlets las chuletas

d

daily diario
dairy una lechería
daisy una margarita
dance un baile
to dance bailar
dangerous peligroso
dark moreno
daughter una hija
day un día
    during the day por el día
    every day todos los días
    one day un día
    per day al día
    someday un día
deal: it's a deal for __! ¡va por __!
death la muerte
defect un defecto
definite definido
to deliver *entregar
to demand exigir
demanding exigente
to demonstrate demostrar (o → ue)
demonstrative demostrativo
dentist un (una) dentista
to deny *negar (e → ie)
department store un almacén (*pl.* almacenes)
to descend bajar (de)
to deserve *merecer
detail un detalle
to develop desarrollar
devil un diablo
difficult difícil
diminutive el diminutivo
dining room un comedor
direct directo
to direct *dirigir
direction: in the direction of hacia
directional lights (*on a car*) las (luces) direccionales
dirty sucio
disagreeable antipático
to disappear *desaparecer
disappointed desilusionado
to discover descubrir
dish un plato
district un barrio
to do *hacer
doctor un médico, una médica
dollar un dólar
door una puerta

dot: on the dot en punto
to doubt dudar
doubtful dudoso
downtown el centro
to dream (about) soñar (o → ue) (con)
to dress, get dressed vestirse (e → i, i)
drink una bebida
to drink beber, tomar
to drive *conducir
    driver un conductor, una conductora
    driver's license un permiso de conducir
dry seco
to dry *secar(se)
dryer una secadora
dummy un bobo, una boba
duration la duración
during durante
    during the day por el día

e

each cada
    each one cada uno
early temprano
to earn ganar
earring un pendiente
earth la tierra
ease: at ease cómodo
easy fácil
to eat comer
elegance la elegancia
to eliminate eliminar
emotion una emoción (*pl.* emociones)
employee un empleado, una empleada
empty vacío
to end terminar
English (el) inglés
to enjoy *gozar (de)
    I enjoy me agrada(n)
enough bastante
to enter entrar (en)
entertainment las diversiones
to escape escaparse
essential esencial
eternal eterno
even aun
evening una tarde
    in the evening por la tarde
ever alguna vez

every todo, todos los
   every day todos los días
   everybody todo el mundo
   everyone todo el mundo, todos
   everything todo
   everywhere por todos lados
exact en punto
except excepto
exchange un intercambio
   in exchange for por
to exchange intercambiar
to exclaim exclamar
experience una experiencia
to explain *explicar
to express (oneself) expresarse
expression una expresión *(pl.* expresiones)
eye un ojo

f

face una cara
facing en frente (de)
fact un hecho
   in fact de hecho
fair justo
   it's not fair no es justo
to fall *caer
   to fall asleep dormirse (o → ue, u)
   to fall down *caerse
   to fall in love (with) enamorarse (de)
false falso
family una familia
   (of the) family familiar
far (from) lejos (de)
fashion la moda
fast *(adj.)* rápido
fast *(adv.)* de prisa, rápidamente
fat gordo
father un padre, (el) papá
fault un defecto
   to be at fault tener la culpa
to fear temer
to feel sentir (e → ie, i), sentirse (e → ie, i)
   to feel very much like tener ganas de
feeling un sentimiento
fiesta una fiesta
to fight pelear(se)
to fill llenar
film una película

adventure film una película de aventuras
horror film una película de horror
to find encontrar (o → ue)
fingernail una uña
to finish terminar
first primero
fish *(caught)* un pescado, *(live)* un pez *(pl.* peces)
to fish *pescar
five cinco
to fix arreglar
flashlight una linterna eléctrica
to flee *huir
floor *(of a building)* un piso, *(of a room)* el suelo
   street floor la planta baja
flower una flor
to fly volar (o → ue)
to follow *seguir (e → i, i)
fool un bobo, una boba
foolish tonto
foot un pie
for para, por
to forbid prohibir
foreign extranjero
forest un bosque
to forget olvidar
form una forma
formation una formación *(pl.* formaciones)
fortunate afortunado
French (el) francés *(f.* francesa)
Friday viernes
friend un amigo, una amiga
   best friend el mejor amigo
friendship la amistad
from de, desde
   from there desde allí
   from time to time de vez en cuando
front: in front of delante (de), frente (a), en frente (de)
fruit una fruta
   fruit market una frutería
   fruit tree un árbol de frutas
frying pan una sartén *(pl.* sartenes)
full lleno
fun divertido
   to have fun divertirse (e → ie, i)
   to make fun of burlarse de
funny divertido

furious furioso
furniture shop una mueblería
future el futuro

game un partido
   soccer game un partido de fútbol
garden un jardín *(pl.* jardines)
gasoline la gasolina
gender el género
general: in general en general
genius un genio
to get recibir, *obtener (e → ie)
   to get + adj. *ponerse + *adj.*
   to get a grade sacar una nota
   to get angry (at) enfadarse (con), enojarse (con)
   to get bored aburrirse
   to get happy alegrarse
   to get in, on subir (a)
   to get interested interesarse
   to get irritated irritarse
   to get married casarse
   to get near *acercarse
   to get off bajar (de)
   to get ready prepararse
   to get tired (of) cansarse (de)
   to get to *llegar
   to get up levantarse
   to get used to acostumbrarse a
   to get worried preocuparse
ghost un fantasma
gift un regalo
girl una chica, una muchacha, una niña
girlfriend una novia
to give *dar, *ofrecer
   to give *(as a present)* regalar
   to give back devolver (o → ue)
glass el vidrio
to go *ir, *andar
   to go away *irse
   to go camping ir de camping
   to go for a ride dar una vuelta
   to go for a walk, ride dar un paseo
   to go on a vacation ir de vacaciones
   to go out *salir
   to go quickly ir de prisa
   to go shopping ir de compras
   to go slowly ir despacio

to go to bed acostarse (o → ue)
to go to the other side *cruzar
to go towards *dirigirse (a)
to go up subir (a)
goal una meta
God el Dios
  God help me! ¡Válgame Dios!
  may God help you que Dios le
    ayude
gold el oro
gone ido
good buen, bueno
  in a good mood de buen humor
  my goodness! ¡Dios mío!
good-looking buen mozo
goodbye adiós
gossip un chismoso, una chismosa
grade una nota
grandfather un abuelo
grandmother una abuela
grandparents los abuelos
greasy grasoso
great gran
to greet saludar
to grow cultivar
to guess adivinar
guide un (una) guía
  guidebook una guía
guilty culpable
guitar una guitarra
gullible crédulo
gum el chicle

h

habit una costumbre
hair el pelo
half una mitad
ham el jamón
hand una mano
handkerchief un pañuelo
handsome guapo
to happen ocurrir, pasar
  what happened? ¿qué pasó?
happiness la felicidad
happy alegre, contento, satisfecho
  to get (be) happy alegrarse (de)
hat un sombrero
hate: I hate me disgusta(n)
to have *tener (e → ie), tomar *(used
  with something to drink),*
  haber (auxiliary)
  I do not have no tengo, me
    falta(n)

to have fun divertirse
  (e → ie, i)
to have lunch *almorzar
  (o → ue)
to have to tener que + *inf.*
headlight un faro
health la salud
healthy sano
to hear *oír
hello: to say hello saludar
to help ayudar
  God help me! ¡Válgame Dios!
  may God help you que Dios le
    ayude
her ella *(after prep.);* la *(dir. obj.);*
  su, sus *(poss. adj.)*
  to her le
here aquí
  here is, here are aquí tiene(s)
to hesitate vacilar en
hidden escondido
to hide esconder
highway una carretera
him él *(after prep.);* lo *(dir. obj.)*
  to him le
his su, sus
home una casa
homework la(s) tarea(s)
to honk tocar la bocina
to hope desear, esperar
  let's hope that ojalá que
horror el horror
  horror film una película de
    horror
horse un caballo
  horseback riding la equitación
hospital un hospital
hot caluroso
  it's hot *(weather)* hace calor
  to be (feel) hot tener calor
house una casa
how? ¿cómo?
  how is the weather? ¿qué
    tiempo hace?
  how many? ¿cuántos?
  how much? ¿cuánto?
hundred cien *(before nouns),* ciento
  one hundred percent ciento
    por ciento
hungry: to be hungry tener
  hambre
to hunt *cazar
hunting la caza
hurry: to be in a hurry tener
  prisa
to hurry darse prisa

hurt: my _ hurt(s) me duele(n) _
husband un esposo

i

I yo
ice cream el helado
  ice cream parlor una heladería
idea una idea
ill enfermo
  ill-mannered mal educado
immediately inmediatamente, en
  seguida
impatient: to get impatient
  impacientarse
imperfect imperfecto
impolite descortés
important importante
impossible imposible
to impress impresionar
improbable improbable
in en
  in a way de una manera
  in fact de hecho, en efecto
  in general en general
  in love enamorado
  in the afternoon por la tarde
  in the evening por la tarde, por
    la noche
  in the morning por la mañana
indicate *indicar
indicative indicativo
indirect indirecto
indispensable indispensable
infinitive un infinitivo
information un aviso
inquisitive inquisitivo
inside dentro (de)
to insist (on) insistir (en)
intellectual intelectual
intelligent inteligente
to intend pensar (e → ie) + *inf.*
interesting interesante
  I am interested in me
    interesa(n)
interrogative interrogativo
interview una entrevista
into en
to introduce presentar
to invite invitar
irregular irregular
irritable irritable
irritated: to get irritated irritarse
is es, está
it lo, la

j

jealous: to be jealous tener celos
joke un chiste, una broma
July julio
to jump saltar
just: to have just acabar de + *inf.*

k

to keep guardar, conservar
   to keep on *seguir (e → i, i) +
     pres. part.
   to keep quiet callarse
key una llave
kind amable
kind una clase
kiss un beso
kitchen una cocina
knife *(small, folding knife)* una
   navaja
to know *(facts)* *saber, *(people)*
   *conocer
   to know how saber + *inf.*
know-it-all un (una) sabelotodo

l

to lack faltar
   I lack me falta(n)
ladder una escalera
lake un lago
lamp una lámpara
land la tierra
large grande
last pasado
   last Friday el viernes pasado
   last night anoche
to last durar
late tarde
   to be late in tardar en
to laugh reír (e → i, i)
lazy perezoso
   lazy bum un holgazán, una
     holgazana
to learn aprender (a)
to leave marcharse, *salir, *irse
   to take leave despedirse
     (e → i, i)
left izquierda
   on the left a la izquierda
left: (I) have left (me) queda(n)
to lend prestar
less menos

in less than (two months) en
   menos de (dos meses)
   more or less más o menos
let's see a ver
letter una carta
library una biblioteca
license: driver's license un
   permiso de conducir
   license plate un número de
     matrícula
lie una mentira
to lie mentir (e → ie, i)
life la vida
light una luz *(pl.* luces)
   directional lights *(on a car)* las
     (luces) direccionales
to light encender (e → ie)
like como
to like *querer (e → ie) a, gustar
   I like me gusta(n)
   I like very much me encanta(n)
   I would like me gustaría(n)
line una línea
lipstick un lápiz de labios
listen! ¡oye!
to listen (to) escuchar
little pequeño
   a little poco, un poco
to live vivir
living room una sala
loafer un holgazán, una holgazana
to lock cerrar (e → ie) con llave
logical lógico
to look mirar
   to look for *buscar
   to look like *parecer
to lose perder (e → ie)
lot: a lot of mucho
lottery la lotería
love el amor
   in love enamorado
to love *(someone)* *querer (e → ie) a
   to fall in love (with)
     enamorarse (de)
luck: to try one's luck probar
   fortuna
lucky afortunado
   to be lucky tener suerte
lunch: to have lunch *almorzar
   (o → ue)

m

magazine una revista
mailman un cartero

majority la mayoría
make *(of a car)* una marca
to make *hacer
   to make a blunder meter la
     pata
   to make a mistake *equivocarse
   to make fun of burlarse de
**makeup: to put on
   makeup** pintarse
man un hombre
manager un (una) gerente
manner una manera
mannered: ill-mannered mal
   educado
   well-mannered bien educado
manners los modales
   bad manners los malos modales
   good manners los buenos
     modales
many muchos
   how many? ¿cuántos?
map un mapa
market un mercado
   fruit market una frutería
marriage el matrimonio
to marry, get married casarse
   (con)
marvelous maravilloso
match un partido
   soccer match un partido de
     fútbol
math las matemáticas
matter una cuestión
   it doesn't matter to me no me
     importa(n)
   it matters to me me importa(n)
maybe quizá, tal vez
me me
   to me me
means un medio
means: this means es decir
mechanic un mecánico, una
   mecánica
medal una medalla
to meet encontrarse (o → ue) (con),
   reunirse (u → ú)
member: to be a member (of)
   *pertenecer (a)
memo book una libreta
mental alertness la presencia de
   ánimo
method un método
Mexican mexicano
middle: in the middle of en medio
   de
milk la leche

mind el ánimo, la mente
minute un minuto
    wait a minute! ¡un momento!
mirror un espejo
to misbehave portarse mal
to miss perder (e → ie)
mistaken: to be
    mistaken *equivocarse
to mistreat maltratar
modern moderno
money el dinero
mood el humor
    in a bad mood de mal humor
    in a good mood de buen humor
moon la luna
moral moral
more más
    more or less más o menos
moreover además
morning una mañana
    in the morning por la mañana
mother una madre, (la) mamá
motor un motor
motorcycle una moto
mountain una montaña
    mountain climbing el alpinismo
mouth una boca
to move (*emotionally*) emocionar, trasladar, mudarse
to move away alejarse
moved (*emotionally*) emocionado
movement el movimiento
movie theater un cine
much mucho
    how much? ¿cuánto?
    too much demasiado
museum un museo
music la música
must: one must hay que
mustache un bigote
my goodness! ¡Dios mío!
mysterious misterioso

n

nail una uña
nationality la nacionalidad
natural natural
nature la naturaleza
near cerca (de)
    to get near *acercarse (a)
necessary necesario
    it is necessary to hay que
necklace un collar

to need necesitar
negation la negación
negative negativo
neighbor un vecino, una vecina
neighborhood un barrio
neither ni, tampoco
    neither _ nor ni _ ni
nervous nervioso
neuter neutro
never nunca, jamás
new nuevo
news las noticias
newspaper un periódico
next próximo
    next Saturday el sábado próximo
    next to junto a
nice simpático
night una noche
    at night por la noche
    last night anoche
    the night before (last) anteanoche
no no, ningún, ninguno
    no one nadie
nobody nadie
noise un ruido
none ningún, ninguno
nonsense! ¡qué va!
    what nonsense! ¡qué barbaridad!
nor ni
    nor do I yo tampoco
not no
    not any ningún, ninguno
    not anyone nadie
    not anything nada
    not yet no . . . todavía
notebook un cuaderno
nothing nada
notice un letrero
noun un sustantivo
novel una novela
now ahora
nowadays hoy día
numeral numeral
nurse un enfermero, una enfermera

o

to obey *obedecer
object un objeto
to obtain *obtener (e → ie)
to occupy (oneself) ocuparse

to occur ocurrir
of de
offer *ofrecer
office una oficina
    post office un correo
    ticket office una taquilla
often a menudo
oil el aceite
old antiguo, viejo
    older person una persona de edad
on en, sobre
    on (Monday) el (lunes)
    on the weekend el fin de semana
    on time a tiempo
once una vez, alguna vez
    once in a while de vez en cuando
one un, uno, una
    one hundred cien, ciento
    one hundred percent ciento por ciento
only (*adj.*) único
only (*adv.*) solamente
open abierto
to open abrir
open-air market un mercado
opera una ópera
or o (u *before words beginning with* o *or* ho)
orange (*fruit*) una naranja
order: in order to para
to order mandar
ordinal ordinal
other otro
others otros
    the others, the other people los demás
otherwise de lo contrario
our nuestro
out: to be out estar en la calle
outside (of) fuera (de)
over sobre
to owe deber
own propio

p

to pack a suitcase hacer la maleta
package un paquete
"pain" un chinchoso, una chinchosa
to paint pintar
painting la pintura

pale pálido
paper el papel
pan: frying pan una sartén (pl. sartenes)
parents los padres
park un parque
to park estacionar
parlor: ice cream parlor una heladería
participle un participio
party una fiesta
passenger un pasajero, una pasajera
passer-by un transeúnte, una transeúnte
past pasado
pastime un pasatiempo
pastry un pastel
patience la paciencia
patient un (una) paciente
peace la paz
pear una pera
pedestrian un peatón (pl. peatones)
pen un bolígrafo
pencil un lápiz (pl. lápices)
people la gente
per por
   percent por ciento
   per day al día
perfect perfecto
perhaps quizá, tal vez
period una época
permission el permiso
permit un permiso
to permit permitir
person una persona
   older person una persona de edad
   young person un (una) joven
personal personal
personality una personalidad
phone call una llamada
to phone llamar por teléfono
photo una foto
photography la fotografía
physical físico
piano un piano
to pick *coger
   to pick up *recoger
picture una foto
pill una pastilla
ping-pong el ping pong
pity: it's a pity es lástima
place un lugar
to plan pensar (e → ie) + inf.
planet una planeta

plant una planta
plate un plato
   license plate un número de matrícula
play una obra de teatro
to play (sports) *jugar (u → ue), (a musical instrument) *tocar
   to play a part hacer un papel
   to play ping-pong jugar al ping pong
   to play soccer jugar al fútbol
player: record player un tocadiscos
pleasure: to take pleasure (in) *complacerse (en)
pluperfect el pluscuamperfecto
plural el plural
pocket un bolsillo
poem un poema
point un punto
police officer un (una) policía
polite atento, cortés
pollution: air pollution la contaminación del aire
pool: swimming pool una piscina
poor pobre
population la población
position una posición (pl. posiciones)
possession una posesión (pl. posesiones)
possessive posesivo
possible posible
post office un correo
poster un letrero
pot un cacharro
pottery la cerámica
   to make pottery hacer cerámica
power un poder
practical práctico
to predict *predecir
to prefer preferir (e → ie, i)
   I prefer prefiero, me gusta(n) más
preoccupied preocupado
prepared listo
preposition una preposición (pl. preposiciones)
present (tense) el presente, (gift) un regalo
to preserve conservar
preterite el pretérito
pretty bonito
priest un sacerdote
prize un premio
probability la probabilidad

probable probable
program un programa
progress el progreso
progressive progresivo
to prohibit prohibir
prohibition una prohibición (pl. prohibiciones)
to promise prometer
pronoun un pronombre
proud orgulloso
proverb un refrán (pl. refranes)
provided that con tal que
to pull out *arrancar
purse un bolso
to push empujar
to put *poner, meter
to put on (clothing) *ponerse
   to put on makeup pintarse

q

quantity una cantidad
to quarrel pelearse
question una pregunta
quick rápido
quickly de prisa, pronto
quiet: to keep quiet callarse
to quit dejar (de)

r

race una carrera
racket una raqueta
radiator un radiador
radio (set) un radio
to rain llover (o → ue)
rapid rápido
rare raro
rather bastante
razor una afeitadora
to react reaccionar
to read *leer
reading la lectura
ready listo
   to get ready prepararse
to realize darse cuenta (de)
reason la razón
to receive recibir
reciprocity la reciprocidad
to recognize *reconocer
record un disco
   record player un tocadiscos
recorder: tape recorder una grabadora

reflexive reflexivo
to regret sentir (e → ie, i)
regular regular
relative relativo
relatives los parientes
relief: what a relief! ¡qué alivio!
to rent alquilar
to repair reparar
to repeat repetir (e → i, i)
repeated repetido
to respect respetar
response una respuesta
rest: the rest los demás
to rest descansar
restaurant un restaurante
result: as a result como resultado
to return regresar, volver (o → ue),
　(objects) devolver (o → ue)
review un repaso
reward una recompensa
rich rico
ride: to go for a ride dar una
　vuelta, dar un paseo
　　to ride a horse montar a
　　caballo
ridiculous ridículo
riding: horseback riding la
　equitación
right: that's right es verdad
　　to be right tener razón
right la derecha
　on the right a la derecha
ring un anillo
river un río
to rob robar
rock: large rock una peña
　rocket un cohete
role un papel
romantic romántico
roof un techo
room un cuarto, una habitación
rose una rosa
to run correr, (function) *andar

Ⓢ

sad triste
sadness la tristeza
safe seguro
to sail *navegar (en un bote de
　vela)
sailboat un bote de vela
salesman un vendedor
saleswoman una vendedora
same mismo

sand la arena
satisfied satisfecho
Saturday sábado
to say *decir, exclamar
　say! ¡dime!
　that is to say es decir
　to say goodbye despedirse
　　(e → i, i)
　to say hello saludar
　to use "tú" with
　　someone tutear
saying un refrán (pl. refranes)
to scale escalar
school una escuela
scientist un científico, una científica
scissors unas tijeras
to scorch quemar
scorched quemado
sea el mar
seat un asiento, una silla
to see *ver
　let's see a ver
to seek (employees) solicitar
to seem *parecer
to select *escoger
to sell vender
to send mandar
serious serio
to serve servir (e → i, i)
service un servicio
　service station una estación de
　　servicio
several algunos, varios
shampoo el champú
to share compartir
to shave afeitar(se)
shoe un zapato
　shoe store una zapatería
shop: butcher shop una carnicería
　furniture shop una mueblería
shopping las compras
　to go shopping ir de compras
short bajo
should deber + inf.
to show enseñar, mostrar
　(o → ue), demostrar (o → ue)
to shut cerrar (e → ie)
sick enfermo
　sick person un enfermo, una
　　enferma
sidewalk una acera
sight un espectáculo
sign un letrero, una señal
silly tonto
simple sencillo
since como

to sing cantar
sister una hermana
to sit (down) sentarse (e → ie)
situated situado
to skate patinar
skating el patinaje
to ski esquiar (i → í)
skinny flaco
skis unos esquís
　waterskis unos esquís acuáticos
slave un esclavo
to sleep dormir (o → ue, u)
　to be sleepy tener sueño
　to fall asleep dormirse
　　(o → ue, u)
sleeping bag un saco de dormir
slow lento
slowly despacio
small pequeño
smart listo
to smile sonreír (e → i, i)
to smoke fumar
so tan
　so do I yo también
　so (it is that) así (es que)
　so much tanto
soap el jabón
soccer el fútbol
social social
sock un calcetín (pl. calcetines)
solar heating la calefacción solar
to solicit solicitar
some algún, alguno, unos
　some day un día, algún día
somebody alguien
someone alguien
something algo
sometimes a veces
son un hijo
　sons and daughters los hijos
song una canción (pl. canciones)
soon pronto
Spanish (el) español
to speak hablar
specialized especializado
spectacle un espectáculo
spectator un espectador, una
　espectadora
to spend (money) gastar, (time)
　pasar
spirit el ánimo
sponger un sablista, una sablista
sport un deporte
　sports-loving deportista
　team sports unos deportes de
　　equipo

494

stairs   una escalera
stamp   un sello
stand   un puesto
star   una estrella
to start   *comenzar (e → ie),
   *empezar (e → ie)
   to start a car   *arrancar
state   un estado
station   una estación (pl. estaciones)
   service station   una estación de
      servicio
to stay   quedarse
steak   el bistec
still   todavía
stone   una piedra
stop   una parada
   bus stop   la parada del autobús
   streetcar stop   la parada del
      tranvía
to stop   parar, dejar (de)
   to stop (oneself)   pararse
store   una tienda
   department store   un almacén
   watch store   una relojería
story   un cuento
strange   raro
street   una calle
   street floor   la planta baja
streetcar   un tranvía
student   un (una) estudiante; un
   alumno, una alumna
to study   estudiar
to stumble (against)   *tropezar
   (e → ie) (con)
stupid   estúpido
subjunctive   el subjuntivo
successful: to be successful   tener
   éxito
such a . . .   tal . . .
suddenly   de repente
to suggest   sugerir (e → ie)
suggestion   una sugerencia
suit   un traje
   bathing suit   un traje de baño
suitcase   una maleta
   to pack a suitcase   hacer la
      maleta
summary   un resumen
summer   el verano
sun   el sol
to sunbathe   tomar el sol
sunglasses   unos anteojos de sol
sunny   soleado
   it's sunny   hace sol, está soleado
to suppress   suprimir
sure   seguro, cierto

to surf   correr las olas
surprise   una sorpresa
surprised   sorprendido
surprising   sorprendente
suspicious   sospechoso
sweater   un suéter
to swim   nadar
swimming   la natación
   swimming pool   una piscina

t

table   una mesa
tablet   una pastilla
to take   tomar, (photos) *sacar
   to take a bath   bañarse
   to take a ride   dar una vuelta
   to take a trip   hacer un viaje
   to take a walk   pasear
   to take along   llevar
   to take away   robar
   to take care of   cuidar
   to take off   (clothing) quitarse
   to take oneself for   tomarse por
   to take out   *sacar
   to take pleasure (in)
      *complacerse (en)
to talk   hablar
tall   alto
tan   un bronceado
to tan   tostar (o → ue)
tank   un tanque
tanned   bronceado, tostado
tape   una cinta
   tape recorder   una grabadora
to taste   probar (o → ue)
tattletale   un chismoso, una
   chismosa
tea   el té
to teach   enseñar (a)
teacher   un profesor, una profesora;
   un maestro, una maestra
team   un equipo
telephone   un teléfono
television   la televisión
   television set   un televisor
to tell   contar (o → ue), *decir
   tell me!   ¡dime!
ten   diez
tennis   el tenis
tent   una tienda de campaña
to test   probar (o → ue)
that   ese (f. esa) (adj.); que (relative
   pron.); tan (adv.); eso (neuter
   pron.)

that   (over there) aquel
   (f. aquella)
   that one   ése, aquél
   that's true   es verdad
the   el, la, los, las
theater   un teatro
   movie theater   un cine
their   su, sus
them   ellos, ellas (after prep.); los,
   las (dir. obj.)
   to them   les
then   entonces, luego
there   allí
there is, there are   hay
therefore   así (es que)
thick   grueso
thief   un ladrón, una ladrona
thin   delgado
thing   una cosa, un objeto
to think   pensar (e → ie)
   to think one is   tomarse por
thirsty: to be thirsty   tener sed
this   este (f. esta); esto (neuter pron.)
   this one   éste
though   aunque
to thrill   emocionar
ticket   una entrada, un billete
   ticket office   una taquilla
time   el tiempo, una época, una vez
   all the time   todo el tiempo
   at times   a veces
   at what time?   ¿a qué hora?
   from time to time   de vez en
      cuando
   on time   a tiempo
tire   una llanta
tired   cansado
   to get tired of   cansarse de
to   a
toast   la tostada
to toast   tostar
toasted   tostado
today   hoy, hoy día
together   juntos
to tolerate   tolerar
tomorrow   mañana
tonight   esta noche
too   también
   too, too much   demasiado
tooth   un diente
top: on top of   encima de
to touch   *tocar
toward   hacia
towel   una toalla
town   un pueblo
toy   un juguete

traffic el tránsito
  traffic light un semáforo (una luz de semáforo)
  traffic sign una señal (de tránsito)
tragedy una tragedia
train un tren
to transfer trasladar
to transform transformar
to translate *traducir
to travel viajar
treasure un tesoro
tree un árbol
  fruit tree un árbol de frutas
trip un viaje
  to take a trip hacer un viaje
trolley car un tranvía
truck un camión (*pl.* camiones)
true verdadero
  that's not true no es verdad
  that's true es verdad
truth la verdad
to try probar (o → ue), tratar (de)
  to try one's luck probar fortuna
tú: to say "tú" to someone tutear
to turn volverse (o → ue)
  to turn (*a corner*) doblar
  to turn off *apagar
  to turn on encender (e → ie)
TV set un televisor
type una clase
typewriter una máquina de escribir

U

ugly feo
umbrella un paraguas
unbelievable increíble
uncle un tío
  uncles and aunts los tíos
under(neath) debajo
to understand comprender, entender (e → ie)
unforgettable inolvidable
unfortunate desafortunado
unhappy triste
unique único
United States los Estados Unidos
unless a menos que
unlucky desafortunado
unpleasant antipático, desagradable
until hasta
us nosotros(as) (*after prep.*); nos (*obj. pron.*)

to us nos
use el uso
to use usar
useful útil
useless inútil

V

vacation(s) las vacaciones
  to be on (a) vacation estar de vacaciones
  to go on (a) vacation ir de vacaciones
value valor
variety una variedad
  variety show un programa de variedades
vegetable una legumbre, un vegetal
vendor un vendedor, una vendedora
verb un verbo
very muy
violent violento
virtue una virtud
to visit visitar
vocabulary el vocabulario
voice una voz (*pl.* voces)

W

to wait (for) esperar
  wait a minute! ¡un momento!
waiter un camarero
waitress una camarera
to wake up despertarse (e → ie)
to walk *andar, caminar
  to go for a walk dar un paseo, dar una vuelta, pasear
wall una pared
wallet una billetera
to want *querer (e → ie)
warm: to be warm (*sensation*) tener calor
warning un aviso
to wash lavar
  to wash (oneself) lavarse
to waste perder (e → ie)
watch un reloj
  watch store una relojería
to watch mirar
water el agua (*f.*)
to waterski esquiar en el agua

water skis unos esquís acuáticos
way: in a way de una manera
we nosotros(as)
to wear llevar
weather el tiempo
  how's the weather? ¿qué tiempo hace?
wedding una boda
Wednesday miércoles
week una semana
weekend el fin de semana
  on the weekend el fin de semana
well bien
  well-mannered bien educado
western (movie) una película del oeste
what? ¿qué?
  at what time? ¿a qué hora?
  what happened? ¿qué pasó?
  what is it? ¿qué cosa?
  what is it? what's up? ¿qué hay?
what! ¡qué!
  what a . . . ! ¡qué . . . !
  what a relief! ¡qué alivio!
  what nonsense! ¡qué barbaridad!
  what will become of me! ¡qué será de mí!
wheel una rueda
when cuando
  when? ¿cuándo?
where donde
  where? ¿dónde?
which? ¿cuál(es)?
while mientras
  once in a while de vez en cuando
who? whom? ¿quién(es)?
the whole todo
whose? ¿de quién(es)?
why? ¿por qué?
wife una esposa
to win ganar
wind el viento
  it's windy hace viento
window una ventana
windshield un parabrisas
to wish desear
  to wish to tener ganas de
with con
witness un (una) testigo
woman una mujer
wood la madera
woods un bosque

INDEX

Photo Credits

James Ballard 329 L; Mark Chester 304; Josip Ciganovic / FPG 419; Bruce Coleman 324 TR; Ruth Cronkite 191; René Disick 370; Courtesy of Thea Dispeker 46 B; Christina Dittmann / Rainbow 315; Esty Epstein / Alpha 136, 144; Owen Franken / Stock, Boston 3; Freelance Photographers Guild 46 T; Robert Frerck 30, 53 M, 95 L, 147L, 316 R, 410, 422; François Gohier / Photo Researchers, Inc. 324 ML; Beryl Goldberg 149; Globe Photos, Inc. 416; Grossman / FPG 324 BL; H. Scott Heist / Globe Photos 47 B; Historical Pictures Service, Chicago 21, 188, 42 L, 43 L, 43 R, 134, 135 L 135 R, 138, 139, 228 R, 229 L, 229 R, 317, 322, 325 T, 325 M, 325 B, 411, 414 T, 414 M, 414 B; Ira Kirschenbaum / Stock, Boston 316 L; J.H.A. Kleun / Taurus Photos 430; Bernard Kupferschmid 48; David J. Kupferschmid 77, 277 R, 440; David Mangurian xii, 1 M, 3, 107, 230 BR, 231 T, 231 B, 232, 234, 288, 318, 319 T, 319 BL, 320 T; Terry McKoy 45 T, 45 B, 211; Brian D. McLaughlin / Globe Photos, Inc. 141; Antonio Mendoza 185 R; Peter Menzel 1 L, 1 R, 9, 12, 13, 18, 20, 41, 42 R, 53 L, 53 R, 55, 57, 66, 75, 83, 93, 94, 95 M, 95 R, 97, 98, 117, 123, 126, 129, 133, 137, 142, 146, 147 R, 157, 165, 174, 184, 185 L, 185 M, 207, 219, 222, 227, 230 T, 236, 237, 238, 240, 241, 244, 245, 252, 256, 259, 269, 276, 277 L, 277 M, 290, 293, 318 B, 320 BR, 321, 328, 329 M, 329 R, 331, 340, 349, 357, 371 M, 373, 382, 388, 395, 401, 409, 412, 415, 418, 423, 426, 435; Simone Oudot 272; Michael Parrish 228, 230 BL; John Pennington / The Picture Cube 52; Chip Peterson 232 B, 233, 320 BL, 371 R; Norman Prince 2, 50, 216, 223 B, 324 TL, 371; Cyril A. Reilly 147 M; Larry Reynolds 197, 322; Frank Schreider / Photo Researchers, Inc. 324 BR; Frank Siteman 307; UPI 47 T; Wide World Photos 131, 140, 298, 323